D1582771

afgeschreven

MATILDA'S LAATSTE DANS

TAMARA McKINLEY

MATILDA'S LAATSTE DANS

 DE KERN

Tweede druk, juni 2009

Oorspronkelijke titel: *Matilda's Last Waltz*
Oorspronkelijke uitgave: Judy Piatkus Ltd, Londen
Copyright © 1999 by Tamara McKinley
Copyright © 2009 voor deze uitgave:
Uitgeverij De Kern, De Fontein bv, Postbus 1, 3740 AA Baarn
Vertaling: Annemarie Verbeek
Omslagontwerp: Wil Immink Design
Omslagillustratie: Getty Images
Auteursfoto omslag: Jerry Bauer
Opmaak binnenwerk: Teo van Gerwen Design
ISBN 978 90 325 1146 3
NUR 302
Matilda's laatste dans is eerder verschenen bij Van Buuren Uitgeverij BV

www.dekern.nl
www.uitgeverijdefontein.nl

Opdracht

Ik draag dit boek op aan mijn zoons Brett en Wayne die eindelijk begrijpen waarom ik van Australië hou. En aan mijn dochter Nina, die heeft gezocht en de held in zichzelf heeft gevonden – ik ben zo trots op je. Dank aan Marcus voor zijn computerlessen, zijn boor- en gitaarserenades, en dank aan zijn zus Gemma voor haar steun. Mijn liefde voor Ollie die heel wat met me te stellen heeft als ik aan het schrijven ben, en tot slot, dank aan mijn stiefvader, Eric Ivory, voor zijn liefde, zijn humor en zijn vermogen om slangen te ruiken. Hij is een ware Tasmaniër.

'And his ghost may be heard as you pass by that billabong,
You'll come a-waltzing, Matilda with me' –

Andrew Barton 'The Banjo' Paterson, 1917

Proloog

Churinga. De zucht van de warme bries in de peperbomen leek de naam te fluisteren. Churinga. Een magische plaats, een heilige plaats, door haar grootouders uit het kreupelhout gesneden. Harten en ruggen waren er gebroken, maar tot nu toe was Matilda bereid geweest de prijs te betalen. Want dit was het enige dat ze kende, het enige dat ze ooit had gewild.

Ze kreeg een brok in haar keel terwijl ze over het familiekerkhof naar de wildernis keek. Ze mocht niet huilen, hoe diep de pijn, hoe schrijnend het verlies ook – want de herinnering aan haar sterke, ogenschijnlijk onoverwinnelijke moeder verbood het. Maar in al haar dertien jaren was er niets geweest dat te vergelijken was met dit gevoel van verlatenheid, dit gevoel dat haar jeugd voorbij was en dat ze voorbestemd was een eenzame weg te volgen op dat grootse, prachtige, dromerige land dat haar thuis was.

De horizon trilde, het felle oker van de aarde vermengd met het onmogelijke blauw van de enorme hemel, en ze werd omringd door de geluiden die ze al vanaf haar geboorte kende. Want dit uitgestrekte, schijnbaar lege land had een eigen stem, en ze putte er troost uit.

Het geschuifel van de schapen in de hokken, het geruzie van de galahs en gele kaketoes, de schaterlach van de kookaburra in de verte en het zachte gerinkel van paardentuig waren zo vertrouwd als het ritme van haar hartslag. Zelfs nu, in haar donkerste ogenblikken, had de betovering van Churinga haar niet verlaten.

'Wil je nog een paar woorden zeggen, Merv?'

De stem van de schaapscheerder verbrak de stilte van het kerkhof en ze kwam met een schok met beide voeten terug op aarde. Ze keek naar haar vader, wilde dat hij iets zou zeggen, een zekere emotie zou tonen.

'Doe jij het maar, maat. Ik en God staan niet bepaald op goeie voet met mekaar.'

Mervyn Thomas was een reus van een man, een vreemdeling die vijf jaar

9

geleden uit Gallipoli was teruggekeerd, zijn lichaam en geest vol littekens van de dingen die hij had gezien – dingen waar hij nooit over sprak, behalve 's nachts wanneer zijn dromen hem verrieden, of wanneer de drank zijn tong en zijn driftbuien losmaakte. Nu stond hij somber, in stoffig zwart gehuld en leunde zwaar op de provisorische wandelstok die hij uit een tak had gesneden. De rand van zijn hoed die hij over zijn ogen had getrokken, wierp een schaduw over zijn gezicht, maar Matilda wist dat zijn ogen bloeddoorlopen waren, en dat het trillen van zijn handen niets te maken had met berouw, maar alleen met de behoefte aan nog een borrel.

'Ik doe het wel,' zei ze zachtjes in de ongemakkelijke stilte. Terwijl ze uit het kleine kringetje van nabestaanden stapte, klemde ze haar stukgelezen gebedenboek tegen zich aan en liep naar de hoop aarde die al snel het ruwe hout van de doodskist van haar moeder zou bedekken. Er was weinig tijd geweest om te rouwen. De dood was op het laatst toch nog snel gekomen en door de hitte was het onmogelijk om op buren en vrienden te wachten die honderden kilometers moesten reizen om hier te komen.

Het gevoel van alleenzijn nam toe naarmate ze de vijandigheid van haar vader voelde. Om zichzelf een ogenblik te geven haar moed bij elkaar te rapen, liet Matilda haar blik over de vertrouwde gezichten van de drijvers, schaapscheerders en knechten dwalen die op Churinga werkten.

De aboriginals stonden in groepjes bij de gunyahs die ze bij de kreek hadden gebouwd, en keken nieuwsgierig van een afstand toe. De dood was voor hen niet iets waar je over treurde, maar slechts een terugkeer naar het stof waar ze vandaan waren gekomen.

Haar blik bleef ten slotte rusten op de scheve grafstenen die de geschiedenis van dit kleine hoekje New South Wales aangaven. Ze voelde aan het medaillon dat haar moeder haar had gegeven en keek, met hernieuwde moed, naar de rouwenden.

'Mam kwam naar Churinga toen ze nog maar een paar maanden oud was, in een zadeltas aan het paard van mijn opa. Het was een lange reis vanuit het moederland, maar mijn grootouders snakten naar land en de vrijheid het te bewerken.' Matilda zag het instemmende geknik en de glimlachen op de zonverbrande gezichten om haar heen. Ze kenden het verhaal – het was een echo van hun eigen verhaal.

'Patrick O'Connor zou trots zijn geweest op zijn Mary. Ze hield net zoveel van dit land als hij, en dankzij haar is Churinga geworden tot wat het is.'

Mervyn Thomas schuifelde rusteloos met zijn voeten en ze begon te aarzelen onder zijn agressieve blik. 'Schiet op,' gromde hij.

Ze stak haar kin in de lucht. Mam verdiende een behoorlijk afscheid, en Matilda zou ervoor zorgen dat ze het kreeg.

'Toen pa ging vechten in de oorlog, zeiden sommige mensen dat mam het nooit zou redden, maar ze wisten niet hoe koppig de O'Connors kunnen zijn. Daarom is Churinga een van de beste schapenhouderijen in de buurt, en pa en ik zijn van plan het zo te houden.'

Ze keek voor bevestiging naar Mervyn en kreeg er een blik vol afkeer voor terug. Het verbaasde haar niet. Zijn trots was nooit meer hersteld nadat hij uit de Eerste Wereldoorlog teruggekomen was en zag dat zijn vrouw onafhankelijk was en de boerderij in blakende welstand verkeerde. Al snel daarna had hij troost op de bodem van een glas gevonden, en ze betwijfelde of de dood van zijn vrouw daar iets aan zou veranderen.

De pagina's van het gebedenboek waren dun en beduimeld. Matilda knipperde tranen weg terwijl ze de woorden las die pastoor Ryan zou hebben gesproken als er tijd genoeg was geweest om hem te laten komen. Mam had zo hard gewerkt. Ze had haar eigen ouders en vier kinderen op dit kleine kerkhofje begraven voor ze vijfentwintig was. Nu kon de aarde haar opeisen en haar deel maken van het Dromen. Ze had eindelijk rust gevonden.

Matilda deed het boek dicht in de daaropvolgende stilte en bukte om een handvol aarde te pakken. Het liep tussen haar vingers door en kwam zachtjes op de houten kist terecht. 'Slaap zacht, mam,' fluisterde ze. 'Ik zal voor jou voor Churinga zorgen.'

Mervyn voelde de hitte en het effect van de whisky in zijn buik terwijl het paard voortploeterde naar Kurrajong. Zijn verbrijzelde been klopte, en zijn laarzen zaten te strak. Zijn humeur was er niet beter op geworden. Mary was twee weken geleden onder de zoden gelegd, maar hij voelde nog steeds overal haar aanwezigheid, haar afkeur.

Matilda had er nu ook al last van, en ondanks het feit dat hij haar met de riem had gegeven na die aanstellerij op de begrafenis, keek ze hem nog steeds met de bekende minachting van haar moeder aan. Twee dagen van ijzige stilte waren verstreken voor hij op Churinga de deur met een klap achter zich dichttrok en op weg ging naar Wallaby Flats en de pub. Daar kon een man in alle rust met zijn maten drinken. Een beetje lullen, medelijden en gratis whisky oogsten plus een partijtje rollebollen met de barmeid.

Niet dat ze eruitzag, gaf hij toe. Eerlijk gezegd was ze niet meer dan een dikke ouwe trut, maar het kon hem niet zoveel schelen als hij zin had, en hij hoefde niet naar haar te kijken terwijl hij het deed.

Hij leunde vervaarlijk uit het zadel om de laatste van de vier hekken naar het land van zijn buurman dicht te maken. De zon scheen genadeloos op hem neer, de whisky klotste in zijn maag, en zijn eigen zure lucht steeg uit zijn kleren op. Het paard bewoog rusteloos en Mervyns zere been schuurde langs het hek. Hij slaakte een gil van de pijn, verloor bijna zijn evenwicht en moest overgeven.

'Hou op, rotbeest,' gromde hij en gaf een ruk aan de teugels. Hij steunde op de zadelknop en veegde zijn mond aan zijn mouw af terwijl hij wachtte tot de pijn minder werd. Hij was wat helderder in zijn hoofd nu hij overgegeven had, en nadat hij zijn hoed recht op zijn hoofd had gezet, gaf hij Lady een klap op haar flank en spoorde haar aan. Het huis was zichtbaar aan de horizon en hij had zaken te bespreken.

Kurrajong stond trots op de top van een lage heuvel, beschut tegen de zon door een groepje theebomen, de veranda koel en aangenaam onder het golfplaten dak. Het was een oase van rust te midden van de bedrijvigheid en de herrie van een drukke schapenhouderij. Paarden graasden in het weelderige gras van het omheinde weiland bij het huis, dat van water voorzien werd door de put die Ethan een paar jaar daarvoor had geboord. Mervyn hoorde het getik van de hamer uit de smidse komen. In de scheerschuur was het, zo te horen, nog steeds een drukte van belang, en de schapen in de hokken maakten een kabaal terwijl ze door de honden naar de loopplanken werden gedreven.

Hij nam het allemaal in zich op terwijl hij de lange oprijlaan opreed naar de paal waar hij zijn paard kon vastbinden, en hij werd er niet vrolijker van. Het land van Churinga was misschien wel goed, maar het huis was een bouwval vergeleken met dit. Waarom Mary en Matilda er zo op gesteld waren was hem een raadsel, maar tegelijkertijd was dat ook typerend voor die vervloekte O'Connors. Ze dachten dat ze beter waren dan iedereen omdat ze van pioniers afstamden, wat in deze contreien bijna gelijkstond aan koninklijk bloed.

Nou, dacht hij grimmig, dat zullen we nog wel eens zien. Vrouwen moeten hun plaats kennen. Ik heb er genoeg van. Ik ben hun bezit niet.

Zijn agressie aangewakkerd door de alcohol, gleed hij van het rijkbewerkte Spaanse zadel. Hij pakte zijn ruwhouten wandelstok en liep slingerend de trap op naar de veranda. De deur ging net open op het moment dat hij wilde aankloppen.

'Môgge, Merv. We verwachtten je al.' Ethan Squires zag er als gewoonlijk smetteloos uit, met zijn broek van Engels leer oogverblindend wit tegen het zwart van zijn rijlaarzen, zijn overhemd met openstaande kraag om zijn brede schouders en platte buik. Er zat niet veel grijs in zijn donkere haar. De hand die hij Mervyn toestak was bruin en eeltig, maar de nagels waren schoon en de ring aan zijn vinger fonkelde in de ochtendzon.

Vergeleken met hem voelde Mervyn zich dik en oud, ook al scheelden ze maar een paar maanden. Hij was zich er ook van bewust dat hij nodig in bad moest en wou dat hij op het aanbod was ingegaan voor hij het hotel verliet.

Maar het was te laat om er spijt van te hebben. Om zijn ongemak te verbloemen lachte hij bulderend en schudde Ethans hand iets te joviaal. 'Hoe is het, joh?'

'Druk, druk, druk, Merv. Je weet hoe het gaat.'

Mervyn wachtte tot Ethan ging zitten en deed toen hetzelfde. Hij was in de war door Ethans begroeting. Hij had helemaal niet laten weten dat hij langs wilde komen, dus waarom had de ander hem dan verwacht?

De twee mannen zwegen terwijl het jonge aboriginal-dienstmeisje hen een glas bier bracht. Mervyn koelde af door het briesje op de veranda en, nu hij niet meer op zijn paard zat, kalmeerde zijn maag ook. Hij strekte zijn zere been, legde zijn laars op de leuning van de veranda. Het had geen zin je druk te maken over Ethans welkom, hij had altijd van die raadselachtige uitspraken. Hij dacht misschien wel dat het slim stond.

Het bier was koud en gleed soepel naar binnen, maar het nam niets van de bitterheid weg die hij voelde bij de gedachte aan Ethans geluk. Voor hem niet de slachtpartij van Gallipoli, maar een officierspost op kilometers afstand van de gevechten. Geen verbrijzeld been, geen nachtmerries, geen herinnering aan vrienden zonder gezicht en ledematen, geen pijnkreten die hem dag en nacht achtervolgden.

Maar Ethan Squires was nu eenmaal voor het geluk geboren. Hij was geboren en getogen op Kurrajong en met Abigail Harmer getrouwd. Zij was niet alleen een van de mooiste weduwen in de buurt, maar ook een van de rijkste. Ze had haar zoon Andrew meegenomen, en Ethan er nog drie gegeven voor ze bij dat paardrijongeluk om het leven kwam. Drie levende, gezonde zoons. Mary was niet verder gekomen dan één scharminkel van een meisje – ze was de anderen kwijtgeraakt.

Mervyn had er ooit van gedroomd om zelf een vrouw als Abigail te hebben, maar een bedrijfsleider was niet goed genoeg. Geld ging altijd naar geld, en toen Patrick O'Connor naar hem toe kwam met zijn buitengewone aanbod, had hij de kans met beide handen aangegrepen. Hoe kon hij nu weten dat Mary een hoop land had, maar weinig geld – en dat Patricks beloften loos waren geweest?

'Erg van Mary.'

Mervyn schrok op uit zijn sombere gepeins. Het was alsof Ethan zijn gedachten kon lezen.

'Maar ik denk dat ze genoeg heeft geleden. Het is niet goed om zoveel pijn te hebben.' Ethan staarde in de verte, met zijn sigaartje tussen zijn regelmatige, witte tanden geklemd.

Mervyn gromde. Mary had er lang over gedaan om dood te gaan, maar ze had niet één keer geklaagd of die stalen volharding laten varen. Hij had haar eigenlijk moeten bewonderen, maar op de een of andere manier had haar kracht hem alleen maar zwak gemaakt. Haar moed deed zijn eigen zwakke poging om de verschrikkingen van de oorlog en de pijn in zijn been te vergeten teniet. Hij voelde zich bedrogen door de afspraak die hij en Patrick hadden gemaakt, opgesloten in een liefdeloos huwelijk waarin hij niet het respect kreeg waar hij zo naar snakte. Geen wonder dat hij het grootste deel van zijn tijd in Wallaby Flats doorbracht.

'Hoe is Matilda eronder, Mervyn?'

Ethans heldere blauwe ogen bleven een ogenblik op hem rusten en dwaalden toen af, maar Mervyn vroeg zich af of hij iets van minachting in die vluchtige blik had opgevangen, of dat het zijn verbeelding was. 'Dat komt wel goed. Ze is net als haar ma, die meid.'

Ethan had waarschijnlijk de zure ondertoon in zijn antwoord gehoord, want hij keerde zich naar Mervyn en keek hem wat nadrukkelijker aan. 'Ik denk niet dat je helemaal hierheen bent gekomen om over Mary en Matilda te praten.'

Dat was typisch Ethan. Verdeed nooit zijn tijd met onbenulligheden als hij een andere man te slim af kon zijn. Mervyn had het liefst een uur of twee op de veranda willen zitten en bier drinken terwijl hij naar de bedrijvigheid om zich heen keek en het juiste moment afwachtte om de reden voor zijn bezoek aan te kaarten. Hij dronk zijn glas leeg en liet zijn voet van de leuning vallen. Hij kon het maar beter achter de rug hebben nu Ethan het heft in handen had genomen.

'Het loopt allemaal niet zo lekker, joh. Ik voel niet meer hetzelfde voor Churinga sinds ik terug ben en ik dacht zo dat nu Mary er niet meer is, het tijd is om ergens anders te gaan kijken.'

Ethan sabbelde op zijn sigaar en volgde de rook met zijn ogen. Toen hij eindelijk sprak, klonk hij bedachtzaam. 'Het land is het enige dat je kent, Mervyn. Je kunt een oude hond geen nieuwe kunstjes leren, en Churinga is een leuke schapenhouderij na al het werk dat Mary erin gestoken heeft.'

Daar kwam het weer. Lof voor Mary. Telden zijn jaren van hard werken niet? Mervyn balde zijn vuisten en begroef ze in zijn schoot. Hij had behoefte aan nog meer bier, maar zijn glas was leeg en Ethan bood hem niet nog een glas aan.

'Nou, vergeleken met Kurrajong niet, hoor. We moeten een nieuwe put boren, het dak lekt, we hebben termieten in het slaapverblijf en door de droogte zijn de meeste lammeren dood. Met het geld van de wol kunnen we misschien net de rekeningen betalen.'

Ethan trapte zijn sigaar uit, zette het glas aan zijn mond en dronk het leeg. 'Wat wil je dan van me, Mervyn?'

Hij werd ineens ongeduldig. Ethan wist donders goed wat hij wilde. Moest hij zout in de wond strooien en Mervyn laten kruipen? 'Ik wil dat je Churinga koopt.' Hij klonk opzettelijk vlak. Hij wilde de ander per se niet laten merken hoe wanhopig hij was.

'Aha.' Ethan glimlachte. Het was een zelfvoldane grijns, en wetend hoe Ethan altijd op hem neergekeken had, haatte hij hem erom.

'Nou?'

'Ik moet er natuurlijk over nadenken. Maar misschien kunnen we tot een regeling komen...'

Mervyn boog gretig voorover, klaar om te onderhandelen. 'Je bent altijd dol geweest op het land rond Churinga, met jouw land dat aan het mijne grenst, zou je de grootste schapenfokkerij van New South Wales hebben.'

'Ja, inderdaad.' Ethan trok één wenkbrauw op en keek hem strak aan met zijn blauwe ogen onder zijn donkere wenkbrauwen. 'Maar ben je niet een kleinigheidje vergeten?'

Mervyn slikte. 'Wat voor kleinigheidje?' vroeg hij nerveus, en ontweek Ethans doordringende blik terwijl hij met zijn tong over zijn lippen ging.

'Matilda natuurlijk. Je bent toch niet vergeten hoe dol je dochter op Churinga is?'

Hij werd overspoeld door opluchting en herstelde zich snel. Het kwam allemaal in orde, Ethan wist blijkbaar toch niets van het testament af. 'Matilda is te jong om zich met mannenzaken te bemoeien. Ze doet gewoon wat ik zeg.'

Ethan stond op en leunde tegen de rijkbewerkte leuning. Hij had de zon in zijn rug en zijn blik was ondoorgrondelijk. 'Je hebt gelijk, Mervyn. Ze is jong, maar de voeling die ze met het land heeft is voor haar zo vanzelfsprekend als ademhalen. Ik heb haar zien werken, ik heb haar zo snel en goed als iedere willekeurige knecht zien rijden bij het bijeendrijven van de kudde. Als je haar dat land afneemt, breek je haar geestkracht.'

Mervyn verloor zijn geduld. Hij stond op en boog zich over Ethan. 'Moet je eens goed luisteren, joh. Ik heb land waar jij al jaren een oogje op hebt. Ik heb ook schulden. Of Matilda van het land houdt of niet, heeft er niets mee te maken. Ik verkoop het, en als jij het niet koopt, zijn er genoeg anderen die het maar al te graag van me overnemen.'

'Hoe wil je eigenlijk het land verkopen als het niet eens van jou is, Mervyn?'

Mervyn had het gevoel alsof hij een stomp in zijn maag had gekregen. Hij wist het! Die klootzak wist het al die tijd al. 'Niemand hoeft erachter te komen,' zei hij met schorre stem. 'We kunnen het nu afhandelen en dan ben ik weg. Ik zal het niemand vertellen.'

'Maar ik weet het wel, Mervyn.' Ethans stem klonk ijskoud en hij zweeg net lang genoeg om Mervyns handen te doen jeuken. 'Mary kwam een paar maanden geleden bij me, kort nadat de dokter haar had verteld dat ze niet lang meer te leven had. Ze was bang dat jij Churinga zou proberen te verkopen en Matilda met lege handen zou komen te staan. Ik heb haar verteld over hoe ze het beste kon handelen om de erfenis van haar dochter veilig te stellen. De bank beheert het land tot Matilda vijfentwintig jaar is. Dus, Mervyn, je kunt het met de beste wil van de wereld niet verkopen om je gokschulden af te betalen.'

Mervyn werd misselijk. Hij had de gruchten gehoord, en had ze niet willen geloven – tot een minuut geleden.

'Volgens de wet zijn de bezittingen van een vrouw het eigendom van haar man. Patrick had het me beloofd toen ik met haar trouwde, en ik heb nu het recht om het te verkopen. En trouwens,' brulde hij, 'wat had mijn vrouw bij jou te zoeken?'

'Ik heb alleen maar gedaan wat een goede buurman hoort te doen door haar de diensten van mijn advocaat aan te bieden.' Ethans gezicht leek uit steen gehouwen terwijl hij Mervyns hoed pakte en hem Mervyn toestak. 'Ik wil Churinga best hebben, maar niet zo graag dat ik mijn belofte aan iemand die ik respecteerde verbreek. En ik denk dat je erachter zult komen dat dat voor bijna alle boeren in de buurt geldt. Tot ziens, Mervyn.'

Ethan stopte zijn handen in zijn zakken en leunde tegen de witte paal van de veranda terwijl hij Mervyn nakeek die de trap afstrompelde naar zijn paard. De man gaf een harde ruk aan de teugels terwijl hij het dier over de kurkdroge aarde van de toegangsweg naar het kookhuis leidde. Ethan vroeg zich af of hij die woede ooit op Mary had botvierd – of op, God verhoede,

Matilda. Hij wierp een blik in de richting van de scheerschuur voor hij het huis weer binnen ging. Het seizoen was bijna afgelopen en de inkomsten van de wol zouden welkom zijn. Te weinig regen betekende duur, gekocht voer, en aan de lucht te zien, zou de droogte nog wel even aanhouden.

'Wat kwam Merv Thomas doen?'

Ethan keek zijn twintigjarige stiefzoon aan en glimlachte humorloos. 'Wat denk je?'

Andrews laarzen weerklonken op de parketvloer toen ze de werkkamer binnenliepen. 'Ik heb medelijden met Matilda. Stel je toch voor dat je met die asbak moet samenwonen.'

Andrew liet zich in een leren stoel vallen en sloeg een been over de armleuning. Ethan keek hem liefdevol aan. Hij was bijna eenentwintig, maar door zijn sterke, pezige figuur en dikke bos donkerbruin haar zag hij er jonger uit. Hoewel de jongen niets met het land te maken wilde hebben, was Ethan zo trots op hem alsof het zijn eigen zoon was. Andrews opvoeding in Engeland was iedere cent waard geweest. Nu deed hij het goed op de universiteit en zou na zijn afstuderen compagnon worden in een vooraanstaand advocatenkantoor in Melbourne.

'We kunnen er zeker niet veel aan doen, pa?'

'Het zijn onze zaken niet, jongen.'

Andrews blauwe ogen keken peinzend. 'Dat zei u niet toen Mary Thomas op de stoep stond.'

Ethan draaide zijn stoel in de richting van het raam. Mervyn reed over het pad naar het eerste hek. Het zou hem minstens nog een dag en een nacht kosten voor hij op Churinga was. 'Dat was anders,' mompelde hij.

Er viel een diepe stilte, die alleen onderbroken werd door het getik van de grootvaderklok die Abigail mee uit Melbourne genomen had. Ethan zat te mijmeren terwijl hij over zijn land uitkeek. Ja, Mary was een ander geval. Zo taai en onstuitbaar als ze was, had ze geen wapens gehad tegen die verschrikking die haar ingewanden geleidelijk had weggevreten. Hij zag haar zo duidelijk voor zich, dat het net was of ze voor hem stond.

In tegenstelling tot Abigails koele, blonde schoonheid en opvallende lengte, was Mary klein en hoekig met een overvloed van rood haar dat ze onder een oude vilthoed wegstopte. Haar neus zat vol sproeten, en de grote blauwe ogen met de donkere wimpers keken hem aan terwijl ze worstelde om de zwarte hengst die onder haar danste stil te krijgen. Ze was woedend, die eerste keer dat ze elkaar zagen nadat ze naar Churinga was teruggekeerd. De hekken lagen plat en haar kudde had zich vermengd met de zijne.

Hij glimlachte bij de herinnering aan dat Ierse temperament van haar. De manier waarop haar ogen vonkten en ze haar hoofd in haar nek wierp terwijl ze in zijn gezicht schreeuwde. Het had bijna een week gekost om de kuddes uit elkaar te halen en de hekken te repareren, en tegen die tijd hadden ze een ongemakkelijke wapenstilstand gesloten die niet echt tot een vriendschap uitgroeide.

'Waarom moet je lachen, pa?'

Andrew verstoorde de herinneringen en Ethan kwam met moeite met beide voeten op de grond terug. 'Ik geloof niet dat we ons veel zorgen hoeven te maken over Matilda. Als ze ook maar enigszins op haar moeder lijkt, dan moeten we eerder medelijden met Merv hebben.'

'U was erg op Mary gesteld, hè? Waarom heeft u nooit...?'

'Ze was met iemand anders getrouwd,' snauwde hij.

Andrew floot. 'Allemachtig! Ik heb een gevoelige snaar geraakt, hè?'

Ethan zuchtte toen hij dacht aan die keer dat hij de kans had en hem had laten liggen. 'Als alles anders was geweest, wie weet wat er gebeurd zou zijn? Als Mervyn toen niet zo kreupel uit Gallipoli teruggekomen was...'

Hij liet de onafgemaakte zin tussen hen in hangen terwijl de beelden en de geluiden van de oorlog zich aan hem opdrongen. Hij had er nog steeds nachtmerries van, zelfs na zes jaar nog, maar hij was een van de gelukkigen. Mervyn was pas bijna twee jaar na de oorlog uit het ziekenhuis ontslagen, maar was een heel andere man dan degene die in 1916 enthousiast op de trein was gestapt. De lome glimlach en de nonchalante charme waren verdwenen en in plaats daarvan was hij een futloos wrak geworden dat na een lange herstelperiode zijn troost in de fles zocht.

Het was een armzalig surrogaat voor zijn vrouw, dacht Ethan. En het is verdorie míjn schuld. Hij liet zijn gedachten niet verder afdwalen. In ieder geval kon ze, toen Merv nog aan het bed gekluisterd was, het drinken van haar man in de gaten houden. Maar toen hij weer op was en kon paardrijden, verdween hij vaak weken achtereen, zodat Mary in haar eentje de schapenfokkerij moest runnen. Ze was taaier dan hij had gedacht, en hoewel zijn plannen op niets waren uitgelopen, kon Ethan niet anders dan haar respecteren.

'Ik bewonderde haar, ja. Ze heeft haar best gedaan om iets te maken van een lastige situatie. Hoewel ze bijna nooit om hulp vroeg, heb ik het haar zo gemakkelijk mogelijk gemaakt.' Hij stak een sigaar op en sloeg het wolgrootboek open. Er was werk aan de winkel en hij had al een halve dag verspild.

Andrew haalde zijn been van de armleuning en boog voorover. 'Als Merv nog meer schulden maakt, heeft Matilda straks geen erfenis. We kunnen altijd over een paar jaar een bod uitbrengen en het land goedkoop overnemen.'

Ethan glimlachte met zijn sigaar in zijn mond. 'Ik ben van plan het voor niets te nemen, jongen. Het heeft geen zin om ergens voor te betalen als het niet nodig is.'

Andrew hield zijn hoofd schuin en er verscheen een glimlach om zijn lippen. 'Hoe? Matilda geeft haar vertrouwen niet gemakkelijk. Ze geeft het land niet zomaar weg.'

Ethan tikte tegen de zijkant van zijn neus. 'Ik heb plannen, jongen. Maar we moeten geduld hebben, en jij moet je mond houden.'

Andrew wilde iets zeggen toen zijn vader hem onderbrak. 'Laat het maar aan mij over en ik verzeker je dat Churinga binnen vijf jaar van ons is.'

Matilda was rusteloos. Er hing een loden stilte in huis en ze wist dat haar vader binnenkort thuis zou komen. Hij was nooit langer dan een paar weken achtereen van huis, en hij was al zo lang weg.

De hitte was intens, zelfs binnen, en het rode stof dat ze van de vloer had geveegd, begon alweer een laagje te vormen. Haar katoenen jurk die tot op haar enkels viel, plakte aan haar lichaam terwijl het zweet van haar rug droop. Ze maakte het uitgezakte schort los en hing hem over de rugleuning van een stoel. De geur van konijnenstoofpot kwam uit de oven en er zoemden wat vliegen om het plafond. Het vliegenpapier dat ze aan de olielamp had gehangen, zag zwart van de dode vliegen, ondanks de luiken en hordeuren die mam een paar jaar geleden had gemaakt.

Ze veegde haar haar uit haar gezicht en stak het in een slordige knot op haar hoofd met spelden vast. Ze had een hekel aan haar haar. Ze had er te veel van en het liet zich niet vastzetten. En om het nog erger te maken, was het een bleke imitatie van het dieprode Ierse haar van haar moeder.

Matilda duwde de hordeur open en ging op de veranda staan. Het was buiten net een oven; de hitte weerkaatste op de samengepakte aarde van de brandweg van het erf en trilde aan de horizon. De peperbomen in de omheinde weide bij het huis hingen slap en de treurwilgen bij de beek zagen er uitgeput uit, met hun takken die zinloos vooroverbogen naar het smalle stroompje groene modder dat was overgebleven. 'Regen,' mompelde ze. 'We hebben regen nodig.'

De drie treden die naar de paal waar de paarden vastgebonden werden en de voortuin leidden, waren aan reparatie toe en ze bedacht dat ze eraan moest denken er iets aan te laten doen. Het huis zelf kon ook wel een lik verf gebruiken, en de reparatie die pa aan het dak had uitgevoerd viel ook alweer uit elkaar. Maar als ze midden in de tuin ging staan en haar ogen halfdicht kneep, kon ze zien hoe Churinga eruit zou zien als ze geld genoeg hadden om de reparaties uit te voeren.

Het huis was niet statig, maar de gelijkvloerse Queenslander was stevig gebouwd op stenen pilaren, en werd aan de zuidkant beschut door jonge peperbomen. Het dak hing over de veranda die om drie zijden van het huis liep en voorzien was van een rijkbewerkt ijzeren hekwerk. Er stond een ruwstenen schoorsteen aan de noordkant en de luiken en horren waren groen geschilderd.

Onderaardse bronnen hielden de weiden om het huis groen. Vlakbij liepen paarden tevreden te grazen, ogenschijnlijk ongehinderd door de zwermen vliegen die om hun kop zoemden. In de scheerschuur en wolschuur was het stil nu het seizoen voorbij was; de wol was op weg naar de markt. De kudde zou in de weiden die het dichtst bij water lagen gehouden worden, maar als de droogte nog langer aanhield, zouden ze nog meer verliezen.

Terwijl Matilda het erf overstak, floot ze en vanonder het huis klonk geblaf als antwoord. Er verscheen een warrige donkere kop, gevolgd door een wriemelend lichaam en een kwispelende staart. 'Kom maar, Bluey. Kom hier.'

Ze aaide zijn kop en trok aan zijn flaporen. De Queenslander Blue was bijna zeven en de beste herdershond in het vak. Van haar vader mocht hij niet binnenkomen. Hij was een werkhond net als de andere, maar wat Matilda betreft had ze geen betere vriend kunnen hebben.

Blue liep naast haar terwijl ze langs de kippenhokken en veeboxen liep. Het brandhout lag achter de voorraadschuur opgestapeld en aan het heldere, klingelende geluid van een bijl te horen was een van de knechts druk bezig de stapel nog hoger te maken.

'Hallo, kind. Warm, hè?' Peg Riley depte haar vuurrode gezicht en grijnsde. 'Wat ik niet zou geven voor een duik in de beek.'

Matilda lachte. 'Ga je gang, hoor, Peg. Maar er staat niet veel water in, en wat er is, ziet groen. Waarom rijd je niet naar de poel onder de berg. Daar is het water koud.'

De rondtrekkende seizoenarbeidster schudde echter haar hoofd. 'Laat ik het maar niet doen. Bert en ik moeten morgen in Windulla zijn, en als hij te lang blijft plakken, verspeelt hij al zijn geld met *two-up* achter in de slaapschuur.'

Bert Riley werkte keihard en reisde met zijn woonwagen heel midden-Australië door, maar als het op gokken aankwam, verloor hij altijd. Matilda had medelijden met Peg. Ieder jaar kwam ze naar Churinga om in de keuken te werken terwijl Bert schapen schoor. Toch ging er maar een fractie van hun verdiensten mee naar de volgende klus.

'Word je het niet eens beu om maar rond te blijven trekken, Peg? Ik kan me niet voorstellen dat ik ooit van Churinga weg zou gaan.'

Peggy sloeg haar armen over elkaar onder haar hangborsten en keek een ogenblik peinzend. 'Het kan wel eens moeilijk zijn om ergens weg te gaan, maar je vergeet het al snel en dan kijk je weer uit naar de volgende plek. Het zou natuurlijk anders zijn geweest als Bert en ik kinderen hadden gehad, maar we kunnen geen kinderen krijgen, dus gaan we maar gewoon door tot een van ons tweeën dood neervalt.'

Toen ze lachte, schudde haar stevige lichaam onder de katoenen jurk. Blijkbaar had ze de bezorgde uitdrukking op Matilda's gezicht gezien, want ze stak haar armen uit en smoorde haar in een liefdevolle omhelzing. 'Let maar niet op mij, kind. Zorg goed voor jezelf, dan zien we je volgend jaar weer.' Ze deed een paar stappen achteruit, liep vervolgens naar de paard en wagen en klom op de bok. Ze pakte de teugels en liet een geweldige brul horen.

'Bert Riley, ik ga, en als je niet als de bliksem hier komt, ga ik zonder je.'

Ze liet de zweep tussen de oren van het paard neerdalen en ging op weg naar het eerste hek.

Bert kwam vanachter de slaapschuur gerend met die eigenaardige gang die bij schapenscheerders hoort en haastte zich achter haar aan. 'Tot volgende jaar,' riep hij over zijn schouder terwijl hij naast haar op de bok klom.

Churinga leek ineens verlaten. Terwijl Matilda de wagen in een stofwolk zag verdwijnen, aaide ze Blues oren en kreeg er een troostende lik voor terug. Nadat ze de wolschuur was nagelopen en de stokoude generator had afgezet, was het kookhuis aan de beurt, die Peg smetteloos had achtergelaten, en daarna het slaapverblijf. De schade die de termieten aanrichten was erger geworden, maar daar kon ze niet veel aan doen, dus nadat ze snel de vloer had geveegd en een van de bedden had gerepareerd, deed ze de deur dicht en stapte de hitte weer in.

De aboriginal-mannen hingen zoals altijd voor hun gunyahs, sloegen vliegen dood en kletsten lusteloos terwijl hun vrouwen in de zwarte pot boven het vuur roerden. Ze waren van de Bitjarra-stam en waren net zo goed een deel van Churinga als zij – maar ze wou dat ze voor hun eten en tabak wilden werken in plaats van te zitten of rond te zwerven.

Ze keek naar Gabriel, hun leider. Hij was een sluwe, oude man die bij de missionarissen was opgegroeid en een beetje kon lezen en schrijven. Gabriel zat in kleermakerszit bij het vuur een stuk hout te besnijden.

'Môgge, mevrouw,' zei hij plechtig.

'Gabriel, er is werk dat gedaan moet worden. Ik zei toch dat je naar die hekken in de zuidwei moest kijken?'

'Later, hoor, mevrouw. Moet eerst eten.' Hij grinnikte en ontblootte vijf gele tanden, waar hij heel trots op was.

Matilda keek hem een ogenblik strak aan en wist dat het geen zin had om tegen te stribbelen. Hij zou haar eenvoudigweg negeren en de klus klaren wanneer het hém uitkwam. Ze ging terug naar het huis en liep de treden naar de veranda op. De zon stond hoog en het was intens heet. Ze zou een paar uur rusten en daarna de boekhouding doen. Ze had de zaken een beetje laten versloffen toen mam ziek was.

Matilda tilde moeizaam de grote koperen ketel van het fornuis en schonk water in de tobbe. De stoom steeg op in de gloeiende hitte van de keuken, en het zweet liep in haar ogen terwijl ze worstelde met de zware ketel, maar toch had ze het nauwelijks in de gaten. In gedachten was ze bezig met de boekhouding, waarvan de cijfers niet klopten, hoe vaak ze ze ook optelde. Ze had de afgelopen nacht weinig geslapen, en na een ochtend op haar paard om Gabriels reparaties aan de hekken te controleren was ze doodmoe.

Het grootboek lag opengeslagen op de tafel achter haar. Ze had gehoopt dat ze vanochtend een oplossing zou vinden – maar het enige dat ze voor haar inspanningen had gekregen was hoofdpijn en de wetenschap dat het geld van de wol niet voldoende was om hun schulden te betalen en het komende seizoen te overbruggen.

Ze werd steeds kwader terwijl ze Mervyns broek van Engels katoen met een stok in het water onderduwde. 'Ik had hem in de gaten moeten houden met geld, zoals mam had gezegd,' mompelde ze. 'Ik had het geld beter moeten verstoppen.'

Zijn broek bolde spookachtig op terwijl ze erin prikte, en ze kreeg tranen in haar ogen vanwege de onrechtvaardigheid die hen aangedaan was. Zij en mam deden het niet slecht; ze hadden zelfs een beetje winst gemaakt tijdens de oorlog, maar pa's thuiskomst had alles verknoeid. Ze pakte de zware werkkleren beet en begon erop te boenen met een energie waarmee ze haar drift en frustratie kwijt kon.

Ze herinnerde zich zijn thuiskomst als de dag van gisteren. Ze nam aan dat ze medelijden met hem had moeten hebben, maar hoe kon dat nu als hij niets had gedaan om haar respect of medelijden te winnen? Er waren een paar brieven geweest in de jaren dat hij weg was, en alleen maar een kort briefje van het ziekenhuis waarin zijn verwondingen werden beschreven. Hij was bijna twee jaar later in een wagen thuisgebracht, en zij en haar moeder wisten niet echt wat ze konden verwachten. Ze herinnerde zich hem vaag als een grote man die naar lanoline en tabak rook, wiens baardstoppels over haar gezicht schraapten toen hij haar een kus gaf voor hij wegging. Maar ze was toen nog maar vijf, en veel meer geïnteresseerd in de drumband die zo luid op het perron stond te spelen dan in de mannen in dofbruin die in de trein stapten. Ze begreep niets van de oorlog, en wat de consequenties voor haar en mam waren.

Matilda's handen kwamen tot rust toen ze dacht aan die twee jaar dat hij aan het bed gekluisterd was. Ze herinnerde zich het vermoeide gezicht van haar moeder terwijl ze heen en weer holde en niets kreeg dan scheldwoorden en een harde tik als zijn verband te strak zat of hij een borrel wilde. Zijn thuiskomst had de stemming op Churinga veranderd. Van magie naar misère. Van licht naar donker. Het was bijna een opluchting als hij op zijn paard stapte en op weg naar Wallaby Flats ging, en zelfs haar moeder leek minder moe in de dagen die erop volgden.

Maar natuurlijk kwam hij terug, en het ritme van hun leven veranderde voorgoed.

Matilda leunde op de tobbe en staarde uit het raam naar het verlaten erf en de lege schapenboxen. De drijvers brachten de kudde naar Wilga, waar nog steeds water en gras was. Gabriel en de anderen waren nergens te bekennen, en ze vermoedde dat ze op zwerftocht waren nu het scheren voorbij was. Het was vredig, ondanks de parkieten die ruziemaakten om de insecten in de rode gombomen en het constante getjirp van de krekels in het droge gras. Ze wou dat het zo kon blijven. Maar, terwijl de dagen verstreken zonder teken van Mervyn, wist ze dat het niet kon blijven duren.

Toen ze klaar was met de was, sjouwde ze de mand naar de achterkant van het huis en hing het wasgoed op. Het was er koeler in de schaduw van de bomen, en ze had een goed uitzicht op de weide bij het huis en de begraafplaats. Het witte hek dat eromheen stond moest geschilderd worden, en de kangoeroepoten en wilde klimop overwoekerden enkele van de grafstenen. Paarse bougainville slingerde om een boomstam, en het wemelde er van de bijen en prachtige vlinders. Een klokvogel luidde ergens in de verte en een goanna staarde naar haar vanaf een omgevallen houtblok waarop hij zich in de zon lag te koesteren. Toen krabbelde hij overeind met zijn dodelijke klauwen en verdween in het met zonlicht bespikkelde struikgewas.

Matilda ging op de bovenste tree van de veranda zitten, met haar ellebogen op haar knieën en haar hand onder haar kin. Haar oogleden werden zwaar toen de hypnotische geur van warme aarde en droog gras haar in slaap wiegde.

Ondanks de hitte had Mervyn het koud. De woede om zijn vernedering door Ethan Squires, en de dubbelhartigheid van zijn eigen vrouw brandden niet langer in zijn borst, maar hadden zich als iets kouds en boosaardigs in hem genesteld terwijl hij naar Churinga reed.

Hij had de nacht in een slaapzak onder de blote hemel doorgebracht, zijn zadel als kussen en een miezerig vuurtje zijn enige warmte in de ijskoude duisternis van het binnenland. Daar lag hij, starend naar het zuiderkruis en de enorme sluier van de melkweg die maanlicht op de aarde wierp, het rode landschap overgoot met een zilveren laagje en het grijs van de reuzengombomen versterkte – en was niet in staat de schoonheid ervan te zien. Dit was niet het toekomstbeeld dat hij tijdens die jaren in de loopgraven voor ogen had. Niet de manier waarop helden behandeld hoorden te worden. Verdomd als hij zo'n scharminkel hem zou laten ontnemen wat Patrick hem had beloofd.

Hij was bij het eerste licht opgestaan, had zijn waterketel opgezet en het laatste stukje schapenvlees en ongezuurd brood opgegeten dat de kok op Kurrajong hem had gegeven . Nu was het achter in de middag en de zon die in de richting zakte van de berg die Churinga haar naam had gegeven, scheen in zijn ogen.

Hij rochelde en spuwde op de roestkleurige aarde. De abo's noemden het de betoverde plek, de beschermende amulet van steen die krachten van de droomtijd bezat – een Tjuringa. Nou, dacht hij zuur, voor hem bezat het niets betoverends, niet meer. En hoe eerder hij ervan af was, hoe beter.

Hij boorde zijn sporen in de flanken van de merrie toen de eerste van de hekken in zicht kwam. Het was tijd om zijn rechten te laten gelden.

De boerderij kwam in zicht toen hij het laatste hek achter zich dichtdeed. Een rookpluim steeg loom op uit de schoorsteen en diepe schaduwen vielen over het erf toen de zon achter de bomen glipte. Het zag er verlaten uit. Geen getingel van een bijl, geen geluiden van schapen of honden, geen zwarte gezichten die uit de gunyahs tuurden. Het scheren was blijkbaar afgelopen, de seizoenarbeiders en scheerders naar de volgende boerderij vertrokken.

Hij slaakte een zucht van verlichting. Matilda moest genoeg geld hebben weggestopt om ze te kunnen betalen. Hij vroeg zich af waar ze haar nieuwe schuilplaats kon hebben, hij dacht dat hij ze allemaal kende, maar na vanavond deed het er niet meer toe. Het werd tijd dat ze haar plaats wist en ophield zich te bemoeien met zaken die geen donder met haar te maken hadden. Hij zou haar dwingen het hem te vertellen. Hij zou haar dwingen eindelijk te accepteren dat hij de baas was – en dan zou hij een manier zien te vinden om haar Churinga afhandig te maken.

Hij zadelde het paard af en bracht het naar de weide bij het huis. Hij hing de zadeltassen over zijn schouder en duwde de hordeur met een hoop kabaal open. Er stond konijnenstoofpot op het fornuis te pruttelen en zijn maag begon te knorren toen hij de doordringende geur rook die in het huisje hing.

De stilte was drukkend. De schaduwen waar het licht van de olielamp niet bij kon waren bijna ondoordringbaar. 'Waar zit je, meid? Kom hier en help me eens met die tassen.'

Zijn oog werd getrokken door een bijna onmerkbare beweging in de schaduwen. Daar was ze. Ze stond bij de deur naar haar kamer – en staarde naar hem. Haar blauwe ogen fonkelden in het schemerlicht en de stralenkrans van haar glansde in de late middagzon die door de luiken naar binnen sijpelde. Het was alsof ze van steen was – zwijgend en alziend in haar veroordeling van hem.

Hij schrok even. Een ogenblik lang dacht hij dat het Mary was die kwam spoken. Maar toen het meisje in het licht stapte, realiseerde hij zich dat het alleen maar zijn verbeelding was. 'Wat loop jij stiekem te doen?' Zijn stem klonk luid in de stilte, ruwer dan hij van plan was terwijl hij van zijn schrik probeerde te bekomen.

Matilda pakte zwijgend de zadeltassen en sleepte ze over de keukenvloer. Ze haalde de katoenen zak met bloem en het pak suiker eruit en zette ze in de voorraadkast. De kaarsen en lucifers werden boven het fornuis opgeborgen en het blik thee werd naast de beroete waterketel gezet.

Mervyn sloeg met zijn slappe hoed tegen zijn bovenbeen voor hij hem vaag in de richting van de haken bij de deur gooide. Hij trok een stoel bij die hij opzettelijk over de vloer liet schrapen, omdat hij gezien had dat ze hem pas geschrobd had.

Er kwam geen reactie, en terwijl hij keek hoe ze door het keukentje liep, werd hij opnieuw herinnerd aan haar moeder. Mary was een knappe vrouw voor ze ziek werd. Een beetje mager naar zijn smaak, maar wat ze in lengte en omvang te kort kwam, maakte ze goed in temperament. Als ze niet zo verdomde arrogant was geweest, zou ze een goede vrouw zijn geweest – en Matilda had alles mee om net zo'n vrouw te worden. Misschien niet net zo sterk, maar wel net zo zelfverzekerd. Die verdomde O'Connors, dacht hij. Arrogantie zat in hun bloed.

'Hou op met dat gerommel,' zei hij schor. 'Ik wil eten.'

Hij genoot in stilte toen ze schrok en de kostbare zak met zout die ze zo zorgvuldig in een oud theeblik had gestopt bijna liet vallen. Hij sloeg met zijn vuist op tafel om zijn woorden nog meer kracht bij te zetten en lachte toen ze zich haastte om de stoofpot in een oude kom te scheppen en er wat van op de vloer morste.

'Nu moet je die vloer weer schoonmaken, hè?' zei hij gemeen.

Matilda bracht de kom naar de tafel en zette hem voor hem neer. Ze hield haar kin omhoog en had een kleur, maar hij zag dat haar kalmte haar niet voldoende kracht gaf om hem in de ogen te kijken.

Mervyn pakte haar bij haar dunne pols toen hij Bluey over de keukenvloer zag sluipen en aan de gemorste stoofpot likken. 'Wat doet dat rotbeest hier? Ik had toch gezegd dat je hem niet binnen mocht laten.'

Matilda keek hem eindelijk aan. Ze kon de angst in haar ogen niet helemaal verdoezelen. 'Hij is u zeker naar binnen gevolgd. Daarstraks was hij er nog niet.' Haar stem klonk rustig, maar een onderliggende trilling verried dat die kalmte geveinsd was.

Mervyn bleef haar vasthouden terwijl hij schopte en de hond, die snel wegrende, op een haar na raakte. 'Maar goed dat jij geen hond bent, Matilda. Anders zou jij ook een schop voor je kont hebben gekregen,' mompelde hij terwijl hij haar losliet. Hij was het spelletje beu, en hij kreeg nog meer honger toen hij de stoofpot rook.

Hij zette zijn lepel in zijn eten en schepte het in zijn mond. Met versgebakken ongezuurd brood depte hij de jus op. Hij zat al een tijdje te eten toen het hem opviel dat ze niet bij hem aan tafel was komen zitten.

'Ik heb geen honger,' zei ze stilletjes. 'Ik heb daarstraks al gegeten.'

Mervyn depte het laatste beetje stoofpot op, leunde achterover in zijn stoel en speelde met wat munten in zijn broekzak terwijl hij zijn dochter bestudeerde. Haar figuur was slank, maar had die veulenachtige onhandigheid van het kinderstadium verloren. Haar kin en wangen die niet zo lang geleden nog zacht en rond waren, hadden nu de stevigheid van een volwassene. Haar gezicht was bruinverbrand door de zon, zodat de sproeten en de blauwe ogen goed uitkwamen, en haar lange wilde haar was maar gedeeltelijk getemd en boven op haar hoofd vastgemaakt. Hij zag hoe een paar lokken waren losgeraakt, om haar gezicht vielen en zich in haar hals hadden genesteld.

Hij schrok van wat hij zag. Dit was geen zwak, plooibaar kind dat hij door intimidatie aan zijn wil kon onderwerpen, maar een vrouw. Een vrouw met dezelfde onverstoorbare houding als haar moeder. Hij moest van tactiek ver-

anderen, en snel ook. Als ze een man vond, was hij Churinga voor altijd kwijt.
'Hoe oud ben je nu precies?' vroeg hij ten slotte.

Matilda keek hem met een uitdagende blik recht in de ogen. 'Ik ben vandaag veertien geworden.'

Mervyn liet zijn blik over haar dwalen. 'Bijna een vrouw,' mompelde hij waarderend.

'Ik ben al lang geleden volwassen geworden,' zei ze op ijskoude toon terwijl ze naar de tafel kwam gelopen. 'De kippen moeten gevoerd worden en ik heb nog niet voor de honden gezorgd. Als u klaar bent, ruim ik af.'

Hij greep haar hand toen ze zijn kom wilde pakken. 'Zullen we op je verjaardag drinken? Het wordt tijd dat we elkaar beter leren kennen. Vooral nu je ma er niet meer is.'

Matilda's hart bonkte haar in de keel toen ze het erf overstak met het dierenvoer. Ze zag een verandering in haar vader die ze veel beangstigender vond dan zijn humeur, en toch kon ze die verandering niet onder woorden brengen. Het was iets in zijn ogen en in zijn manier van doen. Het was niets tastbaars, maar toch was het er, en ze had het gevoel dat deze dreiging veel gevaarlijker was dan wat hij met zijn vuisten kon doen.

Ze kwam bij de hondenhokken en morrelde aan de grendel van het hek, maar ditmaal bleef ze niet staan om de puppy's te aaien voor ze ze hun eten gaf. Het geblaf en gewriemel in de hokken vulde de leegte die om Churinga hing, maar het kon niet doordringen tot het intense gevoel van onbehagen dat haar vervulde.

Haar bewegingen waren mechanisch toen ze de emmer leeggoot in de lage voederbakken en vervolgens de hondenren leegharkte. De zon was achter de berg de Tjuringa ondergegaan en nu hing er een oranje gloed aan de hemel. Het werd hier snel donker en meestal was ze er blij om vanwege de stilte die het met zich meebracht. Maar vannacht vreesde ze het. Want ze kon het gevoel niet van zich afschudden dat er dingen veranderd waren. En niet in positieve zin.

De kippen kakelden en tokten terwijl ze hun eten uitstrooide en het gaas controleerde op scheuren. Er was niets dat een dingo lekkerder vond dan een lekkere dikke kip. Ze waren er de laatste tijd nogal wat kwijtgeraakt. Slangen waren ook een probleem, maar daar kon ze niet veel aan doen.

Terwijl ze met tegenzin terug naar huis liep, verstevigde ze haar greep op de emmer en probeerde een huivering van angst te onderdrukken. Pa stond vanaf de veranda naar haar te kijken. Ze zag het vuurpuntje van zijn sigaret.

'Wat doe jij hierbuiten? Het wordt eens tijd dat je binnenkomt.'

Matilda hoorde zijn dikke tong en wist dat hij gedronken had. 'Ik hoop dat je zoveel hebt gehad dat je omdondert,' mompelde ze vurig. Ze stond bijna stil toen haar woorden tot haar doordrongen. Ze waren een echo van die van haar moeder.

Mervyn hing breeduit in de schommelstoel, met zijn benen voor zich uitgestrekt en de whiskyfles tegen zijn borst gedrukt. De fles was bijna leeg. Toen Matilda naar de voordeur wilde lopen, zette hij zijn laars tegen de balustrade en hield haar tegen. 'Kom wat met me drinken.'

Haar hart ging tekeer en het was net of haar keel dichtgeknepen werd. 'Nee, dank u wel, pa,' bracht ze ten slotte met moeite uit.

'Het was geen uitnodiging,' gromde hij. 'Je gaat verdomme eindelijk eens doen wat ik zeg.' De laars kwam met een plof op de grond en hij sloeg zijn arm om haar middel.

Matilda verloor haar evenwicht en viel op zijn schoot. Ze kronkelde en wriemelde, schopte met haar hakken tegen zijn stevige benen om weg te kunnen komen. Maar zijn greep verslapte niet.

'Zit stil,' schreeuwde hij. 'Je gooit de drank nog om.'

Matilda hield op met tegenstribbelen en hield zich slap. Ze zou op het juiste moment wachten, en dan hopelijk kans zien de vuist te ontwijken die ongetwijfeld volgde als ze loskwam.

'Dat is beter. Neem nu maar een slok.'

Matilda moest kokhalzen van de stroom stinkende, bittere alcohol die hij tussen haar lippen goot. Ze kreeg geen lucht en durfde het niet uit te spugen. Eindelijk slaagde ze erin om de fles weg te duwen. 'Papa, doe dat alsjeblieft niet. Ik vind het niet lekker.'

Zijn ogen werden groot van gespeelde verbazing. 'Maar je bent jarig, Matilda. Je moet toch een cadeautje hebben op je verjaardag.' Hij gniffelde, en de stoppels van zijn baard schraapten langs haar wang toen hij zijn neus in haar hals drukte.

Zijn adem rook zuur, en door de stank die uit zijn kleren opsteeg moest ze kokhalzen. Ze kreeg geen lucht en zijn arm om haar middel was net een bankschroef toen haar maag in opstand kwam. Ze slikte, en toen nog een keer. Maar haar hoofd begon te draaien en haar maag keerde om. Ze sloeg haar nagels in zijn arm in een wanhopige poging om los te komen. 'Laat me los. Ik moet…'

Met één kokhalzende beweging spoog ze de whisky die naar boven kwam, over hen heen. Mervyn slaakte een kreet van afgrijzen en duwde haar van zijn schoot, waarbij de fles op de houten vloer in stukken brak. Matilda kwam hard

28

op de stukken glas terecht, maar ze merkte bijna niets van de pijn. De wereld draaide om haar heen, er leek maar geen eind te komen aan die warme stroom die uit haar mond kwam.

'Kijk nou eens wat je doet! Stomme trut! Jullie zijn allemaal hetzelfde!'

Zijn laars raakte haar heup en ze kroop weg, blindelings zoekend naar de deur en de veilige haven van het huis.

'Je bent net als je ma,' schreeuwde hij terwijl hij zich zwaaiend boven haar verhief. 'Maar jullie O'Connors hebben je altijd te goed gevonden voor mensen als ik.' Hij schopte weer, en ditmaal kwam ze tegen de muur terecht. 'Het wordt tijd dat je eens wat respect toont.'

Matilda kroop op handen en voeten naar de deur, zonder hem ook maar een ogenblik uit het oog te verliezen. Hij ging weer zitten met een nieuwe fles in zijn hand.

'Sodemieter op,' snauwde hij. 'Ik heb niks aan je. Net zomin als ik iets aan je moeder had.'

Dat hoefde hij haar geen twee keer te vertellen. Ze kwam wankelend overeind en schuifelde in de richting van de deur.

Mervyn nam een flinke slok uit de fles. Hij veegde zijn mond aan zijn mouw af en keek haar opstandig aan. Toen gniffelde hij. 'Nou blaas je niet meer zo hoog van de toren, hè?'

Matilda glipte het huis binnen. Ze deed de deur achter zich dicht, leunde er een ogenblik tegen en slaakte een paar diepe, sidderende zuchten. De pijn in haar heup was niets vergeleken met de pijn in haar been, en bij nader onderzoek begreep ze waarom. Een scherp stuk glas zat diep in haar dijbeen.

Ze strompelde naar de voorraadkast, haalde de medicijnkist tevoorschijn en verzorgde snel de wond. Ze beet op haar lip toen de jodium prikte, maar toen het glas eruit was en een schone pleister de randen van de wond bijeenhield, leek het niet zo erg meer.

Op haar hoede voor het geluid van Mervyn die uit zijn stoel opstond, trok ze haastig haar smerige jurk uit en liet hem in een emmer weken terwijl ze zich waste. Er was niets anders te horen dan het gekraak van de schommelstoel op de houten planken en zijn onverstaanbare gebrabbel.

Matilda hinkte door de keuken naar het kleine kamertje waar ze sliep. Ze zette een stoel onder de deurknop en liet zich uitgeput op bed vallen, waar ze met open ogen en op haar hoede bleef liggen. De geluiden van de nacht kwamen door de luiken voor haar raam naar binnen, en de geur van het binnenland van eucalyptus, acacia, gedroogd gras en afkoelende aarde kwam door de kieren in de houten wanden naar binnen.

Ze deed haar uiterste best om wakker te blijven, maar het was een lange, traumatische dag geweest en haar ogen vielen dicht. Haar laatste gedachte voor ze in slaap viel was aan haar moeder gewijd.

Het geluid was onbekend en ze werd onmiddellijk wakker. De deurknop bewoog. Rammelde tegen het hout. Matilda kroop naar de muur, met het dunne laken tot aan haar kin opgetrokken, en zag hoe de stoel heen en weer zwaaide.

Ze slaakte een kreet toen er iets zwaars tegen de deur werd gesmeten dat de panelen versplinterde en de stoel over de vloer deed krassen. Het gepiep van de roestige scharnieren klonk luid voor de kapotte deur met een klap tegen de muur sloeg.

Mervyns grote lichaam doemde in de deuropening op en het licht van een kaars wierp diepe schaduwen om zijn starende ogen.

Matilda schoof naar de verste hoek van het bed. Ze drukte haar rug tegen de muur en trok haar knieën zo hoog mogelijk op. Als ze klein genoeg was, kon ze misschien onzichtbaar worden.

Mervyn stapte het kamertje binnen en hield de kaars hoog in de lucht terwijl hij op haar neerkeek.

'Niet doen.' Ze stak haar hand op alsof ze hem wilde afweren. 'Niet doen, pap. Niet slaan.'

'Maar ik kom je juist een cadeautje geven, Matilda.' Hij liep met onzekere stappen naar haar toe terwijl hij aan zijn broekriem frunnikte.

Ze dacht aan de laatste keer dat hij haar had geslagen, en hoe de gesp zo diep in haar vlees was geslagen dat ze nog dagen ziek van de pijn was geweest. 'Dat wil ik niet,' snikte ze. 'Niet de riem. Alstublieft, alstublieft niet de riem.'

De kaars werd zorgvuldig op het nachtkastje gezet. Mervyn boerde terwijl hij de riem uit zijn broek trok. Het was alsof ze niets had gezegd. 'Het is niet de riem die je krijgt,' hikte hij. 'Niet dit keer.'

Matilda hield abrupt op met snikken en haar ogen werden groot van afschuw toen hij zijn broeksknopen begon los te maken. 'Nee,' fluisterde ze. 'Niet dat.'

De katoenen broek viel op de grond en hij schopte hem opzij. Zijn adem klonk hijgerig en de flikkering in zijn ogen was van meer dan whisky. 'Je bent altijd een ondankbaar wijf geweest,' gromde hij. 'Nou, ik zal je eens een lesje in goede manieren leren, en als ik met je klaar ben, zal je me niet gauw meer zo'n grote bek geven.'

Matilda dook van het bed terwijl hij naar haar toekroop. Maar hij bevond zich tussen haar en de deur, en het raam was stevig dichtgemaakt tegen de muggen. Ze kon nergens heen en had niemand om haar te helpen – en toen hij haar pakte, begon ze te gillen. Maar haar gegil ketste af tegen het golfplaten dak en ging verloren in de grote stilte van het lege land.

Donkere wolken wervelden door haar hoofd. Matilda dacht dat ze in een cocon zweefde. Er was geen pijn, geen angst, alleen een eindeloze duisternis die haar verwelkomde, die haar meetrok naar zijn peilloze diepten en vreedzaamheid bood.

Maar ergens in die duisternis klonk het geluid van een andere wereld. Van hanen die kraaiden en vroege vogels die zongen. De duisternis verbleekte tot grijs en werd door de eerste zonnestralen verbannen naar de verste uithoeken van haar geest. Matilda wilde dat de wolken terugkwamen. Ze wilde niet losgescheurd worden uit die beschermende baarmoeder en in de kille werkelijkheid geworpen worden.

Het zonlicht brak door de wolken en verwarmde haar gezicht, dwong haar om weer tot bewustzijn te komen. Ze bleef een ogenblik liggen, met haar ogen dicht, en vroeg zich af waarom ze zoveel pijn had. Toen herinnerde ze het zich weer en haar ogen schoten open.

Hij was weg – maar daar op het matras lag het bewijs van wat hij had gedaan. Als een roos uit de hel vloeide het bloed over het kapok uit, de blaadjes verspreid over het laken en de overblijfselen van haar onderjurk.

Matilda bleef ineengedoken op de vloer zitten. Ze kon zich niet herinneren hoe ze er terecht gekomen was, maar nam aan dat ze in die hoek gekropen moest zijn nadat hij weg was gegaan. Ze verdrong de beelden van die afschuwelijke nacht en hees zich voorzichtig langs de muur omhoog.

Haar benen trilden en haar hele lichaam deed pijn. Er zat ook bloed aan haar. Het was opgedroogd en donker, en het rook ook nog naar iets anders. Toen Matilda langs haar naakte lichaam naar beneden keek, realiseerde ze wat het was. Het was de geur van hém – van zijn ongewassen lichaam en ruwe, graaiende handen. Van zijn whiskyadem en zijn zware gewicht.

Ze kromp ineen van de schelle kreet van een kaketoe, maar het maakte ook dat ze snel een beslissing nam. Hij zou dit nooit meer doen.

Toen ze het trillen onder controle had, trok Matilda een schone onderjurk aan en liep moeizaam om het bed om haar schamele bezittingen bij elkaar te rapen. Het medaillon werd uit de bergplaats onder de vloerplanken gehaald, haar moeders sjaal van het hoofdeinde van het bed. Ze stopte er haar twee jurken, een rok en een blouse en haar vaak verstelde ondergoed bij. Tot slot pakte ze het gebedenboek dat haar grootouders helemaal mee uit Ierland hadden genomen. Ze wikkelde alles in de sjaal, behalve haar katoenen broek, laarzen en een overhemd die ze aan wilde trekken nadat ze zich gewassen had.

Ze sloop langs de kapotte stoel, bleef net lang genoeg staan om zich ervan te vergewissen dat Mervyn nog sliep en begon toen de eindeloze tocht over de keukenvloer.

Ieder gekraak en gekreun van het huis leek versterkt. Door dat lawaai zou er toch wel een eind komen aan het gesnurk in de andere kamer?

Ze bleef weer staan. Het bloed suisde in haar oren en haar hart bonkte in haar hoofd. Het gesnurk klonk ritmisch en ononderbroken toen ze bij de keukendeur kwam. Ze hield haar adem in. Haar handen waren nat van het zweet toen ze de waterzak van de haak haalde. Hij was zwaar, en godzijdank vol. Nu naar de voordeur.

De scharnieren piepten – het gesnurk stopte – het bed kraakte – Mervyn mompelde. Matilda verstijfde. Seconden leken een eeuwigheid.

Met een grom begon het snurken weer, en Matilda haalde weer adem. Ze glipte de deur uit, langs de hordeur en rende de trap af. Eén blik vertelde haar dat Gabriel en zijn stam nog niet terug waren, en de drijvers ook niet. Ze was alleen, en ze had geen idee hoe lang het duurde voor Mervyn wakker werd.

Haar blote voeten wierpen het stof van het erf op toen ze zich naar de beek haastte. De oevers waren steil en werden aan het zicht onttrokken door wilgen en terwijl ze naar het ondiepe, nauwelijks stromende water glibberde en gleed, wist ze dat ze niet vanuit het huis gezien kon worden.

Het water was ijskoud, omdat de zon nog niet hoog genoeg stond om het te verwarmen, maar het spoelde het bewijs van zijn smerigheid weg. Het maakte haar huid schoon, ondanks dat ze wist dat die stank van hem altijd om haar heen zou blijven hangen. Ze huiverde terwijl ze zich schrobde. Ze zag er aan de buitenkant misschien schoon uit, maar geen enkele hoeveelheid water kon de vlekken op haar ziel wegwassen.

Nadat ze zichzelf ruw met haar overhemd had afgedroogd, kleedde ze zich snel aan. Ze durfde niet het erf naar de tuigkamer over te steken, omdat de honden dan zouden beginnen te blaffen en Mervyn wakker zou worden. Er zat niets anders op dan zich te verbijten en zonder zadel te rijden. Toen ze het besluit had genomen, pakte ze de sjaal en, met haar laarzen in haar hand, waadde ze door de bedding van de beek naar de omheinde weide achter het huis.

Ze keek over haar schouder. Er bewoog niets achter die luiken en het geluid van zijn gesnurk steeg op in de slaperige ochtendstond.

Ze ademde snel en bibberig terwijl ze over het hek klom en in de weide sprong. De meeste paarden waren halfgetemde verwilderde paarden en zouden een snellere ontsnapping hebben betekend, maar de oude merrie was haar enige mogelijkheid. Ze hoorde bij de boerderij zolang Matilda zich kon herinneren, en zou, in tegenstelling tot de andere, naar de weide terugkeren zodra ze vrijgelaten werd.

De wilde paarden hinnikten, zwaaiden met hun hoofd en stapte voor- en achteruit toen ze op Mervyns vos afstapte. 'Sst, Lady. Rustig maar, meisje. We gaan een tochtje maken,' fluisterde ze terwijl ze de zachte neus aaide.

Lady rolde met haar ogen en stampte met haar voeten terwijl Matilda haar bij de manen pakte en zich moeizaam op haar rug hees.

'Ho, Lady. Rustig maar,' zei ze sussend. Matilda legde haar wang tegen de nerveus trekkende hals terwijl ze in de gespitste oren fluisterde, maar ze hield de ruwe manen stevig in haar hand. Lady was gewend aan Mervyns ruwe manier van doen en zware gewicht – Matilda had geen idee hoe ze zou reageren op dit vreemde gedrag, en Matilda wilde niet het risico lopen dat ze van haar rug geslingerd werd.

Ze hing de canvas waterzak op haar rug, en de bundel over haar arm, spoorde de merrie aan, en opende het hek aan de andere kant van de weide. Ze dreef de andere bij elkaar zoals ze een kudde schapen bij elkaar dreef en besteedde kostbare minuten aan het aansporen van de wilde paarden om op te houden met grazen en de ruimere weiden van Churinga op te zoeken.

Toen ze eenmaal de smaak van de onverwachte vrijheid te pakken hadden, waren ze weg. Matilda grinnikte terwijl ze Lady de sporen gaf en achter ze aan galoppeerde. Het zou wel even duren voor ze weer bijeengedreven waren, zodat ze een redelijke voorsprong had. Want zonder paard had Mervyn weinig kans haar in te halen.

Het donderde in de verte van zijn droom en Mervyn verstijfde terwijl hij wachtte op de bliksemflits en het getik van de regen op het golfplaten dak. Toen het niet kwam, draaide hij zich om en nestelde zich nog behaaglijker in de kussens.

Maar de slaap, nu die eenmaal onderbroken was, wilde niet meer komen, en hij merkte dat hij niet meer kon blijven liggen. Er was iets mis met de idee van onweer. Iets dat hem niet lekker zat.

Hij deed één bloeddoorlopen oog open en probeerde zich te concentreren op het lege bed naast zich. Daar was ook iets mis mee – maar zijn hoofd deed pijn en de behoefte aan drank maakte samenhangende gedachten onmogelijk. Hij had een zure smaak in zijn mond, en toen hij met zijn tong over zijn droge lippen ging, voelde hij een brandende pijn. Hij had een diepe snee in zijn lip waarvan hij zich niets kon herinneren.

'Zeker gevallen,' mompelde hij, terwijl hij er voorzichtig met zijn tong aan voelde. 'Mary! Waar zit je verdomme toch?' schreeuwde hij.

De drummer achter zijn ogen sloeg een pijnlijke roffel en hij liet zich met een kreun in de kussens vallen. Die stomme trut was er ook nooit als je haar nodig had.

Hij bleef liggen en zijn gedachten zweefden doelloos door de nevel van pijn. 'Mary,' kreunde hij. 'Kom hier, vrouw.'

Er kwam geen geroffel van haastige voetstappen als antwoord, geen gekletter van pannen uit de keuken of geluiden van het erf. Het was te stil.

Mervyn rolde van het bed en stond voorzichtig op. Zijn been klopte in hetzelfde ritme als zijn hoofd, en de verschrompelde dijspier trilde toen hij er zijn gewicht op zette. Waar was iedereen toch? Hoe durfden ze hem hier alleen te laten?

Hij wankelde naar de deur en gooide hem open. De deur knalde tegen de muur en het deed hem aan iets denken, maar het leek een vluchtige herinnering die nergens op sloeg. Hij schudde hem van zich af en wankelde de verlaten keuken binnen.

Terwijl het laatste beetje whisky door zijn keel gleed en de drummers in zijn hoofd tot zwijgen bracht, nam Mervyn de omgeving in zich op. Er stond geen pap op het fornuis te pruttelen, geen waterketel te koken, geen Mary. Hij deed zijn mond open om haar een brul te geven – en toen herinnerde hij het zich. Mary lag in de grond. Al meer dan twee weken.

Zijn benen begaven het plotseling, en hij liet zich in een stoel vallen. Er kwam een kilte over hem die met geen whisky warm te krijgen was toen hij het zich herinnerde.

'Wat heb ik gedaan?' fluisterde hij in die verschrikkelijke stilte.

De stoel viel om toen hij zich tegen de tafel afzette. Hij moest Matilda vinden. Moest haar uitleggen – haar duidelijk maken dat het de whisky was die hem zoiets had laten doen.

Haar kamertje was leeg. De versplinterde deur hing nog aan één scharnier, en het bed was een bloederige herinnering aan wat hij had gedaan. De tranen stroomden over zijn wangen. 'Ik meende het niet, meisje. Ik dacht dat je Mary was,' snikte hij.

Hij luisterde naar de stilte, slikte toen zijn tranen weg en stapte haar kamer binnen. Ze had zich waarschijnlijk verstopt, maar hij móest haar zien, haar ervan overtuigen dat het allemaal een afschuwelijke vergissing was geweest. 'Waar ben je, Molly?' riep hij zachtjes. 'Kom maar bij papa.' Het koosnaampje dat Mary vroeger gebruikte was opzettelijk – hij hoopte dat ze er eerder op zou reageren.

Er kwam nog steeds geen reactie, geen geritsel dat haar schuilplaats kon verraden. Hij sloeg het besmeurde laken dicht en keek onder het bed. Hij deed de zware kleerkast open en zocht in de donkere, lege hoeken. Hij veegde zijn neus aan zijn mouw af en probeerde na te denken. Ze was vast naar de schuur gegaan of een van de andere gebouwtjes.

Hij hinkte terug naar de keuken, zag de fles op de tafel staan en veegde hem met één armzwaai op de vloer waar hij met een bevredigende explosie van glas kapotviel. 'Nooit meer,' mompelde hij. 'Nooit, nooit meer.'

Zijn kreupele been sleepte zijn voet over de vloer terwijl hij zich naar de hordeur haastte, en toen hij op het punt stond op de veranda te stappen, viel zijn oog op iets. Het was niet iets wat er was, maar iets wat er had moeten zijn.

Mervyn keek naar de kale haak, en terwijl hij nadacht over de afwezigheid van de waterzak, begonnen andere dingen op hun plaats te vallen. De kleerkast was leeg. Matilda's laarzen lagen niet onder haar bed, en Mary's sjaal was van het hoofdeinde verdwenen.

Zijn tranen droogden op toen wroeging en zelfmedelijden werden overgenomen door angst. Waar was ze in godsnaam? En hoe lang was ze al weg?

De zon was nog steeds niet op het hoogste punt. Het felle licht scheen in zijn ogen en zijn hoofd begon weer te bonken. Hij zette met een klap zijn hoed op, trok hem zoveel mogelijk over zijn ogen en liep naar de schuren en andere gebouwtjes. Ze moest hier ergens zijn. Zelfs Matilda was niet zo stom dat ze wegliep, niet met de dichtstbijzijnde buren bijna honderdvijftig kilometer bij hen vandaan.

Hij dacht even aan de drijvers die een paar dagen geleden met de kudde vertrokken waren. Misschien zou ze hen tegenkomen, maar ze waren verstandig genoeg om hun mond te houden als ze hun baan niet wilden kwijtraken. Maar het was het idee dat ze Wilga, en die bemoeial van een Finlay en zijn vrouw, zou halen, wat hem echt dwarszat. Dat zou al erg genoeg zijn – maar stel dat ze naar Kurrajong en Ethan ging?

Zijn hart begon tekeer te gaan bij de afschuwelijke gedachte alleen al en hij ging sneller lopen. Hij moest haar vinden – en snel.

Enige ogenblikken later was hij bij de omheinde wei, met zijn zadel en teugels in de hand en een verse waterzak klotsend op zijn rug. Hij was kwaad en bang. Als Matilda op Wilga of Kurrajong wist te geraken, kon hij zijn leven op Churinga verder wel vergeten. Vlotte praatjes en leugens konden hem dit keer niet redden.

Hij stak het erf over en bleef abrupt staan. De wei was verlaten en het hek aan de andere kant stond wagenwijd open. De weiden die verderop lagen, strekten zich leeg tot aan de horizon uit. Hij barstte van woede en smeet zijn zadel op de grond. In tegenstelling tot Ethan Squires groeide het geld niet op zijn rug en zonder paard zou hij dat valse kreng nooit te pakken krijgen.

Hij stak een sigaret op en raapte zijn zadel op. Hij liep piekerend en kokend van woede door het lange gras. Ze zou die whisky niet gedronken hebben en op zijn schoot hebben gezeten als ze niet had gewild. En als ze daar oud genoeg voor was, dan was ze ook oud genoeg voor andere dingen. En ze had ook niet zo op haar ma moeten lijken en hem als een hoop stront behandelen als ze niet gestraft wilde worden.

En trouwens, dacht hij toen hij eindelijk bij het openstaande hek aan de andere kant van de wei was, was ze waarschijnlijk niet eens zijn dochter. Er was duidelijk iets gaande geweest tussen Mary en Ethan – en als de geruchten klopten, dan was het al lang begonnen voor Mary Mervyns vrouw werd. Dat zou een verklaring zijn voor Patricks bijzondere aanbieding van Churinga in ruil voor het huwelijk van zijn dochter met Mervyn, en waarom Mary en Ethan samengespannen hadden om hem te bedriegen.

Nadat hij zichzelf ervan overtuigd had dat hij niets fouts had gedaan, duwde hij zijn hoed achterover en staarde somber in de verte. Matilda moest gevonden worden. Ze mocht niemand vertellen wat er was gebeurd. Ze zouden het niet begrijpen. En ze hadden er trouwens geen donder mee te maken.

Zijn verhitte gedachten kwamen tot rust en hij verstijfde. Er bewoog daar iets, maar het was te ver weg om te kunnen zien wat het was. Hij hield zijn hand boven zijn ogen en zag het donkere vlekje uit de trillende hitte tevoorschijn komen. Het wilde paard spitste de oren toen Mervyn floot en na een paar zenuwtrekjes met zijn manen begon hij uit nieuwsgierigheid te draven.

Mervyn bleef doodstil staan wachten tot het dier bij hem kwam. Het paard was nog jong en was blijkbaar gescheiden geraakt van de kudde. Hij vond de afzondering verwarrend en was teruggekeerd naar de enige plek die hij kende.

Mervyn kon zijn ongeduld nauwelijks bedwingen terwijl het paard net buiten zijn bereik zenuwachtig stond te aarzelen. Hij wist uit ervaring dat als hij hem ruw behandelde of een onverwacht geluid maakte, het dier weer weg zou rennen, dus nam hij de tijd om ertegen te praten en het te kalmeren voor hij het zadel op zijn rug legde. Toen hij eenmaal op het paard zat, bestudeerde hij de sporen van de andere wilde paarden en volgde ze. De omgewoelde aarde gaf hun koers goed aan, maar na een uur waren er afzonderlijke sporen van een enkel paard dat in een rechte lijn werd gereden.

Die lijn leidde naar het zuiden – naar Wilga.

Matilda had Lady de vrije teugel gegeven en de eerste paar kilometers gingen vlot. Nu begon de merrie moe te worden en ze waren afgezakt tot een rustige draf. Geen enkel paard, laat staan een paard zo oud als Lady, kon zo ver galopperen in die hitte. Het was beter om het rustig aan te doen dan te riskeren dat ze zich zou verstappen of volledig uitputte.

De ochtend verstreek en de brandende zon stond hoog aan de hemel. Waterachtige fata morgana's trilden op de uitgedroogde aarde en het zilveren gras ritselde onder Lady's hoeven. De enorme leegte omwikkelde hen en de stilte kwam als een sissende echo terug. Als Matilda niet zo graag wilde ontsnappen, zou ze niet bang zijn geweest. Want dit harde, prachtige land was net zoveel deel van haar als haar ademhaling.

De grootsheid van het land prikkelde haar zintuigen en de rauwe kleuren raakten iets diep in haar dat haar ernaar deed verlangen erin op te gaan. Maar naast die woestheid van dat eeuwenoude landschap was ook de zachte schoonheid van fijngevormde bladeren, van pastelkleurige bloemen en de schors van esdoorns, de zoete geur van mimosa en pijnbomen, en de blije trillers van de lijster.

Matilda schoof heen en weer op de rug van de merrie. Ze had steeds meer moeite met zitten naarmate er meer kilometers tussen haar en Churinga kwamen, maar er was geen tijd om te rusten. Ze depte het zweet van haar voorhoofd en trok de rand van haar oude vilten hoed over haar ogen. Het water in de zak was warm en smaakte brak, maar ondanks haar dorst wist ze dat ze het moest rantsoeneren. De dichtstbijzijnde waterpoel was nog kilometers van haar vandaan.

Na een lange, turende blik langs de horizon was er nog geen teken van Mervyn te bekennen en ze ging wat gemakkelijker op de brede rug van de merrie zitten. Ze concentreerde zich op het uitzicht tussen Lady's oren. Het gestage ritme van de voortploeterende hoeven vormde een wiegeliedje, en de hitte omwikkelde haar in een cocon van soezerige zorgeloosheid.

De slang lag in een smalle gleuf van rimpelende aarde, beschut tegen de zon door een bosje helmgras dat erover hing. Door de trillingen van het naderende paard was hij wakker geschrokken en op zijn hoede. Roodbruine kronkels gleden over de aarde terwijl de gevorkte tong blikkerde en starende ogen het meisje en het paard observeerden.

Matilda's kin rustte op haar borst en haar oogleden waren zwaar van de slaap. Haar vingers verloren hun greep op de manen terwijl ze langzaam in de richting van Lady's hals zakte.

Het geklop van hoeven op rotsachtige grond. Geritsel van helmgras. De slang kronkelde heftig, richtte zich op, met de giftand ontbloot en de gele ogen op de prooi gericht. Hij sloeg hard en genadeloos toe.

De merrie steigerde toen het gif in haar richting spoot. Haar hoeven flikkerden toen ze met haar poten in de lucht maaide en hinnikte van angst. Met woest rollende ogen zwaaide ze haar hoofd heen en weer, de neusgaten verwijd, de achterpoten dansend over de schalie.

Matilda probeerde zich aan de wild zwaaiende manen vast te grijpen en drukte haar knieën en voeten automatisch tegen de flanken van het dier.

De maaiende hoeven kwamen met een plof op de aarde terug. Matilda verloor haar greep op de manen en ze klampte zich aan de bezwete, gespannen hals vast. Lady steigerde opnieuw om dansend, draaiend te ontkomen, en Matilda's wanhopige pogingen om op de rug te blijven waren vergeefs. Ze kwam met een smak op de rode aarde terecht.

Lady danste op haar achterpoten, met rollende ogen en ontblote tanden terwijl ze de grond onder zich vertrapte. Matilda snakte naar adem terwijl ze wegrolde van die verpletterende, dodelijke hoeven – en vroeg zich al die tijd af waar de King Brown gebleven was.

Snuivend en met een zwaai met haar hoofd draaide Lady zich om en galoppeerde terug naar waar ze vandaan gekomen was. Het stof stoof achter haar op, de aarde trilde van het geklop van haar hoeven, en Matilda werd geblutst en gekneusd achtergelaten. 'Kom terug,' gilde ze. 'Lady, kom terug!'

Maar er was alleen een stofwolk die het paard achterliet – en na verloop van tijd was zelfs die verdwenen.

Matilda voelde voorzichtig aan haar armen en benen. Blijkbaar waren er geen botten gebroken, maar door de gescheurde lappen van haar overhemd heen zag ze dat ze ernstige schaafwonden had. Ze was nog duizelig van de snelheid en de kracht van haar val en deed even haar ogen dicht, maar de wetenschap dat de slang nog dichtbij kon zijn betekende dat ze weinig tijd had om bij te komen. Ze kwam moeizaam overeind, raapte de waterzak en haar bundel op en bleef een ogenblik in de stilte staan. De slang was nergens te bekennen, maar dat wilde niet zeggen dat hij niet ergens op de loer lag.

'Stel je niet zo aan,' mompelde ze. 'Na al die herrie is hij waarschijnlijk nog banger dan Lady, en allang weg.'

Ze trok haar hoed vastberaden over haar voorhoofd en slingerde haar bezittingen over haar schouder terwijl ze haar situatie onder ogen zag. De ovalen uitstulping die de aboriginals de Tjuringa noemden was nu dichterbij. Wilga lag aan de andere kant van de met eucalyptus en pijnbomen begroeide berg, maar ze wist dat ze nog uren moest lopen voor ze het nog maar zag liggen.

Met een trillende zucht tuurde ze de horizon af. Lady was verdwenen, maar er was nog steeds geen teken van Mervyn. Matilda hief haar kin en ging op pad. Er was water aan de voet van de Tjuringa, en beschutting. Als ze er voor zonsondergang was, dan kon ze rusten.

Mervyn werd gedreven door angst en de onzekerheid over hoeveel voorsprong Matilda op hem had. Hij spoorde het paard aan en het dier ging harder lopen, de snelle hoeven denderend over de harde, genadeloze grond. De zon stond hoog aan de hemel, en nadat ze een paar uur hadden gereden, wist hij dat het wilde paard de uitputting nabij was. Hij had het paard hard aangespoord, maar nog steeds was er geen teken van haar, nog steeds geen stofwolk die haar aanwezigheid verried. Hij hield stil en liet zich uit het zadel glijden.

Hij had best een echte borrel gelust, maar moest zich tevredenstellen met het water uit de leren zak. Terwijl hij het water met de leersmaak door zijn mond liet spoelen, liet hij het in zijn uitgedroogde tong trekken voor hij het inslikte. Toen liet hij water in zijn hoed lopen en gaf het aan het paard. Het dier dronk er gretig van; zijn flanken gingen nog op en neer van de rit en zijn hals was bezweet. Toen ze allebei genoeg hadden om weer een tijdje vooruit te kunnen, plantte Mervyn de natte, koele hoed weer op zijn hoofd en leidde het paard vooruit. Hij zou een tijdje in de schaduw van het dier lopen, en als ze eenmaal bij de poel aan de voet van de Tjuringa waren, konden ze afkoelen en zoveel drinken als ze wilden.

Vliegen zwermden om hen heen terwijl de hitte op de ruwe schalie en scherpe rotsen weerkaatste. Een adelaar cirkelde boven het trillende grasland, een roofvogel die moeiteloos naar prooi zocht. Mervyns gedachten waren grimmig. Voor hem niet de gemakkelijke jacht of verziende blik van een adelaar, maar het eindeloze geploeter onder een brandende zon op zoek naar een prooi die hem tot dusver te slim af was. De gedachte aan hoe hij haar zou straffen als hij haar vond dreef hem voort. Dat – en de angst voor ontdekking.

Zijn gedachten dwaalden terug naar Gallipoli. Terug naar de nacht waarin hij uit het stinkende gat in de grond kwam gekropen dat voor veel van zijn kameraden een kerkhof was geworden. De nacht waarin hij dankzij zijn razendsnelle nadenken en sluwheid niet gesnapt werd.

Hij lag al maanden onder vuur, en het geplof en gedreun van de Turkse artillerie zeurde nog lang nadat het spervuur was afgelopen in zijn hoofd na. Hij had er een zenuwtic aan overgehouden en beleefde ieder beeld en geluid van de slachting die ze zojuist hadden meegemaakt opnieuw. De stank van cordiet en bloed verliet hem nooit – net zo min als de angst, waardoor hij zweette en schudde en ineenkromp in de modder van de loopgraven. Waardoor hij bevangen werd door een claustrofobische paniek die hij niet onder controle kreeg.

Mervyn herinnerde zich hoe hij in het donker was weggeglipt, terwijl de overlevenden om hem heen in hun slaap lagen te mompelen, met hun geweren als troost tegen hun borst geklemd. Hij haastte zich door de loopgraven, steeds verder weg van de frontlinie en een gewisse dood. Als een opgejaagd dier zocht hij naar een vluchtgang, de minste schuilplaats waar de kogels hem niet konden vinden en hij de hete adem van de dood niet langer in zijn nek voelde.

Hij omzeilde de commandopost die een paar honderd meter van het bruggenhoofd in een beschut dalletje gelegen was, en vond eindelijk wat hij zocht. Hij kroop langs een lijk dat blijkbaar over het hoofd was gezien door de hospikken en dook in een smalle, vochtige grot waar hij zich op de grond liet zakken, zijn handen over zijn hoofd sloeg en zijn knieën tot aan zijn kin optrok.

Sporadische schoten echoden in de muren om hem heen, en dan jammerde hij zachtjes en kromp ineen. Hij wilde dat het wegging – dat het hem met rust liet. Hij kon er niet meer tegen.

Hij hoorde niet het geschuifel van laarzen op de bodem van de grot en zag de soldaat ook niet aankomen.

'Hé, sta op, smerige lafbek.'

Mervyn keek op. Een bajonet was enkele centimeters van zijn gezicht verwijderd. 'Laat me alsjeblieft blijven zitten,' smeekte hij. 'Ik kan er niet meer naar terug.'

'Vuile laffe hond! Ik zou je hier dood moeten schieten en laten rotten.' De bajonet priemde in de lucht tussen hen in. 'Sta op.'

Er verscheen een rode mist in Mervyns hoofd. Zijn angst voor de loopgraven was minder sterk dan de dreiging waarmee hij nu geconfronteerd werd. Het proces voor de krijgsraad zou snel zijn, en de doodstraf een zekerheid. Hij stond met zijn rug tegen de muur. Het enige dat hij nu nog kon doen was aanvallen – en voor hij zich realiseerde wat hij deed, vuurde hij het geweer dat hij tegen de vijand moest gebruiken af op een mede-Australiër.

De kogel ketste af tegen de muren en echode in zijn hoofd. Een doffe klap in zijn knie velde hem en hij bleef een tijdje verdoofd liggen terwijl hij zich afvroeg wat er was gebeurd. Toen de rode mist opklaarde en zijn zintuigen weer enigszins functioneerden, keek hij naar de andere kant van de omsloten ruimte.

De andere man lag op de grond, met het geweer naast zich. Er was geen beweging, geen geluid, en toen Mervyn naar hem toekroop, drong tot hem door waarom. De man had geen gezicht. Mervyns kogel had het weggeschoten.

Hij bekeek zijn eigen wond. De afschuw van wat hij had gedaan wiste de angst en de pijn, en daarvoor in de plaats kwam kille berekening van wat hij nu moest doen.

De kogel van de ander had zijn knie verbrijzeld en was in zijn bovenbeen gedrongen voor hij een gat in zijn heup had geboord. De pijn zou binnen niet al te lange tijd ondraaglijk zijn en bovendien verloor hij veel te snel veel te veel bloed om nog langer te kunnen blijven.

Hij keek naar de dode soldaat. Hij was klein en lichtgebouwd. Zou geen al te groot probleem moeten zijn. Mervyn nam snel een besluit; hij tilde hem op en slingerde hem over zijn schouder. Met zijn geweer als wandelstok hinkte hij de grot uit. Er werd nog steeds geschoten van Turkse kant, de lichten flikkerden nog steeds in het veldhospitaal, en in het commandocentrum werd heen en weer gerend en werden bevelen geschreeuwd.

Mervyn verlegde de man van zijn schouder naar zijn rug, sloeg de dode armen om zijn nek en klemde de levenloze handen tegen zijn hals. Zo had hij prachtige rugdekking als er een verdwaalde kogel over de heuvel kwam.

De steile klim naar het veldhospitaal had hem veel pijn gedaan, maar zijn aankomst te midden van de chaos had een bevredigend effect – precies zoals hij had verwacht. Hij was de teruggekeerde held. Gewond als hij was, had hij zijn leven geriskeerd voor een kameraad. Hij moest bijna lachen toen ze hem met een ernstig gezicht vertelden dat zijn maat dood was, en hem vol medelijden aankeken.

Mervyn kwam weer met een schok in het heden en staarde naar de zon. Ze hadden hem een medaille gegeven, en na vele maanden in het ziekenhuis mocht hij naar huis. Geluk en sluwheid hadden hem die nacht gered, net zoals nu – want daar aan de horizon was Lady.

Hij glimlachte toen de grijze merrie op hem af kwam gegaloppeerd. Hij

41

pakte de bungelende teugels beet, stapte weer op het wilde paard en spoorde hem aan tot een galop.

Als Matilda van het paard was geworpen, zou het niet lang duren voor hij haar gevonden had.

Met het ondergaan van de zon kwamen de lange, koele schaduwen, en met een begin van opluchting baande Matilda zich een weg door het dichte struikgewas en zocht beschutting onder het bladerdak van de bomen. Het deed pijn om te ademen, om te bewegen, zelfs om na te denken. Ze was uitgeput.

De geluiden van het bos klonken om haar heen terwijl ze even tegen de stam van een boom leunde om uit te rusten, maar het geluid van spetterend en sijpelend water dreef haar voort. Ze had geen tijd om uit te rusten, maar ze kon zich wassen en de waterzak opnieuw vullen voor ze verderging en de gedachte aan die koele, schone waterval pepte haar weer op.

De waterval begon hoog op de berg, stroomde met een vaart naar beneden, waarbij andere stroompjes zich er onderweg bij voegden, tot hij zich tientallen meters lager in de rotsachtige vallei stortte. Maar toen Matilda eindelijk uit het dichtbegroeide, groene licht van het bos tevoorschijn kwam, besefte ze dat er niet veel van over was, vanwege het gebrek aan regen. Het water dat in een zielig stroompje over de afgesleten, glinsterende rotsen gleed was nauwelijks genoeg om de lager gelegen poelen te vullen. Grote boomwortels lagen in naakte verwrongen vormen kriskras door elkaar, waar ze vroeger onder water hadden gelegen. Bosvarens lieten hun geschroeide bladeren hangen, en dikke trossen verwelkte klimop hingen lusteloos in de krakende, uitgedroogde acacia's en King Billy-pijnbomen.

Matilda klauterde op een brede, platte steen die boven een van de rotsmeertjes uitstak, en trok haar laarzen uit. Ze nam niet de moeite haar kleren uit te trekken: zij was vuil en wat er van haar kleren over was ook. Terwijl ze zich in het ijskoude water liet zakken, rilde ze van genoegen. De blaren op haar voeten zouden spoedig genezen, de rode kleur die de zon op haar blote armen had getoverd zou spoedig bruin worden.

Ze sloot haar ogen, kneep haar neus dicht en ging kopje onder. Het vuil en het zweet verdwenen. De pijn tussen haar benen werd minder in de ijskoude streling. Haar haar dreef en haar uitgedroogde huid kreeg weer vocht.

Ze kwam naar adem snakkend boven, maakte een kom van haar handen en dronk gretig voor ze de waterzak opnieuw vulde. De vogels die zwegen toen ze aankwam zongen weer volop, en ze staarde omhoog naar de omringende bomen. Dit was altijd een speciale plek geweest. Een plek waar Mary haar over eenhoorns en elfen en de kleine mensjes die ze kabouters noemde vertelde. Terwijl Matilda om zich heen keek, kon ze zich bijna voorstellen dat ze bestonden – maar de harde werkelijkheid had de neiging om snel korte metten te maken met dat soort verhalen.

Ze trok zich met tegenzin uit het water op en deed haar laarzen aan. Hoewel haar gezicht van pijn vertrok, was het niet genoeg om haar te weerhouden – niet na wat ze de afgelopen uren had moeten afzien – en ze pakte de zak en haar bundel en liep dieper het bos in. Het was sneller om er doorheen te lopen dan eromheen, en als ze maar in zuidelijke richting bleef lopen, kwam ze op de top boven Wilga uit.

Tegen de tijd dat ze uit de klamme groene schaduwen in het stervende zonlicht stapte, zweette ze overdadig. Maar ze was apetrots op zichzelf toen ze neerkeek op de uitgestrekte weiden van Wilga, en het dunne rookwolkje uit de boerderij aan de horizon. Ze was er bijna.

Terwijl de groepjes bomen uitdunden en de zon nog lager kwam te staan, baande Matilda zich een weg over de wirwar van rotsblokken aan de voet van de Tjuringa. De waterzak was zwaar aan haar schouder, de bundel onhandig terwijl ze over de losse, verraderlijke grond glibberde en gleed, maar ze piekerde er niet over om een van de twee of allebei achter te laten – ze waren waardevol. Diertjes schoten en gleden vanonder de rotsen toen ze hun late middagdutje verstoorde en een kookaburra lachte haar uit terwijl ze voortliep, maar eindelijk kwam ze op vlakkere bodem en ze bleef een ogenblik staan om op adem te komen en een slok water te nemen.

Het begon bijna te schemeren, en het huis van Wilga was nog minstens drie uur lopen, maar ze moest alles op alles zetten om verder te gaan. Misschien was Mervyn Lady tegengekomen en dan zat hij misschien maar een paar kilometer achter haar.

Ze drukte de kurk weer in de hals van de waterzak, en ging op weg over de vlakte naar het rookpluimpje aan de horizon.

De tijd verloor iedere betekenis terwijl ze liep. Ze was zich alleen maar bewust van de dieper wordende schaduwen en de glimp van de boerderij van Wilga in de verte. Haar laarzen sloften over de droge aarde en het zilveren gras terwijl ze haar gedachten concentreerde op Tom en April Finlay.

Wilga was al jaren in bezit van de familie Finlay. De oude Finlay was een paar maanden na zijn vrouw overleden. Nu was Tom getrouwd en runde het bedrijf samen met zijn vrouw. Matilda had hem al lang niet meer gezien – niet meer sinds mam ziek werd en ze hem van Mervyn niet mocht opzoeken. Toch wist ze dat ze op Wilga onderdak zou vinden. Zij en Tom waren min of meer samen opgegroeid, en hoewel hij een flink aantal jaren ouder was, wist Matilda dat hij haar beschouwde als de zus die hij nooit had gehad.

Ze herinnerde hem zich als een magere jongeman die haar genadeloos plaagde met het feit dat haar moeder haar Molly noemde. Wat was dat nou voor naam? vroeg hij dan terwijl hij aan haar haar trok. Maar toen ze ouder werden, trok hij wat minder hard en gaf hij toe dat haar koosnaampje wel bij haar paste. Want Matilda's horen nogal strenge mensen te zijn, geen boefjes die in bomen klimmen en in het stof spelen met hun haar in hun ogen.

Matilda glimlachte, ondanks haar angst en vermoeidheid. En óf hij gelijk had, dacht ze. Oudtante Matilda was heel erg stijf en keurig, als je op haar portret mocht afgaan. Geen wonder dat haar moeder van gedachten veranderde toen haar baby wat minder vlekkeloos gedrag begon te vertonen.

Ze schrok op uit haar gedachten door een bekend geluid en ze keek met een ruk om.

Hoefgetrappel deed de grond trillen, en, daar, ver achter haar, was de onmiskenbare wazige vorm van een paard en ruiter. Eindelijk. Iemand had haar gezien en kwam haar te hulp.

Ze zwaaide. 'Hier ben ik. Hier,' riep ze.

Er werd niet gereageerd op haar kreten, maar het paard bleef op haar afkomen.

Matilda huiverde toen de eerste rilling van onbehagen haar bekroop. Het waren twee paarden, maar slechts één ruiter. Ze deed een stap achteruit. Toen nog een. En toen de omtrekken scherper werden, keerde de angst terug. Er was geen twijfel mogelijk over de stevige figuur op de rug van de vos of de grijze sjokkende gestalte van Lady.

Ze begon te rennen.

Het hoefgetrappel kwam dichterbij. Wilga leek een onmogelijk eind weg. De adrenaline stroomde door haar aderen terwijl ze door het lange gras rende. Haar laarzen gleden en struikelden over de oneffen grond. Haar hoed vloog af en bungelde op haar rug. Maar haar ogen waren gericht op die glimp in de verte die haar veilige haven was. Ze moest het halen. Haar leven hing ervanaf.

De roffelende hoeven namen af tot een flinke tred.

Ze durfde niet achterom te kijken, maar gokte erop dat hij een paar honderd meter achter haar zat, en met haar speelde zoals een kat met een muis speelt: plagend, uitdagend, maar altijd dreigend. Een snik van wanhoop vermengde zich met haar gehijg terwijl ze verder ploeterde. Hij wachtte tot ze

44

viel. Hij wachtte zijn kans af. Ze wisten allebei dat ze hem niet te snel af kon zijn.

De weiden strekten zich eindeloos voor hen uit, het lange gras hinderde haar vlucht, de aarde leek erop uit om haar te laten struikelen. Toch vond ze de kracht om overeind te blijven en door te gaan. Het alternatief was te verschrikkelijk om in overweging te nemen.

Het gestage klipklop van de paardenhoeven volgde haar – het kwam niet dichterbij, maar bleef hetzelfde. Ze hoorde het zachte, boosaardige lachje en het getingel van het tuig. Het spoorde haar aan.

De boerderij was nu dichterbij, ze zag zelfs wat licht achter een van de ramen schemeren, en Mervyn zou het niet in zijn hoofd halen om haar kwaad te doen als ze eenmaal bij de brandweg was die om het land liep.

Terwijl haar voeten over de aarde dreunden, zocht ze wanhopig naar een teken van leven – van de bevestiging dat er iemand was die haar zag. Waar was Tom? Waarom kwam niemand haar helpen?

Het geroffel achter haar ging steeds sneller. Alsmaar dichterbij, tot er niets anders meer was dan het geluid van de dreigende nadering.

Ze snakte naar adem. Haar hart sloeg als een moker tegen haar ribben toen de vos naast haar kwam lopen. Zijn flanken zaten onder het zweet, en de enorme blaasbalgen van longen zwoegden toen hij dansend voor haar tot stilstand kwam.

Matilda rende de andere kant op.

Het paard volgde.

Ze dook weg voor de trappelende, stampende hoeven en rende zigzaggend door het gras.

Het paard kwam dichterbij, de gelaarsde voet verliet de stijgbeugel en schoot uit.

Door de schop tegen haar hoofd struikelde ze, en zwaaide met haar armen, terwijl ze probeerde het tuig te grijpen om haar evenwicht te bewaren. Toen viel ze. Lager, lager en lager – de aarde kwam haar tegemoet, omhelsde haar in een wolk van stof en puntige stenen en sloeg de lucht uit haar longen.

Mervyns grote lichaam wiste de rest van de zon uit toen hij boven haar uittorende. 'Hoe ver dacht jij wel te komen?'

Matilda gluurde door het gras naar de stille, verlaten boerderij. Als ze niet de tijd had genomen om te rusten, zou ze het gehaald hebben.

Hij trok haar wreed omhoog. Er fonkelde een blik van sadistisch genoegen in zijn ogen terwijl hij aan haar haar trok en haar dwong hem aan te kijken. Matilda wist dat hij wilde dat ze het uitschreeuwde, dat ze hem zou smeken haar geen pijn te doen, maar dat genoegen gunde ze hem niet – hoe erg hij haar ook pijn deed.

Zijn mond was maar een paar centimeter van haar gezicht verwijderd en zijn adem stonk. Zijn stem klonk zacht, schor en dreigend. 'Wat er op Churinga gebeurt, gaat niemand wat aan. Begrepen? Als je er weer vandoor gaat, schiet ik je dood.'

Matilda wist dat dit geen loos dreigement was. Ze sloeg haar ogen neer en probeerde een stalen gezicht te blijven trekken terwijl hij steeds harder aan haar haar trok.

'Kijk me aan,' gromde hij.

Ze schraapte haar laatste restje moed bijeen en keek hem recht in de ogen.

'Er is toch niemand die je gelooft. Ik ben een held, zie je, en ik heb een medaille om het te bewijzen.'

Matilda keek hem strak aan en meende iets anders achter het dreigement te zien – kon het angst zijn? Onmogelijk. Want zijn woorden hadden iets waars en in die paar seconden wist ze dat ze er echt helemaal alleen voorstond.

1

Sydney lag te blakeren in de zon, en de sierlijke witte zeilen van het nieuwe operagebouw glinsterden tegen de donkere ijzeren steunen van de brug over de haven. Circular Quay was een caleidoscoop van kleuren met zijn mensenmenigte, en het water vol vaartuigen van allerlei afmetingen en vormen. Australië vierde feest zoals alleen zij dat kon, en de smalle straten van de opkomende wereldstad waren vol lawaai en bedrijvigheid. Jenny was er uit nieuwsgierigheid heen gegaan om de koningin de opening van het Opera House te zien verrichten. Maar de enorme menigte die op de zonovergoten kade bij haar kwam staan kon het gevoel van eenzaamheid niet verlichten, en ze wilde terug naar haar huis in Palm Beach zodra de ceremonie voorbij was.

Nu stond ze op het balkon en klemde haar handen om de balustrade met dezelfde wanhoop waarmee ze zich het afgelopen halfjaar van rouw aan de overblijfselen van haar leven had vastgeklampt. De dood van haar man en kind waren volkomen onverwacht geweest, zonder tijd voor voorbereiding, zonder tijd om afscheid te nemen en te zeggen wat er nog gezegd moest worden – maar met een ziekmakende snelheid die alles opzij had geschoven en haar alleen achtergelaten had. Het huis leek te groot, te leeg, te stil. En in ieder vertrek bevond zich een herinnering aan hoe het eens was geweest. Maar er was geen weg terug, geen tweede kans. Ze waren weg.

De Grote Oceaan schitterde in de zon, en werd weerkaatst in de ramen van de elegante villa's tegen de heuvel die op het strand uitkeken, en de felgekleurde, paarse bougainville knikte tegen de witgepleisterde muren van het huis. Peter had ze geplant omdat ze dezelfde kleur hadden als haar ogen. Nu kon ze er nauwelijks naar kijken. Maar het was het beeld van de kinderen die aan de waterkant aan het spelen waren dat haar verlies het meest versterkte. De twee jaar oude Ben was dol geweest op water.

'Ik dacht wel dat ik je hier kon vinden. Waarom ben je er zomaar vandoor gegaan? Ik was ongerust, Jen.'

Ze draaide zich om toen ze Dianes zachte stem hoorde en zag haar vriendin in de deuropening staan. Ze droeg als gewoonlijk een kaftan en haar donkere krullen werden in bedwang gehouden door een zijden sjaal. 'Sorry. Ik wilde je niet laten schrikken, maar na een halfjaar opgesloten te hebben gezeten, waren het lawaai en de mensen in de stad te veel voor me. Ik moest weg.'

'Je had moeten zeggen dat je weg wilde. Dan was ik met je meegegaan.'

Jenny schudde haar hoofd. 'Ik wilde even alleen zijn, Diane. Ik wilde me ervan vergewissen…'

Ze kon de zin niet afmaken, ze kon de afschuwelijke hoop die ze iedere keer had als ze het huis verliet niet onder woorden brengen. Want ze kende de waarheid, had de kisten in de grond zien verdwijnen. 'Het was een vergissing. Dat weet ik nu.'

'Geen vergissing, Jen. Alleen een bevestiging van je ergste angsten. Maar het zal beter worden, dat beloof ik je.'

Jenny keek haar vriendin liefdevol aan. Onder de exotische kleding, opvallende sieraden en zware make-up ging een zachtheid schuil die ze heftig ontkend zou hebben. Maar Jenny kende Diane al zo lang dat ze zich niet in de luren liet leggen. 'Hoe komt het toch dat je zoveel weet?'

Er verscheen even een verdrietige blik in Dianes bruine ogen. 'Vierentwintig jaar ervaring,' zei ze droog. 'Het leven is geen lolletje, maar jij en ik hebben het al zo lang volgehouden, dus waag het niet om me nu in de steek te laten.'

De caleidoscoop van hun leven flitste door Jenny's hoofd terwijl ze elkaar omhelsden. Ze hadden elkaar in een weeshuis in Dajarra ontmoet, twee kleine meisjes die zich vastklampten aan de hoop dat ze hun ouders zouden vinden – en toen die droom in duigen viel, maakten ze een nieuwe. En nog een.

'Weet je nog toen we pas in Sydney waren? We hadden zoveel plannen. Waar is het toch allemaal fout gegaan?'

Diane maakte zich zachtjes uit de omhelzing los en haar zilveren armbanden rinkelden toen ze Jenny's lange bruine haren uit haar gezicht streek. 'Niemand heeft ons ooit een garantie gegeven, Jen. Het heeft geen zin om stil te blijven staan wat het lot ons toebedeelt.'

'Maar het is niet eerlijk,' barstte ze uit, toen haar woede het eindelijk won van haar verdriet.

Dianes uitdrukking was raadselachtig. 'Ik ben het met je eens, maar jammer genoeg kunnen we er niets aan doen.' Ze klemde haar sterke vingers om Jenny's arm. 'Laat het gaan, Jen. Word kwaad – schreeuw – gil tegen de wereld en iedereen die er deel van uitmaakt als je je daar beter door voelt. Want je doet jezelf geen goed als je het maar aan je laat knagen.'

Jenny voerde een innerlijke strijd terwijl ze zich afwendde van die indringende eerlijkheid en staarde over de baai. Het zou gemakkelijk zijn om te tieren, om zich over te geven aan tranen en verwijten, maar er moest een deel van haar leven zijn dat ze nog steeds onder controle had en deze geforceerde kalmte was alles wat ze nog had.

Diane sloeg haar lange mouwen terug, stak een sigaret op en zag de innerlijke strijd weerspiegeld in Jenny's gezicht. Ik wou dat ik iets kon doen of zeggen om die hoge muur van verzet die ze altijd om zich heen optrekt als ze verdriet heeft, af te breken, dacht ze. Maar Jenny kennende, gebeurde dat pas wanneer ze er klaar voor was. Het was hun hele leven al hetzelfde, en Diane zag geen reden waarom het nu ineens anders zou zijn.

Haar gedachten dwaalden terug naar het weeshuis en het stille, teruggetrokken meisje dat maar zelden huilde, hoe erg ze ook gekwetst was. Van hun tweeën had Jenny altijd de sterkste geleken. Voor haar geen woedeaanvallen en tranen, geen geraas tegen wat het leven hen toewierp – maar Diane wist dat er onder die façade van kracht een zachte, angstige kern schuilging die alles afwist van pijn. Hoe had Jenny Diane anders kunnen steunen toen ze door een hel ging nadat haar was verteld dat ze geen kinderen kon krijgen? Hoe had Jenny anders de pijn kunnen begrijpen toen David haar vriendin voor het altaar in de steek liet voor een vruchtbare lellebel die hij op kantoor had ontmoet?

Diane drukte nijdig haar sigaret uit toen de oude woede weer bovenkwam. Twee jaar en hard werken in het atelier hadden het venijn uit die woede gehaald, maar in de tussentijd waren er vele tranen vergoten. Ze hadden een belangrijk deel uitgemaakt van Dianes genezingsproces, iets dat Jenny ook moest accepteren als ze nog iets van een toekomst wilde hebben.

Frustraties over het feit dat ze haar vriendin niet kon bereiken maakten haar rusteloos. Ze moest naar de galerie waar ze samen eigenaar van waren en Andy helpen haar sculpturen voor de komende tentoonstelling op te zetten, maar ze wilde niet weg voor ze zeker was dat het goed ging met Jenny.

Jenny wendde zich van de balustrade af, haar paarse ogen peilloos in haar bleke gezicht. 'Je wilt die schilderijen zeker wel?' Haar stem was toonloos, haar emoties strak ingetoomd.

'De tentoonstelling is pas over een maand, en ik weet hoe ik ze wil ophangen. Het kan nog wel even wachten.' Hoe kon ze in godsnaam zo kalm zijn? dacht Diane. Als mijn man net dood neergevallen was en mijn kind mee had genomen, zou ik tegen die muren opklimmen, niet aan tentoonstellingen denken.

'Ik heb de doeken al ingepakt. Ze staan in het atelier.' Jenny wierp een blik op haar horloge. 'Ik moet gaan.'

Diane schrok. 'Gaan? Waarheen? Alles is dicht.'

'De notaris. John Wainwright wil enkele aspecten van Peters testament wat uitgebreider bespreken.'

'Maar het testament is bijna een halfjaar geleden goedgekeurd. Wat moet hij in godsnaam nog bespreken?'

Jenny haalde haar schouders op. 'Hij wilde het me niet door de telefoon vertellen, maar het heeft te maken met het feit dat ik gisteren vijfentwintig geworden ben.'

'Ik ga met je mee.' Dianes stem klonk nogal scherp, omdat ze zich zorgen maakte over de onnatuurlijke kalmte van haar vriendin.

'Dat hoeft niet, hoor. Maar doe me een lol en neem die schilderijen mee. Ik kan momenteel niet goed tegen Andy of de galerie.'

Diane haalde zich hun bedrijfsleider van de galerie voor de geest. De nichterige Andy had de neiging om volledig over zijn toeren te raken als er ook maar het minste verkeerd ging, maar afgezien van de scènes, was hij onmisbaar. Hij zorgde namelijk voor de dagelijkse gang van zaken in de galerie, zodat Jenny en Diane zich met het creatieve proces konden bezighouden. 'Hij is nu een grote jongen, hoor, Jen. Hij moet het maar zien te redden,' zei ze vastberaden.

Jenny schudde haar hoofd, en haar glanzende haar zwaaide over haar schouders. 'Ik doe dit liever alleen, Diane. Probeer het alsjeblieft te begrijpen.'

Ze pakte haar schoudertas. Het had geen zin om ertegen in te gaan als Jenny in zo'n stemming was. 'Ik wou dat je me wat meer zou laten helpen,' mompelde ze.

Jenny's hand was koud op haar arm; haar nagels waren afgekloven en er zat olieverf aan haar vingers. 'Dat weet ik, schat, en dat doe je ook. Maar net als Andy, ben ik een grote meid, en het wordt tijd dat ik op mijn eigen benen sta.'

Jenny reed in de gedeukte Holden de steile heuvel af en draaide de hoofdweg op. Palm Beach lag aan de kust, aan de noordelijke rand van het uitgestrekte Sydney, maar ondanks het feit dat het maar op een uur afstand van de brug over de haven lag, was het een andere wereld in vergelijking met het jachtige leven van de stad. Er waren stille inhammetjes waar zeilboten lagen;

in boomrijke lanen waren dure boetieks en grappige kleine restaurantjes gevestigd. De tuinen waren een overdaad van kleur en lommerrijke schaduw, en de huizen die over de baaien uitkeken hadden die eenvoudige elegantie die rook naar veel geld. Ondanks haar stemming voelde ze hier toch een zekere rust. Meestal hield ze van de bedrijvigheid van de stad, maar de ontspannen sfeer van de noordelijke buitenwijk aan de zee was haar redding geweest.

Windsor lag slaperig in de hitte van de Hawkesbury-vallei, bijna zestig kilometer ten noorden van Sydney. De huizen waren voornamelijk van hout, met een dak van terracotta dakpannen, en beschut door enorme rode gombomen. Het was een pioniersstadje, gesticht in de tijd van gouverneur Macquarie, en de geschiedenis was duidelijk herkenbaar in de bouwstijl van de dwangarbeiders die het gerechtsgebouw en de kerk van St. Matthew hadden gebouwd.

Jenny parkeerde aan de rand van het stadje en bleef een tijdje zitten terwijl ze uit het raam staarde. Toch zag ze niets, want ze had tijd nodig om haar gedachten op een rijtje te zetten voor ze John Wainwright weer onder ogen zag.

Het oorspronkelijke voorlezen van het testament was voorbijgegaan zonder dat ze in zich opnam wat voor invloed het op haar had. Haar verlies was nog te recent, te plotseling, en ze leefde van dag tot dag in een beschermend vacuüm waar niets haar kon raken. Ze had dingen over haar overleden echtgenoot gehoord die ze niet wilde erkennen en had ze verdrongen, in de hoop dat ze ze onder ogen kon zien als ze maar lang genoeg bleven liggen.

Nu, nam ze aan, moest ze ze onder ogen zien. Vraagtekens zetten bij de dingen die hij had gedaan, en ze helder op een rijtje zetten zodat ze er iets mee kon.

Toen ze uit die soort trance kwam, was het moeilijk te accepteren dat het leven gewoon was doorgegaan ondanks de tragedie. Peter was de rots waarop ze haar volwassen leven had gebouwd. Hij was slim en vindingrijk; hij geloofde in haar talent en had haar aangemoedigd om haar schilderijen tentoon te stellen. Maar zijn eigen dromen om naar het binnenland terug te keren waren nooit in vervulling gegaan. Hij had het te druk gehad met zijn werk op de bank en de zorg voor zijn gezin om tijd te hebben voor dromen.

En toch had zijn testament een andere kant van hem laten zien. Een kant die helemaal niet paste bij de man die ze gekend had en van wie ze had gehouden.

Jenny zuchtte. Ze wou dat ze er niet zo zeker van waren geweest dat ze alle tijd hadden. Ze wou dat Peter eerlijk tegen haar was geweest en haar had verteld over het enorme bedrag dat hij opzijgelegd had – en had gebruikt om die dromen die ze samen hadden uit te laten komen. Want wat hadden ze aan een fortuin als ze het niet samen konden opmaken?

Ze staarde in de verte. Diane wist niets van het testament. Misschien zou het beter zijn geweest als ze het met haar besproken had. Misschien had haar vriendin Peter in een ander licht gezien en had zij enig idee wat hij allemaal uitspookte. Maar hoe dan? gaf Jenny in stilte toe. Ieder huwelijk speelde zich achter gesloten deuren af, en als haar leven met Peter hem niet in zijn ware gedaante had getoond, hoe kon ze dan in hemelsnaam verwachten dat Diane iets anders wist?

Jenny keek op haar horloge en stapte uit de auto. Het was tijd om te gaan.

Het kantoor van Wainwright, Dobbs en Steel bevond zich in een solide Victoriaans gebouw waarvan het vuil van jaren in de stenen getrokken was. Ze bleef een ogenblik staan en haalde diep adem. Zelfbeheersing was het sleutelwoord. Zonder zelfbeheersing stortte haar wereld in en dan was ze verloren.

Ze nam de korte trap op haar gemak en duwde de zware deuren open. Het was een somber gebouw, ondanks de zware kroonluchters en het licht van de Australische zomer dat door de omringende gebouwen werd weerkaatst. Maar de marmeren vloer en de stenen pilaren brachten een heerlijke koelheid met zich mee die welkom was na de hitte van het park.

'Jennifer?'

John Wainwright was een kleine, ronde, vroeg kale Engelsman met een bril zonder montuur die halverwege op zijn lange neus rustte. De hand die hij haar toestak was zacht, als van een vrouw, zonder ringen, smal toelopend en de nagels keurig gemanicuurd. Hij behandelde al jaren de juridische zaken van Peters familie, maar Jenny had hem nooit echt gemogen.

Ze volgde hem naar zijn sombere kantoor en ging in een glimmende leren stoel zitten. Haar hart ging tekeer en ze had sterk de neiging om op te staan en weg te lopen. Ze wilde het niet horen; ze wilde niet geloven dat Peter iets voor haar verborgen had gehouden, maar wist dat ze moest blijven als ze het ooit wilde begrijpen.

'Het spijt me dat ik zo moest aandringen, meisje. Het moet allemaal wel heel verdrietig voor je zijn.' Hij poetste zijn brillenglazen met een erg witte zakdoek, en zijn bijziende ogen stonden bedroefd.

Jenny keek naar het pak met het krijtstreepje, de gesteven kraag en discrete stropdas. Alleen een Engelsman droeg zulke kleren midden in een Australische zomer. Ze forceerde een beleefde glimlach en legde haar handen gevouwen in haar schoot. Haar katoenen jurk plakte nu al aan haar rug. Er was geen airconditioning, er stonden geen ramen open, en er gonsde een vlieg boven haar hoofd. Ze voelde zich opgesloten. Verstikt.

'Dit hoeft niet lang te duren, Jennifer,' zei hij terwijl hij een dossier tevoorschijn haalde en het rode lint losmaakte. 'Maar ik moet er zeker van zijn dat je de consequenties van Peters testament goed begrijpt.'

Hij keek haar over zijn brillenglazen aan. 'Ik neem aan dat je het de vorige keer niet allemaal goed in je opgenomen hebt, en er zijn andere zaken die besproken moeten worden nu je vijfentwintig bent.'

Jenny schoof heen en weer in de ongemakkelijke leren stoel en keek naar de kan met water op zijn bureau. 'Zou ik wat water mogen, alsjeblieft? Het is hier erg warm.'

Hij lachte, een gespannen, hoog lachje dat nerveuze humor verried. 'Ik dacht dat Australiërs immuun waren voor de warmte.'

Opgeprikte lul, dacht ze terwijl ze een slok nam. 'Dank je wel.' Ze zette het glas op het bureau. Haar hand trilde zo erg dat ze het bijna liet vallen. 'Kunnen we verdergaan?'

'Natuurlijk, kind,' mompelde hij. De bril werd hoger op de neus geschoven en hij hield zijn vingertoppen tegen zijn kin terwijl hij het papier doorlas. 'Zoals ik eerder heb gezegd, heeft je man dit testament twee jaar geleden toen jullie zoon geboren was laten opstellen. Er zijn verscheidene latere codicillen die door de recente tragedie beïnvloed worden, maar de hoofdzaak van het testament blijft hetzelfde.'

Toen keek hij haar aan, zette zijn bril af en poetste hem nog een keer. 'Hoe gaat het met je, kind? Wat een tragische zaak, om ze allebei zo te verliezen.'

Jenny dacht aan de politieagent die op die afschuwelijke ochtend voor de deur stond. Ze dacht aan de embolie die Peter zo snel had getroffen, en met zo'n dodelijke doeltreffendheid. Het had haar gezin in één klap uitgeroeid, met als enige overblijfsel het wrak van de auto dat ze uit het ravijn onder aan de kustweg naar huis hadden getakeld.

Ze waren twintig minuten weggeweest – en ze had het niet geweten, had niets gevoeld tot de politie aan de deur kwam. Hoe kon dat toch? vroeg ze zich voor de honderdste keer af. Hoe kon een moeder niet de dood van haar kind voelen – een vrouw niet op de een of andere manier aanvoelen dat er iets mis was?

Ze draaide aan de trouwring om haar vinger en zag de diamant in het zonlicht schitteren. 'Het gaat wel,' zei ze zachtjes.

Hij keek haar ernstig aan, knikte en keek weer naar zijn papieren. 'Zoals je al weet, was Peter een slimme belegger. Hij heeft de nodige moeite gedaan om ervoor te zorgen dat zijn nalatenschap veiliggesteld werd voor zijn naasten, en heeft een reeks trusts in het leven geroepen en verzekeringen afgesloten.'

'Dat kan ik zo moeilijk begrijpen,' onderbrak ze hem. 'Peter werkte op de bank en had een paar aandelen, maar afgezien van het huis waar een hypotheek op staat, en het mede-eigenaarschap van de galerie, hadden we heel weinig bezittingen – laat staan genoeg spaargeld om te kunnen beleggen. Waar kwam al dat geld vandaan?'

'De verzekering heeft de hypotheek voor zijn rekening genomen, het compagnonschap vloeit naar Diane en jou terug, en wat het kapitaal betreft dat hij belegde, dat kan verklaard worden door het onroerende goed dat hij zo slim heeft gekocht en verkocht.'

Jenny dacht aan de lange lijst met onroerend goed die ze had gekregen. Blijkbaar had Peter onroerend goed langs de hele noordkust gekocht toen de waarde op een dieptepunt was. Hij had ze opgeknapt en verkocht toen de waarde steeg – en ze had er geen idee van gehad. 'Maar hij moest toch geld hebben om er überhaupt mee te beginnen?' protesteerde ze.

Wainwright knikte en keek weer in het dossier. 'Hij heeft een aanzienlijke lening op jullie huis in Palm Beach genomen om de eerste paar woningen te kopen, en toen hij ze verkocht, gebruikte hij de winst om de rest te kopen.'

Ze dacht aan het kapitaal op haar bankrekening, en de jaren van schrapen en zuinig zijn om de rekeningen te betalen. 'Hij heeft me er nooit iets van verteld,' mompelde ze.

'Ik neem aan dat hij je niet met de financiële kant van de zaak wilde lastigvallen,' zei de advocaat met een neerbuigend lachje.

Ze wierp hem een kille blik toe en veranderde van onderwerp. 'Hoe zit het nu met mijn verjaardag?'

John Wainwright zocht tussen de papieren op zijn bureau en pakte een ander dossier. 'Dit was Peters speciale nalatenschap – alleen voor jou. Hij wilde het aan je geven op je verjaardag, maar…'

Ze boog voorover. Ongeduld en angst waren een vreemde cocktail. 'Wat is het?'

'Het is de eigendomsakte van een schapenhouderij,' zei hij terwijl hij het dossier opensloeg.

Ze zweeg onthutst en liet zich achteroverzakken. 'Dat moet je maar eens even uitleggen,' zei ze ten slotte.

'De boerderij is een aantal jaren geleden door de eigenaars verlaten. Je man zag zijn kans schoon om een droom te vervullen die jullie beiden deelden, meen ik, en greep hem met beide handen.' Hij glimlachte. 'Peter was er heel opgewonden over. Het zou een verrassing voor je vijfentwintigste verjaardag zijn. Ik heb geholpen met de papieren en zo, en heb een regeling getroffen met de bedrijfsleider dat hij zou blijven en voor de boerderij zou zorgen tot Peter en jij het overnamen.'

Jenny verzonk in gepeins terwijl ze het nieuws probeerde te verwerken. Het getik van de klok was het enige wat te horen was terwijl ze haar gedachten op een rijtje probeerde te zetten. Dingen begonnen op hun plaats te vallen. Peter had haar verteld dat haar volgende verjaardag er een zou worden die ze nooit zou vergeten. Hij had haar het medaillon dat ze altijd droeg op hun laatste Kerstmis samen gegeven en had erop gezinspeeld dat het iets te maken had met de verrassing die eraan kwam, maar had geweigerd het geheim van het medaillon, of de plannen die hij duidelijk aan het maken was te onthullen. Maar dit? Dit overtrof haar stoutste dromen. Bijna onmogelijk te verwerken.

'Waarom heb je het me niet verteld toen je de eerste keer het testament voorlas?'

'Omdat je man nadrukkelijk had gezegd dat er niets verklapt mocht worden vóór je vijfentwintigste verjaardag,' zei hij eenvoudig. 'En wij gaan er prat op dat we aan de wensen van onze cliënten tegemoetkomen.'

Jenny verviel in een diepe stilte. Het was allemaal te laat gekomen. Ze kon met geen mogelijkheid hun droom waarmaken – niet in haar eentje. Maar haar nieuwsgierigheid was gewekt.

'Vertel me eens meer over die boerderij, John. Waar ligt hij?'

'Hij ligt in de noordwesthoek van New South Wales. Of "achter Bourke", zoals jullie Australiërs het noemen. Ongeveer zover het binnenland in als je maar kunt komen. De naam van de boerderij is Churinga, wat, zo heb ik uit betrouwbare bron vernomen, aboriginal is voor "heilig amulet".'

'Hoe heeft hij die boerderij dan gevonden? Waarom heeft hij hem gekocht? Waarom is dit Churinga zo bijzonder?'

Hij keek haar lange tijd aan, en toen hij eindelijk sprak, had Jenny de indruk dat hij haar niet alles vertelde. 'Churinga zat toevallig in onze onroerendgoedportefeuille. De oorspronkelijke eigenaars hebben het ons in handen gegeven om te beheren tot wij het moment geschikt achtten om het door te verkopen. Peter was toevallig op het juiste moment op de juiste plaats.' Hij glimlachte. 'Hij wist wanneer er voordeel te behalen viel. Churinga is een prima boerderij.'

De stilte was loodzwaar en het getik van de klok gaf de tijd aan die verstreek terwijl ze wachtte tot hij haar meer vertelde.

'Ik realiseer me dat dit nogal een schok moet zijn, Jennifer, en ik wil me verontschuldigen voor het feit dat ik het je niet eerder heb verteld. Maar ik was het aan Peter verplicht om aan zijn wensen tegemoet te komen.'

Jenny merkte dat de verontschuldiging oprecht was en knikte. Hij kon haar blijkbaar niet meer vertellen, maar ze hield er een onbevredigd en nieuwsgierig gevoel aan over.

'Ik stel voor dat je er een tijdje over nadenkt, en me over een paar weken weer komt opzoeken om te bespreken wat je met je erfenis wilt doen.' Het kille glimlachje verscheen weer om zijn mond. 'We kunnen je natuurlijk helpen met de verkoop van de boerderij als je mocht besluiten hem niet over te nemen. Ik ken verschillende beleggers die het willen overnemen zodra het op de markt verschijnt. De wolprijzen zijn momenteel hoog, en Churinga is een winstgevende onderneming.'

Het kostte Jenny nog steeds moeite om het tot zich door te laten dringen – maar de gedachte om de schapenfokkerij van de hand te doen voor ze hem zelfs maar had gezien zat haar ook niet lekker. Maar ze wilde haar bezorgdheid nog niet uiten. John had gelijk, ze had nog wel even tijd nodig om erover na te denken.

Hij haalde een zakhorloge uit zijn vestzak. 'Ik zou je adviseren Churinga te verkopen, Jennifer. Het binnenland is geen plek voor een jonge vrouw, en ik heb begrepen dat de boerderij heel afgelegen ligt. Vrouwen overleven er niet gemakkelijk, vooral degenen die aan de stad gewend zijn.'

Hij keek naar haar elegante sandaaltjes met naaldhakken en dure katoenen jurk. 'Het is nog steeds een mannenwereld in de schapenfokkerij in Australië – maar ik neem aan dat je dat al wist.'

Ze glimlachte bijna. De jaren dat ze in Dajarra en op Waluna had gewoond, hadden hun sporen blijkbaar niet nagelaten. 'Ik zal erover nadenken,' mompelde ze.

'Als je deze papieren nog even zou willen tekenen om te bevestigen dat je op de hoogte bent gesteld van deze nieuwste erfenis? We hebben ze nodig voor ons archief.'

Ze nam snel het juridische jargon door, maar kon er niet veel van maken. Haar handtekening was nog nat toen er al een ander papier onder haar neus geschoven werd.

'Dit is een kopie van de aandelenportefeuille van wijlen je man, en ik heb met de bank geregeld dat je er inkomen uit mag halen. Als je dit even tekent, hier, hier en hier, dan maak ik de rekeningen in orde.'

Jenny deed wat haar gezegd werd. Ze deed alles mechanisch; ze had de situatie niet meer in de hand en stond op het punt in te storten. Ze moest uit dat claustrofobische kantoor weg en het zonlicht in. Ze had tijd nodig om na te denken en de uitkomst van die buitengewone middag te verwerken.

'Ik zal een nieuwe afspraak voor je maken voor over drie weken. Tegen die tijd heb je wel een idee van wat je met Churinga wilt doen.'

Ze stapte met gemengde gevoelens op straat. Verwarring, verdriet en nieuwsgierigheid vormden een koppige cocktail. Terwijl ze door het park terugliep, probeerde ze zich de schapenhouderij voor te stellen. Hij zag er waarschijnlijk uit als honderd andere, maar was toch speciaal omdat Peter hem voor hen had gekocht.

'Churinga,' fluisterde ze, en proefde de naam op haar tong en in haar gedachten. Het was een mooie naam. Zo oud als de tijd, mysterieus en magisch. Ze rilde van verwachting terwijl ze het medaillon in haar hand klemde. Magie bestond niet, niet in het echt, maar misschien zou ze troost vinden in de wildernis.

Diane wist zodra Jenny de galerie binnenstapte dat er iets mis was. Een toevallige voorbijganger zou alleen de lange, bruine benen, de slanke heupen, de soepele gratie waarmee ze liep en de opvallende paarse ogen hebben waargenomen. Maar Diane kende haar te goed.

Ze keek naar Andy die nonchalant een plumeau over een sculptuur haalde. 'Je kunt wel gaan. We hebben alles gedaan wat er vandaag te doen viel.'

Zijn schalkse blik gleed over Jenny voor hij weer naar Diane keek. 'Meisjes onder elkaar, zeker, hè? Nou, ik weet wanneer ik niet gewenst ben, dus zeg ik maar dag lieverds.'

Diane zag hem zwierig in het achterkamertje verdwijnen, liep toen naar Jenny en gaf haar een kus. Jenny voelde koud aan en ze trilde, maar haar ogen schitterden koortsachtig.

'Je raadt nooit wat er gebeurd is,' hakkelde ze ademloos.

Diane legde een waarschuwende vinger op haar lippen. 'De muren hebben oren, schat.'

Ze draaiden zich allebei om toen Andy uit het achterkamertje kwam, met zijn colbert over zijn schouder geslingerd. Het roze overhemd en de broek met wijde pijpen waren smetteloos als altijd, het gouden medaillon glinsterde tegen zijn perfect gebruinde borst, maar zijn ogen waren toegeknepen van nieuwsgierigheid.

'Dag, Andy,' riepen beide vrouwen in koor.

Hij stak minachtend zijn kin in de lucht, sloeg de deuren van de galerie met een klap achter zich dicht en haastte zich de trap af en de straat in. Diane keek naar Jenny en giechelde. 'God, wat is hij toch irritant! Nog erger dan een vrijgezelle tante op bezoek hebben.'

'Aangezien we allebei geen vrijgezelle tante hebben, zou ik het niet weten,' zei Jenny ongeduldig. 'Diane, we moeten praten. Ik moet een paar grote beslissingen nemen.'

Diane trok haar wenkbrauwen op toen Jenny papieren uit haar schoudertas haalde die eruit zagen als notarisakten. 'Peters testament? Ik dacht dat dat allemaal rond was.'

'Dat dacht ik ook, maar het ziet er ineens allemaal wat anders uit.'

Diane nam haar mee naar het achterkamertje en schonk voor hen allebei een glas wijn in. Ze stak een sigaret op en liet zich op een van de enorme vloerkussens zakken die ze uit Marokko meegebracht had. 'Waarom ben je overstuur, Jen? Hij heeft je toch niet met schulden opgezadeld?'

Diane dacht razendsnel na. Peter kennende, was dat het laatste wat hij zou hebben gedaan. Ze had nog nooit een man ontmoet die zo georganiseerd was, maar je wist maar nooit wat er gebeurde wanneer advocaten en lui van de belasting er zich mee gingen bemoeien, en ze wist dat ze krap hadden gezeten.

Jenny schudde haar hoofd en glimlachte. Ze pakte de portefeuille, de koopakten en het testament. 'Lees maar eens, Diane. Daarna praten we verder.'

Diane stroopte haar lange mouwen op en las de eerste paar alinea's van het testament door. Het was een hoop juridisch gebrabbel, dat door niemand begrepen hoefde te worden. Toen het tot haar doordrong wat ze las, bleef ze met open mond tot het einde doorlezen.

Jenny reikte haar zwijgend de portefeuille aan, en Diane, die het een en ander van een ex-vriendje over de beurs had geleerd, was diep onder de indruk van de investeringen. 'Ik wou dat ik had geweten dat Peter zich met dit soort dingen bezighield – ik had wel een paar tips kunnen gebruiken. Er zitten heel goede dingen tussen.'

'Ik wist niet dat jij belegde. Sinds wanneer?'

Diane keek op terwijl de sigaret tussen haar vingers opbrandde. 'Sinds ik mijn eerste sculptuur heb verkocht. Ik had toen een vriend die in het bankwezen zat. Ik dacht dat je dat wist?'

Jenny schudde haar hoofd. 'Gek, hè? Je denkt dat je alles van iemand weet, dan gebeurt er iets en dan komen er allerlei dingen tevoorschijn.'

'Ik vertel jou ook niet de intiemere details van mijn seksleven, maar dat betekent niet dat ik er geen heb of dat ik iets te verbergen heb.' Diane was kwaad op zichzelf, en op Jenny. Er was absoluut geen reden waarom ze zich schuldig zou voelen, maar toch was het zo – en het zat haar dwars.

Jenny haalde de sigaret uit haar vingers en drukte hem uit. 'Ik beschuldig je helemaal nergens van, Di. Het was gewoon een opmerking. Ik had geen idee dat jij en Peter zich met beleggingen bezighielden. Geen idee dat we zoveel waard waren, en dát zit me dwars. Hoe kon hij dat allemaal geheimhouden terwijl ik hem alles vertelde? Waarom moesten we zuinig leven als er geld op de bank stond?'

Diane had er geen antwoord op. Ze was op Peter gesteld geweest omdat hij Jenny en de kleine Ben duidelijk aanbad. Hij was ook trouw geweest, in tegenstelling tot die klootzak van een David die de moraal van een rat had. Maar Peter had altijd iets afstandelijks gehad. Een barrière waar ze niet doorheen kwam, en dat had toch een domper op haar gevoelens voor hem gezet.

Ze wilde net iets zeggen, met een of ander cliché komen, toen Jenny haar het laatste juridische document aanreikte. 'Wat is dit?'

'Peters verjaardagscadeautje,' zei ze zachtjes. 'En ik weet niet wat ik ermee aan moet.'

Diane las de akte door, en toen ze klaar was, zwegen de vrouwen een tijdje. Het was allemaal te ongelooflijk en Diane kon zich Jenny's verwarring voorstellen. Ten slotte schraapte ze haar keel en stak nog een sigaret op. 'Ik weet niet waarom je in paniek bent. Je hebt geld op de bank, een huis zonder hypotheek en een schapenhouderij in de rimboe. Wat is het probleem, Jen? Ik dacht dat dit was wat je altijd wilde.'

Jenny griste de documenten terug en dook voorover uit de kussens. 'Ik wou dat je eens voor gewone stoelen zorgde,' mompelde ze terwijl ze haar korte jurk over haar bovenbenen trok. 'Het is geen stijl om zo over de grond te moeten kruipen.'

Diane grinnikte. In ieder geval toonde ze weer pit, en dat was fijn om te zien na zoveel tijd. 'Je draait om de hete brij heen, Jen. Ik wilde weten…'

'Dat hoorde ik wel,' onderbrak Jenny haar. 'Ik heb net een schok gehad en kan het nog niet verwerken. Ik ben rijk. Wij zijn rijk. Waarom rijd ik dan in een oude Holden? Waarom werkte Peter dag en nacht? Waarom gingen we nooit op vakantie en kochten we nooit nieuwe meubelen?'

Ze draaide zich met een ruk om, en haar gezicht zag wit van de spanning. 'Ik was met een vreemde getrouwd, Diane. Hij nam leningen op ons huis, speculeerde, kocht en verkocht onroerend goed waar ik niets van wist. Wat voor geheimen had hij nog meer?'

Diane keek toe terwijl Jenny in haar tas zocht en er een stapel papieren uithaalde, die ze onder Dianes neus hield. Dit was goed. Dit betekende dat Jenny eindelijk uit het donker naar voren kwam, uit die schuilplaats waar ze zich de afgelopen zes maanden in verborgen had.

'Kijk eens naar die lijst van eerdere investeringen, Diane,' siste ze. 'Een rij rijtjeshuizen in Surry Hills... een blok duplexwoningen in Koogee, en nog een in Bondi... Er komt geen eind aan die lijst. Gekocht, opgeknapt en tegen hoge winsten verkocht die hij gebruikte om aandelen mee te kopen.' Ze trilde van woede. 'En terwijl hij druk bezig was veel geld te verdienen, had ik moeite om de elektriciteitsrekening te betalen!'

Diane redde de verfrommelde papieren en streek ze glad. 'Oké, dus dan was Peter een stiekeme kapitalist. Hij deed alleen maar wat hem het beste leek, ook al was het achter je rug om – en de schapenboerderij was iets wat jullie allebei wilden.'

Jenny's woede verdween net zo snel als hij gekomen was. Ze liet zich weer op de vloerkussens vallen en beet op een nagel.

'Neem een sigaret,' zei Diane gedecideerd terwijl ze haar het slimme, platte doosje Craven 'A' aanbood.

Jenny schudde haar hoofd. 'Als ik weer begin, stop ik nooit meer. Trouwens, nagels zijn goedkoper dan sigaretten.' Ze glimlachte flauwtjes en nam een slok van haar wijn. 'Ik liet me even gaan, hè? Maar niets is meer wat het lijkt, en ik vraag me soms af of ik toch niet gek geworden ben.'

Diane glimlachte. De zilveren armbanden rinkelden. 'Kunstenaars zijn nooit bij hun verstand, en jij en ik zeker niet, meid. Maar ik zeg het wel als je écht instort, dan worden we samen stapelgek.'

Toen lachte Jenny, en hoewel er een ondertoon van hysterie in doorklonk, was het goed om haar te horen lachen. 'Maar wat ga je nu met die schapenboerderij doen?'

Er verscheen een rimpel in haar voorhoofd en ze beet op haar lip. 'Ik weet het niet. Er is een bedrijfsleider die de zaken op dit moment regelt, maar John Wainwright heeft me aangeraden om de boerderij te verkopen.' Ze keek naar haar vingers, en haar dikke bruine haar viel als een sluier voor haar ogen zodat Diane hun uitdrukking niet kon zien. 'Het zou niet hetzelfde zijn zonder Peter, en ik weet niet veel van schapen en nog minder van het runnen van een schapenfokkerij.'

Diane kwam gretig naar voren. Misschien was Churinga precies wat nodig was om Jenny uit haar depressie te halen en haar iets te geven om zich op te concentreren. 'Maar we werden in een pleeggezin op Waluna ondergebracht, en daar voelde je je als een vis in het water. Je zou de bedrijfsleider aan kunnen houden en als kasteelvrouw kunnen leven.'

Jenny haalde haar schouders op. 'Ik weet het niet, Diane. Ik kom in de verleiding om erheen te gaan en het te bezichtigen, maar...'

'Maar niks.' Dianes geduld was op. Ze kende deze sombere, hulpeloze Jenny niet, die aarzelde en overal leeuwen en beren zag. 'Ben je niet een klein beetje nieuwsgierig? Wil je niet zien wat voor verrassing Peter voor jou heeft gekocht?'

Ze deed een poging om kalm te blijven. 'Ik weet dat het niet hetzelfde is nu hij en Ben er niet meer zijn, maar misschien is dit de kans om er een tijdje tussenuit te gaan. Om van het huis in Palm Beach en alle herinneringen daar weg te zijn. Beschouw het als een avontuur, als een heel bijzonder soort vakantie.'

'En de tentoonstelling dan, en de opdracht in Parramatta die ik nog niet afheb?'

Diane nam een trek van haar sigaret en inhaleerde diep. 'De tentoonstelling gaat gewoon door vanwege al het werk dat we er al ingestopt hebben. Andy en ik redden het wel. Jouw landschap is bijna af.' Ze keek Jenny ernstig aan. 'Dus je ziet, je hebt eigenlijk geen excuus. Je moet gaan. Peter zou het gewild hebben.'

Jenny liet zich door Diane overhalen om 's avonds laat nog in Kings Cross te gaan eten. Het was een korte wandeling vanuit de galerie, in het hart van het artistieke deel van Sydney, en een favoriete buurt van hen allebei. De neonlichten flitsten en knipperden, muziek schalde uit de bars en stripclubs, en de mensen op het trottoir waren bizar en kleurrijk als altijd, maar Jenny was gewoon niet in de stemming om achterover te leunen en het allemaal in zich op te nemen zoals anders. De lichten waren te fel, de muziek te schel, de hoertjes en flanerende exhibitionisten te afgeleefd. Ze besloot niet terug te gaan met Diane, maar reed helemaal terug naar haar eigen huis.

Het was een geweldig huis van drie verdiepingen dat op een heuvel lag die op de baai uitkeek. Ze hadden geluk gehad dat ze het zo goedkoop hadden kunnen krijgen. De eerste paar jaar, vóór Ben geboren werd, hadden ze al hun geld in de verbouwing gestopt. Nu, met een nieuw dak, airconditioning, panoramaramen en een nieuwe lik verf, was het veel meer waard dan ze eraan uitgegeven hadden. Palm Beach was ineens trendy, en hoewel dat een eindeloze stoet van weekendsurfers en zonaanbidders betekende, had geen van tweeën willen verhuizen. Ben was dol op het strand; hij was net bezig te leren zwem-

61

men en kreeg driftbuien als het tijd was om de heuvel op naar huis te gaan.

'Ik zou er alles voor geven als hij nu een driftbui kreeg,' fluisterde Jenny terwijl ze de sleutel in de deur naar haar atelier op zolder stak. 'Ik wou, ik wou.'

Ze deed de deur open en deed hem met een klap achter zich dicht. Ze kon wensen wat ze wilde, ze zou ze toch niet terugkrijgen, maar als ze hier in huis was, werden de herinneringen helderder, schrijnender. Misschien had Diane gelijk dat het goed zou zijn als ze een tijdje weg was.

De lichten in het atelier waren opzettelijk fel, omdat ze vaak 's avonds schilderde als de zon niet langer door de koepel scheen. Maar nu had ze behoefte aan zachtheid en deed ze weer uit. Nadat ze kaarsen en een staafje wierook had aangestoken, schopte ze haar schoenen uit en wiebelde met haar tenen. Het extra stompje dat boven haar kleine teen groeide zag rood en deed pijn, maar het was haar eigen schuld. Ze wilde niet dat die zesde teen ook maar enige invloed op haar leven had, en aangezien de dokters er niets aan wilden doen, had ze besloten hem zoveel mogelijk te negeren. Maar zo nu en dan ging hij pijn doen in de modieuze schoenen die ze per se wilde dragen.

Ze trok haar bovenkleding uit, deed al haar sieraden af, op het medaillon na en ging op de chaise-longue liggen. Het was een heel oude en de vulling stak hier en daar door het versleten velours, maar hij lag lekker, en ze kon nog niet in het grote tweepersoonsbed beneden kruipen. Dat zou te leeg aanvoelen.

Het geluid van de zee kwam door haar openstaande raam naar binnen, en de verre kreet van een kookaburra die zijn territorium verdedigde echode in de stilte. Terwijl de kaarsen flikkerden en de warme, zinnenprikkelende geur van wierook boven de vertrouwde geur van verf en terpentine uitsteeg, begon Jenny zich eindelijk te ontspannen.

Ze liet haar gedachten gaan over die vier korte jaren die ze met Peter had doorgebracht en bleef hier en daar stilstaan bij ansichtkaarten van de gelukkige tijden, momenten die voor altijd in haar geheugen gegrift waren. Ben op het zand, giechelend van plezier als de zee over zijn tenen kroop. Peter op een ladder terwijl hij de dakgoten repareerde na een storm, zijn gebruinde lichaam zo lenig en sexy in die strakke korte broek.

Ze hadden elkaar op een dansavond ontmoet, kort nadat zij en Diane naar Sydney waren gekomen. Hij werkte al voor de bank, maar zijn wortels waren diep verankerd in een veehouderij in het Northern Territory die zijn twee oudere broers hadden geërfd. Hij was intelligent en grappig en ze was vrijwel meteen verliefd op hem geworden. Ze hadden hetzelfde gevoel voor humor

62

en dezelfde interesses, en toen hij het over het land kreeg en zijn innige wens om eens een eigen boerderij te beginnen, herkende ze dezelfde behoefte bij zichzelf. Die jaren op Waluna hadden een onuitwisbare indruk op haar achtergelaten, en Peters enthousiasme had dat van haar aangewakkerd.

Jenny kroop wat dieper in de kussens van de oude bank. God, wat mis ik hem, dacht ze. Ik mis zijn geur, zijn warmte, zijn glimlach, en de manier waarop hij me aan het lachen kon maken. Ik mis de manier waarop hij me een kus in mijn nek gaf als ik stond te koken, en zijn lichaam in bed naast me. Maar ik mis het vooral dat ik niet meer met hem kan praten. Om over de dingen van de dag te praten, hoe klein ook, om je verbazing uit te spreken over hoe verschrikkelijk hard Ben groeide en elkaar vertellen hoe trots we waren op onze geweldige zoon.

Eindelijk kwamen de tranen en ze stroomden langzaam over haar wangen terwijl haar verzet brak. Er welden heftige snikken in haar op en voor het eerst sinds die afschuwelijke dag gaf ze zich eraan over. Diane had gelijk, gaf ze toe. Het lot was wreed, en ze kon er absoluut niets aan doen. De droom om een eigen gezin te hebben was aan diggelen, net als die andere dromen die Diane en zij al die jaren geleden in Dajarra hadden gekoesterd. Maar onder die vloedgolf van verdriet kwam de wetenschap dat Peter haar één droom had gegeven die in vervulling kon gaan. Hij zou er niet bij zijn om hem met haar te delen, maar misschien was zijn cadeau een manier om een nieuw leven voor haarzelf te beginnen.

De zon was al op toen Jenny haar ogen weer opendeed. Nu stroomde het zonlicht het atelier binnen en, terwijl stofdeeltjes op de zonnestralen dansten, werden prisma's van licht uit de kristallen getoverd die ze aan het plafond had gehangen. Haar hoofd deed pijn en haar oogleden waren opgezet, maar ze had een intens gevoel van kalmte en vastberadenheid. Het was net alsof de tranen van de avond ervoor de schijnverdediging die ze had opgeworpen in de foute veronderstelling dat die haar zou beschermen hadden weggespoeld, en haar een beter inzicht hadden gegeven in wat haar te doen stond.

Ze bleef liggen en genoot van het moment. Toen dwaalde haar blik naar de ezel bij het raam en het landschap dat ze bijna af had. De man uit Parramatta had haar een foto van het huis van een veehouderij gegeven. Zijn vrouw had er ooit gewoond, en het schilderij was een cadeau voor haar verjaardag.

Jenny keek kritisch naar het schilderij, zocht naar foutjes en zag iets onzorgvuldigs in een penseelstreek die verbeterd moest worden. Ze had er al enige tijd niet meer aan gewerkt, maar nu, in het licht van de nieuwe morgen, voelde ze hoe dat oude, vertrouwde enthousiasme terugkeerde. Ze stond op, liep naar de ezel en pakte het palet. Ze zou eerst het schilderij afmaken en dan plannen maken.

Terwijl ze de verf mengde, ging er een huivering van verwachting door haar heen. Churinga. Het was net alsof het haar riep. Haar van het koele blauw van de Grote Oceaan weglokte naar de gloeiendhete rode aarde van het middelpunt.

Drie weken later leunde Diane achterover op de chaise-longue. De vele ringen om haar vingers schitterden in het zonlicht dat door de koepel en de ramen naar binnen stroomden. De kleine belletjes aan haar oorhangers tinkelden toen ze de kussens goed legde en Jenny's werk bekeek.

Het schilderij was bijna klaar. Ze wou dat ze het voor de tentoonstelling mocht hebben. Het Australische publiek wilde niets liever dan een glimp van zijn eigen erfgoed, een herinnering aan het ware hart van hun uitgestrekte en prachtige land. De meesten van hen waren nooit verder dan de Blue Mountains geweest, en hier, tevoorschijn getoverd door Jenny's penseel, was het echte Australië.

Diane hield haar hoofd schuin en bestudeerde het schilderij nog wat kritischer. Er lag hartstocht voor het onderwerp in Jenny's werk, een gevoel voor de uitgestrektheid van het land en de afzondering van het huis dat ze nooit eerder had gezien. 'Ik denk dat dit het beste is wat je in tijden hebt gedaan,' mompelde ze. 'Het is heel levend.'

Jenny deed een paar stappen achteruit en hield haar hoofd schuin terwijl ze haar werk bekeek. Ze droeg een versleten korte broek en een bikinitopje, en haar lange haar was in een slordige knot op haar hoofd gedraaid en vastgezet met een penseel. Ze liep op haar blote voeten – iets wat ze alleen deed als ze in haar eentje was of met Diane – en het enige sieraad dat ze droeg was het antieke medaillon dat ze van Peter voor Kerstmis had gekregen.

'Ik ben het met je eens,' mompelde ze. 'Al werk ik in het algemeen liever niet van foto's.'

Diane keek hoe Jenny uiterst zorgvuldig de laatste details aanbracht. Ze wist uit ervaring dat die al het harde werk dat eraan voorafgegaan was konden maken of breken. Er kwam een moment dat het genoeg was – en instinct was de enige richtlijn.

Jenny liep bij het schilderij vandaan, bleef er lange tijd naar staan kijken en begon toen op te ruimen. De penselen werden in een pot met terpentine gezet, het palet en het mes schoongeschraapt en op de tafel naast de ezel gezet. Ze maakte haar haar los en schudde het uit. Vervolgens hief ze haar armen naar het plafond om de spanning in haar nek en schouders te verlichten. 'Klaar,' zuchtte ze. 'Nu kan ik beginnen met plannen maken.'

Het was goed om haar weer zo levendig te zien, dacht Diane. Geweldig dat ze terug is uit dat zwarte gat waar ze bijna kapotging. Ze stond op van de bank en haar goudkleurige slippers klepperden op de houten vloer toen ze naar de andere kant van het vertrek liep.

Jenny draaide zich om en glimlachte. 'Weet je zeker dat je het niet erg vindt om op het huis te passen terwijl ik de rimboe intrek?'

Diane schudde haar hoofd en haar oorhangers tinkelden. 'Natuurlijk niet. Het wordt een soort toevluchtsoord waar niemand me kan bereiken, zodat ik eens een beetje tot rust kan komen. Met de tentoonstelling die eraan komt, en Rufus die voortdurend zijn goede intenties duidelijk maakt, is dat precies wat ik nodig heb.'

Jenny grinnikte. 'Zit hij nog steeds achter je aan? Ik dacht dat hij teruggegaan was naar Engeland.'

Diane dacht aan de robuuste kunstcriticus van middelbare leeftijd die schreeuwende hemden droeg en nog schreeuwendere stropdassen die moesten wedijveren met zijn stem en heerszuchtige gedrag. 'Ik wou dat het waar was,' zei ze droog. 'Ik word doodmoe van zijn gedram dat Australische kunst zo rauw is vergeleken met de verfijnde Engelse school.'

'Hij probeert je alleen maar te imponeren met zijn enorme kennis. Hij kan er niks aan doen dat hij Engels is.'

'Misschien niet, maar toch wou ik dat hij me niet voortdurend Engeland door mijn strot duwde.' Ze keek uit het raam. Het was al druk op het strand en het nieuwste nummer van de Beatles steeg op uit een verre transistor. 'Dat zeg ik nu wel, maar meestal mag ik hem wel. Ik moet om hem lachen en dat vind ik belangrijk, jij?'

Jenny keek weemoedig terwijl ze naast haar voor het raam ging staan. 'O ja,' mompelde ze. Toen keek ze Diane geschrokken aan. 'Maar beloof me dat je niet met hem trouwt terwijl ik weg ben, hè? Ik ken Rufus goed genoeg om te weten dat hij heel overtuigend kan zijn, en hij is duidelijk stapelgek op je.'

Diane kreeg een plezierig gevoel dat haar verraste. 'Denk je heus?'

Jenny knikte voor ze zich afwendde. 'Genoeg over hem. Kom mee naar beneden, dan maak ik een brunch en dan kun je me helpen om een plan en een route naar Churinga op te stellen voor ik naar John Wainwright ga.'

Diane keek in die levendige blauwpaarse ogen en wist zeker dat haar vriendin aan het helen was. Misschien werd dit nieuwe avontuur het begin van een nieuw leven – en zelfs als het dat niet werd, dan was ze Peter dankbaar dat hij de vooruitziende blik had gehad om te weten dat Jenny terug moest naar waar ze dacht dat ze thuishoorde.

John Wainwright droeg nog steeds zijn driedelig grijs, de ramen bleven dicht en de enige concessie aan de hitte was een ventilator op het bureau die niets anders deed dan de benauwde lucht door de kamer verspreiden.

Jenny zag hoe hij nette stapeltjes van de papieren op zijn bureau maakte. Hij zag er tevreden uit, één met de betimmerde muren en in leer gebonden boeken. Het was alsof hij in een tijdmachine terechtgekomen was, een klein stukje Engeland, verbannen als een veroordeelde, in de verkeerde tijd en op de verkeerde plaats. Ze glimlachte naar hem en kreeg een warme reactie. Hij leek vandaag vriendelijker, zijn ogen keken niet zo koud.

'Heb je al besloten wat je met je erfenis gaat doen?'

Ze knikte. Maar de consequenties van het accepteren van Peters geschenk, en de erkenning dat ze er van nu af aan alleen voor stond, waren griezelig. 'Ja,' zei ze vastbesloten voor ze van gedachten kon veranderen. 'Ik heb besloten Churinga te houden. Ik ben zelfs van plan er voor een tijdje heen te gaan.'

Wainwright steunde zijn kin met zijn vingertoppen en keek haar bezorgd aan. 'Heb je er echt goed over nagedacht, Jennifer? Het is een lange reis voor een jonge vrouw, en er lopen soms ongure types op die verlaten wegen rond.'

Dat was precies de reactie die ze had verwacht, maar toen ze haar besluit wilde verdedigen, bladerde hij in zijn agenda en was haar voor.

'Ik kan wel wat afspraken verzetten en met je meegaan? Maar dat kan dan pas over een week of wat.' Hij keek haar over zijn brillenglazen aan. 'Ik denk niet dat het verstandig is als je alleen naar zo'n afgelegen plek gaat.'

Jenny zakte in. Het laatste wat ze wilde was dat precieze mannetje met zijn keurige pak en zijn smetteloze nagels als reisgezelschap. Ze zag hem al voor zich met zijn zwarte paraplu, bolhoed en aktetas, lopend over de onverharde weg van een of ander stadje ergens in de rimboe, en beet op haar lip om niet te gaan lachen. Ze wilde zijn gevoelens niet kwetsen. Tenslotte bedoelde hij het goed. Maar ze zou toch niets aan hem hebben. Eén probleempje en hij zakte in elkaar.

Ze glimlachte om haar woorden te verzachten. 'Het is heel vriendelijk van je, John, maar ik ben eerder in het binnenland geweest en ik weet wat ik kan verwachten. Het is niet zo erg als je denkt. Ze zijn er echt wel beschaafd, hoor.'

Zijn opluchting was overduidelijk, ook al had hij nog iets weifelends en Jenny ging snel verder voor hij kon protesteren. 'Ik heb al het een en ander voor de reis geregeld, en zoals je kunt zien, zal ik niet echt alleen zijn.' Ze legde de trein- en buskaartjes op het bureau. 'Ik neem de Indian Pacific tot aan

Broken Hill, en dan neem ik de bus naar Wallaby Flats. Omdat ik toch de tijd heb, dacht ik dat het een goed idee was om zoveel mogelijk van het land te zien. Als je contact wilt opnemen met de bedrijfsleider van Churinga en hem vraagt me in Wallaby Flats op te halen, zou ik je dankbaar zijn.'

John keek naar de kaartjes. 'Je bent blijkbaar nogal georganiseerd, Jennifer.'

Ze boog voorover en legde haar armen op het bureau. Ze voelde zich blij van opwinding, maar had een beetje medelijden met die man die zich waarschijnlijk niet verder dan zijn kantoor waagde, nu hij de overstap naar Australië had aangedurfd.

'Ik vertrek morgenmiddag om vier uur. Het duurt zeker twee dagen voor ik in Wallaby Flats ben, maar ik kan het op mijn gemak doen. Van daar kan ik misschien een lift krijgen of een auto huren als de bedrijfsleider niemand kan sturen om me op te halen.'

Jenny zag zijn rilling van afgrijzen. Ze had gelijk toen ze dacht dat hij haar alleen maar tot last zou zijn als hij zich alleen al bij de gedachte aan de plaats ongemakkelijk voelde.

'Dan moet je je er maar van vergewissen dat de bedrijfsleider ervoor zorgt dat iemand me op komt halen,' zei ze gedecideerd. Misschien vond hij haar dom en eigenwijs, maar het was háár avontuur en ze wilde het onderste uit de kan halen.

'Zoals je wilt.' Zijn toon verried zijn twijfels.

'Ik ben niet bang voor het binnenland of om alleen te reizen, John. Ik ben in een weeshuis in Dajarra opgegroeid, en heb mijn hele leven voor mezelf moeten opkomen. Ik heb de grofste werklui ontmoet op een heel woeste plek tijdens mijn jaren op een schapenhouderij in Queensland. Het zijn maar mensen zoals jij en ik. Eerlijke, hardwerkende, harddrinkende mensen die me geen kwaad zullen doen. Geloof me, John, hier in de stad loop ik meer risico.'

Ze zweeg een ogenblik om haar woorden te laten bezinken. 'Peter heeft me Churinga nagelaten zodat ik naar het land kon terugkeren. Het binnenland is een deel van me, John – ik heb er niets te vrezen.'

Haar hartstochtelijke pleidooi overtuigde hem. 'Dan neem ik contact op met Churinga en laat Brett Wilson weten dat je onderweg bent. Als je even wacht, dan probeer ik hem nu wel te bereiken. Ik wil niet dat je hier weggaat voor ik er zeker van ben dat je opgehaald wordt.'

Hij trok een wenkbrauw op en Jenny knikte instemmend. In ieder geval interesseerde hij zich voor wat er met haar gebeurde, dacht ze. En daar was ze dankbaar voor.

Drie kwartier en twee kopjes slappe thee later, kwam hij het vertrek weer binnen. Hij leek in zijn nopjes en wreef in zijn handen. 'Ik heb meneer Wilson gesproken, en hij zorgt ervoor dat iemand over drie dagen bij de bus staat. Je komt waarschijnlijk vroeg in de avond aan, dus hij stelt voor dat je in het hotel overnacht als er iets tussen mocht komen. Hij heeft me verzekerd dat een jonge vrouw rustig de nacht kan doorbrengen in zo'n hotel.'

Jenny glimlachte en stond op. Hij gaf haar een warme, maar slappe hand.

'Dank je voor je vriendelijkheid, John, en voor je bezorgdheid over mijn reis.'

'Het allerbeste, Jennifer. En mag ik zeggen dat ik je moed bewonder? Laat me weten hoe het met je gaat, en als er iets is dat je nodig hebt... nou, je weet waar je me kunt vinden.'

Jenny's voetstappen klonken zeker en licht toen ze het donkere gebouw uitstapte en Macquarie Street doorliep. Ze keek eindelijk uit naar haar toekomst.

2

Jenny nam met gemengde gevoelens afscheid van Diane, die, zoals gewoonlijk, uitgerust was met een exotische kaftan, zware oogmake-up en te veel rammelende, tinkelende sieraden. 'Ik ben opgewonden, zenuwachtig, en ik heb absoluut geen idee of ik hier goed aan doe,' zei Jenny met onvaste stem. Diane lachte en gaf haar een kus. 'Natuurlijk wel. Je hoeft er niet te blijven als je het er niet naar je zin hebt, en ik beloof je dat ik niet allerlei woeste kunstenaarsfeesten in je huis houd.' Ze gaf Jenny een zetje toen overal op het centraal station van Sydney treindeuren dichtsloegen. 'Ga nu maar. Voor ik begin te huilen en mijn mascara doorloopt.'

Jenny gaf haar een kus, hing de rugzak wat prettiger over haar schouders en liep naar de trein. Het was druk op het centraal station met mensen die de stad ontvluchtten voor het weekend, en velen van hen waren net zo gekleed als zij, in korte broek, hemd, bergschoenen en sokken. Haar vilten hoed zat in haar rugzak gepropt, samen met insectenspul, pleisters, tekenspullen en drie verschoningen. Ze had niet veel nodig waar ze heenging, en ze kon zich zeker niet voorstellen dat ze lang zou blijven. Dit was gewoon een verkenningstocht om haar nieuwsgierigheid te bevredigen, haar behoefte om nog een keer terug te keren naar het binnenland om te zien of ze de stukken van haar oude leven weer op kon pakken.

Ze zwaaide een laatste keer naar Diane, stapte in de oude dieseltrein en vond haar plaats in de tweede klas. Zuinigheid was een gewoonte, en haar goedkope plaats betekende dat ze de hele reis zou moeten zitten in plaats van gebruik te kunnen maken van de luxe slaapcoupés. Toch had ze vrede met die besissing. Het gaf haar de kans om de andere passagiers te ontmoeten zodat ze zich niet zo alleen hoefde te voelen.

Terwijl de trein langzaam het station uitreed, voelde ze iets van opwinding. Hoe zou Churinga eruitzien – en zou ze nog hetzelfde voor het binnenland voelen als ze als kind deed? Ze was nu wereldser, ouder en hopelijk verstandiger, verwend door de jaren in de grote stad met haar airconditioning, winkels, overvloed aan water en koele, schaduwrijke parken.

Sydney gleed langs haar raam voorbij en ze staarde naar de voorsteden. De oude Holden had de reis nooit kunnen maken, en ze was blij dat ze voor de trein gekozen had. Toch, toen al het bekende in de verte begon te vervagen, wou ze dat Diane naast haar zat.

De trein reed koninklijk de stad uit en de Blue Mountains in. Voor Jenny was het een majestueus en magisch prentenboek, een adembenemend uitzicht dat zich voor haar uitstrekte. Uit diepe, steile kloven kletterden watervallen in dichtbeboste blauwgroene valleien. Puntige rotsen, verzacht door het blauwe waas van eucalyptusolie, vormden bergtoppen die zich eindeloos in de verte uitstrekten en trilden aan de horizon. Hier en daar stonden vakantiehuisjes tussen de bomen en groepjes oudere huizen lagen tegen elkaar op steile plateaus, maar niets kon de schoonheid van dat imposante panorama verstoren.

Toeristen haalden hun camera's tevoorschijn die driftig klikten en zoemden onder de opgewonden uitroepen van de andere passagiers. Jennifer had er hevig spijt van dat ze haar eigen fototoestel niet had meegenomen, maar terwijl de bergspoorlijn steeds verder slingerde, wist ze dat dit landschap voor altijd in haar geheugen gegrift was.

Een flink aantal uren later hadden ze de ene bergketen na de andere doorkruist. De trein reed langs Lithgow, Bathurst en Orange, tufte door de Herveys Range en op naar Gondobolin, waar hij maar enkele ogenblikken bleef staan om passagiers van de stoffige, afgelegen perrons op te pikken.

Jenny raakte het nooit moe om naar de schapen te kijken die in dit ruige landschap graasden waar alleen maar taai, geel gras groeide. Hoewel de bergen imposant waren, raakte het zien van dwergboompjes en rode aarde een soort oergevoel in haar. Een kudde kangoeroes die over het grasland sprong ontlokte verrukte kreten van de anderen en ze genoot in stilte van hun plezier in haar mooie land.

De nacht viel al snel en Jenny werd in slaap gewiegd door de fluistering van de wielen op de rails. 'Naar huis, naar huis, naar huis.'

De dag brak aan; de hemel hing rood en oranje boven het land en weerkaatste de kleuren van de aarde die hij verwarmde. Jenny keek uit het raam terwijl ze haar koffie dronk. Het was net of het land lag te rijpen in de hitte. Wat was het mooi, wat was het desolaat en schrijnend eenzaam. Maar wat een sterke emoties riep het op. Wat stonden de bomen dapper onder de zon, hun bladeren hangend, de schors verbleekt tot een spookachtig grijs. Ze werd weer helemaal verliefd op haar land.

Weer een dag, weer een nacht. Door het nationaal park, langs Mount Manara en Gun Lake, strekten de kilometers dunbevolkt land zich aan weerszijden eindeloos uit. Kleine gehuchtjes en verlaten weiden, kalme meren en stille bergen gleden in een majestueuze stoet voorbij. Het werd weer ochtend en Jenny's nek en rug waren stijf van het lange zitten. Ze had rusteloos geslapen naarmate haar eindbestemming dichterbij kwam, en ze had het grootste deel van de nacht bier zitten drinken en kaarten met een groepje Engelse rugzaktoeristen. De trein minderde vaart toen hij de woestijnoase Broken Hill naderde. De lijn stopte hier, en de anderen moesten voor het volgende deel van de reis in een andere trein overstappen.

Jenny pakte haar reisgids en maakte zich klaar om uit te stappen. Silver City, zoals het ooit heette, lag aan de oevers van de rivier de Darling; weelderig struikgewas en felgekleurde bloemen botsten met de achtergrond van stof en huizen uit het eind van de negentiende eeuw.

Het onverwachte zicht van de eenvoudige negentiende-eeuwse ijzeren moskee ontlokte opgewonden kreten aan de anderen, die het er ook over hadden dat ze het spookstadje Silverton wilden bezoeken dat ten westen van Broken Hill lag en nu voornamelijk werd gebruikt als filmlocatie. Ze was graag met hen meegegaan, en toen ze afscheid nam van de trekkers, had ze er even spijt van dat ze de reis niet af kon maken en niet dwars door het land naar Perth kon trekken. Er was zoveel te zien en te doen, zoveel plaatsen op de kaart die tot dan toe alleen maar namen waren geweest. Maar de bus stond te wachten, en haar reis zou haar in een andere richting voeren. Misschien een andere keer, beloofde ze zichzelf in stilte.

Ze maakte de schouderbanden van haar rugzak wat losser en liep de weg af. Broken Hill was een typische mengeling van een dorp in het binnenland en grootsteedse pretenties. Grootse gebouwen uit de tijd dat de zilverwinning bloeide stonden zij aan zij met houten hutten en winkelgalerijen. De indrukwekkende kathedraal wedijverde met het handelsgebouw en de klokkentoren van het postkantoor om aandacht tussen de nieuwere, nogal opzichtige hotels en motels.

De bus stond te wachten voor het Prince Albert Hotel dat trots in een weelderige tuin stond. Jenny was teleurgesteld. Ze had gehoopt dat ze tijd zou hebben om de stad te verkennen, te douchen en schone kleren aan te trekken, en misschien ook iets te eten. Maar als ze de bus miste, moest ze een week op de volgende wachten, en aangezien Brett Wilson haar in Wallaby Flats zou opwachten, was dat niet mogelijk.

'Ik heet Les. Ik neem deze wel, meid. Stap maar in en ga lekker zitten. Er staat koud bier en limonade in de koelbox. Stop het geld maar in het blikje.'

De chauffeur nam haar rugzak over en stopte hem in de bagageruimte. Hij droeg een korte broek, een wit overhemd, bergschoenen en lange, witte kousen die keurig net onder de knie omgeslagen waren. Hij leek vriendelijk, met een gezicht dat door de zon was gelooid en een vrolijke grijns onder zijn zwarte snor.

Ze glimlachte terug en stapte in. Met een fles bier in haar hand knikte ze naar de andere passagiers als antwoord op hun groet terwijl ze door de bus naar haar plaats liep. De ruimte tussen de stoelen was krap, er was geen frisse lucht en de vliegen zoemden om haar gezicht. Ze wuifde ze weg, een automatisch gebaar dat voor een Australiër zo natuurlijk is als knipperen met de ogen, en nam een diepe, verfrissende teug koud bier. Ze voelde zich steeds opgewondener worden. Over acht uur zou ze in Wallaby Flats zijn.

Terwijl de bus optrok in een wolk van rood stof, verdwenen de vliegen en kwam er een warme bries door de open ramen naar binnen. Hoeden en kranten werden als waaier gebruikt, maar ondanks het ongemak genoot Jenny. Dit was het ware Australië. Niet de steden en stranden, de parken en winkelcentra, maar de ware essentie van het land met al zijn tekortkomingen.

Het werd steeds warmer, de biervoorraad raakte uitgeput, en Les vermaakte iedereen met zijn constante geklets en ongelooflijk flauwe grapjes. Er werd meer bier in Nuntherungie gekocht, en dit werd bij iedere stop tijdens de acht uur durende tocht herhaald. Jenny was moe door gebrek aan slaap, de hitte en te veel bier en opwinding. De lunch had bestaan uit een paar boterhammen op de stoep voor een klein hotelletje in niemandsland, maar er was geen tijd geweest om te wassen en schone kleren aan te trekken.

Het was bijna donker, maar gelukkig koeler toen de bus eindelijk in Wallaby Flats aankwam. Jenny stapte samen met de anderen uit en rekte zich uit. Haar hemd en korte broek waren donker van het zweet, en te oordelen naar de blikken van de anderen, zag ze er verschrikkelijk uit. Maar toch was ze in een stralende stemming, want ze had het gered en was bijna op haar plaats van bestemming.

Ze stond in de avondschemering en snoof de lucht op. 'Wat is dat voor een afschuwelijke lucht?' zei ze, naar adem snakkend.

Les grinnikte. 'Dat zijn de zwavelbronnen, meid. Maar je went snel genoeg aan die lucht. Wees maar niet bang.'

'Dat hoop ik maar,' mompelde ze terwijl ze haar rugzak pakte.

Het Queen Victoria Hotel had iets van vergane glorie, ondanks het verbleekte bord met de naam dat schuin boven de ingang hing. Jaren geleden moest het wel iets zijn geweest, dacht ze. Nu zag het er alleen maar zielig en vervallen uit. Er liepen een balkon en een veranda om het zandstenen gebouw dat uit twee verdiepingen bestond. De verf bladderde af en het smeedijzeren filigrein was roestig en er misten hier en daar stukken. Zware luiken hingen aan weerszijden van de smalle ramen en horren hielden de vliegen en muggen buiten. Stoffige paarden stonden vastgebonden, met zwaaiende staart en het hoofd naar de betonnen watertrog gebogen. De lange veranda onder het balkon zag er koel uit en was blijkbaar een favoriete ontmoetingsplaats van de plaatselijke mannen. Ze zaten in schommelstoelen of op de trap en keken naar de toeristen vanonder hun breedgerande hoeden die, zo te zien, al jaren dienstdeden.

Jenny bekeek het geheel met het oog van de kunstenaar. De oudsten hadden een stoppelige kin en hun verweerde gezichten en door de zon verblinde ogen verrieden een zwaar leven. Ik wou dat ik bij mijn tekenspullen kon, dacht ze terwijl ze de trap opliep. Van sommigen van die oude kerels zijn prachtige studies te maken. Ze bleef staan om haar zware rugzak af te doen. 'Goeiedag. Het was weer heet vandaag.' Haar blik gleed van het ene stoïcijnse gezicht naar het andere.

Ten slotte antwoordde een verschrompeld oud baasje 'Goeiedag' en keek haar een ogenblik nieuwsgierig aan voor hij zijn blik weer op het donker wordende landschap richtte.

Jenny realiseerde zich dat ze zich niet op hun gemak voelden, en vroeg zich af of de komst van zoveel mensen tegelijk een inbreuk op hun rustige, voortkabbelende leven was. Misschien had het feit dat hun stadje zo afgezonderd lag, hen doordrongen van een diepe argwaan tegen buitenstaanders.

Ze sleepte de rugzak door de deur naar binnen en volgde de anderen de bar in. Iets te drinken, opfrissen en iets te eten en dan was ze klaar om naar bed te gaan. Verscheidene mannen hingen tegen de bar, met een pul bier in hun hand, en ogen die de nieuwkomers vanonder hun hoed volgden. Eén platte hak steunend op de doffe koperen stang die stevig aan de vloer was vergrendeld, en overhemden en katoenen broeken die de sporen van het werk van die dag droegen. Alle gesprekken, als die al werden gevoerd, waren afgebroken, maar hun zwijgen had niets vijandigs, alleen een geamuseerde nieuwsgierigheid.

Een plafondventilator draaide loom rond in de vochtige hitte en vliegenstrips hingen aan iedere balk en posterrail. De bar zelf was een lange houten plank die langs de hele lengte van het vertrek liep en bediend werd door een magere man met een haakneus die bretels over zijn onderhemd en een riem om zijn slobberbroek droeg. Er stond een rij stoffige flessen tegen de muren, de radio stoorde en stokoude kerstversieringen deden hun best om het sombere interieur een beetje op te vrolijken.

'De damessalon is achter,' zei de waard met een zwaar Russisch accent. Hij maakte een vaag hoofdgebaar in de richting van een deur achter in de bar.

Jenny volgde de andere vrouwen. Het was irritant om als een tweederangsburger behandeld te worden. Dit waren nota bene de jaren zeventig. Maar ze liet zich in een rotanstoel zakken en de rugzak met een plof op de vloer naast zich vallen, en had geen zin om er tegen te protesteren. Zelfs Sydney was nog niet helemaal verlicht. Australische mannen zagen niet graag vrouwen in hun cafés – voor hen was het een verstoring van de orde der dingen die ze al jaren prima vonden en waarvan ze niet inzagen waarom er iets veranderd moest worden. Maar de veranderingen zaten eraan te komen, en hoe eerder hoe beter, dacht ze, terwijl ze zich afvroeg of ze bediend zouden worden. Ze was uitgedroogd.

Een blonde vrouw kwam de bar ingetrippeld, op naaldhakken die een roffelend geluid op de ruwe vloerplanken maakten. Ze had blijkbaar net nieuwe lippenstift opgedaan, maar hij vloekte met de roze plastic oorhangers en de strakke oranje rok. Haar overontwikkelde decolleté deinde onder een kanten blouse en er rinkelden talloze goedkope armbanden om haar polsen. Ze was achter in de twintig, schatte Jenny, en waarschijnlijk te jong om de vrouw van de waard te zijn, maar ze leek best vriendelijk en bracht in ieder geval kleur en leven in dat sombere vertrek.

'Ik heb genoeg bier gehad, dank je,' gaf Jenny als antwoord op haar aanbod. 'Maar limonade of een kop thee zal er wel ingaan.'

'Okidoki. Er is niks zo lekker tegen het stof als een kop thee, hè?' De jonge vrouw glimlachte breed terwijl ze met haar wimpers knipperde. 'Ik heet trouwens Lorraine. Hoe maak je het?'

'Het zal allemaal wel lukken zodra ik iets gedronken heb, me heb kunnen wassen en ik iets kan eten.' Jenny glimlachte. Ze kreeg nog meer trek van de geur van gebraden lam die haar eraan herinnerde dat de lunch wel heel lang geleden was.

Binnen enkele seconden zat ze haar thee te drinken. Hij was sterk en heet, en precies wat ze nodig had om op te knappen. Lorraine was weer in de bar verdwenen, en Jenny hoorde het getik van de naaldhakken heen en weer gaan onder het geplaag en schorre gelach. Ze liet haar blik door de rustige salon dwalen. De meeste vrouwen zaten te knikkebollen; degenen die nog wakker waren staarden voor zich uit, nog te moe voor het oppervlakkigste gesprek.

Jenny wilde dat Diane bij haar was. Het klonk veel gezelliger in de bar.

Het duurde ruim een halfuur voor Lorraine terug was, en nadat ze haar naar de keuken waren gevolgd en ze de borden vol vlees en groenten hadden opgeschept, vroeg Jenny haar: 'Zijn er nog boodschappen voor mij? Ik had verwacht dat ik opgehaald zou worden.'

Lorraines kaalgeplukte wenkbrauwen schoten omhoog. 'Hoe zei je ook alweer dat je heette? Ik zal even kijken.'

'Jenny Sanders.' Ze was niet op de reactie voorbereid.

Lorraines gezicht verstrakte ineens en haar ogen kregen iets scherps en roofdierachtigs. 'Brett is er nog niet.'

'Maar heb je een reservering voor me?'

'Poeh, dat weet ik niet, mevrouw Sanders. Ziet u, de zaak is vol met die bus en zo.'

Jenny keek in dat argeloze gezicht en die grote, bedrieglijk onschuldige ogen. Ze loog – maar waarom? 'Meneer Wilson zei dat hij een kamer had gereserveerd,' zei ze vasthoudend. 'Ik heb hier de bevestiging.' Ze gaf haar het telegram dat ze naar John Wainwright had gestuurd.

Lorraine leek niet onder de indruk. Ze wierp een vluchtige blik op het telegram en haalde haar schouders op. 'Ik zal kijken of pa u er nog bij kan nemen, maar u zult wel met iemand moeten delen.' Ze draaide zich snel om, terwijl ze een blad met lege glazen deskundig op één hand liet balanceren.

Er klonken geluiden van afkeuring uit de mond van de andere vrouwen, en Jenny haalde haar schouders op en lachte erom. 'Ach, laat maar. Ik kan overal slapen, ik ben zo moe.'

'Nou, ik vind het een schandaal,' siste een vrouw van middelbare leeftijd die haar omvangrijke lichaam in verstandig marineblauw had gehuld. Tijdens de lange busreis had Jenny te horen gekregen dat ze mevrouw Keen heette, en dat ze op weg was naar het Northern Territory om haar kleinkinderen een bezoek te brengen.

'Als je voor een kamer betaald hebt, dan hoor je er een te krijgen.'

Er klonk goedkeurend gemompel rond de tafel en Jenny begon zich ongemakkelijk te voelen. Ze wilde geen moeilijkheden veroorzaken en wilde zeker niet Lorraine op de kast jagen, die ze blijkbaar toch al boos had gemaakt. Al had ze geen flauw idee waarom.

'Het zal allemaal wel goed komen,' mompelde ze. 'Het is te warm om je druk te maken. Even afwachten wat Lorraine te zeggen heeft als ze terugkomt.'

De mollige mevrouw Keen legde haar zachte hand op Jenny's arm, boog met een samenzweerderige blik voorover en fluisterde: 'Laat maar, kind. Je kunt wel bij mij slapen. Lorraine denkt duidelijk dat je achter haar liefde aanzit – die Brett die je zou komen ophalen?'

Jenny keek haar aan. Misschien was dat het antwoord. Lorraine had normaal gedaan tot de naam van meneer Wilson viel. God, wat moest ze moe zijn dat ze zich dat niet eerder had gerealiseerd. Maar het hele idee was absurd, en hoe eerder ze haar positie duidelijk maakte hoe beter.'

'Brett Wilson is bedrijfsleider van mijn schapenhouderij. Ik zie niet hoe ik een bedreiging kan vormen voor Lorraine.'

Het enorme lichaam van de oudere vrouw schudde van het lachen. 'Ik heb nog nooit een vrouw gezien die zo opgevreten werd door jaloezie toen zij haar blik op jou liet vallen, kind. En dat je geen bedreiging voor haar vormt – nou ja,' ze droogde haar ogen, 'je hebt de laatste tijd zeker niet meer in de spiegel gekeken.'

Jenny zocht naar woorden, maar de oudere vrouw vervolgde: 'Ik durf er best om te wedden dat Lorraine haar klauwen in jouw bedrijfsleider heeft geslagen en plannen aan het maken is. Let op mijn woorden,' zei ze ernstig. 'Dat is er één voor wie je uit moet kijken.' Deze raad ging vergezeld van een nijdige prik in lam en aardappel.

Lorraine kwam weer het vertrek in toen het gesprek onder de vrouwen verhit dreigde te raken. 'We zitten zo vol dat u met iemand moet delen,' zei ze op kille toon. 'Of op een matras op de veranda achter slapen. Er zijn schermen, dus het is wel privé.'

Mevrouw Keen depte het laatste restje jus met een homp brood op. 'Ik heb een kamer met twee bedden. Jenny kan wel bij mij slapen.'

Lorraines ogen stonden vijandig terwijl ze van Jenny naar mevrouw Keen keken, maar ze gaf geen antwoord.

Jenny at haar bord leeg en hielp mevrouw Keen met haar spullen. Ze gingen de achterdeur uit en stapten de veranda op. Via een ruwhouten trap kwamen ze in de kamer boven de bar. De plafondventilator kreunde terwijl hij bedompte lucht door het kleine, sombere kamertje sloeg. Twee ledikanten, een stoel en een kaptafel waren het enige meubilair. De luiken waren stevig gesloten tegen de nacht en de muggen. De wc was beneden, buiten, en de wasmogelijkheden bestonden uit een lampetkan met lauw water dat de kleur van theebladeren had.

'Niet bepaald het Ritz, hè?' zei mevrouw Keen terwijl ze zich op een van de ledikanten liet vallen. 'Maar dat geeft niet. Na die busreis is ieder bed hemels.'

Jenny maakte haar rugzak open terwijl de andere vrouw haar jurk uittrok en zich waste voor ze in bed kroop. In ieder geval was het beddengoed schoon, dacht ze, en er lagen schone handdoeken en een stukje zeep. Mevrouw Keen lag al snel zachtjes in de kussens te snurken. Nadat ze zich had gewassen, trok Jenny een dun katoenen T-shirt aan en bleef in het donker zitten terwijl ze genoot van de stilte na de lange reis. Na een tijdje werd ze rusteloos en liep van het benauwde kamertje naar het balkon.

Ze leunde tegen de balustrade en keek naar de sterrenhemel. Het was een fluweelzachte nacht en de melkweg strooide zijn sterren in een brede baan tegen het inktzwart. Orion en het zuiderkruis schenen helder boven de sluimerende aarde, en een ogenblik lang wenste ze dat ze op een matras op het balkon kon slapen. Maar de muggen maakten het onmogelijk.

Wat is het allemaal mooi, dacht ze. Toen glimlachte ze. Het zachte, aanstekelijke gegniffel van een kookaburra weerklonk in de stilte. Ze moest opnieuw kennismaken met dit land dat het binnenland werd genoemd, maar wist dat ze er al deel van uitmaakte.

3

Het eerste licht kroop tussen het latwerk van de luiken door en verwarm-de haar gezicht. Jenny werd langzaam wakker uit een diepe slaap en bleef een ogenblik liggen, haar ogen dichtgeknepen tegen het felle licht. Voor het eerst in maanden had ze niet gedroomd, en hoewel ze zich verkwikt voelde, was er een gevoel dat Peter en Ben van haar wegdreven. Vage silhouetten die ver-dwenen aan de horizon, de pijn om hun verlies verlicht door tijd en afstand – hoe snel begon de menselijke geest het genezingsproces.

Ze haalde de foto's vanonder haar kussen en keek naar hun gezichten. Toen gaf ze er een kus op en stopte ze weg. Ze zouden in haar herinnering levend blijven, hoe groot de afstand tussen hen ook was.

Mevrouw Keen, die had liggen snurken, schrok wakker. Haar ogen ston-den slaperig en haar haar zat in de war. 'Is het al ochtend?'

Jenny knikte en begon haar haar te borstelen. 'Het wordt hier vroeg licht.'

'Zeg dat wel, het is nog maar vijf uur.' Mevrouw Keen rekte zich uit en krabde zich behaaglijk. 'Zouden ze ook ontbijt serveren?'

Jenny draaide haar haar in een knot en zette hem met schildpaddenclips op haar hoofd vast. Tegen de tijd dat mevrouw Keen terugkwam van de wc, had ze zich gewassen en aangekleed en was ze klaar om op verkenning uit te gaan. 'Tot straks,' zei ze snel terwijl ze zich voorbij de oudere vrouw perste. Het was een veel te mooie dag om binnen te zitten.

De wc was een schuurtje achter in de achtertuin, een eind bij de keuken vandaan. Het was donker, rook smerig, en was geen plek om lang te blijven zitten. Jenny huiverde bij de gedachte aan spinnen en slangen, en stond al snel weer in het zonlicht.

Het was al warm, met de belofte van nog veel meer hitte. Er liepen roze en oranje strepen door de lucht, en de aarde weerkaatste de hitte in een eindelo-ze, trillende horizon. Terwijl Jenny om de zijkant van het hotel liep, hoorde ze het gerammel van pannen en Lorraines schrille stem. Ze stopte haar handen in de zakken van haar korte broek en voelde de diepe rust terugkeren die ze zo lang had ontbeerd. Het was een mooie dag en zelfs Lorraine kon hem niet bederven.

De onverharde weg slingerde langs het hotel de woestijn in. De huizen aan weerszijden van het karrenspoor waren aangetast door hitte en stof. De verf was gebarsten en bladderde af, houten luiken hingen verzakt aan roestige scharnieren. De rivier, die momenteel niet meer was dan een miezerig stroompje, liep parallel aan de weg, en trad blijkbaar tijdens het natte seizoen nogal eens buiten de oevers, want ieder gebouw stond op stenen pilaren.

Jenny ging op weg naar de zwavelbronnen. Les had gelijk, de lucht viel haar nauwelijks meer op, maar toen ze het knalgele water zag, besloot ze hun therapeutische waarde te laten voor wat die was en ging op weg om de mijnschachten te verkennen.

Het waren niet meer dan diepe putten die in de grond waren gegraven en gestut werden door bielzen. Volgens haar reisgids was er vroeger een bloeiende handel in opalen, maar deze mijnen zagen er niet uit alsof er de afgelopen jaren nog in gewerkt was. Ze boog zich over de rand van een van de mijnen en verloor bijna haar evenwicht toen een stem in haar oor bulderde.

'Kijk uit, jongedame.'

Ze draaide zich met een ruk om en stond oog in oog met een dwerg. De man was klein en mager, met een knobbelneus en felblauwe ogen, en hij keek haar vanonder een paar borstelige witte wenkbrauwen woest aan.

'Goeiedag. Is dit uw mijn?' Ze had moeite haar lachen in te houden, nu ze over de eerste schok heen was.

'Nou en of. Ik graaf hier al twee jaar. Ik denk dat ik binnenkort op de grote stuit.' Hij glimlachte. Er waren maar een paar tanden te zien – en ze waren rot.

'Dus er zitten nog steeds opalen?'

'Ja. Ik had laatst toch een mooie.' Hij keek over zijn schouder en boog naar haar voorover. 'Ik moet het een beetje zachtjes zeggen, anders komt er straks een die m'n mijn inpikt. Ik zou u verhalen kunnen vertellen, mevrouw, waar uw haar van gaat krullen, en dat lieg ik niet.'

Ze twijfelde er geen ogenblik aan. Zoals de meeste Australiërs was hij niet op zijn mondje gevallen, en er was niets mooiers dan een sterk verhaal om de tijd door te komen.

'Wilt u eens rondkijken?'

'Hier beneden?' Jenny twijfelde. Het zag er akelig diep en vreselijk donker uit. Trouwens, er was daar beneden waarschijnlijk ook niets te zien.

'Ja, het kan geen kwaad. Er zijn geen slangen meer zoals vroeger toen de mijnwerkers ze daar nog hielden om de wacht te houden. Kom maar, dan laat ik haar zien.'

Zijn hand voelde ruw aan, en ze voelde de kracht in zijn vingers toen hij haar bij haar arm pakte en haar de beste manier liet zien om van de ladder af te gaan. Hij mocht dan klein zijn en god mag weten hoe oud, maar hij was verbazend sterk. Terwijl Jenny op de krakkemikkige sporten balanceerde, vroeg ze zich af of ze er wel goed aan deed om met hem een put in te gaan.

'Wacht even,' zei hij toen ze op de bodem stonden. 'Even wat licht maken.' Hij stak een lucifer aan en de duisternis werd verdreven door het warme schijnsel van een olielamp.

Het was koel onder de grond, en toen ze om zich heen keek, vergat ze haar twijfels. Het was niet zomaar een put, maar een enorm stelsel van gangen waar de aarde weggehakt was en eeuwen van kleur en structuur blootgaf.

'Mooi, hè?' Hij grijnsde van trots en knipoogde toen. 'Maar wat er in de aarde verborgen is, dat is nog eens wat!' Hij wendde zich af en stak zijn hand in een nauwe kloof die in de wand van de gang was gehakt. Even later maakte hij een leren zakje open en schudde de inhoud in zijn hand.

Jenny slaakte een kreet. Het licht van de lamp scheen op de opalen en er schoten rode, blauwe en groene vonken door het melkachtige wit. En hier en daar zaten de zeldzaamste van allemaal. De zwarte opalen. Fonkelend en mysterieus waren ze, bestrooid met betoverende vlekjes goud.

Hij pakte een buitengewoon mooi exemplaar en legde hem in haar handpalm. 'Ik heb hem zo goed mogelijk geslepen, maar ik denk dat ik er in de stad een goeie prijs voor kan krijgen.'

Jenny hield hem tegen het licht en draaide hem alle kanten op tot het dieprode vuur flitste en danste. 'Hij is schitterend,' fluisterde ze.

'Nou en of,' zei hij met een zelfgenoegzaam lachje. 'U kunt hem voor een redelijke prijs kopen, als u wilt.'

Jenny keek naar de opaal. Ze had ze bij juweliers in Sydney zien liggen en wist hoeveel ze kostten. 'Ik denk niet dat ik het kan betalen,' zei ze spijtig. 'Brengen opalen trouwens geen ongeluk?'

De oude man wierp zijn hoofd in zijn nek en zijn lach weerklonk door het doolhof van gangen. 'Eerlijk is eerlijk, mevrouw. U heeft geluisterd naar mannen die niet weten waar ze het over hebben. Ze brengen alleen die arme sukkels die ze niet kunnen vinden ongeluk.'

Ze grijnsde naar hem terug terwijl hij de stenen in de zak stopte en de zak in zijn schuilplaats legde. 'Bent u niet bang dat iemand naar beneden komt en ze pikt?'

Hij schudde zijn hoofd en pakte een klein kooitje van gaas. 'Ik stop mijn schorpioenen erin als ik de mijn uit ga. Er is geen vent die eraan durft te komen.' Hij liet de schorpioenen vrij en sloot ze met de zak achter een dikke steen op. 'Het is vast tijd om te eten. Lorraine kan een lekker ontbijt klaarmaken, ook al ziet ze eruit als een ongeluk in een verffabriek.' Hij moest weer om zijn grapje lachen, en klom de ladder op.

Ze wandelden in gemoedelijke stilte terug naar het hotel. Jenny had hem wel willen vragen naar Lorraine en Brett, maar wist dat haar nieuwsgierigheid in zo'n klein plaatsje commentaar zou uitlokken. Trouwens, gaf ze toe, het was haar zaak helemaal niet, zolang zijn werk er niet onder leed.

De keuken was enorm en het was er een herrie. Er lagen plastic kleden over lange schragentafels, die volstonden met plastic borden, en de banken zaten vol toeristen uit de bus en voorbijtrekkende drijvers en goudzoekers die er de nacht hadden doorgebracht.

'Hoe-oe!' De stem van mevrouw Keen steeg boven het lawaai uit. 'Hier, kind. Ik heb een plekje voor je opengehouden.'

Jenny had zich ternauwernood langs haar kamergenote geperst toen Lorraine een bord met biefstuk, gebakken eieren en gebakken aardappelen voor haar op de tafel kwakte. Ze keek er vol weerzin naar. 'Ik ontbijt eigenlijk nooit. Alleen koffie, alsjeblieft.'

'We hebben alleen maar thee. Dit is geen chique hotel in Sydney, als je dat soms dacht.' Het bord werd weggegrist en de theepot ervoor in de plaats neergekwakt.

'Nee, dát kun je wel stellen!' snauwde Jenny. Ze had er onmiddellijk spijt van toen het doodstil in het vertrek werd en ze hoorde hoe mevrouw Keen haar adem inhield.

'Waarom ga je dan niet terug naar waar je vandaan komt?' Lorraine stak haar kin in de lucht en zeilde, met rinkelende armbanden, de keuken uit.

Jenny lachte om haar schaamte over het feit dat ze zo gemakkelijk haar zelfbeheersing had verloren te verbergen. 'En weer die hele rotreis met de bus terug? Nee, dank je wel.'

Er klonk een zucht van opluchting en de anderen lachten met haar mee. Algauw klonk weer volop geklets en het gekletter van bestek. Maar Jenny wist dat ze een slechte start van haar verblijf hier had gemaakt. Er waren maar weinig vrouwen in de rimboe en zij was zo stom geweest om meteen de eerste die ze tegenkwam van zich te vervreemden.

Mevrouw Keen vertrok een uur later met de bus, en nadat Jenny haar had uitgezwaaid, ging ze op de veranda zitten met haar schetsboek. Ze kon niet wachten om ermee te beginnen, want er waren zoveel dingen die ze op papier wilde vastleggen. De kleuren waren primair, maar elk van hen had een tint dieper of lichter dan de vorige, en versmolten tot een fantastisch wandtapijt van rood en donkerbruin, oranje en oker. Onmogelijk vast te leggen in de zachtheid van pastel of potlood. Ze wou dat ze haar olieverf en doeken had meegenomen.

Ze was verdiept in haar werk, en vulde blad na blad met kleuren en bewegingen terwijl het uitzicht op de woestijn door de opkomende zon van karakter veranderde.

'Mevrouw Sanders?'

Ze had hem niet aan horen komen, maar ze schrok niet van zijn lijzige spraak. Ze keek op en staarde in grijze ogen met groene en gouden vlekjes, omlijst door lange, zwarte wimpers. Door de zon zaten er rimpeltjes in de ooghoeken, en het gezicht dat op haar neerkeek, was recht en ruig onder de schaduw van zijn hoed. Hij had een kuiltje in zijn kin, zijn neus was lang en recht, de mond zinnelijk en humoristisch. Hij leek een jaar of dertig, maar het was moeilijk om de leeftijd van een man hier te schatten zodra de zon hem te pakken had gekregen.

'Brett Wilson. Sorry dat ik zo laat ben. Ik werd op de boerderij opgehouden.'

'Goeiedag,' bracht ze uit toen ze weer op adem was. Dus die lange, knappe man was de bedrijfsleider van Churinga? Geen wonder dat Lorraine hem bewaakte tegen alle nieuwkomers. 'Ik heet Jenny,' zei ze haastig. 'Fijn je eindelijk te ontmoeten.'

Hij trok zijn hand terug, maar zijn blik bleef langer op haar rusten dan prettig was. 'Ik denk dat het beter is als ik u mevrouw Sanders noem,' zei hij ten slotte. 'De mensen hier kletsen graag, en u bent de baas.'

Jenny was verbaasd. Het was heel ongebruikelijk voor een Australiër om iemand niet bij de voornaam te noemen, ook al ging het om een seizoenarbeider. Maar er was iets in zijn ogen waardoor ze er niet verder op inging. Snel pakte ze haar spullen bij elkaar. 'U wilt zeker wel snel terug?'

Hij schudde zijn hoofd. 'Rustig maar. Ik ben wel toe aan een pint. Zal ik Lorraine met een pul naar u sturen terwijl u wacht?'

Ze had er niet echt zin in, maar als ze dan toch gedwongen was om te wachten, was haar op een biertje trakteren wel het minste dat hij kon doen. 'Oké, meneer Wilson. Maar laten we hier niet te lang rondhangen. Ik ben benieuwd naar Churinga.'

Hij schoof zijn hoed achterover en Jenny ving een glimp op van zwart krullend haar voor hij hem weer met een gedecideerd gebaar over zijn voorhoofd trok. 'Kalm aan,' zei hij op lijzige toon. 'Churinga loopt niet weg.' Hij slenterde het hotel binnen.

Jenny liet zich achterover in haar stoel zakken en pakte haar schetsboek. Ze moest maar aan die rustige levensstijl wennen, ook al was het frustrerend.

Lorraines opgewonden geklets werd enkele minuten later gevolgd door het geluid van haar hoge haken die over de houten veranda tikten. 'Alsjeblieft. Een pul. Brett zei dat hij er zo dadelijk aankomt,' zei ze triomfantelijk. De hordeur sloeg achter haar dicht.

'Stomme trut,' mompelde Jenny in haar bier. Het was zo koud als Lorraines ogen. Brett Wilson kon maar beter opschieten. Ze was niet van plan om hier de hele dag te zitten wachten terwijl hij met de barmeid rotzooide. Van haar mocht hij een paar potten bier, maar dan wilde ze toch wel weg.

Ze dronk haar bier op, liep de veranda af en ging naar boven om haar rugzak te halen. Nadat ze haar gezicht en haar handen had gewassen, ging ze haar haar borstelen. Ze werd er altijd kalm van, en tegen de tijd dat het glom, was haar humeur alweer hersteld. Ze zou naar beneden gaan en van het landschap genieten. Brett had gelijk. Churinga liep niet weg, en zij ook niet tot hij klaar was om haar mee te nemen.

Het bierglas stond nog op de armleuning waar ze het achtergelaten had. Lorraine had het ergens anders blijkbaar druk. Met een grijns zette Jenny het op de vloer en pakte haar tekenspullen. Ze kon zich nog goed herinneren hoe het in het begin met Peter was geweest. Ze maakten van iedere gelegenheid gebruik. En als ze eenmaal in bed rolden, konden ze niet met hun handen van elkaar afblijven.

Ze zuchtte. Ze had genoten van seks met Peter, en ze miste de intimiteit, het gevoel van een andere huid tegen de hare, een tweede hartslag naast de hare. Ze schudde ongeduldig haar hoofd en dwong haar gedachten terug naar het heden. Ze brachten de pijn maar weer terug.

Haar aandacht werd getrokken door de oude opaalzoeker die in een schommelstoel aan de andere kant van de veranda zat. Terwijl haar potlood over het papier gleed, vergat ze Brett en Lorraine. De oude man was een schitterend studieobject: hij bewoog nauwelijks, staarde in de verte en zijn breedgerande hoed stond net ver genoeg achter op zijn hoofd om het verweerde profiel zichtbaar te maken.

'Dat is goed, zeg. Ik wist niet dat u kon tekenen, mevrouw Sanders.'

Jenny glimlachte naar Lorraine. Misschien was dit een zoenoffer nu ze Brett stevig in haar klauwen had. 'Dank je.'

'U zou moeten proberen uw werk in de galerie in Broken Hill te verkopen als u van plan bent hier een tijdje te blijven. De toeristen zijn gek op dat soort dingen.'

Jenny stond op het punt om te zeggen dat haar werk al redelijk bekend was in Australië, maar hield zich in. Ze wilde die poging om vrede te sluiten niet bederven door zelfvoldaan te klinken. 'Het is gewoon iets wat ik doe als tijdverdrijf.'

Lorraine ging op de armleuning van de stoel zitten en keek toe terwijl ze de tekening afmaakte. 'Het is helemaal oude Joe,' zei ze bewonderend. 'Met zelfs die onderlip die altijd naar voren steekt als hij nadenkt.'

Jenny scheurde het blad uit haar schetsboek. 'Dan mag je het hebben, Lorraine. Alsjeblieft, een cadeautje.'

Haar ogen werden groot van verbazing. 'Weet u dat zeker? Goh, bedankt.' Ze kreeg een lichte kleur op haar wangen die niets met rouge te maken hadden. 'Het spijt me van… nou ja, je weet wel. Meestal schiet ik niet zo uit mijn slof, en er zijn hier maar zo weinig vrouwen dat het zonde is om ruzie met elkaar te maken.' Ze stak haar hand uit. 'Vrienden?'

Ondanks haar twijfels schudde Jenny haar hand en knikte. 'Vrienden.'

Lorraine leek tevredengesteld en keek weer naar de tekening. 'Vind je het goed als ik hem aan Joe laat zien? Ik denk dat hij het hartstikke leuk vindt.'

'Ja, natuurlijk,' zei Jenny glimlachend.

'Hier krijg je een biertje voor. Brett zal zo wel komen.' Lorraine sprong van de armleuning en liep snel naar Joe om hem zijn portret te laten zien.

De oude man lachte en keek naar de andere kant van de veranda. 'Goed gedaan, mevrouw. Beter dan een spiegel.' Hij hief zijn lege bierglas.

Jenny begreep de hint. 'Deze is van mij, Lorraine. Joe is zo'n goed model geweest dat hij wel iets verdient.'

Brett liep de donkere bar uit en stapte via de hordeur op de veranda. Mevrouw Sanders zat naast Joe te luisteren naar zijn sterke verhalen over opaalzoeken, en had hem nog niet zien staan, dus maakte hij van die ogenblikken gebruik om haar te bestuderen.

Ze was veel jonger dan hij had verwacht, en ze zag er ook nog eens goed uit met dat glanzende haar en die lange bruine benen. Hij had er spijt van dat hij zo kortaf tegen haar had gedaan. Maar die oude Wainwright had net verteld dat ze weduwe was – en hij was niet voorbereid op zo'n verrassing. Maar het waren vooral haar ogen waar Brett van in de war was geraakt. Vanaf het moment dat ze opkeek was hij geboeid door de manier waarop ze van donkerpaars overgingen in het lichtste amethyst. Ze zou nooit goed kunnen pokeren – niet met die ogen.

Brett tikte zijn hoed achterover en veegde het zweet van zijn voorhoofd. Ze zag er te fijngebouwd uit voor Churinga. Het zou waarschijnlijk niet meer dan een paar weken duren voor ze weer wegvluchtte naar Sydney. Lorraine had gelijk. Ze waren allemaal hetzelfde, die stadsmensen. Grote ideeën over in de rimboe gaan wonen, maar zodra ze geconfronteerd werden met de realiteit van geen stromend water, brand, overstromingen en droogte, vertrokken ze weer. En maar goed ook, dacht hij. Ik had er niet op gerekend om bevelen op te volgen van een of ander mager vrouwtje dat een schaap niet kan onderscheiden van een geit.

Hij zag hoe de zon oranje puntjes in haar haar toverde, hoe ze met haar handen gebaarde toen ze iets beschreef voor Joe, en herzag zijn mening. Er was geen spoor van verdriet over haar recente verlies. Ze had het blijkbaar diep weggestopt – daar was kracht en moed voor nodig, en bovendien had ze de reis in haar eentje ondernomen, en leek er niet slechter van geworden te zijn. Haar verschijning was net zo exotisch als sommige kleurrijke vogels die in de woestenij leefden, en zij floreerden hier ook. Misschien was ze toch taaier dan hij in eerste instantie had gedacht.

Ze draaide zich om en keek hem aan. Er ging een schok door hem heen toen haar mooie ogen in de zijne keken. Hij trok zijn hoed weer voorover en liep naar hen toe. Ze is mijn baas – en alles hangt van haar af. Als ze een hekel aan Churinga krijgt, verkoopt ze de boel vast. Maar als ze blijft… het kon nog heel ingewikkeld worden.

'Nog even, meneer Wilson. Joe is me een verhaal aan het vertellen.'

Brett zag hoe haar ogen in de schaduw van de veranda donkerder werden, en wist dat ze hem nu terugpakte – de ironie ging niet aan hem voorbij. Hij had graag tegen haar gezegd dat hij wel in de pick-up zou wachten, maar Joes verhalen waren legendarisch en hij genoot van de manier waarop mevrouw Sanders haar hoofd hield terwijl ze luisterde. Dus leunde hij tegen de leuning van de veranda met een air van bestudeerde verveling en stak een sigaret op.

Toen het verhaal eindelijk afgelopen was, stond ze op. Hij was zich bewust van haar lange, slanke benen, maar hield zijn blik vastberaden op het middelste deel. Ze was lang, misschien wel bijna een meter zeventig, maar op de een of andere manier stond het haar. Brett Wilson, sprak hij zichzelf vermanend toe, beheers je en gedraag je niet als een liefdeszieke galah.

'Dag, Joe. Tot ziens.' Hij pakte haar rugzak. 'Kom op,' zei hij abrupt. 'Het is een lange rit.'

Hij hoorde de tred van haar voeten op de vloerplanken terwijl ze hem over de veranda en de trap af volgde, maar deed geen poging om iets te zeggen of achterom te kijken. Hij hield niet van gekeuvel, en hij betwijfelde trouwens toch of ze hem wel iets te vertellen had dat hem interesseerde.

De oude pick-up stond te blakeren in de zon achter het hotel. Brett gooide Jenny's rugzak achter de stoelen, pakte de doos met kruidenierswaren van Lorraine en zette hem in de laadbak onder zeildoek. Hij wilde snel weg voor ze iets stoms deed of zei. Ze was de laatste tijd veel te veeleisend, en hij kwam zo weinig mogelijk in het dorp. Dat was het probleem met vrouwen, dacht hij somber. Je glimlacht eens naar ze en je houdt ze gezelschap en dan denken ze meteen dat ze je bezitten. Hij klom in de cabine en sloeg het portier dicht.

Lorraine stak haar hoofd door het raam en de hele cabine rook naar haar parfum. 'Dag, Jen. Ik denk dat we elkaar snel weer eens zien.'

Brett stak de sleutel in het contact en trapte het gaspedaal in om haar te overstemmen. Hij schrok toen Lorraine hem stevig bij zijn arm pakte. De rillingen liepen over zijn rug van de vastberaden blik in haar ogen.

'Tot gauw dan, Brett. En vergeet niet dat je me beloofd hebt me mee te nemen naar de picknick en de paardenrennen op Anzac-dag.'

'Komt goed. Tot kijk,' zei hij gehaast. Hij trok zijn arm los en ramde de bak in zijn achteruit. Even dacht hij dat het vervloekte mens hem waar mevrouw Sanders bij was een zoen zou geven. Lorraine werd veel te bezitterig, en hij vond het maar niks. Hij zette de bak in zijn eerste versnelling. Hoe eerder hij terug was op Churinga hoe beter. In ieder geval wist hij dáár hoe hij de problemen moest oplossen. Dieren waren veel gemakkelijker te begrijpen dan vrouwen.

Jenny bezag het tafereel als een geamuseerde buitenstaander. Die arme Lorraine zou erg hard haar best moeten doen om dat buitengewoon norse individu in de val te lokken. Hadden alle mannen in het binnenland dezelfde houding tegenover vrouwen? vroeg ze zich af. Of schaamde Brett zich gewoon omdat zij erbij was? Waarschijnlijk wel, kwam ze tot de conclusie. Lorraine wond er geen doekjes om en het moest wel vervelend zijn om je bazin naast je te hebben zitten als dat gebeurde.

Ze keek uit het raam terwijl het landschap zich voor haar uitstrekte, en in haar verwondering vergat ze het stel al snel. Roestbruine termietenheuvels stonden als wachters langs de weg door de woestijn. De banden hobbelden door droge, gapende rivierbeddingen en zo nu en dan dreigden ze te kapseizen. Eucalyptusbomen met hun zilverkleurige bast en hangende bladeren, stonden twee meter boven het zachtgroene en gele grasland te verdorren. De aarde was oker, met zwarte strepen, en de lucht weids en ongelooflijk blauw.

Op een dag, beloofde ze zichzelf, zou ze de pick-up lenen en de wildernis intrekken om te schilderen. Maar voor het zover was, moest ze contact opnemen met Diane en haar vragen olieverf en doeken op te sturen.

Ze reden in stilte die alleen werd onderbroken door het geloei van de motor en zo nu en dan het gekras van een lucifer op het dashboard als Brett een sigaret opstak. Toch had Jenny het zo het liefst. Oppervlakkig, beleefd geklets zou de volmaaktheid verstoord hebben.

Zwermen exotische vogels scheerden boven de bomen; hun kleuren waren schreeuwend fel tegen de blauwe hemel. Witgekuifde kaketoes waren aan het bekvechten, kookaburra's lachten, en het gegons van de hitte op de aarde vermengde zich met het getjirp van krekels terwijl Brett de pick-up van de ene vrijwel onzichtbare weg naar de andere reed.

Ze hadden al bijna tien uur gereisd toen ze een rij theebomen en een lange, plat afgetopte rots aan de horizon zag.

'De Tjuringa. De abo's hebben hem die naam gegeven vanwege de vorm – als een churinga of een stenen amulet. De berg is een van hun droomplaatsen en heilig.'

Jenny hield zich aan het dashboard vast toen de voorwielen in een bijzonder diepe voor terechtkwamen. 'Wanneer krijg ik het huis te zien?'

Brett glimlachte wrang. 'Over ongeveer anderhalf uur. We hebben nog tachtig kilometer te gaan als we die bomen voorbij zijn.'

Ze staarde hem aan. 'Hoe groot is Churinga dan eigenlijk? Tachtig kilometer van de bomen naar het huis? Het moet wel enorm zijn.'

'Het is maar veertigduizend hectare. Dat is niet zoveel hier,' antwoordde hij nonchalant, met zijn ogen toegeknepen vanwege de zon en zijn aandacht op de weg om kuilen te ontwijken.

Jenny wou dat ze beter naar John Wainwright had geluisterd. Hij had haar al die dingen waarschijnlijk wel verteld, maar het was toch een schok, ook al was ze zich wel bewust van de uitgestrekte stukken grond in het hart van het veeteeltgebied van Australië. 'Meneer Wainwright vertelde dat hij u twee jaar geleden als bedrijfsleider van Churinga heeft aangesteld. Waar heeft u voor die tijd gezeten?'

'Churinga. Mijn vrouw en ik zijn met Kerstmis tien jaar geleden hier naar toe verhuisd. We hebben de boerderij toen overgenomen van de oude man die met pensioen ging. De bank heeft me toen in dienst genomen.'

Jenny keek hem stomverbaasd aan. Wainwright had geen vrouw genoemd en ze had aangenomen dat hij vrijgezel was. Wat rotzooide hij dan met Lorraine? Geen wonder dat hij zich geneerde voor haar gedrag. Ze leunde achterover en staarde peinzend uit het raam. Dit bijzonder stille water had blijkbaar nog diepere gronden dan ze had gedacht. Het leek haar interessant om de vrouw achter de man te ontmoeten.

'Daar vóór ons ligt het huis van Churinga,' zei Brett ten slotte zachtjes terwijl de zon achter de berg onderging.

Jenny hoorde de liefde in zijn stem terwijl hij knikte in de richting van het lage gebouw tegen een achtergrond van hoge eucalytusbomen. En toen het gebouw zich in zijn volle glorie voor haar ontvouwde, begreep ze het.

Het huis was een oude Queenslander. Gebouwd van witte planken, met een dak van golfplaat en steunend op stenen pilaren, lag het aan de zuidkant beschut in de schaduw van de enorme peperbomen die hingen, uitgeput van de hitte van de dag, terwijl bijen om de lichtgroene bladeren gonsden. Er liep een veranda langs de hele breedte van het huis en de balustrades waren bedekt met klimop en bougainville. De luiken waren rood geschilderd, en de weide bij het huis stak knalgroen af tegen het oker van de open plek die het erf vormde.

Brett wees naar de weide terwijl hij de pick-up tot stilstand bracht. 'Die wordt bevloeid door de waterput. We zijn afhankelijk van ondergrondse bronnen om de dieren in leven te houden, maar op Churinga boffen we, want we hebben nooit een echt tekort dankzij de bergstroompjes. Ze zeggen dat Churinga de tien jaar durende droogte waar de Tweede Wereldoorlog in viel goed doorstaan heeft.'

Jenny stapte uit de pick-up en rekte zich uit. Ze hadden de hele dag gereisd – ze was stijf en alles deed haar pijn.

Ze keek naar de paarden in de weide en benijdde ze om de schaduw van de bomen. Want ondanks het feit dat de zon laag stond, was de hitte nog steeds intens.

'Wat zijn dat voor gebouwen daar?' Dit was veel groter dan Waluna – veel eerder een klein stadje dan één enkele boerderij.

Brett wees om beurten ieder gebouw aan. 'Dat is voor de veedrijvers, en dat daarnaast is het kookhuis. Die grote schuur daar is voor de scheerders, en die kleinere voor de losse werklui en de knechts. De slachtschuur en de houtstapels liggen erachter.'

Hij draaide zich om en wees naar het terrein ten oosten van het huis. 'Dat zijn de wolschuur, sorteerzolder en wastanks. We hebben plaats om tot twintig scheerders tegelijk aan te nemen. De schapenboxen, hondenhokken en rennen liggen ernaast. Dan zijn er nog de kippenhokken, de varkensstallen en de zuivelschuur. Ieder hoofdgebouw heeft zijn eigen generator.'

'Ik heb me nooit gerealiseerd hoeveel je zelf moet kunnen produceren,' mompelde ze. 'Het is gewoon ongelooflijk.'

Brett schraapte met zijn laars door het stof en wipte zijn hoed achterover. De trots in zijn ogen was onmiskenbaar. 'We kunnen het meeste zelf doen, maar we zijn nog steeds afhankelijk van de posterijen voor onze kruideniers-waren, benzine en kerosine. We kopen hooi in als de droogte te erg wordt, en maïs, suiker en bloem. Landbouwwerktuigen moeten via een postorderbedrijf gekocht worden, maar gelukkig hebben we een goede monteur en hij houdt onze machines aan de praat tot ze uit elkaar vallen. Die schuur daar is de stal-ling voor de landbouwmachines en opslag voor het voer, en de smidse ligt aan de ene kant en de timmerwerkplaats aan het eind.'

Jenny was nog bezig het allemaal in zich op te nemen toen Bretts toon ern-stig werd. 'Die tanks achter het huis zijn zoetwatertanks, mevrouw Sanders. Ze zijn alleen bestemd voor drinkwater.' Hij draaide zich om en wees naar een smal stroompje water dat loom onder de wilgen aan de uiterste westkant van de weide kroop. 'Water voor de was en huishoudelijke klusjes komt uit die beek.' Jenny besloot dat het tijd was dat ze het een en ander verhelderde. 'Ik heb eerder in het binnenland gewoond, meneer Wilson. Ik weet hoe kostbaar water is.'

Hij wierp haar een vluchtige blik toe voor hij verderging met zijn mono-loog. Het was net alsof hij gerepeteerd had wat hij wilde zeggen en zich niet van zijn verhaal wilde laten afbrengen. 'Wanneer de beken overlopen, komt het erf soms wel een meter onder water te staan. Daarom zijn alle gebouwen op palen gebouwd. Ze zijn van steen vanwege de termieten.'

'Geen wonder dat u zo van de boerderij houdt,' fluisterde Jenny. 'Het is adembenemend.'

'Het kan ook heel wreed zijn,' merkte hij op scherpe toon op. 'Je moet er geen romantische ideeën over op na houden.'

Jenny realiseerde zich dat wat ze ook deed of zei, ze voor hem een stads-mens bleef, dus keek ze toe terwijl hij de pick-up uitlaadde en zei niets. Er zat geen grammetje vet te veel aan dat lange, pezige lichaam, en hij was zo fijn-gespierd als een jonge hengst. Hij zou een prachtig model voor Diane zijn om te beeldhouwen, maar ze betwijfelde of hij daar veel voor zou voelen. Ze schudde de gedachte van zich af.

'Is uw vrouw in het huis, meneer Wilson? Ik zou haar graag willen ont-moeten.'

Hij kwam naast haar staan met zijn armen vol boodschappen en een diepe rimpel in zijn voorhoofd. 'Ze is in Perth,' gromde hij.

Jenny hield een hand boven haar ogen tegen de laagstaande zon terwijl ze hem aankeek. Ze zag de pijn in zijn ogen en samengeknepen lippen. Het zat niet goed – had de afwezige vrouw dat van hem en Lorraine ontdekt?

Brett schuifelde heen en weer. 'Ze is niet op vakantie, als u zich dat soms afvraagt,' zei hij op verdedigende toon. 'Ze is er permanent.' Hij liep met grote stappen de veranda op, haakte zijn grote teen onder de hordeur en stampte het huis binnen. Jenny holde hem achterna en haalde hem eindelijk in de keuken in. 'Het spijt me, het was geen nieuwsgierigheid.'

Brett hield zijn blik gericht op de boodschappen die hij aan het uitpakken was. 'Rustig maar. U bent hier niet bekend, dus waarom zou u van Marlene en mij afweten?' Hij draaide zich met een ruk om, en hij keek grimmig. 'Ze vond het hier maar niks. Ze zei dat ze zich alleen voelde in al die ruimte. Ze is teruggegaan naar Perth, naar de bar waar ik haar opgeduikeld had.'

Ze zwegen lange tijd. Een tijd waarin Jenny hem had willen troosten als ze had geweten hoe.

'Het was niet mijn bedoeling om te snauwen,' zei hij bij wijze van verontschuldiging. 'Maar ik heb een hekel aan geroddel, en het leek me het beste om het te vertellen voor iemand anders het deed. Is er nog iets voor ik ga? De mannen komen zo terug, en ik heb nog werk te doen voor het donker wordt.'

Ze accepteerde zijn verontschuldigingen met een glimlach. 'Wie kookt er hier voor al die mannen? Heeft u een huishoudster?'

De spanning brak en Brett propte zijn handen achter zijn riem. Zijn gezicht lichtte plotseling op door een brede grijns die de rimpels om zijn ogen verdiepte en hem nog knapper maakte. 'Allemachtig! Wat hebben jullie stadsmensen toch rare ideeën. We zorgen meestal voor onszelf, maar tijdens het scheerseizoen – zoals nu – is het meestal de vrouw van een van de seizoenarbeiders die voor het eten zorgt.'

Hij tikte tegen zijn hoed en liep naar de deur. 'Ik vertel u later wel meer over de boerderij. We eten over een halfuur, en aangezien het uw eerste nacht hier is, kunt u het beste maar in het kookhuis eten. Ma Baker zwaait er de scepter, en ze weet waarschijnlijk net zoveel van de boerderij als ik.'

Jenny kreeg niet de tijd om hem te bedanken. Hij was weg.

Terwijl ze in de donkerder wordende schaduwen van de keuken stond, luisterde ze naar de geluiden van Churinga. De zware, klingelende toon van de hamer op het aambeeld, het geblaat van de schapen en het geschreeuw van de mannen waren vermengd met het gebrabbel van de galahs en het geblaf van de honden. Ze had stilte verwacht, maar terwijl ze daar stond herinnerde ze zich hoe het als kind was geweest. Terwijl de herinneringen terugkeerden, begon ze te ontspannen. Ze was teruggekeerd naar het land nadat ze er te veel jaren was weggeweest – maar de weerklank was griezelig vertrouwd.

De schapenfokkerij Waluna lag in het hart van de Mulga in Queensland. Het huis was kleiner dan dat van Churinga, maar op dezelfde manier gebouwd, met een zinken dak dat over de veranda hing. De weiden strekten zich kilometers ver rond de boerderij uit, en ze herinnerde zich nog de geur van de zon op het gras en het zachte geruis van de wind in de theebomen.

John en Ellen Carey waren een paar maanden nadat Jenny zeven was geworden naar het weeshuis in Dajarra gekomen. Ze herinnerde zich die ochtend alsof het gisteren was. De nonnen joegen hen bij hun dagelijkse karweitjes vandaan om ze in een rij in de salon op te stellen onder het strenge oog van de moeder-overste. Er hing een opgewonden stemming, want de komst van mensen op Dajarra betekende dat een van hen in een pleeggezin zou komen, of misschien zelfs geadopteerd als ze heel veel geluk hadden, en voor altijd van zuster Michael af zou zijn.

Jenny hield Dianes hand stevig vast. Ze hadden een verbond gesloten om niet gescheiden te worden – en ondanks hun verlangen om aan de klauwen van de nonnen te ontsnappen, wisten ze dat als ze Dajarra verlieten, hun echte ouders hun nooit meer zouden vinden.

Jenny glimlachte toen ze zich herinnerde hoe Ellen en John langs de lange rij kinderen liepen. Ellen was een ogenblik voor haar stil blijven staan, maar de moeder-overste had haar hoofd geschud en haar verder gedwongen. Jenny kon het gemompelde commentaar niet verstaan terwijl ze verder de rij langsliepen, maar wist meteen dat Diane en zij het niet waren geworden.

De kinderen moesten ten slotte de kamer uit en liepen terug naar de bibliotheek om verder te gaan met stoffen. Jenny herinnerde zich dat ze zich tegelijkertijd teleurgesteld en blij voelde, maar omdat het niets nieuws was, deed ze wat ze altijd deed en verdrong het dus.

De verrassing kwam pas toen zuster Michael hen allebei kwam halen en zei dat ze met de Careys mee zouden gaan. Ze keek op naar dat koude, emotieloze gezicht en vroeg zich af of dit weer een nieuwe manier was om haar te straffen. Maar binnen een paar dagen waren zij en Diane op weg naar een nieuw leven, een nieuw thuis, met een belofte van de moeder-overste dat ze onmiddellijk terug zouden komen als hun echte ouders kwamen opdagen.

Jenny staarde in de verte terwijl de oude twijfels haar bekropen. Andere kinderen van Dajarra werden geadopteerd, maar voor haar en Diane was het

91

anders geweest. En ze had zich altijd afgevraagd waarom. Ze zuchtte. Ellen en John waren oud genoeg om hun grootouders te zijn, maar ze hadden hen een goed leven gegeven, dankzij hen waren zij en Diane in staat de wereld met een gevoel van eigenwaarde onder ogen te komen. Ze bloeiden op in die jaren op Waluna, en hoewel die geweldige pleegouders er nu niet meer waren, dacht ze nog steeds met diepe genegenheid aan de boerderij en de mensen die er woonden.

Ze ontwaakte uit haar dagdroom en keek om zich heen. Het was tijd om Churinga te verkennen. De keuken was eenvoudig en praktisch. Er hing een rij kastjes aan de muur, vol serviesspullen die niet bij elkaar hoorden en één mooi servies. Er stond een porseleinen gootsteen vol vlekken naast wiebelige kastjes onder het raam en in het midden van het vertrek stond een grote, geboende houten tafel. Een zender/ontvanger stond in de hoek, zwijgend en dreigend – de enige levenslijn met de buitenwereld.

Ze ging bij de tafel staan en keek om zich heen. De keuken was uitgebouwd, zodat er een deel was met dikke fauteuils dat door hoge ramen uitkeek op de achterkant van het huis. Er hingen boekenkasten en een aantal heel behoorlijke aquarellen aan de muren.

Bij nader onderzoek bleek dat het allemaal schilderijen van het binnenland waren, maar er was één schilderij van Churinga in het bijzonder dat haar oog trok. Het moest nogal wat jaren geleden geschilderd zijn, want het huis was kleiner en meer vervallen, en het groepje bomen minder schaduwrijk dan nu. Er stonden maar een paar verzakte hutten voorbij het erf voor het huis, en de treurwilgen bij de beek waren nog jong, met bladeren die nauwelijks het water raakten.

Jenny bekeek het schilderij kritisch. Er stond geen handtekening op, en het was duidelijk van een amateur, maar het had een zekere typische charme. De kunstenares – ze was ervan overtuigd dat het een vrouw was – hield duidelijk van haar model. Maar wie was ze, die vrouw met zo'n fijne penseelstreek? De vrouw van een pachter, een rondtrekkende seizoenarbeidster die een paar extra centen bijverdiende naast het loon van haar man, of een rondtrekkende kunstenares die voor haar kost en inwoning werkte?

Jenny haalde haar schouders op. Het deed er niet echt toe, want wie het ook had geschilderd, liet een levendige geschiedenis van de boerderij na die onbetwistbaar was. Ze ging verder met haar verkenningstocht en ontdekte een kleine badkamer, compleet met wc en douche. Het was allemaal een beetje provisorisch maar dat gaf niet – een douche was een douche, en ze kon de verleiding niet weerstaan. Ze trok haar bezwete kleding uit, ging onder het straaltje bruinig water staan en boende het stof van haar reizen weg. Toen, met een schone handdoek om zich heengeslagen, liep ze de smalle gang door naar wat een slaapkamer bleek te zijn.

Toen ze de eerste deur opendeed, realiseerde ze zich dat ze zich op Bretts territorium bevond. Er lagen allerlei laarzen en werkkleren op de grond. Het bed was onopgemaakt en er hing een sterke lucht van lanoline, scheerschuim en de stallen. Ze keek naar de rotzooi en vroeg zich af of ze die humeurige, onvoorspelbare man echt zo dichtbij zich wilde hebben.

Ze deed de deur dicht en liep de volgende kamer binnen. Hij keek uit op de weiden achter het huis, was pas geveegd en geboend, en iemand had een jampot met wilde bloemen op de vensterbank gezet. Een attent gebaar, maar eerder afkomstig van ma Baker dan van Brett, was haar conclusie.

Het hoofd- en voeteneinde van het bed waren van rijkbewerkt koper en er lag een patchworksprei in zachte kleuren over. Er lag een kleedje op de houten vloer, en er stonden een stoel, een wit geschilderde kleerkast en kaptafel. Ze bleef een ogenblik in de schemering staan en probeerde zich de mensen voor te stellen die er eens hadden gewoond, maar alles wat ze zag was het lege bed. Het enige wat ze hoorde was het leven dat buiten op het erf doorging. Ze werd ineens overspoeld door haar verlies, en ze ging op het bed zitten. 'O, Peter,' zuchtte ze. 'Wat wou ik dat je hier was.'

De tranen sprongen in haar ogen en ze veegde ze weg terwijl ze haar spullen uitpakte en een schone korte broek en overhemd aantrok. 'Je bent moe, je hebt honger en je bent op een onbekende plaats,' mompelde ze. 'Maar dat is geen reden om je zo te laten gaan.'

Met meer vastberadenheid dan ze voelde, pakte ze de rest van haar spullen en ging aan de slag om zich wat meer thuis te voelen. Toen ze de deur van de kleerkast opendeed, kwam de doordringende geur van mottenballen en lavendel haar tegemoet. Er was geen spoor van andere kleren en ze nam aan dat ma Baker ze opgeruimd had. Jammer, dacht ze. Het had interessant kunnen zijn.

Ze werd rusteloos. Nadat ze alles in het huis had gezien, werd ze gelokt door de weide en het kleine kerkhofje dat haar eerder was opgevallen.

De schaduwen waren langer geworden toen ze van de veranda stapte en zich een weg door het lange gras baande. De achterkant van het huis keek uit op de wei waar paarden onder de bomen soesden en een kleiner, overwoekerd stukje grond waar een hek omheenliep. Houten kruisen gaven de grafheuvels aan die overdekt waren met kangoeroepoten en wilde lelies. Het was een vredige laatste rustplaats voor de familie die hier eens had gewoond. Zoveel persoonlijker dan een openbare begraafplaats op een heuvel buiten Sydney, dacht ze verdrietig.

Ze deed het hek open en merkte dat de scharnieren geolied waren en het gras pasgemaaid. 'In ieder geval is er iemand die zich erom bekommert,' mompelde ze terwijl ze zich een weg baande door de wirwar van planten. Er waren acht kruisen die nog steeds overeind stonden. De andere waren bijna overwoekerd door de dichterbij kruipende wildernis. Jenny las elk van de grafschriften op de verweerde kruisen. De O'Connors waren tegen het eind van de negentiende eeuw overleden, en moesten pioniers uit het oude land zijn geweest. Mary en Mervyn Thomas waren kort na de Eerste Wereldoorlog binnen een paar jaar na elkaar overleden.

De kleinere gedenktekens waren moeilijker te ontcijferen. De letter waren vervaagd en het hout was flinterdun. De kleine kruisjes stonden bij elkaar alsof ze elkaar omhelsden, en Jenny moest de kruipplanten wegschuiven voor ze ze kon lezen. Op ieder stond dezelfde droeve tekst: 'Jongen. Bij de geboorte overleden.' Ze slikte. Brett had gelijk – het land van Churinga kon wreed zijn. Ze liep naar de twee meest recente grafstenen. De letters die ruw waren uitgehouwen in dezelfde steen lichtten nog steeds wit op tussen het mos – maar het grafschrift op de grafsteen van de vrouw was onbegrijpelijk. Ze ging op haar hurken zitten en vroeg zich af waarom ze er zoiets neergezet zouden hebben.

'Het eten is klaar.'

Jenny keek op, opgeschrikt uit haar gedachten. 'Betekent dat wat ik denk dat het betekent?' vroeg ze terwijl ze naar de steen wees.

Brett schoof zijn hoed achterover voor hij zijn handen in zijn zakken stopte. 'Dat weet ik niet, mevrouw Sanders. Dat is van voor mijn tijd. Er wordt gezegd dat hier jaren geleden een tragedie heeft plaatsgevonden. Maar het zijn maar geruchten, dus maakt u er zich maar niet druk over.'

'Geruchten? Wat voor geruchten?' Jenny stond op en veegde de aarde van haar handen. Ze was dol op een goed mysterie.

'Niets om je over op te winden,' zei hij nonchalant. 'Kom mee. Straks is het eten op.'

Jenny keek hem strak aan, maar hij wendde zijn blik af. Hij wist iets en had blijkbaar besloten het voor zich te houden. Ze volgde hem het kerkhofje uit en ze staken samen het erf over. Haar honger werd versterkt door de gedachte dat er misschien een mysterie aan de geschiedenis van Churinga verbonden was.

4

Brett was niet verbaasd haar op het kerkhof aan te treffen; het was tenslotte onlosmakelijk met Churinga verbonden, en nadat ze zelf nog maar zo kort geleden weduwe was geworden, was het logisch dat ze erheen zou gaan. Maar hij had er spijt van dat hij de geruchten had genoemd. Mevrouw Sanders was duidelijk nieuwsgierig en vindingrijk, en net als de meeste vrouwen met wie hij in contact was gekomen, zou ze waarschijnlijk eindeloos doorgaan tot hij haar vertelde wat hij wist.

Zijn gedachten waren somber terwijl ze het erf overstaken om naar het kookhuis te gaan. Hij had genoeg gehoord om te weten dat Churinga's verleden maar het best begraven kon worden.

Hij trok zijn hoed over zijn ogen terwijl ze naast hem liep. Hij was meer gewend aan de lucht van de wolschuur dan aan een exotisch parfum uit Sydney. Hij had moeite met mevrouw Sanders. Hoe eerder hij in de slaapschuur terug was, hoe beter. Hij had zijn spullen gisteravond moeten verhuizen, en dat zou hij ook gedaan hebben als zijn merrie geen hoefijzer was kwijtgeraakt en hij de acht kilometer terug had moeten lopen.

Brett hield de hordeur open om haar langs te laten en hing zijn hoed aan de haak aan de binnenkant van de deur. Ma had een strenge regel over hoeden binnen. Het geluid in het kookhuis was luid en vrolijk, maar toen ze mevrouw Sanders zagen, was het onmiddellijk muisstil.

'Dit is jullie nieuwe baas, mannen, mevrouw Sanders.' Brett grinnikte toen ze verbouwereerd haar lange benen en glanzende haar opnamen. Daar hadden ze niet van terug dacht hij. 'Schuif eens op, Stan. En laat me zitten.'

Ma kwam bedrijvig uit de keuken gestapt terwijl ze haar handen aan haar schort afveegde. Brett was op ma gesteld. Ze was gemakkelijk om mee te praten en ze kookte een degelijke pot. Hij vertrok zijn gezicht van pijn toen ma hem een niet al te zachte draai om zijn oren gaf. 'Waarom doe je dat nou, ma?'

'Je hebt geen manieren, Brett Wilson,' was haar antwoord terwijl iedereen rond de tafel lachte. Ze keek naar Jenny, met een brede glimlach op haar bezwete gezicht. 'Niemand heeft hier manieren, kind. Mijn naam is mevrouw Baker, aangenaam kennis te maken.'

Brett keek stiekem naar Jenny's gezicht terwijl ze ma begroette en ging zitten. Die ogen dansten gewoon van de pret, en hij wist waarom. Ze lachte hem uit. Stomme vrouwen. Zwoeren altijd tegen je samen als je even niet oplette.

Ma zette haar handen op haar brede heupen terwijl ze naar de openhangende monden en nieuwsgierige blikken keek. 'Wat is er met jullie aan de hand? Nooit eerder een dame gezien?'

Net als de andere mannen boog Brett zijn hoofd en viel aan op het hoog opgeschepte eten op het bord dat voor zijn neus stond. Je wist wel beter dan ma kwaad te maken. Door de lange rit rammelde hij van de honger en het eten gaf hem een excuus om de veelbetekenende blikken en schalkse porren van de anderen te negeren. Ze mochten denken wat ze wilden. Ze was gewoon de nieuwe baas. Niks bijzonders.

Jenny herkende vriendschap in ma's ogen. Ze deed haar denken aan ma Kettle uit de oude films op zaterdagochtend. Een vrouw van onbestemde leeftijd, met een ampele boezem en een hart van goud, die niettemin geen flauwekul accepteerde van de mannen voor wie ze waste en kookte.

Ma zette een vol bord voor haar neer. 'Kijk eens, kind. Een lekker stukje schapenvlees. Je ziet eruit alsof je wel een beetje vetgemest mag worden. Je bent veel te mager,' zei ze bezorgd.

Jenny bloosde, want ze wist maar al te goed dat de mannen, ondanks hun ogenschijnlijke belangstelling voor hun eten, zaten te luisteren. Het was een vergissing geweest om hier te komen eten. Ze had beter in het huis kunnen blijven. Brett had genoeg boodschappen voor een maand gedaan.

Terwijl ze probeerde een respectabel gat in het eten op haar bord te slaan, schenen de mannen hun belangstelling te verliezen en gingen, na een enkele valse start, verder met hun eigen gesprekken. Schapen bleken het belangrijkste onderwerp van gesprek te zijn, maar aangezien Jenny de afgelopen tien jaar alleen maar bij de slager in de buurt van een schaap was geweest, besloot ze haar mond te houden en in plaats van aan de gesprekken deel te nemen, de omgeving in zich op te nemen.

Het kookhuis leek te bestaan uit een keuken en dit enorme vertrek. De geschrobde tafel besloeg de hele lengte, met banken aan weerszijden. Het gewelfde plafond was van golfplaten die over zware houten balken lagen. De geuren van eten, lanoline, paarden en stallen, en het eerlijke zweet van een dag hard werken vermengden zich tot een doordringende lucht.

Terwijl de maaltijd vorderde, kostte het Jenny steeds meer moeite om zich omringd te weten door een man of dertig die, onder het waakzaam oog van mevrouw Baker, hun best deden om hun taal aan te passen en iets van manieren tentoon te spreiden. De spanning in het vertrek was bijna tastbaar. Ze voelde zich niet op haar gemak, en vermoedde dat zij hetzelfde voelden.

Na wat een eeuwigheid leek, stond iedere man op en uit hun haastige gang naar de deur was duidelijk iets van opluchting op te maken. Ze vermoedde dat ze normaal gesproken nog uren bleven zitten met een biertje en een sigaret terwijl ze de dag doornamen, en voelde zich meer een indringster dan ooit tevoren.

Toen de laatste man de tafel verliet en met het bord in de hand naar de keuken liep, kwam ma terug met twee koppen thee en een blikje tabak. 'Je moet maar niet op ze letten,' zei ze terwijl ze in de richting van het lawaai en geschuifel op de veranda knikte. 'Het zijn goeie mannen, maar ze kunnen alleen maar tegen een barmeid praten. Geen spatje opvoeding hebben ze.'

Jenny verbeet een grijns en sloeg een shagje af, al was de verleiding groot. Het was een vermoeiende dag geweest. 'Maar ik heb wel hun maaltijd verpest. Misschien eet ik voortaan maar in het huis.'

Ma keek peinzend langs de enorme met zeildoek bedekte tafel. 'Misschien is dat wel het beste, mevrouw Sanders. Tenslotte ben je nu de eigenaar.'

'Noem me maar Jenny. Ik ben niet gewend aan dat formele gedoe. Is dat hier gebruikelijk?'

Ma lachte en sloot het tabaksblik met een klap. 'Allemachtig, nee, kind. Het is gewoon onze manier van respect tonen. Noem mij maar Simone. Ik raak dat ma ook wel beu; ik krijg steeds het gevoel dat ik honderd ben.'

Jenny keek haar aan en glimlachte.

'Belachelijke naam, hè? Maar mijn oude ma las een keer een boek, en de naam van de heldin was Simone – dus werd ik ermee opgezadeld. Nou ja, ik bedoel, moet je mij zien.' Ze lachte en haar hele omvangrijke lichaam deed mee.

Jenny grinnikte, en genoot van de wetenschap dat er in die mannengemeenschap ten minste één persoon was met wie ze kon praten. 'Heb je de scheerders altijd gevolgd, Simone?'

Ze knikte. 'Stan en ik zijn al sinds mensenheugenis bij elkaar. Ik paste op de kinderen van een boer in Queensland, en hij kwam met de anderen mee om te scheren.' Ze nam een slok van haar thee en haar ogen tuurden in de verte. 'Hij was een knappe vent in die tijd. Lang en kaarsrecht, met armen als kabels – een en al spier.' Ze huiverde bij de herinnering. 'Dat zou je nou niet meer zeggen, hè? Een man krijgt een kromme rug van het scheren en hij wordt er oud van. Maar mijn Stan werkt per dag nog steeds meer schapen af dan menige jonge vent.'

Simone snoof en leunde met haar ellebogen op de tafel. 'Het heeft even geduurd voor ik de rotzak te pakken had, hoor. Hij was zo glibberig als een geschoren schaap. Maar ik ben blij dat ik het gedaan heb. We kochten een paard en wagen, en vanaf die dag trekken we al rond. Het is wel eens hard, maar toch zou ik niet willen ruilen met de grondbezitters en hun dure huizen. Ik denk dat ik meer van Australië heb gezien dan de meesten.'

Jenny kreeg een kriebel. Misschien wist zij iets van de vorige bewoners, en kon zij dat geheimzinnige grafschrift verklaren? 'Je hebt natuurlijk in de jaren heel wat veranderingen gezien, Simone. Ben je al lang geleden hierheen gekomen?'

Ze schudde haar hoofd. 'We zijn het meest in Queensland geweest. We zijn pas vijf jaar geleden deze kant uit gekomen.'

Het was vreemd hoe teleurgesteld Jenny zich voelde, maar het had geen zin om erbij stil te staan, besloot ze. 'Ik heb je nog niet bedankt voor de bloemen en dat je mijn kamer zo fijn hebt schoongemaakt. Het was heerlijk om zo verwelkomd te worden na zo'n lange reis.'

'Tot je dienst, kind. Ik heb het graag gedaan.' Ma rookte zwijgend haar shagje.

'Wat is er met de kleren in de kleerkast gebeurd? Ik neem aan dat die er wel gehangen moeten hebben, vanwege de mottenballen.'

Simone wendde haar blik af en verdiepte zich in het patroon op het tabaksblikje. 'Ik dacht niet dat je die oude dingen zou willen laten hangen, dus heb ik ze weggehaald.'

Jenny's nieuwsgierigheid was gewekt. Daar was het weer. De afgewende blik, de bestudeerde onwetendheid. 'Ik zou ze zo graag willen zien. Ik ben kunstenares, weet je, en een van de dingen die ik het leukst vond op de kunstacademie was de geschiedenis van de mode. Als ze van de mensen waren die hier vroeger gewoond hebben...'

'Je kunt het verleden maar beter laten rusten, Jenny. Je hebt er niks aan, nooit. Trouwens, het waren bijna allemaal ouwe lappen.' Simone leek op haar hoede en ze durfde Jenny niet in de ogen te kijken.

Jenny praatte zacht en op overredende toon. 'Dan kan het toch geen kwaad om ze te laten zien? Kom op, Simone. Hoe meer je probeert ze te verbergen, hoe liever ik ze wil zien. Laat ze nu maar gewoon zien, dan hebben we dat gehad, goed?'

Simone zuchtte. 'Brett zal het niet leuk vinden, Jenny. Hij zei dat ik alles moest verbranden.'

'Waarom wilde hij in vredesnaam dat je dat deed?' vroeg ze vol afschuw. 'Trouwens,' voegde ze er openhartig aan toe, 'ze zijn niet eens van hem, dus hij heeft er niets over te zeggen.' Ze haalde diep adem. 'Allemachtig, Simone. Als het niets anders dan een verzameling oude kleren is, waarom dan zo geheimzinnig?'

Simone keek haar een ogenblik aan en leek toen een besluit te nemen. 'Al sla je me dood, kind. Ik doe gewoon wat me gezegd wordt. Kom mee, ze liggen achter.'

Jenny volgde haar de keuken in, waar een stapel afwas naast de gootsteen stond. Het was er vrolijk, met geruite gordijnen en een geschrobde grenen tafel. Er lagen bergen verse groenten in zakken op de grond, en er hingen potten en pannen aan haken aan het plafond.

'Ik heb alles in die oude kist gestopt. Ik vond het zonde om alles te verbranden.' Simone keek koppig, maar ze had een kleur op haar wangen die niets had te maken met de warmte in de keuken.

Jenny knielde voor de oude kist neer en maakte de leren riempjes los. Haar hart ging tekeer, al begreep ze niet waarom. Tenslotte, zei ze bij zichzelf, was het alleen maar een hoop oude kleren.

Het deksel kwam met een klap tegen de muur en Jenny slaakte een kreet. Dit waren geen oude vodden, maar een verzameling kleren en schoenen die tot een eind in de negentiende eeuw teruggingen.

Simone knielde naast haar en haar zelfvertrouwen liet haar plotseling in de steek. 'Ja, als ik geweten had dat je er belangstelling voor had, dan zou ik nooit...'

'Het geeft niet, Simone,' zei Jenny terwijl ze naar de schatten keek. 'Maar ik ben blij dat je ze niet verbrand hebt.' Een voor een haalde ze er de keurig opgevouwen kleren uit en bekeek ze. De fijnste batisten nachtjaponnen die met de hand waren gestikt en nog steeds in perfecte staat, lagen in vloeipapier genesteld. Het kant aan de kraagjes en manchetten van een negentiende-eeuwse japon was nog steeds zo wit als de dag dat het gemaakt werd. Ze pakte het prachtige moiré van een bruidsjapon die helemaal uit Ierland moest zijn meegenomen uit en drukte de romige zachtheid tegen haar gezicht. Ze kon de lavendel nog ruiken. Er waren katoenen jurken die een kind waarschijnlijk in de eerste helft van de twintigste eeuw had gedragen, en kleine, fijngestikte babykleertjes die eruit zagen alsof ze nooit gedragen waren. Er waren rechte jurken zonder taille uit het begin van de jaren twintig, en naoorlogse jurken van goedkoop katoen met bijpassende ceintuurs en verwisselbare kragen. 'Simone,' zei ze ademloos. 'Dit zijn geen vodden. Het zijn waarschijnlijk zelfs verzamelobjecten.'

Haar ronde gezicht kleurde. 'Als ik geweten had dat je ze wilde hebben, zou ik ze nooit uit het huis gehaald hebben. Maar Brett zei dat je die dingen vast niet in huis wilde laten rondslingeren.' Ze zweeg.

Jenny keek haar onderzoekend aan; wat zij dacht dat Simone met die prachtige spullen werkelijk had willen doen bleef ongezegd. Ze legde haar hand op de ruwe werkhand. 'Ze zijn er nog. Dat is het belangrijkste.'

Ze haalde een rijbroek en laarzen tevoorschijn, versleten en afgetrapt, en een mooie zijden sjaal met een scheur in de franje. Ze hield hem tegen haar gezicht en snoof de geur van lavendel op. Waren die kleren gedragen door de vrouw van wie de foto nog steeds in het medaillon zat? Toen viel haar oog op iets zeegroens dat tussen de plooien van een witlinnen laken piepte. Het was een baljurk, niet op zijn plaats tussen de gewonere werkkleding. Zacht, elegant en glanzend, ruiste de wijde rok van chiffon over satijn, terwijl rozen van dezelfde stof aan de tailleband en de schouders met ruches zaten.

'Die kleur zal jou wel goed staan,' zei Simone. 'Waarom trek je hem niet eens aan?'

Jenny kwam in de verleiding, maar de japon had iets waardoor ze het moment niet met iemand wilde delen en ze legde hem opzij. 'Kijk!' riep ze uit. 'Er horen zelfs schoenen bij. Hij moet wel voor een heel bijzondere gelegenheid zijn geweest.'

Simone leek niet onder de indruk en ze klonk opeens bruusk. 'Dat is het wel, kind. Alleen maar wat oude boeken en spullen op de bodem.'

Jenny's hand bleef in de lucht hangen toen ze het deksel dicht wilde doen. 'Boeken? Wat voor soort boeken?'

'Ze zien eruit als dagboeken, maar de meeste vallen bijna uit elkaar.'

Jenny keek de andere vrouw strak aan. 'Waarom doet iedereen hier toch zo geheimzinnig – en waarom al dat moeilijke gedoe over die kleren? Heeft het allemaal iets te maken met die vreemde grafsteen op het kerkhof?'

Simone zuchtte. 'Ik weet alleen dat er lang geleden hier iets akeligs is gebeurd, kind. Het leek Brett het beste dat je je er niet druk over zou maken, omdat je net zelf een tragedie achter de rug hebt.' Ze zweeg even. 'Ik vond het heel erg toen ik van je man en je zoontje hoorde.'

Brett Wilson moest zich verdomme met zijn eigen zaken bemoeien!

'Dank je, Simone. Maar ik ben niet zo teer als iedereen schijnt te denken.' Jenny dook weer in de kist en haalde er de boeken uit. Wat intrigerend – het waren dagboeken, maar Simone had gelijk, sommige vielen uit elkaar. De nieuwere waren gebonden in fijn, met de hand bewerkt leer; de andere en minder recente waren geel en hadden vochtplekken. Het waren er twaalf in totaal: sommige dik en zwaar die een of twee jaar besloegen; andere waren eenvoudigweg schriften die maar een paar maanden besloegen.

Terwijl Simone afkeurend toekeek, legde ze elk zorgvuldig in chronologische volgorde op de vloer. Ze besloegen de jaren 1924 tot 1948. Ze bladerde erdoorheen en zag hoe het kinderlijke hanenpoterige schrift in de loop der jaren ferm en vloeiend werd.

Maar het laatste dagboek was raadselachtig. Het schrift was hoekig en bijna onleesbaar – alsof iemand anders het geschreven had.

'Dat was het. Wil je me helpen alles terug te leggen?'

Jenny klemde het laatste dagboek tegen zich aan. Het was alsof ze de aanwezigheid van de vrouw die dit geschreven had kon voelen – en het was zo'n sterk gevoel dat ze niet hoorde dat Simone iets zei.

'Jenny, gaat het, kind?'

Ze liet met tegenzin haar gedachten los. 'Ja, prima. Laten we die kleren weer inpakken en de kist weer in het huis zetten. Ik zal de boeken wel dragen.'

Enkele minuten later zaten de riemen vast en staken ze het verlaten erf over. Het gemurmel van stemmen in de slaapschuur klonk gedempt, en de meeste lichten waren uit. Toen de kist op de vloer in de keuken stond, zei Simone welterusten.

'Tijd om naar m'n bed te gaan. We beginnen hier vroeg voor het te warm wordt.'

Jenny keek op haar horloge. Het was nog maar tien uur, maar zij was ook moe en had zin om naar bed te gaan.

'Je ziet er afgepeigerd uit, als je het me niet kwalijk neemt,' zei Simone. 'Ik heb schone lakens op het bed gelegd. Als je het halverwege de nacht koud hebt, liggen er dekens boven in de kast. Hou de luiken dicht, anders word je opgegeten door de muggen.'

'Bedankt, Simone. Ik regel dit morgen wel met Brett. Moet ik je niet even helpen met de afwas?'

'Nee. Dat komt wel goed. Trouwens, jij bent de baas. Je hoort me niet met mijn werk te helpen.'

Jenny glimlachte. 'Nou, welterusten dan, en bedankt.'

'Trusten, kind. Het was heerlijk om weer eens met een andere vrouw te praten. Mannen zijn best, maar ik word het een beetje moe om de hele tijd over die verdomde schapen te horen.'

Jenny volgde haar tot op de veranda en keek haar na terwijl ze in het donker naar het kookhuis verdween. De warme lucht streelde haar gezicht, en bracht de geur van nachtbloemen met zich mee. De realiteit van wat ze had geërfd drong plotseling tot haar door, en ze liet zich in een stoel zakken en keek over het erf uit. Ze hoorde het zachte gebrom van de stemmen van de mannen in de slaapschuur, en zag flikkerende lichtjes in de bungalow van de knechts en achter de ramen van het kookhuis. Het was allemaal van haar. Het land, de veestapel, het huis – alles. Ze had een stadje geërfd. Een gemeenschap die van haar afhankelijk was voor hun dagelijks brood en welbevinden.

De omvang van dit besef drukte zwaar op haar. Ze wist zo weinig van dit leven – de paar jaar als kind op Waluna had haar alleen het hoogst noodzakelijke geleerd – en de verantwoordelijkheid was ontzaglijk.

Met een lange, diepe geeuw accepteerde ze wat het lot haar had gebracht, kwam tot de conclusie dat ze er niets mee opschoot als ze zich er vanavond zorgen over maakte. Ze stond op van de veranda en liep vervolgens het huis binnen.

Het was heel stil en ze nam aan dat Brett al lag te slapen. Toen zag ze het papier op tafel liggen. Hij was naar de slaapschuur verhuisd.

'Dat is een opluchting,' zuchtte ze. 'Weer iets waar ik me geen zorgen meer over hoef te maken.'

De kist was een zwarte schaduw in de schemering. Het was alsof hij haar wenkte, haar naar de riempjes lokte alsof hij wilde dat ze ze losmaakte.

Jenny knielde er voor neer en haar vingers bleven boven de gespen hangen. Toen, vóór ze van gedachten kon veranderen, waren de riemen los en het deksel opgetild. De groene japon lag te glanzen in het bleke maanlicht, lokte haar om hem te pakken en aan te trekken.

De plooien van het chiffon en satijn ruisten terwijl ze over haar naakte lichaam gleden. Koel en zinnelijk streelde de stof haar en de wijde rok danste om haar benen terwijl ze liep. Ze deed haar ogen dicht, en begroef haar vingers diep in de plooien terwijl er een wals uit een ver leven door haar hoofd speelde. Toen begon ze erop te wiegen. Ze danste door de kamer zonder dat haar blote voeten een geluid maakten op de houten vloerplanken. Het was alsof de jurk haar van deze afgelegen boerderij naar een plek bracht waar een speciaal iemand wachtte.

Ze voelde handen om haar middel, adem op haar wang, en wist dat hij was gekomen. Maar er was geen licht, geen blij welkom, want de wals was somber geworden en er liep een koude rilling over haar rug toen zijn vluchtige kus op haar wang bevroor.

Jenny's ogen schoten open. Haar dansende voeten kwamen tot stilstand. Haar hart ging tekeer. De muziek was weg, het huis was leeg – en toch durfde ze te zweren dat ze niet alleen was geweest. Met trillende vingers maakte ze de kleine knoopjes los en de japon dwarrelde fluisterend op de grond. Hij bleef in een cirkel van maanlicht liggen, de rokken over de vloer verspreid alsof ze halverwege een spookdans waren betrapt.

'Doe in godsnaam normaal,' mompelde ze boos. 'Je fantasie gaat nu wel erg met je op de loop.'

Maar het geluid van haar stem was niet voldoende om van het gevoel af te komen dat ze niet alleen was, en Jenny huiverde terwijl ze de japon opraapte en hem weer in de kist legde. Ze trok de riempjes strak aan, raapte haar kleren en het dagboek op, en liep naar haar kamer. Nadat ze zich snel had gewassen, kroop ze tussen de koele gesteven lakens en probeerde zich te ontspannen.

Haar rug deed pijn en haar schouders waren stijf, maar hoe vaak ze de kussens ook opschudde, de slaap kwam maar niet. De herinnering aan die muziek, aan haar spookachtige danspartner wilde maar niet verdwijnen.

Terwijl ze daar in het schermerlicht lag, werd haar blik getrokken door de dagboeken die ze op de stoel had laten liggen. Het was alsof zij haar ook riepen. Eisten gelezen te worden. Ze verzette zich ertegen, ze wilde niet gelokt worden. Maar de lokkende muziek zweefde om haar heen... zijn handen, zijn liefdeloze kus deden haar trillen. Niet van angst, maar van iets dat ze niet kon verklaren... Hij wilde dat ze die dagboeken opensloeg, en het duurde niet lang voor ze zich aan de verleiding overgaf.

Het eerste boek was gebonden in karton. De bladzijden waren flinterdun en beduimeld, en het schutblad was in een kinderlijk handschrift beschreven.

Dit is het dagboek van Matilda Thomas. Veertien jaar oud.

De spookmuziek zweeg toen Jenny begon te lezen.

5

Jenny kwam langzaam uit Matilda's wereld tevoorschijn, met haar wangen nog nat van de tranen. Het andere meisje had haar door de donkere nacht meegevoerd en de betovering van Churinga bezoedeld door haar te laten zien wat een gevangenis het voor haar was geworden. Het was alsof Jenny de steeds dichterbij komende paardenhoeven kon horen terwijl die klootzak Mervyn haar te pakken kreeg en mee terug naar huis nam. Alsof ze dezelfde angst deelde die het kind had ondergaan, in de wetenschap dat niemand haar gegil kon horen of hulp kon bieden.

'Te laat,' fluisterde ze. 'Ik ben te laat om er iets aan te doen.'

Maar, terwijl de tranen opdroogden en de beelden hun scherpe kanten verloren, begon ze in te zien dat Matilda geleerd moest hebben om terug te vechten – de verschrikkingen van haar leven met Mervyn te overleven – anders zouden er geen dagboeken zijn geweest. Haar blik viel op de resterende boeken. Daar lag het bewijs, en in die stille bladzijden lagen de antwoorden op alle vragen die ze zich die nacht al lezend had gesteld.

'Joe-hoe! Ontbijt.' Simone kwam druk de kamer binnen, maar de vrolijke glimlach bevroor op haar gezicht toen ze naar Jenny keek. 'Wat is er nou, kind? Heb je slecht geslapen?'

Jenny schudde haar hoofd, omdat haar emoties te verward waren om uit te leggen. Ze was nog bij Matilda, op de hoogvlakte, rennend voor haar leven.

Simone zette het volle blad op de vloer en keek, met haar armen over elkaar geslagen, naar de boeken op het bed. 'Ik wist wel dat er zoiets zou gebeuren. Je hebt de hele nacht gelezen, hè? En nu ben je helemaal over je toeren.'

Jenny was naakt onder het laken, en voelde zich vreemd kwetsbaar onder de bezorgde blik van de oudere vrouw. 'Het gaat wel. Echt,' stamelde ze.

Simone klokte als een opgewonden kip en raapte de dagboeken op, die ze op de kaptafel legde. 'Ik heb nooit iets van al die woorden weten te maken,' zei ze terwijl ze begon op te ruimen. 'Brett zal niet blij zijn als hij erachter komt. Hij heeft tegen me gezegd dat ik ervoor moest zorgen dat u voldoende rust kreeg.'

Interessant, dacht Jenny droog. Ik wist niet dat hij zo bezorgd over me was. 'Laat meneer Wilson maar aan mij over, Simone,' zei ze gedecideerd. 'Ik ben nu een grote meid en ik kan wel voor mezelf zorgen.'

Simone snoof, pakte het dienblad op en zette het op bed. 'Je zult je na zo'n ontbijt wel beter voelen.'

'Dank je,' mompelde Jenny terwijl ze met een rilling naar de gebakken eieren en de dikke, vette bacon keek. Hoe kon ze eten terwijl Matilda gevangengehouden werd? Hoe kon ze zich op Simones geklets concentreren terwijl ze alleen maar terug wilde naar 1924?

Simone liep de kamer uit, en enkele minuten later meende Jenny het gekletter van potten en pannen in de keuken te horen. Ze knipperde met haar ogen terwijl een orkest in de verte een wals speelde, en de geur van lavendel de kamer inzweefde. De nevelen van het verleden omhulden haar, voerden haar door tunnels van tijd en in een diepe, genadeloze slaap waar haar dromen beheerst werden door donkere schaduwen en dichterbij komende paardenhoeven – en sterke, agressieve handen.

Jenny baadde in het zweet toen ze een paar uur later wakker werd. Ze bleef, verward en gedesoriënteerd, liggen tot ze de kracht vond om in de werkelijkheid te stappen en met beide voeten op de grond te blijven. Het zonlicht joeg de flarden van de nachtmerries weg en de geluiden van Churinga deden de gillen verstommen.

'Dit is belachelijk,' mompelde ze terwijl ze het laken om zich heen trok toen ze uit bed stapte. 'Ik stel me aan.'

Toch wist ze toen haar blik op de stapel boeken viel die Simone had opgeruimd, dat ze er weer in zou lezen. 'Maar nog niet,' zei ze ferm.

Ze wikkelde het laken nog steviger om zich heen en liep door de gang naar de badkamer. Het gekletter met pannen hield abrupt op en Simone stak haar hoofd om de hoek.

'Je hebt je ontbijt niet opgegeten,' zei ze streng.

'Ik had geen honger,' antwoordde Jenny verdedigend. Waarom gaf Simone haar het gevoel dat ze een opstandig kind was?

De oudere vrouw keek haar onderzoekend aan en zuchtte toen. 'Ik dacht dat je je rot voelde, dus heb ik lekkere soep voor je gemaakt.' Ze nam Jenny vastberaden mee naar de keuken en wees naar de soepterrine met groenten en vlees en het warme ongezuurde brood die ze op de tafel had gezet.

Jenny klemde het laken tegen haar borst, zich maar al te bewust van haar naaktheid. 'Het gaat wel, Simone. Ik ben alleen maar moe van die lange reis.' Ze forceerde een glimlach. 'Maar de soep ziet er heerlijk uit.'

Simone ging aan de andere kant van de tafel zitten en hield een dikke witte kop tussen haar handen terwijl thee met de kleur van modder in haar gezicht stoomde. Ze keek nauwkeurig toe hoe Jenny drie stevige scheppen soep nam.

'Heerlijk,' mompelde ze. En dat was hij ook. Goedgevuld en voedzaam, en precies wat ze nodig had om de restanten van de nachtmerries weg te jagen. De terrine was snel leeg. 'Nu moet ik echt douchen en me aankleden.' Ze keek op haar horloge. 'Is het echt al zo laat?'

'Weet je zeker dat het wel zal lukken?' Simone leek niet overtuigd, maar zij keek ook op haar horloge, en het was duidelijk dat ze andere dingen te doen had. 'Ik ga de kippen voeren. Als je me nodig hebt, geef je maar een brul.'

Jenny keek haar na terwijl ze de trap afliep naar het erf en om de hoek van het huis verdween. Zodra ze haar voetstappen niet meer kon horen, liep ze naar de douche.

Een paar minuten later, aangekleed en op de veranda, haar haar nog nat, maar heerlijk koel tegen haar hals in de gloeiende hitte van het middaguur, snoof ze de lucht op van zon op gebakken aarde en keek hoe de mannen bezig waren met hun werk. Het scheerseizoen was in volle gang, en ze was benieuwd hoeveel er veranderd was sinds haar jeugd op Waluna.

De scheerschuur was het grootste gebouw op Churinga. Hij stond hoog op stevige stenen palen, omringd door loophellingen voor de schapen. Het stof en het geluid van de mannen en schapen stegen om het gebouw op. Erachter lag een doolhof van boxen.

Als de scheerders met het ene schaap klaar waren, werd het de loopplanken opgestuurd en kwam een ander aan de beurt. De knechts, de meesten van hen jong en zwart, dreven de dieren bij elkaar, hun stemmen schril van opwinding terwijl ze bevelen schreeuwden naar de honden die over de wollige ruggen renden en hun blatende kudde tot een min of meer ordelijk geheel gromden en hapten.

Jenny keek een ogenblik toe; het tafereel deed denken aan die dagen lang geleden toen ze net zo stond te kijken naar het schapenscheren op Waluna. Er is niet veel veranderd, dacht ze. De oude manier is nog steeds de beste. Ze dwaalde naar de andere kant van de schuur waar naakte schapen van de loophellingen naar de ontsmettingstanks sukkelden. Sterke, zekere armen tilden ze eruit, merkten ze met verf en gaven ze een injectie voor ze vrijgelaten werden in nabijgelegen boxen waar ze zich konden beklagen. Het werk was zwaar onder de genadeloze zon, maar de mannen leken opgewekt, ondanks het zweet en de kracht die het kostte om de domme beesten in bedwang te houden, en een of twee van hen namen de tijd om 'Goeiedag, mevrouw' te roepen voor ze verdergingen met hun worsteling.

Jenny knikte en glimlachte. In ieder geval negeren ze me niet, dacht ze, voor ze ten slotte wegliep. Maar ze vragen zich vast af wat ik daar in godsnaam aan het doen was. Peter zou het zo heel anders aangepakt hebben. Hij zou geweten hebben wat hij moest doen en zeggen. Hij voelde aan hoe ze over bepaalde dingen dachten en was in staat ze in hun waarde te laten. Ze zuchtte. Als vrouw stelde je hier maar heel weinig voor. Sydney en de groeiende erkenning als kunstenares leken lichtjaren van haar verwijderd.

Haar doelloze voetstappen leidden haar naar het voorste deel van de scheerschuur. Tijdens haar jaren op Waluna, herinnerde ze zich, had ze als kind en tiener geholpen de bundels te pakken, te dragen en op de vrachtwagens te laden. Het scheren bracht een hoop opwinding met zich mee: er werden extra mannen aangenomen, de schapen werden in enorme aantallen de omheinde weiden ingedreven, en in de algehele sfeer van verwachting werd iedereen vrolijk. De scheerschuur was in die tijd altijd een bijzondere plek voor haar. Een plek waar mannen zweetten en vloekten, maar altijd vrolijk waren. Nu, na even aarzelend stilgestaan te hebben, liep ze de trap op.

En snakte naar adem. Het hoge gewelfde dak bracht licht en ruimte in een schuur die tweemaal zo groot was als die op Waluna. Deze scheerschuur was lang en breed en weerklonk van het gezoem van elektrische scheerapparaten en opgewekt gevloek. De geur van lanoline en wol, zweet en teer, was bedwelmend, bracht haar terug naar haar kindertijd en deed haar denken aan al die jaren die ze gemist had sinds ze naar Sydney was vertrokken. Ze propte haar handen in haar zakken, stond stilletjes in de deuropening en keek naar de bedrijvigheid.

Er waren twintig scheerders, allemaal met ontbloot bovenlijf, gebogen over het klagende schaap tussen hun knieën. De teerjongen was een jaar of tien en mager, met grote bruine ogen, heel witte tanden en een huid met de kleur van gesmolten chocolade. De teeremmer leek te zwaar voor zijn dunne armen, maar terwijl hij naar een ooi rende om de teer op een lelijke snee te smeren, realiseerde Jenny zich dat het niet zo was. Dat hazewindhondenlijfje was bijzonder taai.

Drie mannen verzamelden de pasgeschoren vachten, gooiden ze op een lange tafel aan de andere kant van de schuur, liepen er langs, classificeerden ze en persten ze tot balen. Daarna legden ze ze op de stapels die er al lagen te wachten tot ze per vrachtwagen naar het dichtstbijzijnde spoorwegstationnetje werden gebracht. Jenny wist dat dit het belangrijkste werk van de hele schuur was. Er was veel inzicht en ervaring voor nodig om de kwaliteit van de vachten te beoordelen, en het verbaasde haar niets dat Brett een van de sorteerders was.

Ze leunde tegen de deurpost en observeerde hem terwijl hij werkte. Net als de anderen had hij zijn overhemd uitgetrokken. Zijn brede schouders en gespierde borst glommen van het zweet onder de felle lampen. Hij droeg een katoenen broek die strak om zijn smalle heupen zat en de eeuwige hoed was eindelijk afgezet. Dik, wild, zwart haar krulde over zijn voorhoofd en in zijn nek, en het licht deed het blauw opglanzen.

Hij was absoluut het lange, donkere type dat zo geliefd was in damesromannetjes, en heel knap, maar eerlijk gezegd konden sterke, zwijgende mannen een ramp zijn. Je wist nooit wat ze dachten, en het was onmogelijk om een behoorlijk gesprek met ze te voeren.

Maar goed dat Diane er niet bij is, dacht ze. Ze zou van al dat mannenvlees genieten, en zou Brett binnen vijf minuten poserend op een van haar Marokkaanse kussens hebben. Ze moest giechelen toen ze het voor zich zag, en wendde haar blik af.

Het duurde een paar seconden voor het tot haar doordrong dat de stemming in de schuur was veranderd, maar terwijl haar lach wegstierf, hoorde ze dat de scheerapparaten zwegen en zag ze dat alle ogen op haar waren gericht. Ze keek van het ene vijandige gezicht naar het andere en voelde zich onzeker worden. Waarom keken ze zo naar haar? Wat had ze gedaan?

De houten planken trilden onder Bretts zware tred toen hij de schuur door stapte. Zijn gezicht stond op onweer en hij had zijn handen tot vuisten gebald. De stilte was oorverdovend terwijl tientallen ogen hem volgden.

Ze had geen tijd om iets te zeggen. Geen tijd om na te denken. Zijn hand was als een bankschroef om haar arm terwijl hij haar de deur uitduwde, en ze de trap af naar het erf werd geloodst.

Jenny rukte zich los en wreef over de blauwe plekken die hij ongetwijfeld op haar arm had achtergelaten. 'Hoe durf je?' siste ze. 'Wat denk je verdomme wel?'

Zijn grijze ogen waren zo hard als staal. 'Vrouwen mogen niet in de schuur. Dat brengt ongeluk.'

'Wat!' Ze was zo verbouwereerd dat ze even niet wist wat ze moest zeggen.

'U heeft het gehoord,' zei hij grimmig. 'Blijf er vandaan.'

'Ik heb nog nooit zoiets arrogants... Hoe durf je zo tegen me te praten?' Haar woede werd aangewakkerd door de wetenschap dat de mannen die in de schuur en op het erf gestopt waren met werken belangstellend meeluisterden.

'Ik ben de bedrijfsleider en wat ik zeg gebeurt, of u nou de baas bent of niet. De scheerschuur is geen plaats voor vrouwen. Ze veroorzaken ongelukken,' zei hij beslist.

Ze wilde hem net op zijn nummer zetten toen hij zich omdraaide en weer in de schuur verdween. Zich bewust van de nieuwsgierige blikken en gespitste oren, slikte ze haar nijdige repliek in en kookte inwendig. Klootzak! Wie dacht hij wel dat hij was?

Ze dacht erover om terug de schuur in te gaan en het ter plekke uit te praten, maar wist dat haar vernedering alleen maar groter zou worden. Dus schraapte ze met haar hakken in de aarde, ramde haar vuisten in haar zakken en liep naar de weide bij het huis. Van alle ongenietbare, koppige, onbeschofte mannen die ze ooit had ontmoet, sloeg hij wel alles. En wat wist hij haar op de kast te krijgen!

De werkpaarden keken wat nieuwsgierig naar haar voor ze verdergingen met grazen. Ze boog over de bovenste balk van de omheining en keek naar ze. Ze voelde haar woede zakken en naarmate de minuten verstreken voelde ze zich ook minder opgelaten. Wat is er toch met me aan de hand? vroeg ze zich af. Ik ben meestal zo kalm, ik heb mijn emoties altijd in de hand. Waarom laat ik me toch zo door hem op de kast jagen?

Een warm briesje ritselde door het gras alsof onzichtbare voeten door de wei dansten. Ze rilde. De betovering van Churinga werd beroerd door een duistere kracht. Ze voelde de aanwezigheid en hoorde de muziek die het met zich meebracht.

Haar gedachten dwaalden naar de dagboeken en de diepe stilte van het kerkhof. Net als Matilda was ze betoverd. Nu was ze op haar hoede – misschien zelfs bang. Ze was gekomen uit nieuwsgierigheid, een behoefte om de wortels te vinden die ze ver achter zich had gelaten in haar zoektocht naar bevrediging – maar nu had ze het gevoel dat de rollen veranderd waren. Zij was hier in werkelijkheid voor Matilda. Ze was hier omdat een meisje van veertien haar verhaal kwijt moest aan iemand die het zou begrijpen.

Jenny zuchtte. Ze had nooit moeten komen. Ze had te veel gehoopt, had gehoopt dat Churinga haar de weg zou wijzen nu Peter en Ben er niet meer waren – en Churinga had haar alleen maar verwarring gebracht.

Ze liet de paarden rustig grazen en slenterde doelloos om de andere gebouwen heen. Er waren schuren vol hooi, schuren vol machines en olievaten, mannen die over hun werk gebogen stonden, schapen die blaatten en schuifelden in de boxen. Haar voetstappen leidden haar ten slotte naar de kennel waar de honden werden gefokt.

De puppy's waren schattig: grote heldere ogen, wiebelige pootjes en wollige staartjes. Ze tilde er een op en stak haar neus in zijn vacht. Zijn tongetje schraapte over haar gezicht en ze lachte. Niets hielp beter dan een klein diertje om van je depressie af te komen.

'Zet dat beest neer!'

Jenny verstijfde en het hondje wriemelde in haar armen. Ze had genoeg van Brett Wilson voor één dag. 'Dit is de wolschuur niet, meneer Wilson. Ik zet hem neer zodra ik dat wil,' zei ze vinnig.

De stilte verdiepte zich terwijl grijze ogen in een paar paarse keken.

'Dat zijn geen huisdieren. Iedereen hier moet de kost verdienen – en dat geldt ook voor de pups. Als ze geen goede herdershonden worden, worden ze afgemaakt.'

'Dat zal best,' snauwde ze. 'Jammer dat ze niet hetzelfde met onbeschofte bedrijfsleiders doen.'

Er fonkelden gouden vlekjes in zijn ogen en zijn mondhoeken trilden. 'De bedrijfsleider doodschieten lijkt me een beetje drastisch, mevrouw Sanders.'

Jenny begroef haar gezicht in de zachte vacht van het hondje. De man lachte haar uit, en ze wilde hem niet haar eigen vrolijkheid in haar ogen laten zien.

Hij stak zijn handen in zijn zakken. 'We hebben een slechte start gemaakt, mevrouw Sanders. Wat dacht u van een wapenstilstand?'

'Ik ben niet degene die de oorlog heeft verklaard,' zei ze gedecideerd terwijl ze hem aankeek.

'Ik ook niet,' zei hij zuchtend. 'Maar in een bedrijf als dit heb je regels nodig. Er gebeuren ongelukken in een scheerschuur als de mannen afgeleid worden. En, geloof me, u leidt ze af.'

Hij keek haar strak aan, maar ze zag nog steeds een spoor van humor in zijn ogen. 'Wat de pups betreft...' Hij zuchtte. 'Het is moeilijker om ze af te maken als je een huisdier van ze hebt gemaakt.'

Het was stil toen hij de puppy van haar overnam en hem vervolgens aan zijn moeder teruggaf. Toen tikte hij met zijn vingers tegen zijn hoed en slenterde weg.

Jenny keek hem na toen hij het erf overstak en moest toegeven dat ze van hun woordenwisseling had genoten. In ieder geval heeft hij gevoel voor humor, dacht ze. Jammer dat hij het zo weinig laat merken.

Met een laatste verlangende blik op de jonge hondjes liep ze terug naar het huis. Ze miste de vaardigheden om te kunnen bijdragen aan het runnen van het bedrijf, maar voelde zich rusteloos omdat ze iets wilde doen. Ze benijdde Simone. Dat was tenminste een vrouw die de regels kende en zonder enige moeite in de gloeiende hitte van de zomer in het binnenland honderd maaltijden kookte. Ze kende haar plaats, en wist dat ze een bijdrage kon leveren en haar kost verdiende. 'God,' zuchtte Jenny. 'Ik voel me zo verdomd nutteloos. Er moet toch wel iets zijn wat ik kan doen.'

Ze nam de trap met twee treden tegelijk, liep de keuken in en zette thee. Ze legde koekjes op een schoteltje, liep naar de veranda en de lange schommelbank die aan haken in de balken hing. Het geruststellende gekraak van zware touwen die door metalen ringen gleden was het geluid van lang voorbije zomers, en terwijl ze schommelde, voelde ze zich ver van de bedrijvigheid van het erf en de schuren staan. Het was heet, zelfs in de schaduw van de veranda. Niet het minste zuchtje wind deed de bladeren van de peperbomen of de bloemen van de bougainville ritselen. Vogels riepen en scharrelden in de eucalyptus, en een stel opossums rende heen en weer over het dak van de veranda.

Terwijl haar thee afkoelde en de zon langzaam langs de hemel trok, keerden haar gedachten terug naar Matilda. Churinga was toen kleiner en minder welvarend, maar als ze nu zou terugkeren, zou ze nog steeds veel bekends zien.

Jenny keek in de trillende hitte en meende die smalle gestalte te zien, met een kleurige sjaal om zich heen, op blote voeten over het erf naar de beek rennend. Ze huiverde toen de gestalte zich naar haar omdraaide en haar wenkte. Ze probeerde iets te vertellen – om Jenny mee te nemen naar die lange, donkere dagen en haar getuige te maken van het slechte dat er plaatsvond. Maar waarom? Waarom had ze ervoor gekozen haar verhaal aan Jenny te onthullen?

Haar thee vergetend, staarde ze naar de horizon. Ze voelde zich vreemd aangetrokken tot het kind van het binnenland. Ze had het gevoel dat ze verwante zielen waren, dat hun levens op de een of andere manier met elkaar verweven waren – en wist dat hoe verschrikkelijk de weg ook was, ze Matilda haar reis niet alleen kon laten maken.

Jenny liep de schaduw van het huis weer in en nam het tweede dagboek mee naar bed. Met een lange, sidderende zucht sloeg ze het open en begon weer te lezen.

Het leven op Churinga was veranderd. Matilda bewoog zich in de schaduwen en werd er één mee. Toch bleef ze moed houden, en dacht koortsachtig na over manieren om zich te wreken vanwege de dingen die Mervyn met haar deed tijdens die lange nachten na haar terugkeer.

Naarmate de dagen overgingen in maanden, werd ze vindingrijk en slim. Zijn drinken werd haar redding, en hoewel het weinige dat ze met de wol verdienden eraan op ging, moedigde ze het aan. Zodra hij te dronken was om uit zijn ogen te kijken, vormde hij geen bedreiging meer. Maar dat betekende niet dat ze daardoor rustiger sliep. Nacht na nacht, doodmoe van het werk van de dag, lag ze wakker, met haar gezicht naar de deur gericht, te luisteren of ze zijn voetstappen hoorde.

Een stok met een scherpe punt werd een dodelijk wapen in haar kleine, snelle handen terwijl ze zich probeerde te verdedigen, maar het werd vaak tegen haar gebruikt. Giftige bessen en bladeren zoeken om in zijn eten te stoppen hielp niet. Het was net of hij onkwetsbaar was. Haar geestkracht nam af toen de maanden van misbruik hun tol gingen eisen. Er leek maar geen eind te komen aan die kwelling, geen vermindering van zijn honger. Ze zou hem moeten doden.

De bijl was scherp en glinsterde in het maanlicht dat door de luiken naar binnen kwam. Het bloed bonkte in haar oren terwijl ze in het stille huis stond. Ze had van dit moment gedroomd, plannen gemaakt en gewacht tot ze voldoende moed had om door te zetten. Nu stond ze in de keuken, met de bijl in haar hand, en verse blauwe plekken op haar armen en gezicht.

De vloer kraakte terwijl ze op haar tenen door de keuken liep en ze hield haar adem in. Hij bleef rustig doorsnurken achter de gesloten deur.

Ze stak haar hand uit naar de klink. Ze tilde hem centimeter voor centimeter op en duwde tegen de deur tot de scharnieren piepten. Haar hart bonkte, haar bloed suisde in haar hoofd en haar handen trilden. Dat moest hij toch kunnen horen?

Ze kon hem nu zien. Hij lag op zijn rug, met zijn mond open en zijn borst ging op en neer terwijl hij snurkte.

Matilda sloop naar de zijkant van het bed. Ze keek neer op dat gehate gezicht, die sterke, agressieve handen en dat zware lichaam – en tilde de bijl omhoog.

Het licht glinsterde op het scherpe metaal. Haar adem stokte in haar keel. Haar hart ging tekeer terwijl ze doodstil boven hem bleef staan.

Mervyn gromde, en één bloeddoorlopen oog rolde in haar richting.

Matilda aarzelde. Angst verlamde haar en de moed zonk haar in de schoenen. Ze vluchtte terug naar haar kamer en huilde bittere tranen: de mislukking was verpletterend. Ze was eindelijk murw.

De zomer brandde tot na Kerstmis en in het nieuwe jaar. Wolken verzamelden zich aan de horzion, zwart en wervelend, vol lang beloofde regen. Matilda ging er samen met Mervyn en Gabriel op uit om de ernstig in aantal afgenomen kudde dichter naar huis te halen. De vuile, wollige ruggen hobbelden voor hen uit en Bluey rende van de ene kant naar de andere om ze bij elkaar te houden. Het verstikkende stof steeg onder de trappelende hoeven op, verblindde de berijders en plakte in hun keel.

Ze zette haar sporen in de flanken van de ruin en dwong hem een steile helling op achter een ooi aan die de vrijheid had gezocht. Ze haalde het schaap in en floot Bluey dat hij het terug naar de kudde kon jagen. De kudde sukkelde over het uitgestrekte droge grasland en Matilda keek vol wanhoop naar de omvang. Ze hadden het afgelopen jaar veel lammeren verloren aan de dingo's en de droogte. Ze hadden geen geld meer om lonen te betalen – en het land was veel te groot voor twee mannen en een meisje.

Mervyns bezoeken aan de pub werden steeds langer, en hoewel Matilda dankbaar was voor het respijt, wist ze dat ze binnen afzienbare tijd failliet zouden zijn. Het huis was een bouwval, de eens zo fraaie schuren stortten in vanwege de termieten. De beken moesten schoongemaakt worden, de hekken gerepareerd, en de weiden van de eeuwig oprukkende woestenij gered worden. Het water was niet meer dan een straaltje en de behoefte aan een nieuwe waterput was dringend geworden.

Ze zuchtte verslagen en spoorde haar paard aan naar de weide bij het huis. Ethan maakte geen geheim van zijn verlangen naar Churinga, en Mervyn had geprobeerd haar te dwingen het bedrijf te verkopen. Maar zij had aan haar erfenis vastgehouden. Ethan Squires zou het haar niet afnemen – en zijn stiefzoon ook niet.

Matilda glimlachte grimmig onder de zakdoek die ze voor haar neus en mond had gebonden tegen het stof. Ethan dacht waarschijnlijk dat hij slim was, maar ze had zijn snode plan doorzien. Andrew mocht dan knap zijn en een goede opleiding hebben genoten, maar ze voelde niets voor hem en zou ook nooit iets voor hem voelen. Verdomd als ze zich tot een huwelijk liet overhalen om van haar vader af te zijn. Churinga betekende te veel voor haar, en als ze met Andrew trouwde, zou ze het kwijtraken.

De weiden van Churinga waren geel onder de genadeloze hemel, en toen de kudde vrijgelaten was en de hekken gesloten waren, liep ze naar het huis.

113

Ze kon het niet langer haar thuis noemen, bedacht ze triest. Het was nog slechts een plek waar ze weer een dag had overleefd.

Mervyn liet zich uit het zadel glijden en leidde het vermoeide paard de kraal binnen. Hij scheidde Lady van de andere, en frunnikte aan het tuig en het bit. De merrie rolde met haar ogen terwijl hij met een zwaai op haar rug ging zitten. 'Zo, dat was dat. Ik ga naar Wallaby Flats.'

Matilda wreef haar eigen paard droog en liet hem los in de weide. Ze was opgelucht, maar ze was bang dat hij het in haar ogen zou lezen, dus concentreerde ze zich op het bijeenrapen van het tuig en zadel.

'Kijk me aan, dame. Ik zeg iets tegen je.'

Ze hoorde de dreigende kalmte in zijn stem. Haar uitdrukking was opzettelijk rustig en ondoorgrondelijk terwijl ze zich naar hem toekeerde. Maar inwendig beefde ze.

'Ethan en die jonge hond van hem komen niet op ons land. Ik weet waar hij achteraan zit – en hij krijgt het niet.' Hij keek met een dreigende blik op haar neer. 'Is dat duidelijk?'

Het was het enige waar ze het over eens waren.

Mervyns rijzweep tikte even tegen haar wang waarna hij de steel onder haar kin liet rusten en haar hoofd achteroverduwde zodat ze naar hem op moest kijken terwijl hij in het zadel vooroverboog. 'Geen afscheidskus, Molly?' Hij dreef de spot met haar.

Het koude, harde klompje haat nestelde zich nog wat dieper in haar terwijl ze een stap naar voren deed en met gevoelloze lippen langs zijn stoppelige wang gleed.

Zijn lach klonk humorloos en doorspekt met sarcasme. 'Nou, dat kun je amper een kus noemen. Misschien spaar je jezelf voor Andrew Squires.' Donkergrijze ogen keken dreigend op haar neer, hielden haar een ogenblik gevangen en lieten haar toen los. 'Denk aan wat ik gezegd heb, meid. Jij bent van mij – en Churinga ook.' Hij gaf zijn paard de sporen en galoppeerde het erf af.

Matilda keek de stofwolk na tot hij in de verte verdwenen was. De stilte van Churinga omwikkelde haar en bracht een gevoel van rust en hernieuwde energie met zich mee. Ze keek omhoog. Het dreigde nog steeds te gaan regenen, maar zou het weer een loze belofte zijn? Want de wolken waren zich aan het verspreiden en dreven in de richting van Wilga.

Nadat ze de varkens en kippen had gevoerd en had opgesloten voor de nacht, stak ze het erf over om een praatje met Gabriel te maken.

De oude man zat gehurkt bij een vuurtje, waar in het kookpotje een stoofpot van kangoeroevlees en groenten aan het sudderen was. 'De regens komen, meisje. De geesten van de wolken praten met de wind.'

Matilda haalde diep adem. Hij had gelijk. De wind was van richting veranderd, ze kon de regen ruiken. 'Ik zou mijn gunyahs maar verhuizen. Als de beek overstroomt, spoelen jullie weg.'

Zijn gele tanden glinsterden terwijl hij glimlachte en knikte. 'Eerst eten. Tijd genoeg.'

En hij had gelijk. Er volgden nog twee dagen van gloeiende hitte en droge winden voor de regens kwamen. De regen beukte op het golfplaten dak en striemde tegen de ramen. Het water vulde sloten en beken, en stroomde als een vloedgolf over de uitgedroogde aarde. De bliksemschichten maakten van de nachten dagen en knetterden als pistoolschoten langs de zwarte hemel. De donder rolde en knalde zodat het huisje op zijn grondvesten stond te trillen.

Matilda zat ineengedoken boven het rokende vuur van het oude fornuis. Er was niets meer voor haar te doen. De paarden stonden droog in de stal, en Gabriel en zijn gezin zaten veilig op de hooizolder. De kudde moest het maar zien te redden, maar de andere dieren zaten veilig opgesloten in hun hokken en boxen. Er was geen teken van Mervyn.

'We zijn met zijn tweeën, Blue,' mompelde ze terwijl ze de zijdezachte kop van de oude Queenslander Blue aaide. Hij scheen haar behoefte aan zijn gezelschap te begrijpen, en likte haar hand.

Matilda trok de sjaal nog wat strakker om haar schouders. Het huis was erop gebouwd om ieder zuchtje wind in de hitte van de zomer op te vangen. Nu was het ijskoud. Het rokende vuurtje gaf niet veel warmte, en het licht van de petroleumlamp kon de schaduwen in de hoeken van de kamer nauwelijks verjagen. En toch voelde ze zich veilig. De regen was haar vriend. Hij hield Mervyn bij haar uit de buurt en bracht nieuw leven op Churinga. Al gauw zou de woestijn bedekt zijn met kangoeroepoten, wilde blauwe anemonen, dik gras en stevige jonge bomen.

Ze leunde achterover terwijl haar oogleden zwaar werden. Ze kon vannacht zonder angst slapen.

Ze schrok wakker van heftig gebonk op de deur. Ze sprong uit bed en spande de haan. Bluey gromde dreigend, zijn haren overeind.

'Wie is daar?' schreeuwde ze boven het razende geweld van de regen op het dak uit.

'Terry Dix van Kurrajong. Laat ons er eens in.'

Matilda sloop naar het raam waar het water langs stroomde, zodat er niets te zien was. 'Wat willen jullie?' Ze stopte een kogel in de kamer en haalde over. 'We hebben je pa. Laat ons er eens in.'

Matilda fronste haar voorhoofd. Als het Mervyn was, waarom dan al die herrie? Er was iets mis. Ze sloop dichter bij het raam. De schaduwen bewogen en veranderden in twee gestalten die duidelijker werden toen ze dichter bij het raam kwamen. Het was net alsof ze iets zwaars tilden. Misschien was Mervyn weer buiten westen geraakt en kwamen zijn maten hem thuisbrengen.

Ze zuchtte. In ieder geval zou ze geen last van hem hebben, in die toestand. Ze hield het geweer stevig in één hand terwijl ze met de andere de deur van de grendel deed. Hij vloog open door de wind en regen, bladeren en takjes waaiden naar binnen. De twee mannen persten zich langs haar naar binnen, en Mervyn hing tussen hen in. Zijn lichaam viel met een plof op de tafel en ze keken er alledrie een ogenblik zwijgend naar.

Matilda keek van de verzopen hoop op de tafel naar de twee drijvers bij wie het water van de cape droop. Mervyn lag té stil. Zonder een enkel geluid.

Terry Dix zette zijn doorweekte hoed af en ging met zijn handen door zijn haar. Hij durfde Matilda niet recht in de ogen te kijken, en zijn gewoonlijk zo lichte, vrolijke stem klonk aarzelend. 'We hebben hem verstrikt in een boomwortel op de grens van Kurrajong gevonden. Geen spoor van zijn paard.'

Matilda dacht aan Lady en hoopte vurig dat haar niets was overkomen. Ze keek naar Mervyn. 'Dus hij is dood,' zei ze neutraal.

Terry's ogen werden groot en zijn jonge gezicht straalde verbazing uit vanwege haar gebrek aan emotie. Hij wendde snel zijn gezicht af naar de andere man en sloeg toen zijn ogen neer. 'Zo dood als je maar zijn kan als je in een plotselinge overstroming verzeild raakt.'

Matilda knikte en liep terug naar de keukentafel. Mervyns kleren waren gescheurd en zaten onder de modder. Zijn huid droeg de sporen van priemende boomwortels en harde stenen, en zag grijs van de dood. Hij leek niet meer zo groot of dreigend als vroeger. Maar toen ze naar die gesloten ogen keek, ging er een rilling van angst door haar heen. Ze kon zich voorstellen hoe ze ineens opengingen en haar aanstaarden.

'We helpen je wel hem te begraven. Als je dat wilt?'

Matilda wierp nog één blik op de man die ze haatte, en knikte. 'Ja. Hij is te zwaar voor mij alleen.' Ze liep naar het fornuis en zette de grote zwartgeblakerde ketel op het vuur. 'Neem eerst maar eens een kop thee, dan kunnen jullie warm worden. Jullie moeten wel bevroren zijn.'

Ze stookte het vuur op en sneed stukken brood en schapenvlees af, maar ze liet haar blik niet eenmaal op het lichaam midden in de keuken rusten terwijl ze om hem heen werkte.

De twee drijvers aten en dronken in stilte. Hun kleren begonnen te dampen toen het vuur harder ging branden, en ze keken elkaar zo nu en dan aan: hun nieuwsgierigheid werd alleen in hun gelaatsuitdrukking uitgesproken.

Matilda zat bij het vuur en staarde in de vlammen. Ze maakte zich niet druk over wat zij dachten of voelden. Zij kenden Mervyn niet zoals zij hem had gekend – anders zouden ze het begrepen hebben.

'We moesten maar eens aan de slag gaan. Straks laat de baas nog naar ons zoeken, en de paarden moeten gevoederd worden.'

Matilda wikkelde kalm haar sjaal om haar schouders en stond op. 'Goed dan. Kom mee, er staan spaden in de schuur. Ik zal Gabriel wel halen, dan kan hij jullie helpen.' Ze raapte de lege meelzakken op. Die konden goed dienen als haar vaders lijkwade.

De twee drijvers gingen de spaden halen terwijl Matilda een onwillige Gabriel wakker maakte. De drie mannen hesen het lichaam van de tafel, persten zich door de smalle keukendeur en stapten de regen in. Ze konden elkaar nauwelijks boven het onweer uit verstaan, maar Matilda wees naar het begraafplaatsje en liep voor hen uit. Ze wilde liever niet dat hij naast haar moeder of grootouders begraven werd, maar het zou te veel vragen oproepen als ze hem gewoon ergens uit de buurt in de grond stopte.

Ze stond blootshoofds in de regen, terwijl haar katoenen jurk als een tweede huid tegen haar lichaam plakte en haar voeten nat en koud werden van de regen die door de dunne zolen naar binnen drong. Ze zag hoe de zachte aarde gemakkelijk meegaf onder hun spaden. Keek toe terwijl ze Mervyn Thomas in het diepe gat lieten zakken en hem met de meelzakken bedekten. Ze telde de spaden met aarde die er nodig waren om hem te begraven. Toen, zonder een woord te zeggen, liep ze terug naar het huis.

De drijvers volgden haar snel daarna, en ze vroeg zich af of ze het vreemd vonden dat ze niet voor Mervyn gebeden had – dat ze hem geen christelijke begrafenis had gegeven. Ze hief haar kin en keek hoe de regen van het dak van de veranda stroomde. Ze liet het aan de god van de eerwaarde Ryan over om te beslissen wat er met hem gedaan moest worden.

Gabriel haastte zich naar de schuur en zijn warme, dikke vrouw. De twee drijvers namen afscheid en gingen terug naar Kurrajong. Matilda bleef een tijdje op de veranda staan, draaide zich vervolgens om en deed de deur achter zich dicht. Ze had met hen mee kunnen gaan, maar ze hoefde niet meer te vluchten. Het was voorbij. Ze was vrij.

De regens hielden nog twee maanden aan, en Matilda had tijd genoeg om een inventarisatie te maken van Mervyns nalatenschap. Hij had haar een vervallen schapenhouderij nagelaten. En een wil om te slagen waar hij had gefaald. En een kind in haar buik als een voortdurende herinnering aan die donkere jaren.

6

'Stan organiseert *two-up* achter de slaapschuur. Doe je mee, Brett?' De stem van de scheerder was een hees gefluister.

Brett wierp een blik in de richting van de keuken. Als ma wist dat Stan meedeed, dan zouden ze allemaal problemen krijgen. Hij knikte. 'Maar eerst moet ik nog wat dingen doen.'

'Heeft dat misschien iets te maken met onze nieuw bazin, toevallig?' George knipoogde en porde met zijn elleboog in Bretts zij. 'Knap vrouwtje, hè? Ik durf te wedden dat je wel een kans maakt.'

Hij lachte. 'Je moet eens wat vaker uitgaan, maat. Eén snuif parfum, en je bent je verstand kwijt.'

George haalde zijn schouders op, maar zag er de humor van in. 'Beter dan de hele dag schapenvachten ruiken.' Hij zuchtte. 'Als ik twintig jaar jonger was en niet zo krom, zou ik misschien zelf wel een kansje wagen.'

Brett keek naar de boksersneus, de grijze kin en het dunner wordende haar. De tijd dat George nog meisjes versierde lag al lang achter hem. 'Op eigen risico, jongen. Het is nogal een driftkikker, die. Een scherpe tong ook.'

De wenkbrauwen van George schoten omhoog, maar hij zei niets.

Brett at zijn laatste restje avondeten op terwijl de ander zijn bord naar de keuken bracht en wegliep. Ik moet uitkijken met wat ik zeg, dacht hij. Scheerders doen niks liever dan roddels verspreiden tijdens hun reizen.

'Waar is Stan?' Ma kwam bedrijvig de keuken uit gestapt terwijl ze haar handen aan haar schort afveegde.

Brett haalde zijn schouders op en concentreerde zich op zijn eten. Hij was niet van plan zijn maat bij diens vrouw te verlinken, ook al vond hij hem een sukkel.

Ma zuchtte en ging tegenover hem zitten. Ze deed het tabaksblikje open en rolde een shagje. 'Waarom gaan kerels er altijd vandoor als je ze nodig hebt? Hij had beloofd dat hij die tafel in de keuken voor me zou maken.'

119

Brett nam een laatste hap niervetpudding en likte zijn lippen af. 'Ik doe het wel, ma. Geen probleem.'

Ze stak haar shagje aan en keek hem door de rook aan. 'Als hij maar niet aan het gokken is,' zei ze zachtjes. 'Hij weet nooit wanneer hij moet ophouden.'

Brett schoof zijn bord weg en pakte zijn sigaretten. 'Het zal wel meevallen,' bromde hij.

Ma's blik was doordringend, maar ze zei verder niets meer en ze rookten gezellig samen verder zonder iets te zeggen. Maar Brett zag aan de rimpels in haar voorhoofd dat haar iets anders dwarszat dan Stan.

'Heeft mevrouw Sanders al met je gepraat, Brett?' zei ze ten slotte.

Hij maakte zich los uit zijn gedachten aan amethisten ogen en een lachende mond. Hij had haar vandaag hard aangepakt, maar ze had hem de wind van voren gegeven. 'Waarover?'

Ma keek ongemakkelijk. Haar blik dwaalde af terwijl ze aan het tabaksblikje frunnikte.

'Is er iets, ma?' Ze had nu zijn volle aandacht. Hij vond het vervelend haar zo uit haar doen te zien.

Ze schudde haar hoofd. 'Ik vroeg me gewoon af of ze nog iets over die oude kleren... en spullen gezegd had?'

Hij keek fronsend. 'Waarom zou ze? Je hebt ze opgeruimd en verbrand.' Hij zag een blos van schaamte vanuit haar hals omhoogkruipen. 'Toch?'

Haar mollige vingers lieten het blikje in kringetjes ronddraaien terwijl ze haar blik strak op het tafelblad gericht hield. 'Zo'n beetje,' mompelde ze.

Hij haalde diep adem en beet op zijn lip. Dat verdomde mens had Jenny die dagboeken laten zien! 'Wat bedoel je, ma?' Hij praatte zachtjes, meer verwijtend dan beschuldigend, maar hij was woedend en het vereiste een hoop wilskracht om kalm te blijven.

Ze hield eindelijk op met het gefriemel aan het blikje en keek hem aan. 'Ik snap niet waar je je zo druk over maakt,' zei ze verdedigend. 'Het was alleen maar een stel oude kleren, en ze vond ze zo mooi. Het leek me geen kwaad te kunnen ze te geven.'

Brett drukte zijn sigaret uit. 'Je hebt de geruchten gehoord. En na wat ze pas allemaal heeft meegemaakt, wilde ik niet...'

'Dat ze de boerderij zou gaan haten en hem doorverkopen?' onderbrak ze hem op felle toon. 'Jij en je dierbare Churinga,' zei ze minachtend. 'Er rust een vloek op die rotboerderij en dat weet je.'

Hij schudde zijn hoofd. 'Nee, dat is niet waar, ma. Je begrijpt het niet.'

Ze keek hem rebels aan. 'Jawel,' wierp ze tegen. 'Jij zit hier lekker. Als zij de boerderij verkoopt, ben je waarschijnlijk je baan kwijt. Nou, beter zonder, zeg ik. Liever geen werk dan hier blijven hangen.'

Haar minachting en het feit dat ze zo dicht bij de waarheid zat snoerden hem de mond. Churinga betekende alles voor hem. Hij mocht de boerderij runnen zoals hem goeddunkte, alsof het zijn eigendom was, en hij was er trots op dat hij er een van de beste schapenhouderijen in New South Wales van had gemaakt. Maar als Jenny inderdaad besloot de boerderij te verkopen, dan moest hij misschien wel weg – en hij kon de gedachte niet verdragen dat hij alles wat hij opgebouwd had zomaar moest achterlaten.

Ma legde haar mollige hand even op zijn arm. 'Sorry, jongen, maar je moet het toch een keer onder ogen zien. Wat moet zo'n jong meisje nou met zo'n bedrijf? Ze heeft geen man, geen wortels in het binnenland – en zeker geen ervaring met het runnen van een schapenboerderij.'

'Denk je dus dat ze zal verkopen?' De moed zakte hem in de schoenen.

'Nou, je hebt haar niet bepaald welkom geheten, hè?' zei ze op ijzige toon. 'Ik heb gehoord wat er in de schuur en bij de puppy's gebeurd is.' Ze slaakte een diepe zucht. 'Mannen,' zei ze verhit.

'Ze was net zo fel terug,' zei hij verdedigend.

'Dat kan wel zijn. Maar je moet wel beseffen dat ze hier helemaal alleen is. Het zal allemaal wel heel vreemd voor haar zijn. Laat dat machogedoe nou eens, Brett. Val haar niet zo hard.'

Hij keek haar zwijgend aan. Ma had gelijk. Hij had niet zo tegen Jenny tekeer moeten gaan.

Ze klonk verzoenend. 'Ik weet dat het moeilijk voor je is, kind. Maar die boerderij is niet van jou. Dat is hij nooit geweest. Je had je er niet zo aan moeten hechten.'

Hij haalde met een verbeten gebaar zijn handen door zijn haar. 'Maar dat doe ik wel, ma. Dit is de boerderij waar ik altijd van gedroomd heb. Ik kan nooit iets betalen dat maar half zo goed is – niet sinds ik bijna al mijn spaargeld aan Marlene ben kwijtgeraakt.'

'Denk je dan niet dat ze zich met een beetje vriendelijkheid, een beetje hartelijkheid wat meer thuis zal voelen? Dit is een bezoek om te kijken wat ze ervan vindt, Brett, en eerste indrukken zijn belangrijk.'

Hij knikte. 'Ik heb mijn verontschuldigingen aangeboden, ma. En ik heb haar geprobeerd uit te leggen van de wolschuur en de pup. Ik geloof dat ze me begrepen heeft, want de laatste keer dat ik haar zag hebben we vrede gesloten.'

'Waarom hebben we haar hier dan de hele avond niet gezien?' zei ze op vlakke toon. 'Waarom zit ze in haar eentje in dat huis?'

Hij stopte zijn handen in zijn zakken en wierp ma een kille blik toe. 'Ze zit zeker in die vervloekte dagboeken te lezen,' siste hij.

Ze haalde haar schouders op. 'Wat doet dat ertoe? Het verleden kan haar geen kwaad doen, en ze heeft het recht om te weten wat hier allemaal gebeurd is.'

'Jij hebt ze niet gelezen,' zei hij onomwonden. Hij dacht aan Matilda, en de eerste jaren van Churinga en huiverde. 'Als er iets is waardoor ze weg zou willen, dan zijn dat die vervloekte dagboeken wel.'

Ma keek hem strak aan. 'Ik denk dat je nog wel eens voor een verrassing zou kunnen komen te staan. Jenny komt op mij niet over als een type dat zomaar voor iets wegloopt. Kijk maar naar hoe ze uit Sydney is weggegaan en hier in haar eentje naar toe is gekomen – en zo snel na haar verlies.' Ze schudde haar hoofd. 'Volgens mij is ze een volhouder, en nog slim ook. Ze trekt haar eigen plan wel.'

Brett bleef peinzend zitten terwijl ma zijn kom pakte en naar de keuken waggelde. Jenny Sanders was een raadsel. Maar hij bewonderde haar temperament en gevoel voor humor. Misschien moest hij zich er niets van aantrekken wat de mannen dachten, en haar een beetje beter leren kennen. Want als ze de dagboeken aan het lezen was, dan moest iemand haar laten zien wat er veranderd was sinds de tijd van Matilda – dat de oude geesten al lang verdwenen waren en dat er niets was om bang voor te zijn.

Maar vanavond niet, dacht hij terwijl hij op zijn horloge keek. Tegen de tijd dat ik de tafel van ma heb gerepareerd is het te laat om nog langs te gaan.

Jenny wendde haar blik een ogenblik af van het verbleekte handschrift. Matilda's moed schitterde door de potloodkrabbels heen en een gevoel van schaamte maakte zich van haar meester. Wat was ze verwend door het moderne leven! Ze deed haar ogen dicht en probeerde een beeld van het meisje tevoorschijn te toveren van wie het krachtige levensverhaal zich voor haar ontspon. Het meisje dat genoeg karakter had gehad om een zeegroene japon te kopen en op mooie muziek te walsen. Haar aanwezigheid was bijna tastbaar – alsof Matilda teruggekeerd was naar Churinga en toekeek terwijl ze de bladzijden omsloeg.

Jenny vergat de tijd en haar omgeving, en keerde terug naar het dagboek. Ze stapte wederom in het verleden waar het leven hard was. Waar alleen een vrouw van staal, zoals Matilda kon overleven.

Mervyns merrie kwam twee weken later terug, op een dag toen het een paar uur achtereen niet regende en een waterig zonnetje de lucht een donkergrijze kleur gaf. Toen Matilda hoefgetrappel hoorde, stapte ze het erf op en pakte met een kreet van verbazing en plezier de bungelende teugels en leidde haar de schuur binnen.

Lady was mager, haar vacht was vuil en zat vol klitten, en ze was een hoefijzer kwijt – maar ze leek blij weer thuis te zijn. Matilda gaf haar flink wat te eten en een emmer vers water, en toen ze voldaan leek, ging ze aan de slag met de roskam om haar weer te laten glanzen. Ze aaide de manen die vol klitten zaten en ging met haar vingers over de lange hals terwijl ze genoot van het voelen van de sterke hartslag. Met haar gezicht tegen de knokige ribben gedrukt, ademde Matilda de bedompte, stoffige geur van het dier op. 'Slimme Lady. Brave meid,' kirde ze. 'Welkom thuis.'

Het natte seizoen ging geleidelijk voorbij, en eindelijk was de hemel weer blauw. De weiden stonden vol sterk groen gras en felgekleurde wilde bloemen, en een kudde kangoeroes was tussen de eucalyptusbomen komen wonen. Vogels met felgekleurde veren vlogen heen en weer, en het rook schoon en fris na de regens. Het was tijd om de overgebleven kudde bijeen te drijven, de inventaris op te maken en zien hoeveel er nog te redden viel.

Ze was bezig haar rijkleding aan te trekken toen ze hoefgetrappel op het erf hoorde. Matilda pakte het geweer, keek of het geladen was en ging naar buiten.

Ethan Squires zat op zijn zwarte ruin, een agressief dier dat snoof en stampte, en rolde met zijn ogen toen de teugels aangetrokken werden. Squires droeg een waterdichte jas die tot aan de enkels van zijn laarzen reikte en een bruine hoed met een slappe rand die een schaduw over zijn gezicht wierp. Maar ze kon zijn vastberaden kin en de stalen blik in zijn ogen zien. Dit was geen beleefdheidsbezoek.

Matilda spande de haan en richtte de loop op hem. 'Wat kom je doen?'

Hij zette zwierig zijn hoed af. 'Ik kom je condoleren, Matilda. Ik wilde wel eerder komen, maar het weer werkte niet mee.'

Ze keek naar zijn mooie kleren en zijn dure paard. Dreef hij de spot met haar? Ze wist het niet zeker. Maar Ethan zou niet zo'n eind zijn komen rijden om een man die hij verachtte eer te bewijzen. 'Zeg nu maar gewoon wat je op je lever hebt, Squires. Ik heb een hoop te doen.'

Er verscheen een glimlach om zijn lippen, maar Matilda zag dat zijn ogen koud stonden. 'Je doet me aan je moeder denken. Ook zo'n opgewonden standje. Je hebt dat geweer niet nodig.'

Ze verstevigde haar greep. 'Dat bepaal ik zelf wel.'

Hij haalde met een elegant gebaar zijn schouders op. 'Ook goed, Matilda. Zoals je wilt.' Hij zweeg een ogenblik terwijl zijn blik van het geweer naar haar gezicht zwierf. 'Ik ben gekomen om je te vragen of je opnieuw wilt overwegen Churinga te verkopen.' Hij stak zijn gehandschoende hand op toen ze hem wilde onderbreken. 'Ik zal je een redelijke prijs geven, op mijn erewoord.'

'Churinga is niet te koop.' Het geweer bleef gedecideerd op zijn borst gericht.

Squires lach bulderde door de stille ochtend, en zijn paard stapte nerveus heen en weer en zwaaide met zijn kop. 'Mijn lieve kind, wat hoop je hier toch te bereiken?' Hij gebaarde in de richting van de ondergelopen weilanden en vervallen schuren. 'De boerderij stort in elkaar, en nu de regens voorbij zijn, staan Mervyns schuldeisers binnen de kortste keren op de stoep. De varkens, de paarden en waarschijnlijk ook de schapen die nog over zijn zullen verkocht moeten worden.'

Matilda hulde zich in een kil stilzwijgen terwijl ze hem liet uitpraten. Hij was een machtige man – en zij was nog maar vijftien. Als ze hem het idee gaf dat er met haar te sollen viel, dan zou ze alles kwijtraken. Maar ze wist dat hij de waarheid sprak, en had slapeloze nachten over de schulden en hoe ze ze kon terugbetalen. 'Waarom zou jij je daar druk over maken?' snauwde ze. Haar hart ging tekeer toen ze opeens een akelige gedachte kreeg. 'Hij was jou toch niets schuldig, hè?'

Zijn uitdrukking werd zachter terwijl hij zijn hoofd schudde. 'Ik heb je moeder beloofd dat ik voor jou zou zorgen en Mervyn niets zou lenen.' Hij boog voorover in het zadel. 'Ondanks je wantrouwen, Molly, ben ik een eerzaam man. Ik bewonderde je moeder, en het is voor haar dat ik hierheen gekomen ben. Als Churinga van mij wordt, dan zal dat op een eerlijke manier gebeuren.'

Ze keek hem strak aan terwijl haar hart in haar keel klopte. 'Ook als dat betekent dat ik met je zoon moet trouwen?'

Zijn zwijgen was veelzeggend.

'Ik ben niet achterlijk, Squires. Ik weet dat Andrew alleen maar doet wat jij hem opdraagt – daarom wil ik niets met hem te maken hebben. Zeg maar tegen hem dat hij me geen uitnodigingen voor zijn feestjes meer hoeft te sturen. Ik ben niet geïnteresseerd in hem en mijn Churinga is niet te koop of te ruil.'

Zijn uitdrukking werd hard, en zijn ogen fonkelden van ongeduld. 'Jij, domme meid,' siste hij. 'Waar kun je een beter aanbod krijgen? Mijn stiefzoon is bereid je een leven te bieden waar je alleen maar van kunt dromen, en je zou Churinga niet hoeven opgeven.'

'Maar het zou opgeslokt worden door Kurrajong,' zei ze op vlakke toon. 'Het feest gaat niet door, Squires.'

'Hoe denk je in godsnaam dit bedrijf in je eentje te kunnen runnen, en zonder schapen?'

'Ik red me wel.' Ze dacht snel na. Er moest een manier zijn om Mervyns schuldeisers te ontlopen. Het voortbestaan van Churinga hing ervan af.

Ethan schudde zijn hoofd. 'Wees toch redelijk, Matilda. Ik bied je de kans om opnieuw te beginnen, zonder schulden. Laat me binnen om de voorwaarden met je te bespreken. Je zult er verbaasd van staan hoeveel dit bedrijf waard is, ondanks de staat waarin het verkeert.' Hij ging in de stijgbeugels staan om zijn been over het zadel te zwaaien.

Matilda hief het geweer. 'Mejuffrouw Thomas voor jou, Squires. En ik ben geen domme meid,' zei ze verhit. 'Nou, stap op je paard en weg wezen.'

Ethans mond was een dunne streep en er lag een harde blik in zijn ogen toen hij weer in het zadel ging zitten. Hij gaf een ruk aan de teugels, waardoor de ruin schrok en steigerend ronddanste. 'Hoe lang denk je het hier uit te houden in je eentje? Misschien denk je dat je net zo stoer als je moeder bent, maar je bent nog maar een kind.'

Matilda keek langs de loop van het geweer en hield haar vinger bij de trekker. 'Ik ben ouder dan je denkt. En je zou me een genoegen doen als je niet zo neerbuigend deed. Ga weg voor ik een kogel door die dure hoed van je schiet.'

Hij toomde het dansende paard in, zonder dat zijn ogen haar gezicht verlieten. 'U zult het betreuren, mejuffrouw Thomas.' Zijn sarcasme was net zo zwaar als de hand om de teugels. 'Ik durf te wedden dat u het niet langer dan een maand volhoudt. Dan komt u me smeken om de boerderij over te nemen. Maar dan zal de prijs een stuk lager liggen.'

Matilda keek toe terwijl hij het paard bij de veranda vandaan wendde en in de richting van Kurrajong galoppeerde. Er lag meer dan honderdvijftig kilometer tussen de twee boerderijen, maar Matilda wist zeker dat ze hem weer zou zien. Squires was een sluwe tegenstander. Hij zou het niet gemakkelijk opgeven.

Ze liet het geweer zakken en veegde het zweet van haar handpalmen terwijl ze de kleiner wordende gestalte nakeek. Ze trilde, maar was, ondanks de dreigementen, in de zevende hemel. Squires moest in de gaten gehouden worden, maar het openingsschot in de eerste strijd om Churinga was van haar gekomen en zij was als overwinnaar uit de bus gekomen.

Bluey kwam aangerend toen ze hem floot. Zijn gerafelde oren waren gespitst en zijn ogen keken verwachtingsvol bij het idee dat ze weer aan het werk konden. Hij draafde achter haar aan naar de schuur en wachtte ongeduldig terwijl ze Lady zadelde.

Terwijl ze met Gabriel naar de weiden reed om de schapen bijeen te drijven, wist Matilda dat de kudde akelig uitgedund was. Maar ze waren van haar – en ze was van plan te slagen waar haar vader gefaald had.

Jenny sloeg het dagboek dicht. Haar rug deed pijn en haar oogleden voelden zwaar aan. Toen ze op de klok keek, realiseerde ze zich dat ze meer dan twaalf uur in Matilda's wereld geleefd had. Het was nacht en Churinga sliep, maar ondanks haar vermoeidheid voelde Jenny het eerste sprankje hoop. Matilda stond op het punt om aan een onbekend avontuur te beginnen. Waar wanhoop was geweest, was nu karakter en vastberadenheid.

Ze stapte uit bed en liep de keuken in naar de kist. Ze deed hem open, haalde de zeegroene japon tevoorschijn en hield hem tegen haar gezicht voor ze zich in de zijden plooien hulde.

Terwijl ze haar ogen sloot en danste op de verre muziek, vroeg ze zich af of haar spookpartner zou komen. Maar het deed er niet toe of ze vannacht alleen danste, want ze wist dat Matilda haar een lesje in overleving leerde dat ze nooit ergens anders had kunnen leren.

7

Jenny werd wakker door het geluid van galahs die in de peperbomen bij haar raam druk zaten te kletsen, en het zachte gegrinnik van een kookaburra die zijn territorium in de eucalyptusbomen verdedigde. Ze voelde zich uitgerust en ontspannen, ondanks het gebrek aan slaap van de afgelopen paar dagen, en rekt zich behaaglijk uit voor ze uit bed stapte.

Vandaag, besloot ze, wilde ze meer over Churinga te weten komen, en de tijd er voor nemen om de mannen te observeren en naar hen te luisteren terwijl ze aan het werk waren. Het was zaterdag, een halve werkdag volgens ma, dus zou er voldoende gelegenheid zijn om met de scheerders en drijvers, en misschien zelfs de aboriginals, te praten. Ze was vastbesloten om te leren hoe alles eraan toeging, de problemen en valkuilen van de alledaagse strijd om het bestaan die Matilda moest zijn tegengekomen.

Nadat ze zich had aangekleed en een kop thee had gezet, kwam ze tot de conclusie dat ze in de eerste plaats weer eens op een paard moest gaan zitten. Het was jaren geleden dat ze voor het laatst had gereden, en ze deed het graag, maar toen ze een keer als vijftienjarige op Waluna een akelige val maakte, had ze haar zelfvertrouwen verloren, en nu was ze bang voor rollende ogen en trappelende hoeven. Maar de enige manier om Matilda's wereld te begrijpen was om tot de kern ervan door te dringen – en zich niet in huis op te sluiten terwijl alles om haar heen verderging.

Jenny draaide haar haar in een knot en pakte een oude vilthoed van een haak in de keuken. Ze keek er een ogenblik naar en vroeg zich af of Matilda hem soms achtergelaten had, maar kwam tot de conclusie dat het een oude hoed van Brett moest zijn en zette hem op haar hoofd. Als hij hem nodig had gehad, zou hij hem wel meegenomen hebben.

Het was lekker buiten; de zon was nog niet helemaal op en de hemel was een koel blauw. Ondanks het vroege tijdstip was het al een drukte van belang op het erf. Honden blaften en honden en mannen maakten zich klaar voor het werk. Net als Waluna zinderde de boerderij van opwinding over weer een nieuwe dag van schapen scheren. Een dag die hen dichter bij de wolrekening en de uitbetaling van de lonen bracht.

Ze haalde diep adem, genoot van de frisse lucht die naar acacia's rook, en lachte om de galahs die op hun kop hingen zodat de dauw hun veren kon wassen. Idioten, dacht ze. Maar de provisorische douche was een goed idee. Met haar overhemd stevig in haar broek gestopt, stroopte ze de mouwen op voor ze het erf overstak naar het kookhuis. Verscheidene mannen tikten tegen hun hoed en haastten zich voorbij, en Jenny groette hen terug met een zelfverzekerde glimlach, hoopte ze.

Toen ze dichter bij de scheerdersverblijven kwam, realiseerde ze zich dat het Brett was die met ontbloot bovenlijf bij de pomp stond en zich aan het scheren was. Ze ging langzamer lopen. Misschien was het beter hem te ontlopen tot ze allebei ontbeten hadden. Want al waren ze tot een soort wapenstilstand gekomen, de scène op het erf van gisteren lag nog vers in haar geheugen en ze had geen idee of hij nog steeds in een verzoenende stemming was.

Ze wilde net een andere weg naar het kookhuis nemen toen hun ogen elkaar ontmoetten in de spiegel die hij op de hendel van de pomp had neergezet. Ze was betrapt en kon met goed fatsoen niets anders meer doen dan een praatje met hem maken. Maar verdomd, als hij haar vandaag van haar stuk zou brengen! 'Goeiedag, meneer Wilson. Wat een mooie ochtend,' zei ze opgewekt.

'Môgge,' zei hij bars terwijl hij snel zijn overhemd aantrok en met de knopen stuntelde.

'U hoeft zich niet voor mij aan te kleden,' zei ze op prettige toon. Ze was eigenlijk wel blij dat hij in het nadeel was, en bovendien zag het er niet onaardig uit.

Zijn handen hielden stil. Zijn ogen bleven op haar gezicht gericht terwijl hij langzaam zijn overhemd weer uittrok en verderging met scheren. Iedere streek over zijn keel was zeker en efficiënt terwijl hij naar zijn gezicht in de spiegel keek.

'Ik wil gaan paardrijden,' zei Jenny, die haar gedachten van zijn fraai gebruinde rug terugsleurde naar haar plannen. 'Is er een paard dat ik na het ontbijt mag lenen?'

Brett boog het mesje voorzichtig langs de kuil in zijn kin voor hij antwoord gaf. 'Het zijn geen manegepaarden, mevrouw Sanders. Sommige zijn nog maar pas getemd.' Hij zweeg weer om zich op zijn scheren te concentreren.

Jenny herkende die fonkeling in zijn ogen toen hij haar via de spiegel aankeek. Ze zag dat krullen van die mondhoeken terwijl hij het mesje in het water afspoelde. Hij hield haar voor de gek. Ze haalde diep adem en bleef kalm. Ze zou niet toehappen.

Het mes was schoon en fonkelde in de zon terwijl hij haar peinzend aankeek. 'Ik denk dat we wel iets geschikts voor u kunnen vinden. We hebben nog wel wat rustige merries die in aanmerking komen. Ik zal een van de jongens met u meesturen.'

Ze glimlachte naar hem. 'Dat is niet nodig, meneer Wilson. Ik denk dat ik zelf de weg wel kan vinden.'

Hij depte de laatste resten scheerschuim met een vod van een handdoek op, en zijn ogen fonkelden in de ochtendzon terwijl hij haar recht in de ogen keek. 'U gaat niet alleen, mevrouw Sanders. Het kan hier nog steeds gevaarlijk zijn.'

Ze hield haar hoofd schuin en keek hem peinzend aan. 'Dan kunt u het beste met me meegaan, meneer Wilson,' zei ze vastbesloten. 'Ik zal ongetwijfeld van uw wijsheid profiteren, en u lijkt me sterk genoeg om me tegen eventuele gevaren te beschermen.'

'Voor het geval het u niet opgevallen is, mevrouw Sanders, we zitten midden in het scheerseizoen. Ik kan niet gemist worden.' Hij zette zijn handen op zijn heupen. Er zat nog een dotje scheerschuim onder zijn oor.

'Wat heerlijk om onmisbaar te zijn,' mompelde ze terwijl ze de fonkeling in zijn ogen zag en wist dat hij weerspiegeld werd in de hare. 'Maar, aangezien het zaterdag is en maar een halve werkdag, weet ik zeker dat u wel een manier kunt vinden om die verantwoordelijkheid even aan iemand anders te delegeren.'

Zijn mondhoeken krulden en zijn lach werd weerspiegeld in zijn ogen. 'In dat geval is het mij een eer, mevrouw Sanders.' Hij maakte een buiging voor hij zijn hoofd onder de waterpomp stak.

'Dank u,' mompelde ze terwijl ze het water op zijn rug zag glinsteren. Toen wendde ze zich af, wetend dat hij naar haar keek – wetend dat hij begreep wat voor effect hij op haar had.

Vervloekte kerel, dacht ze boos. Hij was echt irritant. Maar, terwijl ze op het kookhuis afliep, kreeg haar gevoel voor humor de overhand en ze grinnikte. Het zou nog wel eens interessant kunnen zijn om de dag met hem door te brengen.

Brett stond in de ochtendzon terwijl het water van zijn haar in zijn ogen drupte en de snee in zijn kin prikte als een idioot. Het was jaren geleden dat hij zich voor het laatst bij het scheren had gesneden, maar het was bijna onmogelijk om je hand niet te laten trillen als je je best deed om niet te lachen. Paardrijden, dacht hij minachtend. Wat dacht ze verdomme dat dit was – een vakantieboerderij? Als de dame wil paardrijden, dan zoek ik wel een paard voor haar, maar ik durf te wedden dat ze morgen niet staat te springen om bevelen te geven. Er was niets beter dan een tijdje in het zadel om iemand weer met twee benen op de grond te krijgen.

Hij zag haar in het kookhuis verdwijnen, en bewonderde de mooie vorm van haar achterste in die strakke spijkerbroek. Toen pakte hij de handdoek en droogde zich ruw af. Die meid betekende problemen, en hoe eerder hij wist wat ze van plan was, hoe beter.

Terwijl hij zijn overhemd aantrok, nam hij de dingen door die hij tegen haar wilde zeggen. De vragen waarop hij antwoord wilde. Maar ze klonken geen van alle goed. Ze leek niet het soort vrouw dat de liefde van een man voor het land begreep. Ze was een verwende stadsvrouw die Churinga als een avontuur zag, en de boerderij al snel beu zou zijn als het nieuwe er eenmaal af was.

Hij keek naar het kookhuis. Mevrouw Sanders hield zijn toekomst in haar warme handjes. Nieuwe eigenaars hadden waarschijnlijk geen zin in de kosten van een bedrijfsleider, en zelfs als ze besloot te blijven, dan was er geen garantie dat ze hem zou aanhouden. De gedachte dat hij van Churinga weg zou moeten liet een lichamelijke pijn bij hem achter, en hij besefte dat ma gelijk had. De enige manier om zichzelf min of meer een kans te geven was door aardig tegen haar te zijn – wat onder andere omstandigheden niet moeilijk zou zijn – maar ze leek haar uiterste best te doen om hem nijdig te maken, en aangezien hij weinig ervaring met stadsvrouwen had, wist hij niet goed hoe hij het moest aanpakken. Hij drukte zijn hoed op zijn hoofd.

'Verdomme,' mompelde hij, en ging naar binnen om te ontbijten.

Jenny was de eerste die hij zag. Ze was ook niet makkelijk over het hoofd te zien, met haar haar zo opgestoken, zodat je haar slanke hals zag en de schaduwen van haar borsten waar haar overhemd laag hing. Hij wendde snel zijn blik af toen haar paarse ogen naar hem keken, en vond een plekje aan het andere einde van de tafel. Hij schonk een kop thee in uit de enorme metalen pot en roerde er vier scheppen suiker door. Hij had alle energie nodig die hij kon krijgen als hij de dag met haar moest doorbrengen.

'Môgge, Brett.' Ma zette een bord met biefstuk, eieren en gebakken aardappelen voor zijn neus. 'Dat kun je wel gebruiken voor je rit met mevrouw Sanders. En ik heb ook een lunchpakket klaargemaakt.'

Het werd opeens stil aan tafel toen zo'n tien paar ogen ineens hun belangstellende blik op hem richtten.

'We zijn vast voor het middageten al terug,' mompelde hij terwijl hij op zijn biefstuk aanviel. Om het allemaal nog erger te maken, verkoos ma zijn verlegenheid te negeren. Ze knipoogde naar haar toehoorders, met haar handen op haar heupen. 'Dat moet je zelf weten. Maar het lijkt me zonde om je terug te haasten als het niet nodig is.'

Er werd overal vrolijk gepord, en Stan Baker gaf een stomp tegen zijn elleboog. 'Dat ziet er niet goed uit, maat. Neem het maar van mij aan, jongen. Zodra vrouwen plannen gaan maken zonder het aan een man voor te leggen, dan wordt het tijd om er vandoor te gaan.'

Dit stukje wijsheid werd met instemmend gegrom begroet.

'Hou je kop, Stan,' mompelde Brett met volle mond. 'Laat een mens eens rustig eten.'

'Het gaat er alleen om dat je je niet te pakken moet laten nemen,' ginnegapte Stan terwijl hij zijn stinkende pijp opstak en zich tot de anderen wendde om de lachers op zijn hand te krijgen.

Brett wierp een blik over de tafel naar Jenny. Hij zag geen medeleven in haar ogen voor de manier waarop zijn ochtend begon, en terwijl ze haar bord oppakte om het naar de keuken te brengen, was ze zelfs zo brutaal om naar hem te knipogen.

Hij had geen trek meer; hij duwde het half opgegeten ontbijt van zich af en stak een sigaret op. Zij en ma hadden hem voor gek gezet, en hoewel hij het gewend was om geplaagd te worden, als de jongste van vier broers, wist hij dat het alleen maar erger kon worden, hoe goedbedoeld het ook was. Ma was de hoofdschuldige, en zodra hij een ogenblik had, zou hij haar terzijde nemen en zeggen dat ze eens moest ophouden hem aan een vrouw te koppelen. Ze deed het ieder jaar. Zo was hij door Lorraine te grazen genomen.

Hij rookte zijn sigaret op en schonk nog een kop thee in. Lorraine bevond zich tenminste op veilige afstand, en zo lang hij het zo hield, kon ze niet haar klauwen in hem slaan. En hij wilde geen olie op het vuur van het plezier van de andere mannen gooien door zijn bazin achterna te rennen, maar deed het rustig aan en dronk eerst zijn thee op.

Stan zat driftig aan zijn pijp te lurken; zijn borst reutelde nog van het hoesten dat zijn gelach had opgewekt. Brett bekeek hem aandachtig en vroeg zich af hoeveel seizoenen hij nog in zich had. Hij moest minstens zestig zijn, maar was nog steeds een van de snelste scheerders van New South Wales. Vreemd hoe dat magere lichaam en die kromme rug nooit moe leken te worden.

'Tijd om aan het werk te gaan,' zei Stan en ramde zijn smeulende pijp in zijn borstzak terwijl hij opstond. 'Ma heeft me heel Queensland door gejaagd voor ze me te pakken kreeg, maar dat kwam alleen omdat ik haar haar gang liet gaan.' Hij glimlachte. 'Denk eraan, jongen, laat een vrouw nooit weten dat je gepakt wil worden – daar krijgen ze het maar van in hun bol.'

Brett keek naar de rokende borstzak. 'Een dezer dagen ga je nog eens in vlammen op met die rotpijp.'

De oude scheerder haalde het aanstootgevende voorwerp uit zijn zak en klopte de inhoud op een schoteltje uit. 'Maak je maar geen zorgen, maat. Ik ben van plan om in mijn bed dood te gaan met mijn vrouw naast me.' Hij keek een ogenblik peinzend terwijl hij op zijn tandvlees zoog. 'Maar het zou wel eens tijd worden dat je je door een van die dames laat pakken. Een man wordt hier gek zonder vrouwelijk gezelschap.'

'Laat me nou maar, Stan. Ik vind het prima zoals het gaat,' wierp Brett tegen. Hij stond op, en terwijl hij boven Stan uittorende, zette hij zijn hoed op. Het gesprek ging een kant op waar hij niet heen wilde.

Stan lachte terwijl ze door de hordeur liepen, en stak zijn pijp weer op. Toen hij eenmaal brandde en goed trok, stampte hij de lucifer uit en liep naar de scheerschuur.

Breet keek hem na. Niemand stampte een lucifer of sigaret zorgvuldiger uit dan iemand in de wildernis. Ze waren allemaal getuige geweest van de kracht van het vuur en de vernietiging die het met zich meebracht. Hij liep bij het kookhuis vandaan en dacht aan wat de oude man had gezegd – en hoewel hij het niet graag wilde toegeven, had Stan gelijk. Hij was eenzaam. De nachten waren niet meer hetzelfde sinds Marlene weg was, en het huis was te leeg zonder iemand om mee te praten over andere zaken dan schapen. En sinds hij teruggegaan was naar de slaapschuur, miste hij de vrijheid om naar muziek te luisteren of te lezen in de stilte van de lange avonden. Mannen waren prima gezelschap, maar zo nu en dan verlangde hij naar de geur van parfum en de kleine, gezellige dingetjes die alleen een vrouw in huis kon aanbrengen.

Hij keek boos in de snel stijgende zon. Zijn gedachten sloegen nergens op, en geïrriteerd door zichzelf en iedereen om zich heen, liep hij met grote passen weg om de bruingespikkelde merrie voor mevrouw Sanders te zadelen.

Jenny zat op het hek en zag hoe Brett het paard ving en zadelde. Zoals de andere mannen op Churinga maakte hij zozeer deel uit van het geheel dat ze hem zich nergens anders kon voorstellen. Hij was zo taai en bruin als de aarde, soepel als het gras, en zo raadselachtig als het bestaan van die exotische vogels en fijngevormde wilde bloemen in het strenge landschap.

Ze betreurde zijn verlegenheid bij het ontbijt, en zou het een halt hebben toegeroepen als ze had gedacht dat het iets zou hebben opgelost. Maar ze had geen idee dat Simone hun plannen eruit zou flappen waar iedereen bij was en wist dat haar bemoeienis alleen maar tot meer commentaar zou hebben geleid. Ze had stiekem het gevoel dat Simone probeerde te koppelen, en besloot er na de rit even over te praten. Brett was tenslotte volkomen anders dan de mannen die ze als volwassene ooit had ontmoet. Hun levensstijlen botsten op alle mogelijke manieren, en ze hadden niets gemeen. Afgezien van Churinga. En zelfs dat was niet genoeg om meer dan vriendschap op te bouwen. Het was te vroeg – veel te vroeg.

Jenny klom van het hek, pakte de zadeltas met het lunchpakket en stak de weide over. De man en de twee paarden stonden op haar te wachten, en hoewel ze een mooi plaatje vormden tegen de achtergrond van de Tjuringa en de theebomen, wenste ze dat het Peter was die er met de teugels in zijn handen stond. Want dit was zijn droom – zijn plan voor hun toekomst – en ze wist niet goed of het wel klopte om zijn droom zonder hem te beleven.

Blijkbaar was de weemoed op haar gezicht te lezen. Bretts grijns verdween terwijl hij naar haar keek. 'Twijfels, mevrouw Sanders? We kunnen het altijd uitstellen.'

Jenny schoof haar gedachten aan Peter en Ben terzijde en trok haar rijhandschoenen aan. 'Absoluut niet, meneer Wilson. Wilt u me een zetje geven?'

Hij hield zijn handen onder haar laars en hees haar in het zadel. Zijn grijns zat weer op zijn gezicht geplakt toen hij met een zwaai in zijn eigen zadel ging zitten. 'Om te beginnen gaan we naar het zuiden. Daar kunnen we in de schaduw van de berg uitrusten en eten.' Hij keek haar aan. 'Klinkt dat goed?'

Jenny knikte terwijl ze de teugels beetpakte. De merrie stond stilletjes het gras af te scheuren en tevreden te kauwen. Ze was oud en zachtmoedig, en Jenny was opgelucht en schaamde zich niet een klein beetje voor haar venijnige gedachten over Brett. Ze had het nare gevoel gehad dat hij haar een halfgetemd verwilderd paard zou geven, om haar een lesje te leren, maar hij bleek minder wraakzuchtig te zijn dan ze had gedacht. Maar na zo lange tijd was deze merrie zelfs een uitdaging, en ze had al haar concentratie nodig om niet voor schut te staan door eraf te vallen.

Ze liepen bij de boerderij vandaan en het lange gras ruiste tussen de benen van de paarden. Toen ze de weide uitliepen en over het grasland gingen, begonnen de paarden te draven.

'U lijkt wel thuis in het zadel, mevrouw Sanders,' riep Brett. 'Een beetje gespannen, maar dat kun je verwachten op een vreemd paard.'

Jenny klemde haar kiezen op elkaar en deed een poging tot een zelfverzekerde glimlach. Zijn verbazing over haar vaardigheden was niets vergeleken met de worsteling die nodig was om op het paard te blijven. Ze trilde van inspanning om zich met haar handen en knieën vast te klemmen. Ze had geen conditie en geen ervaring, en wou dat ze tijd had gehad om in haar eentje te oefenen voor ze met hem meeging.

En toch, terwijl ze over het zilveren gras naar de afgelegen Tjuringa keek, realiseerde ze zich hoe uitgestrekt en leeg het land was, en was opgelucht dat hij met haar meegegaan was. Om hier in haar eentje te rijden zou dom zijn geweest, want als ze was gevallen of zich had bezeerd, zou het uren hebben geduurd voor iemand haar gevonden had.

Ze dacht aan Matilda en haar wanhopige vlucht naar de vrijheid. Ze meende het geroffel van haar laarzen op de harde, droge aarde en de echo's van haar schreeuwen om hulp te horen. Het kind moest al die jaren geleden deze kant op zijn gelopen.

'We gaan in de richting van die berg,' riep Brett over zijn schouder. 'U wilde meer van Churinga zien; dit is uw kans.' Hij gaf zijn paard de sporen en galoppeerde weg.

Jenny kwam met een schok in het heden terug, en ze gaf haar paard aarzelend de sporen. Het zweet droop van haar lichaam terwijl ze de teugels omklemde en de merrie achter de ruin aanging. Jenny boog voorover naar haar hals en hield haar knieën stevig tegen de flanken gedrukt. Dit zou een echte vuurproef worden, en ze wenste bijna dat ze het niet voorgesteld had. Maar ze kon Brett natuurlijk op geen enkele manier laten merken hoe bang ze was.

Toen, als bij toverslag, verloor ze haar angst en haar gespannenheid verdween. Ze ontspande haar greep op de teugels, en gaf de merrie de vrije teugel. De oude vilthoed waaide af en danste op haar rug, alleen tegengehouden door het dunne leren bandje. Haar haren wapperden en de pure vreugde van het gevoel van vrijheid stroomde door haar heen. Het was heerlijk om de warme wind op haar gezicht te voelen, en de regelmatige, zekere tred van het dier onder haar.

Brett lag een eindje voor. Zijn bovenlichaam bewoog nauwelijks terwijl zijn paard de benen lang uitsloeg en over de grond vloog, mens en dier in volmaakte harmonie tegen de ruige achtergrond van de Tjuringa. Wat prachtig, dacht ze. Ik zou wel altijd zo door kunnen gaan.

Toen de berg duidelijker te zien was, realiseerde Jenny zich dat hij gedeeltelijk met dichte begroeiing bedekt was. Eeuwenoude bomen vormden een koele oase aan de voet, en toen ze dichterbij kwamen, hoorde ze duidelijk het geluid van stromend water en vogelgezang. Misschien was dat waar Matilda heengegaan was – maar Jenny wilde die prachtige dag niet bederven met sombere gedachten.

Ze volgde Brett door de wirwar van planten en bomen en in de koelte van het groene bladerdak tot ze bij een poel en het gekletter van watervallen kwamen. Ze toomde haar paard in en grinnikte naar hem. Ze was buiten adem, en wist dat ze morgen stijf zou zijn, maar op dit moment gold alleen het plezier van de rit.

'Dat was heerlijk,' zei ze hijgend. 'Bedankt dat je meegekomen bent.'

'Geen dank,' bromde hij terwijl hij met een zwaai van zijn paard stapte en naast haar kwam staan.

'Je begrijpt het niet,' zei ze, toen ze op adem was. 'Ik had niet gedacht dat ik ooit nog zou paardrijden na het ongeluk. Maar ik heb het gedaan. Ik heb het echt gedaan.' Ze boog over de hals van het paard en gaf er een klop op. 'Brave meid,' zei ze zachtjes.

Bretts uitdrukking was ondoorgrondelijk. 'Dat had u moeten zeggen. Dan had ik u meer tijd gegeven om aan die oude Mabel te wennen. Ik wist het niet.'

Ze haalde haar schouders op. 'Waarom zou je ook? Ik was vijftien en het paard was nog niet goed getemd. Hij schrok, ik viel eraf en rolde niet op tijd bij hem uit de buurt.' Ze vertelde het op luchtige toon, maar herinnerde zich nog steeds de pijn toen de zware hoef op haar schouder en ribben terechtkwam. Het had maanden geduurd voor de gebroken botten genezen waren.

'Dan zou ik maar een poosje uitrusten, mevrouw Sanders. Het is een lange rit geweest, en het water is goed te drinken.'

Jenny liet de teugels los en zwaaide haar been over het zadel. Toen, voor ze wist wat er gebeurde, werd ze door sterke armen opgetild. Ze voelde het kloppen van zijn hart, en de warmte van zijn handen om haar middel terwijl hij haar dicht tegen zich aanhield voor hij haar stevig op de grond plantte. Ze viel wankelend tegen hem aan, niet alleen licht in haar hoofd van de heerlijke rit.

'Gaat het, mevrouw Sanders?' Zijn bezorgde blik was maar van korte duur, en ze wist niet zeker of de kleur in zijn gezicht meer te maken had met het feit dat hij zich opgelaten voelde over haar nabijheid of met de inspanning.

Ze deed een paar stappen achteruit. 'Ja, hoor. Dank je. Ik heb alleen al lang niet meer gereden. Ik ben niet in conditie, denk ik.'

Zijn ogen flitsten over haar heen voor hij haar weer aankeek. Zijn uitdrukking was veelzeggend, maar hij zweeg terwijl hij zich afwendde en haar door het struikgewas naar de poelen in de rotsen leidde.

'En de paarden? Moeten we ze niet vastmaken?'

'Dat hoeft niet. Werkpaarden zijn erop getraind om te blijven staan zodra de teugels gevierd zijn.'

Ze vingen water op in hun hoed. Het was ijskoud, gleed brandend door haar droge keel en verfriste haar gezicht en stramme lichaam. Toen ze genoeg hadden gedronken, waren de paarden aan de beurt en gingen ze zwijgend zitten.

Brett stak een sigaret op en staarde voor zich uit. Jenny vroeg zich af wat ze in vredesnaam tegen hem moest zeggen. Beleefde gesprekken verveelden hem vast, en ze wist zo weinig van zijn werk dat ze door haar onwetendheid alleen maar dom zou lijken.

Ze zuchtte en nam haar omgeving goedkeurend op. De Tjuringa bestond uit donkere rotsen die waren dooraderd met feloranje en als enorme bouwstenen in willekeurige volgorde opgestapeld lagen. De waterval kwam uit een diepe kloof die bijna geheel schuilging onder struikgewas, en de rotspoelen lagen in platte bassins waarin de eeuwenoude schilderingen van de aboriginals op de bergwanden werden weerspiegeld.

'Wat is er gebeurd met de stam die hier vroeger woonde?' vroeg ze.

'De Bitjarra?' Brett bestudeerde het puntje van zijn sigaret. 'Ze komen hier nog wel eens voor een *corroberee*, omdat dit een heilige plek voor ze is, maar de meesten zijn naar de steden gegaan.'

Jenny dacht aan de rondtrekkende aboriginals die dik en dronken werden in de straten van Sydney. Verloren in de zogenaamde beschaving, met hun oeroude cultuur vergeten en het land van hun stam overgenomen door grootgrondbezitters, leefden ze van de hand in de tand. 'Erg, hè?'

Brett haalde zijn schouders op. 'Sommigen blijven het Droomland trouw, maar ze hebben een keuze zoals iedereen. Het leven hier was behoorlijk hard voor ze, dus waarom zouden ze blijven?'

Hij keek haar vanonder de rand van zijn hoed aan. 'U denkt zeker aan Gabriel en zijn stam?'

Ze knikte. Het verbaasde haar niets dat hij de dagboeken gelezen had – want hoe kon ze anders verklaren dat hij niet wilde dat zij ze las?

'Ze zijn al lang geleden vertrokken. Maar er werken momenteel nog een paar knechts van de Bitjarra voor ons, die waarschijnlijk verre familie zijn. Ze zijn geweldig met paarden, de Bitjarra.'

'Het was maar goed voor Matilda Thomas dat ze er toen waren. Het moet zwaar voor haar zijn geweest toen Mervyn eenmaal dood was.'

Brett drukte zijn sigaret uit. 'Het leven is hier sowieso hard. Als je er niet aan went, ga je eraan kapot.' Hij keek haar even doordringend aan voor hij zijn blik afwendde. 'Ik neem aan dat u de boerderij binnen afzienbare tijd ook zult willen verkopen om terug te gaan naar Sydney. Het is hier moeilijk voor een vrouw – vooral als ze alleen is.'

'Misschien wel,' mompelde ze. 'Maar Sydney is ook niet alles, hoor. Dit zijn dan misschien de jaren zeventig, maar het zal nog wel een tijd duren voor vrouwen als gelijken worden behandeld.'

Brett snoof, en Jenny vroeg zich af wat voor snijdende opmerking hij wilde maken voor hij van gedachten veranderde.

'Ik heb niet altijd in de stad gewoond, weet je,' zei ze ferm. 'Ik heb in Dajarra gewoond tot ik zeven was, daarna ben ik op een schapenboerderij in Waluna bij John en Ellen Carey gaan wonen tot ik vijftien was en naar de kunstacademie in Sydney ging. Ik heb mijn man in de stad ontmoet dus ik ben er gebleven, maar we waren steeds van plan geweest om naar het land terug te keren.'

Hij keek haar peinzend aan. 'Er is eigenlijk niets anders dan een katholiek weeshuis in Dajarra.'

Ze knikte. 'Dat klopt. Ik heb het een tijdlang thuis genoemd, maar het is geen plek die ik nog eens wil opzoeken.'

Hij ging rechtop zitten en kauwde op een grasspriet. 'Hé, mevrouw Sanders, het spijt me dat ik laatst zo onbeschoft heb gedaan. Ik dacht eigenlijk...'

'Je dacht dat ik een of andere rijke stadsvrouw was die het je even moeilijk kwam maken,' maakte ze de zin voor hem af. 'Maar ik heb je niet over mijn verleden verteld zodat je medelijden met me zou krijgen, Brett. Ik wilde je alleen maar op de hoogte brengen, zodat er geen misverstanden konden ontstaan.'

Hij grinnikte. 'Gesnapt.'

'Goed zo.' Ze wendde zich af en zag hoe een zwerm parkieten een regenboog door de bomen trok. Toen ze weer voor zich uit keek, zag ze dat Brett op zijn rug lag, met zijn hoed over zijn gezicht. Het gesprek was blijkbaar ten einde.

Na een aantal minuten werd ze rusteloos en besloot de schilderingen van de aboriginals wat beter te gaan bekijken. Ze waren zo helder alsof ze gisteren waren geschilderd en bestonden uit afbeeldingen van vogels en dieren die wegrenden voor mannen met speren en boemerangs. Er waren vreemde cirkels en kronkels die, nam ze aan, stammentotems aanduidden, en handafdrukken, kleiner dan de hare, die een pad in het struikgewas aangaven.

Ze baande zich een weg door het bos en genoot van iedere nieuwe vondst op de oeroude rots. Hier was een grot die diep in de berg drong, met fantastische wezens die de wanden versierden. Daar was een fijngeëtste Wanjinna, een watergeest, die uit een kloof in de rots omhoogzweefde in de richting van de waterval. Ze drong dieper het bos in en begon te klimmen. Lemen rouwkapjes lagen in een cirkel om een reeds lang gedoofd vuur op een ondiep plateau, en de botten en veren van het feestmaal dat er ooit was gegeten lagen in de as. Ze ging op haar hurken zitten en keek door de boomtoppen naar het grasland. Het was bijna alsof ze het dreunende geluid van de didgeridoo en het holle getik van de muziekstokjes kon horen. Dit was het oeroude hart van Australië. Haar erfgoed.

'Waar bent u nou in godsnaam mee bezig, om er zomaar vandoor te gaan?' Brett kwam tussen de bomen door aangestormd en kwam hijgend naast haar staan.

Ze keek op in zijn woedende gezicht en kwam op haar gemak overeind. 'Ik ben geen kind meer, meneer Wilson,' zei ze kalm. 'Ik kan best voor mezelf zorgen.'

'O ja? Hoe komt het dan dat u niet heeft gemerkt dat er een schorpioen op uw laars zit?'

Jenny keek vol afschuw naar het kleine diertje, dat klaar zat om toe te slaan op de plek waar haar bergschoenen ophielden en haar sokken haar enige bescherming waren. Ze bleef doodstil staan en knipte hem vervolgens razendsnel met haar gehandschoende hand van haar laars. 'Bedankt.' Ze zei het met tegenzin.

'U mag dan op Waluna opgegroeid zijn, maar u heeft nog een hoop te leren,' gromde hij. 'Ik dacht dat u toch wel verstandiger zou zijn dan zomaar in uw eentje naar boven te klimmen.'

'Misschien vond ik het gezelschap bij de poel niet zo prettig,' was haar repliek.

'U wilde per se dat ik meeging.'

Jenny drukte haar hoed nog wat steviger op haar hoofd en perste zich langs hem. 'Mijn fout. Ik zal het nooit meer doen.'

'Goed. Want ik heb wel iets beters te doen dan babysit spelen voor een dom vrouwtje dat denkt dat het wel leuk is om naast een schorpioenennest op onderzoek uit te gaan.'

Ze keerde zich met een ruk naar hem toe, woedend dat hij haar had betrapt bij de schorpioen en door haar gewonde trots klonk ze scherp. 'Denk eraan tegen wie u het heeft, meneer Wilson,' siste ze.

'Ik kan moeilijk anders – geloof me. Maar als u zich niet als een ongehoorzaam kind gedroeg, zou u ook niet zo behandeld worden,' was zijn weerwoord.

'Hoe durft u?' zei Jenny gevaarlijk kalm.

Hij pakte haar hand voor ze hem raakte toen ze hem een klap in zijn gezicht wilde geven. Hij trok haar naar zich toe. 'Dat durf ik omdat als er iets met u gebeurt, ik de schuld krijg.' Hij liet haar net zo snel los als hij haar gepakt had. 'Tijd om te gaan. Ik heb werk te doen.'

Jenny klauterde achter hem aan, hijgend en nog steeds woedend. 'Wat is dat toch met jou? Ben je altijd zo onbeschoft?'

Ze kwamen bij de poel en Brett pakte de teugels van de paarden. Hij keek haar aan en zijn uitdrukking was raadselachtig in de koele schemering van het groene bladerdak. 'Eerlijk is eerlijk, mevrouw Sanders. Als je met vuur speelt, moet je niet gek staan te kijken als je je brandt.'

Ze vergat haar woede en er kwam verwarring voor in de plaats. Ze keek in zijn ogen, zag er geen humor, en ook niet in zijn onverzettelijke kin. Ze griste de teugels uit zijn handen en, zonder op zijn hulp te wachten, klauterde ze in het zadel.

Ze reden zwijgend terug naar de boerderij. Zijn vreemde woorden weerklonken in haar hoofd. Wat bedoelde hij toch, en waarom was hij zo lichtgeraakt? Ze had niets anders gedaan dan een oude droomplaats van de aboriginals verkennen. Waarom werd hij daarvan en van het voorval met de schorpioen zo onbeschoft – zo agressief?

Jenny schoof heen en weer in het zadel? Ze had er moeite mee dat hij haar zo'n gevoel gaf van... Van wat? Onbehagen? Een schuldgevoel? Onhandigheid? Ze zuchtte. Het effect dat hij op haar had was niet te beschrijven, en het frustreerde haar dat ze niet kon begrijpen waarom dat zo moest zijn.

Toen ze in de wei bij het huis aankwamen, gleed Jenny uit het zadel. Haar rug en armen deden pijn en haar extra teen schuurde langs haar schoen. De volgende keer zou ze haar ingelopen bergschoenen aantrekken in plaats van die nieuwe, besloot ze spijtig. En ze zou met iemand anders gaan. Eén ochtend in het gezelschap van Brett Wilson was meer dan genoeg.

'Dank je,' zei ze op kille toon. 'Ik hoop dat ik niet te veel van je kostbare tijd in beslag heb genomen. Je kunt nu weer aan het werk gaan.' Het konk rancuneus, en ze had er meteen spijt van – maar verdomd als ze haar excuses aan ging bieden na zijn eerdere onbehouwen gedrag.

Brett nam de teugels over, haalde de zadels van de paarden en liep weg. Zijn enige erkenning van haar dank was een korte knik.

Simone zat in de keuken met een kop thee en een schaaltje kaassalade voor zich. Haar gezicht glom van nieuwsgierigheid. 'Jullie zijn vroeg terug. Hoe ging het?'

Jenny gooide haar hoed op de tafel en ging zitten. Spieren waarvan ze het bestaan niet wist waren gespannen en pijnlijk, en haar voet klopte. 'De rit was heerlijk, maar ik wou dat ik van het gezelschap hetzelfde kon zeggen.'

Simones hand viel stil toen ze de theepot optilde. 'Hebben jij en Brett ruzie gehad?'

Jenny knikte. 'Hij was onbeschoft – en ik pik het niet.'

'Het spijt me, kind, maar dat kan ik bijna niet geloven. Wat is er gebeurd?'

'Niks,' antwoordde ze op bitse toon. Het leek nu allemaal zo kinderachtig. Het had geen zin om erover door te blijven gaan.

'Misschien was dat het probleem.' Simone glimlachte terwijl ze de thee inschonk.

Jenny zag de zelfvoldane glimlach van de oudere vrouw. 'Wat bedoel je daarmee?'

Simone lachte en klopte haar op de hand. 'Niks, kind. Helemaal niks. Maar toch vreemd dat je hem zo onbeschoft vindt. Brett is meestal zo'n aardige vent. Er zijn hopen meisjes die in hun handen zouden knijpen als ze een ochtend met hem uit rijden mochten.'

'Nou, Lorraine en de anderen mogen hem hebben. Ik kan een hoop dingen bedenken die leuker zijn dan de ochtend met Brett Wilson doorbrengen.'

'Wacht even, Jenny. Er is tussen Lorraine en Brett niks meer dan haar verbeelding. Hij heeft niet meer naar een andere vrouw gekeken sinds die vrouw van hem ervandoor is gegaan.'

Jenny zag de vijandigheid in Simones gezicht, en vroeg zich af wat de verdwenen Marlene dan wel gedaan mocht hebben om haar zo kwaad te maken.

'En het was een rotmeid,' eindigde Simone. 'Ze heeft Brett het leven knap zuur gemaakt.'

'Wat bedoel je?' Simone had blijkbaar een zwak voor Brett, en vond ongetwijfeld dat hij geen kwaad kon doen en dat geen enkele vrouw goed genoeg voor hem was.

'Ze was zangeres in een bar in Perth, als je het allemaal mag geloven,' zei ze, met haar armen stevig onder haar boezem gevouwen. 'Maar ik geloof dat

140

de mannen niet alleen voor haar stem kwamen als je begrijpt wat ik bedoel.'
Ze zweeg even en tuitte haar lippen. 'Arme Brett. Hij dacht dat hij een mooi en lief vrouwtje had getroffen die hem altijd trouw zou blijven en zijn kinderen zou baren. Ze heeft een hoop problemen veroorzaakt hier, díe. Kon haar handen niet thuishouden.' Simones boezem zwoegde van afkeuring.

'Geen wonder dat hij zo lichtgeraakt is als het om vrouwen gaat. Hij denkt zeker dat we allemaal hetzelfde zijn. Waarom heeft hij dan iets met Lorraine? Zo te horen, zijn zij en Marlene van hetzelfde laken een pak.'

Simone haalde haar schouders op. 'Ze is jong, aantrekkelijk en gewillig. Een man heeft behoeftes, Jenny – en Brett is net als alle andere mannen – maar ik geloof niet dat hij al zo dom is geweest. Maar ze vergist zich als ze denkt dat ze hem op zo'n manier kan binnenhalen. Hij zoekt veel meer vastigheid na Marlene.'

Jenny dacht aan Lorraines verwachtingsvolle gezicht, en de manier waarop haar kleur en humeur opliepen toen Brett eenmaal in Wallaby Flats was. 'Arme Lorraine,' zuchtte ze.

Simone snoof. 'Vergeet het maar. Je kunt je medelijden sparen voor díe. Die heeft al meer kerels gehad dan jij en ik warme maaltijden,' zei ze minachtend.

Jenny roerde in haar thee. 'Hij en ik kunnen gewoon niet met elkaar overweg. Na Peter, mijn overleden man, lijkt hij zo zwijgzaam, zo stug. Heb ik hem op de een of andere manier tegen de haren ingestreken – is dat het soms?'

Simone lachte. 'Niet op de manier waarop jij denkt, nee.'

Jenny keek fronsend. 'Wat bedoel je daar nou mee?'

Het gezellige, ronde gezicht verstrakte. 'Niks, kind. Brett maakt zich gewoon zorgen dat je de boerderij verkoopt en dat hij straks geen baan en geen thuis meer heeft. Hij heeft er de afgelopen tien jaar hard voor gewerkt om de boerderij tot een succes te maken, en het zou zijn hart breken als hij weg moest.'

'Dan heeft hij wel een vreemde manier om een goede indruk op me te maken,' zei Jenny op vlakke toon.

Simone wuifde die opmerking weg. 'Het is alleen zijn manier om zijn gevoelens te verbergen. De mannen hier zijn nou typisch op dat gebied. Ze moeten de indruk wekken dat ze zo stoer en sterk zijn. Mijn Stan komt lachend en grapjes makend uit de schuur alsof het hele leven rozengeur en maneschijn is. Maar soms, als hij denkt dat ik niet kijk, huilt hij van de pijn in zijn rug.'

Jenny zweeg terwijl ze haar thee opdronk. Bretts gedrag was ineens logischer. Zijn onbeschoftheid moest zijn angst verdoezelen. Hij probeerde te bewijzen dat Churinga een boerderij was die de moeite waard was om te houden. Een boerderij die hij efficiënt en verstandig kon runnen. Door haar komst was hij uit zijn evenwicht geraakt – ze was jong, en een vrouw, en ze hield zijn toekomst in haar handen.

Ze dacht aan zijn warme handen op haar rug en het kloppen van zijn hart tegen het hare terwijl hij haar naar zich toetrok nadat ze geprobeerd had hem een klap in zijn gezicht te geven. Dat moment had iets wat bijna door zijn verdediging drong – iets wat ze meende te herkennen. En toch was dat onmogelijk.

'Ik ben behoorlijk moe van die rit, Simone. Bedankt voor de thee en het gesprek. Tot straks.'

'Oké. Het wordt trouwens toch tijd dat ik aan het eten begin.'

Jenny stak het erf over naar het huis terwijl ze over de rit van die ochtend nadacht. Ze raakte onder de betovering van Churinga, en binnenkort moet ze beslissen wat ze ging doen. Maar nog niet, dacht ze. Het is nog maar een paar dagen, ik laat mijn oordeel niet vertroebelen door Brett Wilson.

De keuken was koel en somber achter de gesloten luiken. Ze keek naar de openstaande kist waar de japon lag te glanzen in het gedempte licht, en hoewel ze uitgeput was, wist ze dat het tijd was om het volgende dagboek te lezen.

Ze schopte haar laarzen uit, masseerde haar tenen voor ze op bed klom en was binnen enkele minuten terug in Matilda's wereld.

De kudde was bijeengedreven in de omheinde weiden die bij het huis lagen. Het was een zielig stelletje, mager en in aantal geslonken. Er waren niet zoveel lammeren geboren als Matilda had gehoopt. Het geld van de wol zou nooit voldoende zijn om de schulden van haar vader te betalen. Ze moest een andere manier bedenken om ze af te lossen.

Terwijl Matilda de kudde het sterke, verse gras zag afgrazen, voelde ze de baby in haar buik schoppen en wist dat ze het juiste besluit had genomen om de schapen vroeg binnen te brengen. Churinga was verlaten, op Gabriel en zijn gezin na, en al gauw zou het te zwaar voor haar worden om de verder afgelegen weiden in haar eentje te controleren. Het wegscheren van de vuile stukken vacht kon hier net zo goed en ze kon opletten of ze geen rot kregen en de honderd-en-een andere dingen die mis konden gaan met schapen.

Ze voelde de lichte ronding van haar buik en kon het kind dat daar groeide niet haten. Al was het verwekt in zonde, het droeg geen schuld – ze was vastbesloten om het het best mogelijke leven te geven.

De dagen werden langer en warmer; het gras verloor zijn frisse groene kleur. Matilda reed er iedere dag met Gabriel en Bluey op uit om hekken te repareren en het puin uit de beken te halen dat door de regen was meegespoeld. 's Nachts hield ze zich bezig met rekeningen en de boekhouding. Wanneer de schuldeisers kwamen, moest ze er klaar voor zijn.

De moestuin voorzag in haar eigen eten, net als de melkkoeien en de varkens. Maar haar petroleumvoorraad begon aardig te slinken, net als haar voorraad meel, suiker, zout en kaarsen. Het scheerseizoen kwam steeds dichterbij, en, op de een of andere manier, als ze haar dieren wist te behouden, zou ze ook het geld moeten zien te vinden om de scheerders te betalen.

Ze betastte het medaillon dat haar moeder haar had gegeven. Matilda droeg het nu bijna iedere dag – ze hoefde het niet meer voor Mervyn te verbergen. Het was een hoop geld waard, maar ze zou het nooit verkopen. Ze kon beter een deel van Mervyns geweerverzameling ruilen tegen zaad en bloem. Ethans pessimistische voorspelling weerklonk in de stilte van het huis, en ondanks haar voornemen om te laten zien dat hij ongelijk had, voelde ze hoe Churinga haar begon te ontglippen.

Ze kwamen haar een maand nadat de korte, hevige regens abrupt waren opgehouden opzoeken. Matilda wist haar zwangerschap te verbergen door een los overhemd en een tuinbroek van Mervyn aan te trekken, en toen ze het erf opgereden kwamen, zat ze boven op de bovenste sport van de ladder waar ze Gabriel hielp om het dak van het huis te repareren.

Ze wist wie ze waren, en waarom ze gekomen waren – en terwijl ze naar hen keek, vroeg ze zich af of ze haar de kans zouden geven om haar voorstellen uiteen te zetten. Ze hadden blijkbaar iets onderling bekokstoofd, wat al bleek uit het feit dat ze tegelijk waren gekomen. En terwijl ze naar beneden klom, bereidde ze zich mentaal voor op de strijd die zou beginnen.

Ze lieten hun paarden in de weide bij het huis vrij en stonden op de veranda te wachten tegen de tijd dat zij bij hen kwam. Het viel Matilda op dat ze haar niet recht in de ogen keken, en hoe ze hun hoed in hun handen ronddraaiden. Ze besloot niet om de hete brij heen te draaien.

'Ik heb geen geld,' zei ze ferm. 'Maar ik ben van plan de schulden van pa op de een of andere manier af te betalen.'

'Dat weten we, juffrouw Thomas.' Hal Ridgley was eigenaar van de veevoerhandel in Lightning Ridge, en ondanks zijn lengte, leek hij te krimpen onder haar strakke blik.

Matilda keek van de ene man naar de andere. Afgezien van Ridgley, was er Joe Tucker van het café, Simmons van de bank, en Sean Murphy uit

Woomera. Ze haalde diep adem en wendde zich tot Sean. Hij was graag gezien in de streek, en zijn mening werd gerespecteerd. Als ze hem aan haar kant kon krijgen, dan had ze een kans om de anderen over te halen om haar aanbod serieus in overweging te nemen.

'Pa is je nog steeds die ram en twee ooien schuldig. Ik heb de ram nodig om de kudde uit te breiden, maar de beide ooien hebben sterke, gezonde lammeren gekregen, allebei twee. Neem je ze aan als betaling?'

Zijn haar glinsterde grijs in de zon terwijl hij nadacht over wat ze zei. 'Die ram is een goeie fokker. Die heeft me aardig wat gekost, juffrouw Thomas,' zei hij na een tijdje. 'Ik weet het niet.'

Matilda had op zijn aarzeling gerekend. 'Ik geef je de ooien er ook bij, Sean,' zei ze rustig. 'Maar de ram moet hier nog een seizoen blijven, als ik het wil redden.'

Hij keek even naar de andere mannen die stonden te wachten op zijn antwoord en knikte toen. 'Dat lijkt me redelijk, juffrouw Thomas.'

Matilda kreeg weer hoop. Ze keek naar Hal Ridgley en glimlachte. 'Het begon te regenen voor ik al het voer dat Pa had ingeslagen kon opmaken. Neem maar mee wat er over is, en dan geef ik je dit Spaanse zadel erbij.' Ze zag de hebzucht in zijn ogen fonkelen en ging nog even door. 'Je hebt het altijd een mooi zadel gevonden, en het is waarschijnlijk meer waard dan we je schuldig zijn.'

Hal bloosde. 'Dat voer zit nu waarschijnlijk vol korenwormen, en ik durf te wedden dat de ratten er al aangezeten hebben.'

'O nee, niet in mijn schuur,' zei Matilda vol overtuiging. 'Ik heb het voer in metalen vaten gestopt met luchtdichte deksels erop.' Ze ging stijf rechtop staan en staarde naar de knopen van zijn overhemd. 'Doen?'

Er kwam een bijna onmerkbare knik van de lange man toen Sean hem tussen zijn ribben porde, en Matilda moest inwendig lachen. Hal had altijd een oogje op het fraaibewerkte zadel van Mervyn gehad – en hoewel ze wist dat ze er waarschijnlijk meer voor gekregen zou hebben als ze het in de stad had verkocht, had ze geweten dat hij het maar moeilijk kon weigeren.

Joe Tucker stapte naar voren en stopte haar een stapel papiertjes in haar handen. 'Dit zijn Mervs schuldbekentenissen. Sommige zijn al heel oud.'

Matilda's hart ging sneller kloppen. In tegenstelling tot de andere schulden had ze geen enkel idee hoeveel Mervyn de caféhouder schuldig was. Terwijl ze de briefjes met haar vaders gekrabbelde handtekening zag, zakte de moed haar in de schoenen. Zoveel geld. Zoveel gokgeld ingezet en verloren. Zoveel whisky. Dat kon ze niet betalen.

'Sorry, Matilda. Maar ik moet ook rekeningen betalen, en ik kan deze niet zomaar laten schieten. De zaken lopen op het moment niet zo lekker.' Ze wierp hem een beverige glimlach toe. Arme Joe. Hij was een vriendelijke man die zijn best deed. Het was duidelijk dat het zowel pijnlijk voor hem als voor haar was. Ze staarde naar de andere kant van het erf, naar de wei en de paarden die er graasden. Ze had haar eigen paard, de vos die gedeeltelijk getemd was, twee verwilderde paarden die nog getemd moesten worden, en pa's grijze.

Er hing een gespannen stilte die alleen verbroken werd door het gekraak van de schommelstoel op de veranda terwijl de bankier, Simmons, heen en weer schommelde. Matilda rilde. Het was net alsof haar vader teruggekomen was en wachtte tot hij haar te pakken kon nemen.

Ze schudde haar gedachten van zich af en concentreerde zich op Joe. 'Weet je wat? Jij neemt de twee wilde paarden en verkoopt ze door. Je krijgt er een goede prijs voor als je ze eerst temt, en het zijn allebei hengsten, dus waarom probeer je het niet bij Chalky Longhorn op Nulla Nulla? Hij is op zoek naar nieuw bloed.'

Hij keek treurig. 'Ik weet niks van het temmen van paarden, Matilda. Maar als het nou de vos was sámen met de wilde paarden, dan zou ik er zeker van zijn dat ik mijn geld terugkreeg.'

Matilda keek naar de vos. Ze was een prachtig paard, snel en betrouwbaar, met nog net genoeg wildheid in zich om een mooie prestatie te leveren op de plaatselijke rennen. Mervyn had er de laatste keer een van de knechts op gezet en had gehoorlijk wat gewonnen met de bijweddenschappen. Maar ze kon zich niet veroorloven haar samen met de andere kwijt te raken. Dan zou ze niets meer hebben als haar eigen paard gewond raakte. Lady was niet een van de jongste meer, en het zou niet lang duren voor ze het werk niet meer kon volhouden.

'De vos of de wilde paarden,' zei ze gedecideerd. 'Ik kan je ze niet allemaal geven.'

Joes zelfvertrouwen was blijkbaar toegenomen, want zijn houding werd agressiever en zijn uitdrukking vastberaden.

'Je pa is me al heel lang geld schuldig, en het is alleen uit respect voor jou dat ik die schuldbekentenissen niet aan Squires heb doorverkocht. Hij wilde ze wel betalen, weet je. Hij kan niet wachten tot hij Churinga tot zijn eigendom heeft gemaakt.'

Matilda zag hoe zijn ogen fonkelden terwijl hij zijn troef inzette. Ze wist dat ze verslagen was. 'Bedankt dat je eerst naar mij bent gekomen,' zei ze zachtjes. 'Je mag alle paarden meenemen als dat betekent dat Squires met zijn vingers van mijn land blijft.'

Simmons stond op uit de schommelstoel en de losse vloerplanken van de veranda kraakten onder zijn aanzienlijke gewicht. 'Niets van dit alles maakt ook maar enig verschil, mejuffrouw Thomas,' zei hij op zijn pompeuze toon. 'De bank kan niet afgekocht worden met paarden en voer en zadels. En als u de lening niet kunt terugbetalen die uw vader heeft afgesloten, dan moeten we tot onze spijt de curator in de arm nemen en u failliet laten verklaren. Het zal geen probleem zijn het bedrijf te verkopen. Er is reeds geïnformeerd.'

Matilda zag geen spijt in zijn ogen toen ze de schuldbekentenissen van Joe aanpakte en in haar zak propte. Het was ongetwijfeld Squires die het bod had uitgebracht. Ze merkte dat de andere mannen de veranda verlieten om hun ruilhandel op te halen, maar haar hele concentratie was gericht op de man die tegenover haar stond. Ze wist waarom hij gekomen was, want ze had de papieren gevonden nadat Mervyn begraven was.

'Komt u maar binnen. We moeten hier grondig over praten,' zei ze ferm. 'Ik wil niet dat de anderen horen wat ik te zeggen heb.'

Hij wierp haar een schuine blik toe, maar volgde haar zonder iets te zeggen naar binnen. Zodra er een kop thee voor hem was neergezet, ging Matilda zitten en legde haar armen op de tafel tussen hen in.

'Laat u me de voorwaarden van de lening eens zien, meneer Simmons,' zei ze rustig.

Hij deed zijn leren aktetas open, haalde er een stapel papier uit en leunde achterover om zijn thee te drinken. Zijn blik bleef voortdurend op haar gezicht gericht, wat haar deed denken aan een loerende dingo die zijn kans afwacht om een lam te pakken.

Matilda las de papieren en toen ze klaar was, schoof ze ze terug over de tafel. 'Ze zijn niet rechtsgeldig. Ik ben u alleen het kleine bedrag verschuldigd dat mam vijf jaar geleden heeft geleend.'

Hij zat kaarsrecht op de harde houten stoel. 'Ik denk dat u zich vergist, mejuffrouw Thomas. Ik heb ze door mijn eigen advocaat laten opstellen.'

'Dan moet u hem ontslaan, meneer Simmons,' zei ze grimmig. 'Want hij doet zijn werk niet goed.'

Simmons verloor zijn kalmte. 'Ik denk niet dat u in een positie bent om het werk van een van de beste juristen van Australië in twijfel te trekken, mejuffrouw Thomas.'

'Wel wanneer er een lening met mijn land als onderpand wordt afgesloten zonder mijn toestemming, meneer Simmons,' was haar repliek.

Zijn pedante houding maakte plaats voor verwarring. 'Maar ik heb de akten gezien... Uw vader was eigenaar van het land op het moment van de lening.'

Matilda schudde haar hoofd. 'Hij had het recht om hier te wonen en het land te bewerken tot aan zijn dood. Dat is alles. Hier is de rest van de papieren. En als het u niet bevalt, dan stel ik voor dat u ermee naar de advocaat van de heer Squires gaat. Hij heeft de akte voor mijn moeder opgesteld.'

Simmons haalde een heel witte zakdoek tevoorschijn en depte zijn kale hoofd terwijl hij de papieren las. Zijn handen trilden en er verscheen een zweetplek op de voorkant van zijn overhemd.

Matilda wachtte tot hij klaar was met lezen. Haar hart ging tekeer terwijl ze zich de woorden van die belangrijke akte voor de geest haalde. Haar moeder had ervoor gezorgd dat ze volledig begreep wat haar plannen waren, en ze kende de akte bijna uit haar hoofd.

'Ik moet hier advies over inwinnen, juffrouw Thomas. Blijkbaar is uw vader niet helemaal eerlijk tegenover ons geweest.'

'Hij was tegenover een heleboel mensen niet eerlijk, meneer Simmons,' zei Matilda droog.

'De schuld zàl toch afbetaald moeten worden. Het was een aanzienlijk bedrag dat niet zomaar afgeschreven kan worden.'

Matilda stond op. 'Klaag me dan maar aan. U krijgt Churinga niet zonder slag of stoot, meneer Simmons.'

Hij keek haar bedachtzaam aan. 'Hoe oud ben je?'

'Vijftien. Maar vergist u zich niet.' Matilda sloeg haar armen over elkaar en keek hem aan tot hij zijn ogen neersloeg.

'Dan blijft er nog het laatste stuk van de lening van je moeder. Hoe stel je voor dat te betalen?'

Matilda hoorde de sarcastische ondertoon en pakte het blikje dat ze zo zorgvuldig voor Mervyn had verstopt. Het was het resultaat van bijna een jaar lang zijn zakken doorzoeken, bezuinigen, sparen en liegen voor dit ene moment. Het was alles wat ze had tot ze het geld voor de wol kreeg.

Ze strooide de munten op de tafel waar ze glommen in het zonlicht. 'Dit is de helft van wat we u schuldig zijn. De andere helft zal, zoals door mijn moeder geregeld was, betaald worden zodra de wol van dit jaar betaald is.'

Hij keek fronsend naar het stapeltje munten. 'Als ik naar uw kudde kijk, mejuffrouw Tomas, dan betwijfel ik of u dit seizoen veel winst zult behalen – en hoe wilt u het tot die tijd redden? Dit is alles wat u heeft, hè?'

Ze wilde zijn medeleven niet. Wilde hem niet eens in haar keuken hebben.

'Dat is mijn zaak, meneer Simmons. Nou, als dat alles is, dan ga ik nu weer aan het werk.'

Ze stapte achter hem de veranda op en zag hoe de vier mannen hun waterzakken vulden en weer op hun paard stapten. Joe reed voorop naar de eerste van de verzakte hekken, met de wilde paarden en de vos aan een teugel achter zich aan. De lammeren en ooien renden als één wolbaal voor de paarden uit. Ze wachtte tot de stofwolk die ze opwierpen een vlekje aan de horizon was voor ze verderging met de reparatie aan het dak.

Gabriel zat schrijlings op het dak en leunde met zijn rug tegen de schoorsteen. Hij had niets gedaan sinds de mannen gekomen waren, zag ze.

Eenmaal op de bovenste sport van de ladder wachtte ze tot ze op adem was en de pijn in haar rug minder was geworden. Het werd steeds moeilijker voor haar om zich snel te bewegen, en de baby lag laag en zwaar onder de verhullende kleding.

'Laten we dit snel afmaken, Gabe. Dan kunnen we gaan eten.'

Hij grijnsde naar haar. 'Geen spijkers, juffie.'

'Dan ga je naar beneden en zoek je ze!' snauwde ze.

8

Matilda wist dat ze weinig tijd meer had. Binnen afzienbare tijd zou ze haar zwangerschap niet meer kunnen verbergen, dus een week nadat ze met de bankier had gesproken, zette ze Lady voor de wagen en met Bluey naast haar voortrennend, reed ze naar Wallaby Flats. Haar voorraden begonnen gevaarlijk uitgeput te raken en er was maar één manier om aan het geld te komen om ze aan te vullen.

Terwijl ze naar het verafgelegen stadje reden, moest ze denken aan de laatste keer dat ze van Churinga wegging. Toen was het een wanhopige vlucht, maar ze was nog een kind. Nu was ze een vrouw met haar lot stevig in eigen handen.

De schulden waren betaald, Churinga was nog steeds van haar, en haar schapen aten hun buik rond van het voorjaarsgras. Het leven was goed.

Ze kampeerde die nacht onder de blote hemel, in een deken gewikkeld onder de wagen, met Bluey die bij het minste geluid gromde en snuffelde en Lady's tuig dat tinkelde terwijl ze liep te grazen. Toen de zon boven de horizon verscheen, stond ze op om thee te zetten in het keteltje en het ongezuurde brood op te eten dat ze had meegenomen.

Roeken krasten in de bomen toen ze langsreed en een kudde kangoeroes sprong voor haar weg toen Bluey achter hen aanjoeg. Ze had het warm in de lange cowboyjas van haar vader, maar hij viel om haar heen als een tent. Hoewel het haar eigen zaak was, had ze geen zin om geconfronteerd te worden met de roddels en zich te moeten verantwoorden. Als alles op deze reis goed ging, hoefde ze pas weer naar Wallaby Flats als haar baby geboren was – maar dat was iets van later zorg.

Wallaby Flats was niet veranderd sinds Matilda er als kind voor het eerst mee naartoe genomen werd door haar moeder. Het was nog steeds stoffig en lag mijlenver van de bewoonde wereld, stonk naar zwavel en lag vol opaalmijnen die niets meer opleverden. De huizen waren aangetast door het weer, in het hekwerk van de veranda's rond het café zaten nog steeds gaten, en de mannen die op de veranda zaten staarden nog steeds in de verte.

Ze bond Lady bij de watertrog vast, haalde de geweerverzameling uit de wagen en stapte op het houten plankier. De bel klingelde zoals altijd wanneer ze de winkel binnenstapte. Ze werd begroet door de doordringende geur van suiker, koffie, thee, leer en petroleum. Na de hobbelige rit in de wagen was het te veel voor haar maag, en ze moest hevig slikken tot ze haar misselijkheid onder controle had. Ze kon de laatste tijd slecht tegen bepaalde geuren, dat had vast iets met de baby te maken.

Ze trok de jas over haar bolle buik en liep naar de toonbank waar de winkelier stond te wachten. 'Hoeveel kan ik voor de geweren krijgen?' Ze herkende hem niet, omdat hun boodschappen altijd bezorgd werden.

De man was mager, met een slechte huid en een hangsnor. Hij keek haar onderzoekend aan, pakte de geweren stuk voor stuk en keek langs de loop voor hij het staartstuk, de patroonkamer, de slagpin, het vizier en de balans controleerde. Hij trok een gezicht en legde ze op de toonbank. 'Ik heb al een aardige voorraad geweren. Deze zijn niet veel soeps.'

Matilda wierp hem een kille blik toe. Ze wist wat ze waard waren. Mervyn herinnerde haar er iedere keer aan als ze ze moest schoonmaken en smeren. Ze koos er drie van de zeven uit – de waardevolste. 'Deze twee zijn Winchesters, en dit is een Enfield.' Ze pakte ze op, haalde de grendel over en spande de haan. 'Zo soepel als wat. Nog net zo goed als op de dag dat pa ze kocht.'

Ze wachtte terwijl hij zich er weer over boog, hier iets aanraakte, daar over iets aaide terwijl zijn tong over zijn lippen gleed bij de gedachte aan een forse winst. Matilda wist dat hij probeerde te beslissen hoe ver hij kon gaan, en voor hij hen allebei in verlegenheid kon brengen met een belachelijk bod, verbrak ze de stilte. 'Ik heb een lijst met boodschappen,' zei ze gedecideerd. 'In ruil voor die geweren.'

Hij wreef over zijn kin en trok aan zijn snor terwijl zijn gierige oogjes tussen de kostbare geweren en de erg lange boodschappenlijst heen en weer schoten. 'Zo doe ik nooit zaken,' zei hij ten slotte. 'Maar ik denk dat het geen gekke ruil is.' Hij bekeek haar wat aandachtiger. 'Ben jij niet de dochter van Merv?'

Ze knikte behoedzaam.

Hij trok een treurig gezicht terwijl hij het geweer pakte. 'Ik dacht al dat ik de Enfield herkende. Wat erg van je vader. Ik had nog zo tegen hem gezegd dat hij niet terug moest gaan. Maar je weet hoe Merv was.' Hij glimlachte. 'Je hoefde hem niks te vertellen. Goeie vent. We missen hem.'

Matilda forceerde een glimlach. Ze had geen zin om het over 'die goeie ouwe Merv' te hebben. Ze schoof het boodschappenlijstje over de toonbank. 'Mag ik mijn boodschappen hebben? De wagen staat voor.'

'Ik heet trouwens Fred Partridge. Red je het wel zo in je eentje op Churinga?'

'Ik heb Gabe,' zei ze snel. 'En nu het scheerseizoen er weer aankomt, komen er weer meer.'

'Zal ik een briefje ophangen? Hoeveel wil je er dit seizoen hebben?'

Matilda werd overvallen door zijn vraag – ze was er niet op voorbereid. Ze keek naar de briefjes op het mededelingenbord achter hem. Het scheerseizoen bracht een stroom van mannen uit de hele staat en ver daarbuiten met zich mee. Ze gingen het eerst langs deze winkel als ze werk zochten. 'Ik laat het u wel weten,' zei ze snel.

'Je moet wel opschieten, kind.' Hij pakte een papiertje en krabbelde er een haastige mededeling op. 'Ik noteer je voor tien scheerders en een kok. Daar zul je het wel mee redden.'

Hij prikte het briefje op de muur bij de andere en Matilda kreeg een droge mond. De enige manier waarop ze zoveel mannen kon betalen was door Gabe naar de markt te sturen met de varkens en twee van de koeien. Dan had ze wel erg weinig vee over.

'Maak er maar negen scheerders van. Peg Riley kookt ieder jaar, en Bert scheert nog steeds.'

Hij keek haar onderzoekend aan. 'Voel je je wel lekker, kind? Ga zitten, dan vraag ik aan de vrouw of ze even een bakje thee voor je zet.'

Matilda herstelde zich en schudde de misselijkheid van zich af. 'Het gaat wel, hoor,' loog ze opgewekt. 'Laat maar zitten.'

Haar protest kwam niet snel genoeg. Alsof ze achter het gordijn had staan wachten dat de winkel van het huis scheidde, verscheen zijn vrouw met een kop en schotel in haar hand. 'Matilda Thomas? Aangenaam kennis te maken.' Haar kraaloogjes dansten snel over Matilda's lange jas, en toen ze weer naar haar gezicht keken, stonden ze vrolijk en nieuwsgierig. 'Hoe gaat het daar in je eentje, kind? Ik heb gehoord dat je Simmons op zijn nummer hebt gezet. Ik weet niet hoe je het gedaan hebt, maar goed zo. Het werd tijd dat die zuurpruim eens een koekje van eigen deeg kreeg.'

Matilda verbaasde zich niet over de snelheid waarmee het nieuwtje de ronde had gedaan, en hoewel ze zich inderdaad afvroeg wat er verder nog gezegd werd, vertikte ze het om ernaar te vragen. Die haviksogen waren te scherp en ze had geen zin verstrikt te raken in de leugens die ze moest vertellen om haar geheimen te bewaren. 'Het komt wel goed zodra het geld van de wol binnen is,' mompelde ze terwijl ze van de gloeiendhete, te zoete thee dronk. 'Bedankt voor de thee, maar ik moet nog andere dingen in de stad doen. Ik kom de boodschappen straks wel halen.'

Matilda stapte naar buiten, hoorde de hordeur achter zich dichtslaan en wist dat de vrouw van de winkelier haar stond na te kijken. Ze haastte zich over de onverharde straat naar het kerkje om de hoek en liet zich dankbaar op een van de gepolitoerde kerkbanken zakken. Haar rug was een en al doffe pijn en de baby was onrustig. Ze zou hier een tijdje blijven en in de koelte uitrusten waar niemand haar kon zien.

'Hé, is dat niet Matilda Thomas? Tjonge, jonge. Wat fijn je te zien.'

Matilda haalde diep adem. Ze had gehoopt dat de priester op een van zijn lange rondes zou zijn. Die duurde meestal drie maanden – het moest haar natuurlijk weer overkomen dat hij thuis was. Ze keek eindelijk in het vriendelijke gezicht van priester Ryan. Hij was jong en hartelijk, en kwam regelmatig op bezoek toen haar moeder nog leefde. De laatste keer dat ze hem had gezien was twee maanden geleden, toen hij was gekomen om een gebed uit te spreken boven het graf van Mervyn.

'Hallo, eerwaarde.'

'Hoe gaat het toch, Matilda? Het is zeker wel moeilijk voor zo'n klein meisje als jij op zo'n grote boerderij als Churinga. Je gaat hem toch wel verkopen?'

Ze schudde haar hoofd. 'Nee, eerwaarde, ik blijf.'

'Maar is dat nou wel verstandig, Matilda? Het kan toch niet dat iemand zo jong als jij al zulke grote verantwoordelijkheden op zich neemt.' Zijn gezicht stond bezorgd en zijn Ierse accent echode in het gewelfde dak van het houten kerkje. Matilda had dit maar al te vaak gehoord. 'Ik was meestal alleen toen vader nog leefde,' zei ze droog. 'Ik doe nu wat ik toen ook deed. Gabe en zijn gezin zijn er. Zij helpen me.'

De priester glimlachte. 'Ach, Gabriel. Een van Gods luiere kinderen,' zei hij zuchtend. 'Niet al te betrouwbaar, zou ik denken. Een beetje geneigd uit zwerven te gaan, zoals ze dat noemen.'

'Eerlijk is eerlijk, eerwaarde. We moeten er allemaal wel eens even uit.' Ze stond op. 'Ik moet gaan. Ik moet mijn boodschappen nog ophalen en dan ga ik weer terug naar Churinga.'

'Wil je niet dat ik je de biecht afneem, kind? Het is alweer een tijdje geleden.'

Matilda schudde heftig haar hoofd. God kende haar zonden – het had geen zin ze priester Ryan ook te vertellen. 'Ik heb nu geen tijd. Misschien tijdens uw volgende bezoek.'

Hij glimlachte bedroefd. 'Dat zeg je steeds.' Hij keek naar de zware jas die ze tegen zich aantrok. 'Weet je zeker dat alles goed met je is, Matilda?'

'Een beetje moe, dat is alles. Nu moet ik terug.' Ze liep de kerk uit en haastte zich naar de winkel. Hoe eerder ze hier weg was hoe beter. Er waren te veel nieuwsgierige blikken, te veel goedbedoeld medeleven.

Fred Partridge stond de laatste boodschappen in de wagen te laden. Zijn twee kleine zoontjes stonden vanachter de rokken van hun moeder te gluren terwijl ze tegen de deurpost leunde en zag hoe Matilda aan kwam lopen. Matilda controleerde de dingen in de wagen aan de hand van haar lijstje. Alles leek er te zijn.

'Ik heb er nog wat spullen bij gestopt waarvan ik dacht dat je ze waarschijnlijk wel kon gebruiken,' zei Fred. 'Spijkers, touw, en een extra zak kippenvoer. De vrouw dacht dat je misschien nog wel het restant van die rol stof kon gebruiken ook. Mervs geweren zijn het wel waard, denk ik.' Er lag een blos op zijn bleke wangen, en zijn blik was gericht op een punt achter haar.

Matilda keek naar het felblauwe katoen en dacht aan de dingen die ze ervan kon maken. 'Dank je.' Ze klom op de bok, pakte de teugels en glimlachte naar hem en zijn gezin. Het had geen zin om hen van zich te vervreemden door te zeggen dat ze hun liefdadigheid niet wilde of nodig had. Ze waren vriendelijk, en zij moest ze dankbaar zijn. Toch vroeg ze zich af hoe vriendelijk ze zouden zijn als ze niet genoeg geld van de wol had en haar voorraden weer op raakten. Nu de geweren weg waren en de varkens en koeien bestemd waren voor het betalen van de scheerders, had ze niets anders meer om mee te handelen.

Ze floot en Bluey kwam vanonder de winkel gekropen waar hij waarschijnlijk achter ratten aan had gezeten. Ze liet de teugels op Lady's holle rug neerkomen en ze reden weg, over het karrenspoor de stad uit. Ze keek niet om, maar wist dat de mannen het café uit waren gekomen om haar langs te zien komen, en gordijnen bewogen achter elk raam waar ze langsreed. Ze hield haar kin hoog. Ze mochten van haar denken wat ze wilden. Ze zou alles van nu af aan op háár manier doen – en ze zou niemand een cent schuldig zijn.

Jenny lag op bed en staarde naar het plafond. Ze probeerde zich Matilda op die wagen achter dat oude paard, met Bluey ernaast dravend, voor te stellen. Probeerde zich de zware lichamelijke arbeid en eenzaamheid van die volgende paar maanden voor te stellen waarin ze de daken en muren repareerde, en de scheerschuur praktisch opnieuw opbouwde. Wat ging er door haar hoofd als ze over haar land reisde en geen ander teken van leven zag? Jenny voelde haar afzondering alsof het een echo binnen in haar was. Ze wist hoe het was om alleen te zijn. Ze kon het verlangen begrijpen naar iemand die van je hield, iemand om mee te praten. De jaren in het weeshuis hadden haar de kracht van het stille verzet geleerd, de behoefte om de diepste emoties onder een uiterlijk van koele zelfverzekerdheid te verbergen. Want eenmaal blootgelegd, maakte de zachte kern van angst en verwarring haar zwak – een zwakheid die zuster Michael graag uitbuitte en afstrafte.

In gedachten keerde ze terug naar Dajarra en het weeshuis van de liefdezusters, het geluid van kinderstemmen die de stilte verbraken, en de rillingen liepen over haar rug bij de herinnering aan de nonnen. Ze heersten met harde hand en scherpe tong, maar het was de stem van zuster Michael die de verschrikkingen van die vroege jaren terugbracht.

'Je bent een kind van de duivel, Jennifer, en de duivel moet uit je geslagen worden.'

Ze kromp ineen alsof dat wrede zweepje dat de zuster altijd bij zich had weer op haar rug terechtkwam. Zelfs nu nog, na al die jaren, kon ze geen katholieke kerk binnengaan zonder dat die angst terugkwam, of het geruis van een nonnenhabijt of het geklik van de rozenkrans horen zonder te rillen. Het waren geluiden waardoor ze de neiging kreeg weg te rennen en zich te verstoppen.

Jenny zwaaide haar benen van het bed, stond op en leunde uit het raam. Ze had licht en lucht nodig om die akelige herinneringen weg te jagen. De wreedheid van die jaren zou altijd bij haar blijven, maar haar redding was gekomen met Diane. Het vierjarige meisje was op een avond na de vespers snikkend achtergelaten op de trap van het weeshuis. Er zat een briefje op haar dunne jurkje gespeld.

'Ze heet Diane. Ik kan het niet meer aan.'

Jenny zuchtte toen ze dacht aan Dianes gesmoorde gesnik in de nacht, en hoe ze bij haar in bed was gekropen en ze tot in de ochtend in elkaars armen hadden gelegen. Er groeide een sterke band tussen hen – een band die nooit verbroken zou worden – en het was op momenten als deze, als ze zich alleen voelde, dat Jenny haar het meest miste.

'Ik heb Diane tenminste,' mompelde ze. 'Die arme Matilda had niemand.'

Haar woorden zweefden door de stilte van de late middag en ze wendde zich van het raam af. Gedachten aan een groene japon en spookachtige muziek, aan armen die haar teder vasthielden terwijl ze danste keerden terug.

Er was iemand voor Matilda geweest – iemand die heel veel van haar hield. Iemand wiens geest op Churinga bleef hangen terwijl haar verhaal verteld moest worden.

Matilda stak de spade in de grond en haalde de aardappelen eruit. Ze haastte zich om haar werk af te maken, want er was een hoop te doen voor de scheerders morgen kwamen. Maar ze werd gehinderd door de doffe pijn die haar al de hele dag af en aan plaagde. De pijn zat onder in haar rug en ze vroeg zich af of ze een spier had verrekt toen ze de oude generator achter de wolschuur op zijn plaats tilde.

Ze bleef een ogenblik staan en masseerde haar pijnlijke rug terwijl ze op adem kwam. Het was net alsof de pijn bewoog en zich als een stalen band tot in haar buik verspreidde. Het kind was al een paar dagen geleden opgehouden met schoppen en lag laag. Ze ging met haar hand over de strakke welving van haar buik en vroeg zich af of het tijd was.

'Nog niet,' fluisterde ze. 'Geen tijd. De scheerders komen zo dadelijk.'

Ze bukte zich om de aardappelen op te rapen en er ging een stekende pijn door haar heen die haar velde. Ze zakte op haar knieën en vergat de aardappelen. Al haar concentratie richtte zich op de stekende pijn die haar overweldigde. Ze rolde op haar zij, kneep haar ogen dicht en trok haar knieën op terwijl de warme aarde tegen haar wang drukte. Een jammerklacht ontsnapte haar terwijl ze heen en weer wiegde, en ze kreunde zacht en klaaglijk toen de wee eindelijk afnam.

Ze kwam wankelend overeind en strompelde naar de veranda. Het was belangrijk dat ze naar binnen ging voor het nog verderging. Maar terwijl ze haar hand uitstak naar de hordeur, werd ze overvallen door een nieuwe wee. Ze liet zich in de schommelstoel zakken terwijl de pijn door haar heen sneed. 'Gabriel,' gilde ze. 'Gabe! Help me!'

De gunyahs waren verlaten en er bewoog niets anders dan de schapen in hun hokken.

De pijn was vermengd met angst. Bevallingen hadden niets nieuws voor haar, ze had heel wat ooien geholpen bij het lammeren – maar er konden dingen misgaan. Heel wat ooien gingen verloren door een stuitligging, heel wat lammeren werden doodgeboren.

'Gabriel,' gilde ze. 'Waar zit je verdomme, sukkel?'

Het zweet parelde op haar gezicht en prikte in haar ogen terwijl ze wachtte tot hij terugriep. Er kwam niets. 'Gabriel,' kreunde ze. 'Kom alsjeblieft terug. Laat me nu niet in de steek. Ik heb je nodig.'

De wee ging over, het erf bleef leeg, en Matilda wist dat ze alleen was. Ze duwde de hordeur open en ging de keuken binnen. Ze haalde een oude deken van een haak bij de deur en legde hem op de vloer voor het fornuis. Het water in de ketel kookte en het mes dat ze gebruikte om konijnen mee schoon te maken, lag op tafel. Ze liet het in de ketel vallen. Ze had het later nodig om de navelstreng mee door te snijden.

Ze was draaierig toen ze de overall en de laarzen uittrok. Haar overhemd was doorweekt, maar ze hield het aan. Naakt zijn en pijn hebben had iets te kwetsbaars. Ze legde een schoon laken naast zich om de baby in te wikkelen, knielde op de deken en jammerde om Gabriel. Waar waren hij en zijn gezin heen? Waarom had hij nu juist deze dag uitgekozen om van de boerderij weg te gaan en zijn vrouwen mee te nemen? Het was geen goed teken, want Gabriel voelde problemen feilloos aan, en was er dan ook nooit wanneer ze voorkwamen.

'Aartsluie rotzak,' schold ze. 'Net iets voor hem om ervandoor te gaan als ik hem echt nodig heb.'

De weeën werden heviger, en kwamen snel achtereen tot ze de sterke drang kreeg om het kind eruit te persen. De pijn was allesoverheersend. De drang om te persen te groot. Ze voelde hoe ze in een wervelende spiraal daalde waar niets anders bestond dan het ter wereld brengen van het leven binnen in haar.

Toen, van ergens ver verwijderd van de realiteit van wat er met haar gebeurde, kwam het geluid van een hordeur die dichtgeslagen werd en voetstappen op de houten vloer. Stemmen van veraf klonken gedempt door het geloei in haar oren. Schaduwen flikkerden en bewogen als geesten om haar heen in het licht van het vuur.

'O, allemachtig! Bert, ze ligt te bevallen. Snel – pak mijn kistje uit de wagen.'

Matilda deed haar ogen open en zag het vriendelijke, bekende gezicht van Peg Riley.

'Rustig maar, kind. Ontspan je maar. Peg zal je wel helpen.'

'Mijn baby,' hijgde ze terwijl ze Peg bij haar arm greep. 'Hij komt eraan.'

'Nou en of, en snel ook. Pak me beet en pers maar.'

Sterke armen spanden zich terwijl Matilda zich eraan vastklampte. Ze klemde haar kiezen op elkaar, kneep haar ogen dicht en gaf toe aan de drang om te persen – en met één laatste, heftige perswee voelde ze het kind uit zich glibberen. Toen werd het zwart voor haar ogen. Een welkome, allesverterende duisternis. En met een dankbare zucht liet ze zich erin wegzakken.

Matilda deed haar ogen open, gedesoriënteerd door de schemerige duisternis en het schijfje maan dat net in de hoek van haar slaapkamerraam te zien was. Er was iets anders, er was iets mis. Ze worstelde om zich uit de klauwen van de vergetelheid te bevrijden en herinnerde het zich. Hoe lang was ze buiten westen geweest, en waar was haar baby?

Een donkere schaduw bewoog in de slechtverlichte hoek, en ze slaakte een gil van angst. Het was Mervyn. Hij was uit het graf opgestaan om haar te straffen en haar baby te stelen.

'Sst. Rustig maar, kind. Ik ben het maar, Peg Riley.' Een warme hand streek het haar uit haar gezicht, en er werd een kopje tegen haar lippen gedrukt met iets erin dat vreemd rook, maar heel zoet smaakte.

Matilda keek in het vertrouwde gezicht van de vrouw van de seizoenarbeider terwijl ze uit het kopje dronk en ontspande zich. Ze had Peg Riley altijd gemogen, en voelde zich veilig in de wetenschap dat zij er was.

Toen het kopje leeg was, werd het weggehaald en het laken werd keurig onder haar kin ingestopt. 'Zo, schat. Het is allemaal voorbij. Je kunt nu weer gaan slapen. Peg zorgt wel voor je.'

'Waar is mijn baby?' mompelde ze. Haar oogleden waren zwaar en ze kon zich niet tegen de slaap verzetten.

'Maak je maar nergens zorgen over, kind. Ga maar lekker slapen. Morgen zul je je wel beter voelen.'

'Mijn baby,' fluisterde ze. 'Is alles goed met mijn baby?' Haar stem echode in de kamer en in haar hoofd toen de slaap haar ten slotte overviel. Maar haar dromen waren onrustig, bijna nachtmerries, vol met de stemmen van onzichtbaren en het geluid van voetstappen in een ver afgelegen kamer.

Toen ze eindelijk haar ogen opendeed, was het ochtend. Het koele, heldere licht kroop tussen de nieuwe katoenen gordijnen door en viel op Peg die naast haar bed zat te breien. Matilda keek glimlachend in de vriendelijke ogen en pakte de rode werkhanden beet. 'Dank je, Peg. Ik was zo bang. Ik weet niet wat ik gedaan zou hebben als jij niet verschenen was.'

'Het is achter de rug, kind. We besloten meteen hierheen te komen in plaats van eerst naar Wallaby Flats te gaan. Ik ben er graag klaar voor als de scheerders komen.' Ze trok haar handen terug en ging verder met breien. 'Ik kan niet zeggen dat het me spijt van je vader, maar zo te zien weet je je goed te redden. De kudde ziet er gezond uit.'

Matilda ging achterover tegen de kussens liggen. Ze voelde zich uitgeput ondanks dat ze lang geslapen had, en het kostte haar te veel moeite om te praten. Ze zag hoe Peg door de kamer liep, blij het geruis van rokken en de lichtere tred van een andere vrouw weer te horen.

'Drink dit maar op, schat. Daar word je weer sterk van.' Ze zag hoe Matilda haar neus ophaalde voor de vreemde geur. 'Ik heb er iets in gedaan waar je lekker van slaapt, kind. Het kan geen kwaad.'

Peg wachtte tot Matilda alle warme melk opgedronken had. Ze keek peinzend terwijl ze het kopje aanpakte. 'Waar is je man?' vroeg ze ten slotte.

Matilda voelde de schaamte op haar wangen branden. 'Die is er niet,' fluisterde ze.

Peg vertrok geen spier. Ze knikte alleen maar en stopte de lakens strak in voor ze zich omdraaide om de kamer uit te lopen.

'Waar is mijn baby, Peg?'

De scheerdersvrouw bleef in de deuropening staan, met rechte rug en haar hand licht op de grendel rustend. De seconden verstreken en Matilda schrok toen de vrouw haar eindelijk aankeek. Pegs gezicht stond ernstig en ze hield haar ogen neergeslagen. Matilda probeerde zich op te richten, maar ze was te zwak. 'Wat is er, Peg?' fluisterde ze.

Het bed hing scheef onder Pegs gewicht toen ze ging zitten. Ze sloeg haar armen om Matilda heen en smoorde haar bijna in haar warme omhelzing. 'Het arme schaapje was dood, schat,' zei ze sussend. 'Er was niets aan te doen.'

Matilda liet zich in die zachte omhelzing wiegen, tegen Pegs ampele boezem aangeklemd, terwijl de woorden maar in haar hoofd ronddraaiden zonder dat ze ze begreep.

'Mijn Bert maakt een mooi kistje. We zorgen ervoor dat het schaapje een behoorlijke begrafenis krijgt.'

Door het drankje dat Peg haar had gegeven kon ze moeilijk nadenken en Matilda vocht tegen de slaap die haar weer dreigde te overvallen. 'Dood?' fluisterde ze. 'Is mijn baby dood?' De waarheid drong door de duisternis die haar dreigde te omhullen heen en bittere tranen stroomden vrijelijk over haar gezicht. Ze wist wel dat er iets mis was. Het kind was te stil binnen in haar. Ze had naar Doc Peterson in Wallaby Flats moeten gaan om hulp te vragen. Het was haar schuld dat de baby dood was.

Peg hield haar in haar armen tot ze in slaap viel.

Geluiden zweefden naar binnen, eerst veraf, toen duidelijker omlijnd. Het geblaat van de schapen, het gezoem van de generator, het opgewonden gepraat van de mannen vielen allemaal samen en wekten haar uit haar slaap. Matilda luisterde naar de bekende geluiden, wist dat de mannen waren gekomen om te scheren en voelde zich blij dat Peg en Albert ze op zouden vangen. Ineens drong de waarheid als een mokerslag tot haar door. Haar baby was dood. Peg en Albert maakten plannen voor een begrafenis. Ze kon hier niet blijven liggen en niets doen. 'Peg? Waar ben je?' Ze zwaaide haar benen over de rand van het bed, en de lakens en haar nachtjapon waren in elkaar gedraaid.

Er kwam geen antwoord.

'Ze is zeker in het kookhuis,' mompelde ze. Het was net of haar hoofd vol watten zat en haar benen trilden toen ze probeerde te staan. Ze steunde op het nachtkastje en wachtte tot de draaierigheid over was. Er was een leegte in haar die ze nooit eerder had gevoeld, en een schrijnende herinnering aan het ter wereld brengen van haar baby. Ze haalde een paar keer diep en beverig adem en vermande zich voor de tocht naar de keuken.

Toen haar hoofd helderder werd en ze haar blik op het nachtkastje richtte, realiseerde ze zich dat er iets ontbrak. Het was belangrijk, maar omdat ze nog steeds niet helder kon nadenken, kwam ze er niet achter wat het was. 'Ik kom er snel genoeg achter,' mompelde ze.

Ze trok een los hemd over haar nachtjapon aan en schuifelde naar de keuken. Er was niemand, maar dat verbaasde haar niet. Nu de scheerders er waren, had Peg een hoop te doen in het kookhuis. Maar het zag ernaar uit dat ze een briefje had achtergelaten.

Langzaam en onzeker schuifelde Matilda naar de tafel, pakte het papiertje en liet zich op een stoel zakken om het te lezen. Het handschrift was bijna onleesbaar.

Bert is ziek geworden. Moesten weg. Hebben ons best voor de baby gedaan.

Peg Riley

De tranen schoten in Matilda's ogen terwijl ze het briefje verfrommelde en haar blik door de lege keuken liet dwalen. Ze vond het jammer dat Albert ziek was, maar wat moest ze nu doen? Ze was afhankelijk van Peg om haar het seizoen door te helpen.

Maar toen ze zich realiseerde dat ze bloem en suiker uit haar kostbare voorraad en het stuk schapenvlees uit de vliegenkast hadden meegenomen, droogden de tranen. Een kille woede over haar eigen zwakte maakte zich van haar meester. Dit was de laatste keer dat ze iemand zou vertrouwen, zwoer ze. Ze was al zover gekomen in haar eentje – ze zou ook nog wel ergens de kracht vandaan halen om verder te gaan.

Ze stond op en liep naar de veranda. De bedrijvigheid van Churinga omhulde haar terwijl ze op de balustrade leunde en zag hoe Gabriel de leiding op zich nam over de jonge knechts. In ieder geval is hij teruggekomen, dacht ze. Maar ik vraag me af wie de leiding over de wolschuur heeft? Ze verdrong gedachten aan het scheren. Ze moest zien waar ze haar kind begraven hadden. Ze moest afscheid nemen. Haar benen trilden nog steeds en haar hoofd was licht toen ze om het huis heen strompelde naar de familiebegraafplaats. Maar ze weigerde zich over te geven aan wat zij als zwakheid zag. Er was geen tijd voor zelfmedelijden.

De pasgedolven aarde was bedekt met stenen om het graf te beschermen tegen de dingo's, en aangegeven met een ruwhouten kruis. Matilda knielde op de hardgebakken aarde tussen de wilde bloemen. Ze stak haar hand uit en raakte het aandoenlijk kleine hoopje aarde aan. De tranen stroomden over haar wangen bij de gedachte aan het kleine kind onder de aarde. Haar kind. Het kind dat ze nooit had gezien of vastgehouden.

Ze probeerde te bidden, maar kon de woorden niet vinden. Probeerde haar gevoelens via haar aanraking van het ruwhouten kruis over te brengen – maar wist dat het te laat was. Ze werd gestraft voor haar slechtheid en die van haar vader. Het kind, onschuldig aan wat voor zonde dan ook, was naar de hemel gebracht. Misschien was het ook maar het beste, dacht ze nadat de tranen opgedroogd waren. Want wat voor leven had ik het ooit kunnen geven? Er zouden roddels verspreid worden die ons leven zouden vergiftigen, en datgene wat ik wist zou uiteindelijk tot onze ondergang geleid hebben.

Ze plukte wat wilde bloemen en legde ze tegen het kruis. Ze kwam moeizaam omhoog en bleef een eeuwigdurend moment naar de wrede herinnering aan het verleden kijken.

'Ik zal dit overleven, zoals ik al het andere heb overleefd,' fluisterde ze. 'Maar op een dag, dat beloof ik, krijg je een behoorlijke grafsteen.'

Jenny sloeg het dagboek dicht en de tranen stroomden vrijelijk over haar wangen. Ze wist hoe het was om een kind te verliezen. Ze wist hoe erg Matilda moest hebben getreurd terwijl ze aan haar eigen Ben dacht. Zijn zonnige lach en gele haren. Mollige beentjes en grijpgrage vingertjes waar ze zo van genoot.

Maar zij had hem in ieder geval nog leren kennen. Ze had van hem mogen houden voor hij uit haar leven werd weggerukt. Matilda had geen foto's, geen herinneringen die ze kon koesteren – alleen maar een ruwhouten kruis boven een hoopje aarde.

Jenny sloeg haar handen voor haar gezicht en huilde voor hen beiden.

9

Brett aarzelde voor hij aanklopte. Hij reageerde vanuit een opwelling, wat voor hem ongebruikelijk was, maar na de rit van die ochtend voelde hij een zeker respect voor de verrassende mevrouw Sanders en wilde zijn excuses aanbieden.

Ma had er ook mee te maken dat hij nu hier stond. Ze had hem in onbedekte termen verteld wat ze van hem dacht, en aangezien hij zichzelf altijd als gemakkelijk in de omgang had beschouwd, schrok hij toen hij zich realiseerde hoe onbeschoft hij eigenlijk was geweest. Jenny was duidelijk bang geweest voor dat paard, maar ze had zich eraan vastgeklampt, letterlijk en figuurlijk, tot ze haar zelfvertrouwen terug had. Geen geringe opgave na een ernstige val in het verleden.

Het zwart-met-witte hondje wriemelde in zijn armen en zwaaide met zijn pootjes om neergezet te worden, maar Brett hield hem stevig vast. Hij vroeg zich af of het eigenlijk wel zo'n goed idee was geweest om vanavond hierheen te komen. Hij had vanaf de andere kant van het erf de lichten zien branden en had aangenomen dat ze nog wakker was, ook al leek het net of er niemand was en werd er niet opengedaan nadat hij aangeklopt had.

Hij wachtte nog een ogenblik, en duwde toen de hordeur open. Ze moest hier zijn, dacht hij. Waar kon ze anders zijn? Maar de gedachte dat ze misschien lag te slapen kwam als een opluchting. Hij kon nu weggaan en morgen zijn verontschuldigingen aanbieden.

De stilte in het huis hing om hem heen, en hij schraapte zijn keel om zijn aanwezigheid aan te kondigen. Hij wilde haar privacy niet verstoren, omdat hij wist hoe kostbaar die was op een boerderij als deze, maar wilde haar niet aan het schrikken maken als ze niet sliep.

Toen hoorde hij het gesmoorde gesnik uit de slaapkamer komen en raakte in paniek. Misschien moest hij nu weggaan, voor het te laat was en ze hem betrapte op meeluisteren. Vrouwen waren al erg genoeg, maar met tranen wist

161

hij zich helemaal geen raad. Hij bleef een ogenblik staan, met het wriemelende hondje in zijn armen, niet wetend wat hij nu moest doen. Misschien was zijn hufterige gedrag de reden voor haar tranen. Hij hoopte van niet, maar je wist maar nooit met vrouwen.

Het hondje nam het besluit voor hem. Met een laatste wanhopige ontsnappingspoging kwam hij met een plof op de grond terecht en liep naar de slaapkamerdeur. Hij krabde met zijn voorpootje aan de deur en jankte zachtjes.

Het huilen stopte abrupt. 'Wie is daar?' Jenny's stem klonk gesmoord, maar gealarmeerd.

'Ik ben het, mevrouw Sanders. Niks belangrijks. Ik kom morgen wel terug,' zei Brett haastig.

'Nee, ga niet weg. Ik kom zo.'

Hij tilde het hondje op, zette zijn hoed af en bleef op een afstandje van de slaapkamerdeur staan. Hij kon haar daarbinnen horen scharrelen; de gedempte zucht en het haastige gesnuf maakten hem duidelijk dat hij haar stoorde. Hij wou dat hij weer in de slaapschuur was. Hij wou dat hij nooit was gekomen.

De deur ging een eindje open en hij zag haar betraande gezicht. Brett deed een stap achteruit. De aanblik van die prachtige ogen vol tranen had een vreemd effect op hem. 'Ik kom vrede sluiten,' hakkelde hij. 'Maar ik zie dat het een verkeerd moment is. Ik kom morgen wel terug.'

Hij stamelde en sloeg waarschijnlijk wartaal uit, maar ze scheen het niet te merken. 'Voor mij? O, wat geweldig,' riep ze ademloos uit, haar ogen groot van plezier. 'Wat aardig. Dank je.'

Hij hevelde het hondje over in haar armen waar het diertje ogenblikkelijk de rest van haar tranen weglikte. Brett keek in die paarse ogen. Ineens kreeg hij bijna geen lucht meer, en alle zorgvuldig gerepeteerde woorden die hij wilde zeggen waren uit zijn geheugen gewist. Hij wilde haar aanraken – dat glanzende haar uit haar natte gezicht strijken en de tranen wegkussen.

Met dat besef schrok hij op uit zijn verdoving en deinsde achteruit. Waar dacht hij in godsnaam aan? Ze was zijn baas. Hij leek wel gek. Hij schraapte zijn keel en richtte zich tot zijn volle lengte van bijna een meter negentig op.

'Ik wou even sorry zeggen voor vanochtend – en gisteren,' stotterde hij. 'Ik dacht dat u misschien wel wat gezelschap kon gebruiken. Het is een slim ventje, maar hij is nog niet zindelijk.'

Hj voelde zijn gezicht rood worden toen ze hem aankeek en draaide zijn hoed in zijn handen rond terwijl hij langzaam achteruit naar de voordeur en de veiligheid van de veranda liep.

Jenny giechelde terwijl het hondje wriemelde en likte en jankte. 'Wat ben jij een mooie jongen,' kirde ze terwijl ze zijn zijdezachte kopje aaide. 'Bedankt, Brett. Een mooier cadeau had je me niet kunnen geven.'

'Het is al laat,' zei hij bars. 'Tot morgen.' Hij tastte achter zijn rug naar de deurknop terwijl zijn blik vastberaden op een meter achter haar schouder was gericht.

'Moet je echt weg? Blijf nog even een biertje drinken. Dan kun je me helpen een naam voor dit kereltje te bedenken.'

Bret hoorde de eenzaamheid in haar stem en herkende de smeekbede om gezelschap in haar ogen. 'Nou,' begon hij. Hij werd heen en weer geslingerd tussen willen blijven en weten dat hij weg moest gaan.

'Alsjeblieft.' Paarse ogen keken hem smekend aan.

Hij was verloren. Hij herinnerde zich Marlenes eenzaamheid, haar beschuldiging dat hij nooit tijd aan haar besteedde en niet luisterde als ze wilde praten. Schuldgevoelens hadden de neiging om aan je te knagen, en bij de gedachte dat Jenny hem nodig had, kwam hij teruggelopen en volgde haar de keuken in. Eén biertje kon geen kwaad.

Hij bleef onbeholpen bij de tafel staan, met zijn hoed in zijn hand terwijl hij toekeek hoe ze melk in een schoteltje goot. Het hondje ging er prompt in staan, likte vervolgens de melk van de vloer en zijn pootjes en wachtte met grote bruine ogen op hun reactie.

Jenny lachte, aaide de pup over zijn kop en haalde toen de biertjes uit de koelkast. Ze maakte ze open, gaf er een aan Brett, zette de andere aan haar lippen en nam een flinke slok.

Hij keek naar de kromming van haar hals en de beweging van haar keel en wendde snel zijn gezicht af terwijl hij zich afvroeg wat voor spelletje ze speelde. Ze moest beseffen wat voor effect ze op hem had. Hij zou zijn bier opdrinken en weggaan.

Jenny ging tegenover hem aan tafel zitten en keek hoe het hondje op een paar schoenen van haar kauwde. 'Nogmaals bedankt. Dat was heel aardig van je, Brett.'

'Graag gedaan,' mompelde hij. Hij zag nieuwe tranen in haar ogen en keek vastbesloten naar zijn bier. Hij had haar wel willen vragen wat er was, maar hij wist niet hoe. Hij hoopte alleen maar dat ze niet weer zou gaan huilen. Verdomme, dacht hij. Was ma hier maar. Zij wist wel wat ze moest doen.

'Ik meen het, Brett. Het was attent en vriendelijk, en hoewel ik het waarschijnlijk niet verdien nadat ik vanochtend zo'n kreng ben geweest, heb ik op dit moment een vriend nodig.'

Brett keek naar de andere kant van de tafel terwijl ze haar haar over haar schouders sloeg en gemaakt en gespannen lachte. Die vrouw had verdriet, maar het was niet zijn plaats om zich ermee te bemoeien. Het moest iets met haar verllies te maken hebben, en ongetwijfeld deden de dagboeken er geen goed aan.

Blijkbaar voelde ze aan hoe onbeholpen hij zich voelde. Ze wendde haar gezicht af en keek een ogenblik naar het hondje voor ze weer sprak. Hij had een paar sokken ontdekt; hij snuffelde eraan en kauwde er naar hartelust op. 'Ik denk dat hij Ripper genoemd moet worden,' zei ze ten slotte. 'Wat denk jij?'

'Goed idee,' zei hij snel, opgelucht dat het gespannen moment voorbij was. 'Het is nogal een ondeugd. De kleinste van het nest, maar vol energie.'

De stilte zwol aan en Brett nam een slok van zijn bier. Hij wist niet wat hij verder moest zeggen en naarmate de minuten verstreken, ging hij zich steeds minder op zijn gemak voelen. Hij wilde net van tafel opstaan toen haar hand over het tafelblad kroop en op zijn vingers bleef liggen.

Het was alsof er een elektrische schok door hem heen ging. Hij verstijfde en staarde in een paar paarse ogen die nu te dicht bij de zijne leken.

'Vertel me eens over Matilda Thomas, Brett.'

Haar ogen waren niet alleen paars, realiseerde hij zich. Nu hij dichterbij was, zag hij goud en blauwe vlekjes, omringd door het donkerste zwart. Hij maakte zijn blik met tegenzin van haar los en omklemde de hals van de bierfles bij wijze van houvast. Hij had moeten weten dat dit zou komen. Maar moest het nu juist vanavond zijn, nu zij toch al overstuur was en hij niet wist wat hij moest zeggen?

'Wat bedoelt u, mevrouw Sanders?' Beter kon hij niet bedenken. Hij had tijd nodig om zijn gedachten op een rijtje te zetten.

'Je weet donders goed wat ik bedoel, Brett Wilson,' zei ze geërgerd. Haar ogen stonden kwaad en donker. Ze zette zich tegen de tafel af en haar stoel kraste over de vloer. 'En als je niet ophoudt me mevrouw Sanders te noemen, dan zweer ik dat ik die fles op je kop kapotsla.'

Ze keken elkaar aan, geschrokken van haar woorden, en barstten toen tegelijk in lachen uit.

'Dit is belachelijk,' giechelde Jenny. 'We zijn verdorie allebei volwassen, waarom doen we dan zo lichtgeraakt tegenover elkaar?'

Brett schudde zijn hoofd, maar hij grijnsde nog steeds. 'Al sla je me dood. Het is waarschijnlijk mijn schuld. Maar eerlijk is eerlijk, mevrouw – ik bedoel Jenny – je was wel een schok. Ik verwachtte iemand die ouder was. Minder...'

'Bazig?' maakte ze de zin voor hem af.

Dat bedoelde hij helemaal niet, maar hij liet het maar. Hij zag hoe de lach in haar ogen fonkelde terwijl ze hem schuin aankeek. 'Hoe kon ik nou weten dat je zo jong... en alles zou zijn.' Zijn stem stierf weg. Hij had al te veel gezegd.

Ze grinnikte. 'Ik vat dat op als een compliment, Brett. Neem nog een biertje. Ze gaf de fles door en hief de hare als heildronk. 'Op een beter begrip voor elkaar.'

'Ja, waarom niet?' Het bier was koud, precies zoals hij het lekker vond, maar hij kon zich niet herinneren dat ze was opgestaan om het te halen. Hij was zich alleen maar bewust van haar ogen en haar gezicht. Hij moest uitkijken, anders raakte hij veel te veel betrokken bij de mooie Jenny Sanders.

'Vertel me de geschiedenis van deze boerderij eens, Brett,' zei ze met een ernstig gezicht. Ze stak haar hand op toen hij bezwaar wilde maken. 'Jij en ma hadden het over geruchten. Toe, ik moet het weten.'

Zijn gedachten liepen door elkaar. Sinds hij de dagboeken had gelezen was hij zich gaan realiseren dat de geruchten niets waren vergeleken met de waarheid, maar hij had geen idee hoeveel ze al had ontdekt. Hij besloot haar de positieve kanten te vertellen die hij wist van de geschiedenis van Churinga. Maar waar moest hij beginnen? Hij nam een slok bier om het moment uit te stellen en zijn gedachten op een rijtje te zetten.

'De O'Connors kwamen hier als pioniers aan het begin van de negentiende eeuw. Het waren arme Ieren, zoals de meeste pioniers in die tijd. Ziek van de Britse overheersing en dolgraag het land willen bezitten dat ze bewerkten. Het huis van Churinga begon als een hutje midden in de rimboe. Er was water en gras en bescherming tegen overstromingen op het hoger gelegen land in de buurt van de berg. Maar het land moest vrij van begroeiing gemaakt worden om de veestapel die ze meegenomen hadden uit te kunnen breiden.' Hij staarde peinzend in de verte terwijl hij zich voorstelde hoeveel jaren van zware arbeid dat met zich mee moest hebben gebracht.

'Ze hadden natuurlijk nog geen tractors of ingewikkelde machines. Ik denk dat het meeste werk met een bijl en schoffel gedaan moet zijn. Maar toen het land ontgonnen was en hun schapenkudde groeide, begonnen ze het land uit te breiden. Toen Mary de boerderij overnam, was Churinga bijna veertigduizend hectare, en de hut was nu omringd door schuren en andere gebouwen.'

'Mary was de moeder van Matilda?'

Brett knikte. 'Zij runde de boerderij in de Eerste Wereldoorlog toen haar man Mervyn bij Gallipoli aan het vechten was. Zij kocht de merino's en het melkvee, en met het geld dat ze verdiende met de wol, bracht ze verbeteringen op de boerderij aan. Volgens de geruchten was Mervyn jaloers op haar succes, en toen ze stierf, probeerde hij Churinga aan Ethan Squires te verkopen.'

'Maar dat kon niet,' mompelde Jenny. 'Het was van Matilda.' Ze dronk haar bier op. 'Ik heb stukken uit de vroege dagboeken gelezen, en die zijn niet fraai. Maar ik zou wel eens willen weten wat anderen van Matilda vonden. Hoe zit dat met de geruchten die je noemde?'

'Matilda Thomas was hier al een legende voor ze twintig was. Ze was bijzonder omdat ze een vrouw alleen was in een mannenwereld. Ze vonden haar vreemd, misschien excentriek, zoals ze met haar aboriginals leefde, en mensen zijn altijd een beetje bang voor wat ze niet begrijpen, dus liet men haar erg links liggen. Er gingen natuurlijk geruchten over een baby, nieuwsgierige blikken missen niet veel. Maar toen niemand een baby zag, vergaten ze dat weer.' Hij zweeg. Hij wist dat er meer was, maar wilde niet graag verder vertellen over wat hij als gemene speculaties beschouwde.

'Maar zij heeft Churinga gemaakt tot wat het nu is?'

Hij knikte. 'Ze werd gerespecteerd voor wat ze hier bewerkstelligde, al deden de andere grootgrondbezitters en hun vrouwen afkeurend over haar.' Hij grinnikte. 'Ze zeggen dat ze nogal een rauwdouwer was. Ze liep in mannenkleren rond en het kon haar geen zier schelen wat de mensen van haar vonden.'

'En haar vader? Wat zeiden de geruchten over hem?' Jenny had iets dringends in haar stem dat hij begreep.

'Hij kwam als held uit de Eerste Wereldoorlog terug. Maar pas na de overstroming waarin hij verdronk, kwam de waarheid naar boven. Hij werd niet neergeschoten terwijl hij een vriend door vijandelijke linies terugbracht, maar door een van zijn eigen mensen die hem ontdekte terwijl hij zich verstopte om niet te hoeven vechten. Mervyn doodde hem, hing hem over zijn schouder en liep terug naar het basiskamp. Hij werd onderscheiden met het Victoriakruis en na een jaar of wat in het ziekenhuis werd hij naar huis gestuurd. Hij dacht dat hij ermee weggekomen was, maar een man in Sydney herstelde van zijn geheugenverlies, en legde een verklaring tegenover zijn commandant af. Ze hadden hem over het hoofd gezien toen ze naar gewonden zochten vlak bij Mervyns schuilplaats, en hij had het allemaal gezien.'

'Het verbaast me niets dat hij een lafaard was,' zei Jenny verbeten. 'Zo'n man zou nooit een held kunnen zijn.'

Brett nam een slok van zijn bier en vroeg zich af in hoeverre dit alles invloed op haar had. Tenslotte was ze nog maar pas weduwe, en de dagboeken waren een nogal plastisch verslag van de jaren op Churinga. Waren haar tranen vanavond vanwege haar persoonlijke verlies of vanwege het verlies van Matilda's onschuld?

'Vertel eens over Matilda.'

'Je hebt de dagboeken gelezen. Je weet net zoveel als ik.'

Ze schudde haar hoofd. 'Niet allemaal, Brett. Ik wil weten wat er gebeurde nadat de baby was gestorven. En welke rol de Squires speelden.'

Hij bevond zich op gevaarlijk terrein. Hoewel de dagboeken niet veel onthulden over Ethans betrokkenheid, hadden de waarheid en geruchten de vervelende gewoonte om in elkaar over te vloeien, en hij wilde niet speculeren. Hij keek haar aan, wist dat hij iets moest zeggen, dus besloot hij zich te houden aan wat hij als de waarheid kende.

'Niemand zag Matilda veel nadat de baby was gestorven. Ze ging een paar keer per jaar naar de stad op dat oude paard van haar vader, en hernieuwde haar vriendschap met Tom en April Finlay op Wilga. Toen Churinga flinke winst begon te maken, moderniseerde ze en kocht een pick-up, maar ze ging nooit ver van huis.'

Hij stak een sigaret op en staarde in de verte. 'Men zegt dat ze een kluizenaar werd. Ze was alleen met haar Bitjarra's, behalve in het scheerseizoen; ze ging nooit naar de picknick bij de rennen of naar een bal, ze ging met niemand om. Andrew Squires maakte werk van haar, maar ze wist dat hij alleen maar achter haar land aanzat en wees hem af. Ze zeggen dat Charlie, Squires' jongste zoon, een oogje op haar had, maar er is nooit iets van gekomen.'

'Maar ze had wél iemand, hè?'

Brett haalde zijn schouders op. Ze zou er snel genoeg achterkomen als ze de dagboeken uitlas, maar hij wilde haar niet al zo snel na haar huilbui wijzer maken. 'Ik weet het niet, Jenny. Sorry,' zei hij ten slotte.

Ze keek hem ernstig aan en leunde toen achterover in haar stoel met een peinzende uitdrukking op haar gezicht. 'Volgens de dagboeken zat Ethan Squires achter haar land aan. En volgens mijn advocaat heeft de familie nog steeds belangstelling.'

Ze keek hem strak en doordringend aan. 'Wat heeft Churinga dat ze er zo op gebrand zijn het te kopen?'

'Water,' antwoordde hij zonder aarzeling. 'Kurrajong heeft waterputten en een goede rivier, maar Churinga heeft drie rivieren over het grondgebied lopen en heeft bovendien diepe ondergrondse bronnen. De O'Connors hadden een goede neus voor land, en de Squires zijn er nooit overheen gekomen dat ze te laat waren om het land te claimen.'

'Vertel me eens over de familie Squires.'

Brett zuchtte. Waarom kon ze de dingen nu niet gewoon met rust laten? Als ma gedaan had wat hij haar had gevraagd en die rotdagboeken had verbrand, zou ze zich nu helemaal niet met die dingen bezighouden. 'Ethans vader was de jongste zoon van een rijke boerenfamilie in Engeland. Hij werd aan het begin van de negentiende eeuw hierheen gestuurd om zijn fortuin te maken, met net genoeg geld om zich de eerste paar jaar te kunnen redden. Hij begon in Queensland, leerde de verschillen tussen Engelse en Australische schapen en kwam toen naar het zuiden. Hij zag het land, realiseerde zich dat het een goede plek was om zich te vestigen, en bouwde Kurrajong. Maar omdat Churinga zich ten zuiden en oosten van hem uitbreidde, had hij geen andere keus dan naar het noorden uit te breiden. Het is daar droger, met veel minder regen en minder rivieren.'

'Dus zo begon de vete?'

Brett haalde zijn schouders op. 'Ik geloof niet dat er ooit klappen zijn gevallen, maar Ethans vader maakte er zeker geen geheim van dat hij een afkeer van de O'Connors had en alles deed om het hen lastig te maken. Hij gaf zijn nalatenschap aan Ethan door, die probeerde zijn stiefzoon aan Matilda uit te huwelijken, maar zij stuurde zijn plannen in de war door te weigeren mee te werken. Ethan is daar nog steeds bitter over.'

'Ik dacht dat je zei dat Charlie Squires belangstelling had? Waarom is daar niets van terechtgekomen als zijn vader er zo op gebrand was?'

Brett haalde zijn schouders op. 'Ik heb geen idee,' zei hij waarheidsgetrouw.

Ze keek hem peinzend aan. 'Rust er een vloek op deze boerderij, Brett? Is de Churinga een kwaad amulet?'

Hij snoof. 'Dat is belachelijk. Dit is een boerenbedrijf als honderden andere. Eenzaam, afgelegen en omringd door de strengste natuurelementen ter wereld. Wat er met Matilda is gebeurd, had hier met iedereen kunnen gebeuren. Je moet denken aan wat ze bereikt heeft ondanks de tegenvallers, en niet je levendige fantasie met je aan de haal laten gaan. Er is hier niets boosaardigs – alleen leven op zijn hardst.'

'Je houdt heel veel van deze boerderij, hè?' vroeg ze zachtjes. 'Ondanks het feit dat je je vrouw bent kwijtgeraakt vanwege de afzondering.'

Brett was opgelucht over de verandering van onderwerp. Hij begon zich te ontspannen. 'Marlene was een stadsmeisje. Ze hield van de winkels, de bioscoop, nieuwe kleren en een hoop feestjes. Ik had moeten weten dat ze het hier verschrikkelijk zou vinden,' zei hij zachtjes. 'Ik heb mijn best gedaan om haar gelukkig te maken, maar het was niet genoeg.'

Het was ineens belangrijk voor haar om Churinga te zien zoals hij het kende – zoals het werkelijk was. 'Je moet niet de verkeerde ideeën over Churinga krijgen, Jenny. Het ligt misschien afgelegen, maar het heeft een zekere oerkracht. Denk eens aan Matilda. Ze had niet de luxeartikelen die wij vandaag hebben of de mannen om haar in die eerste jaren te helpen, maar toch bleef ze. Ze werkte en worstelde jarenlang om van de boerderij te maken wat hij vandaag is, omdat ze ervan hield. Ze hield van het land, de hitte en de ruimte – en ondanks alles wat ze heeft meegemaakt, liet ze zich er niet onder krijgen.'

Niet door alles tenminste, dacht hij. Maar dat hoeft Jenny nog niet te weten.

Hij zweeg. Hij had al meer dan genoeg gezegd, en ze leek tevreden. De drang was uit haar gezicht verdwenen en de intensiteit was weg uit haar ogen.

'Dank je, Brett. Maar hoe meer ik in die dagboeken lees, hoe minder ik het gevoel heb dat ik moet blijven. Het lijkt wel of Churinga de mensen die er wonen behekst. Het is net alsof Matilda nog steeds rondwaart. Er zijn momenten dat ik zeker weet dat ze in huis is. Me steeds verder mee haar wereld inlokt. En ik weet niet of ik dat wel wil.' Ze huiverde. 'Het is net alsof ze weet dat ik haar pijn zal begrijpen. Maar het is te snel na het verlies van Ben en Peter. Mijn wonden zijn zelf nog te vers om de hare erbij te nemen.'

Hij pakte haar hand. 'Gooi de dagboeken dan weg. Laat het verleden waar het thuishoort voor je eraan kapotgaat.'

Ze schudde haar hoofd. 'Dat kan ik niet, Brett. Matilda heeft me in haar greep en ik moet weten wat er met haar gebeurd is. Ik moet proberen te begrijpen wat haar hier gehouden heeft.'

'Laat me je dan het Churinga laten zien waar ik van hou. Laat me je helpen te begrijpen waarom we op dit land blijven, ook al maakt het ons oud voor onze tijd. Dit is mijn thuis, Jenny. Ik zou nergens anders willen wonen. En ik wil dat jij er ook van gaat houden.'

Hij voelde hoe hij bloosde toen hij zich realiseerde hoe gepassioneerd hij klonk. Ze zou denken dat hij een sukkel was.

'Je bent bang dat ik het je afneem, hè?'

Hij knikte en kon geen woord uitbrengen. Hij voelde haar hartslag in haar vingers, die de zijne verwarmden en in zijn eigen hartslag weerklonk. 'Denk je dat je gaat verkopen?' vroeg hij na een tijdje, bang voor haar antwoord, maar wetend dat hij sterk moest zijn en het onder ogen moest zien.

'Ik weet het niet, Brett,' zei ze peinzend. 'Het is hier prachtig, en ik denk dat ik jouw liefde voor de boerderij begrijp. Maar die grafstenen achtervolgen me.' Ze maakte haar vingers los en sloeg haar armen over elkaar terwijl ze rilde. 'Het spijt me dat ik je geen definitief antwoord kan geven. Ik weet hoe je toekomst ervan afhangt.'

Hij slaakte een zucht van opluchting. In ieder geval had ze nog geen besluit genomen – er was nog hoop.

'Je fantasie gaat met je op de loop, dat is alles. En dat is niet verwonderlijk na alles wat je de laatste tijd hebt meegemaakt. Maar alle boerderijen hebben hun eigen kerkhofjes – er is geen tijd om mensen naar de stad te brengen om begraven te worden. Je moet je concentreren op het leven dat je leidt en wat je ervan kunt maken. Laat het verleden met rust en geniet van wat je hebt.'

Jenny keek hem doordringend aan. 'Je bent heel filosofisch voor een bedrijfsleider van een boerderij,' merkte ze droog op.

'Dat heb ik van mijn moeder geleerd,' gaf hij grijnzend toe. 'Ze had het altijd over leven en dood. Ik denk dat er iets van is blijven hangen.'

Hij zweeg even terwijl de sigaret tussen zijn vingers langzaam opbrandde. 'Ma en pa waren goede mensen. Ik mis ze nog steeds. Volgens mij hebben mijn broers en ik geboft dat we zulke ouders hadden.'

Een vluchtig ogenblik zag hij het gezicht van zijn moeder voor zich. Toen was het weg. Er waren alleen maar vroege jeugdherinneringen aan de vrouw die haar best had gedaan om ervoor te zorgen dat haar kinderen kregen wat zij als kind nooit had gehad. Een liefdevol gezin, schone kleren en een opleiding.

Jenny's stem onderbrak zijn gedachten. 'Ik benijd je. Dajarra heeft me gevoed en me een opleiding gegeven, maar de liefdezusters hadden het niet in zich om tijd uit te trekken voor genegenheid.' Ze zuchtte. 'Daar word je wel wat voorzichtig van en misschien wel te zelfstandig – zodat je niemand vertrouwt. Ik denk dat ik daarom misschien zo argwanend tegenover de boerderij sta.' Ze keek naar hem op en glimlachte. 'En jou,' voegde ze er ondeugend aan toe.

Bretts mening over Jenny veranderde snel. Dit was geen verwend nest uit Sydney, maar een bang meisje dat haar eenzaamheid en pijn verborg achter een muur van zelfverzekerdheid, die maar schijn bleek te zijn. Ze deed hem denken aan een jonge hengst die hij ooit had gehad. Zijn baas had hem zo vaak geslagen dat hij niemand meer vertrouwde. Het had vele maanden van geduld en liefde gekost voor het dier weer wat vertrouwen kreeg.

'Ik wist niet dat het zo erg was,' zei hij zachtjes. Meer wist hij niet te zeggen.

Jenny wuifde zijn medeleven weg. 'Vertel me eens over jouw jeugd, Brett.' Hij drukte zijn sigaret uit en pakte het hondje dat prompt op zijn schoot in slaap viel. Jenny grijnsde naar hem. Een grijns die hem duidelijk maakte dat ze vrienden waren.

'We woonden in Mossman in Queensland. Mijn vader was rietsnijder, dus we zagen hem niet veel. Het was altijd nog één seizoen en dan had hij genoeg geld om voor zichzelf te beginnen. Uiteindelijk heeft hem dat de das omgedaan. Het suikerriet is zo klote. Het zit vol ongedierte en stekende insecten die de snijwondjes en schaafpekken die je van het riet krijgt infecteren.'

Jenny had zijn volle aandacht, maar hij stak nog een sigaret op en verschoof het hondje naar een gemakkelijkere plek op zijn schoot. Hij wilde haar niet deprimeren met verhalen over de schrijnende armoede van zijn jeugd, maar aan de andere kant wilde hij er ook niet luchtig over doen alsof het niet veel te betekenen had. Mam had te lang en te hard in die huurhut geworsteld. Het riet was uiteindelijk haar dood geworden, maar op een andere manier dan bij zijn vader.

'We waren met vier kinderen. John, de oudste, is samen met mijn andere broer Davey in het riet gebleven. Ik denk dat ze niet genoeg konden krijgen van de geur van stroop.' Hij kreunde. 'Ik haatte die lucht. Zoet en overheersend. Altijd in huis, in je kleren, in je haar.'

'Hoe was het daar? Ik woonde tot mijn zevende in Dajarra en hoewel het midden in het rietgebied lag, werden we omringd door weilanden en bergen. De schapenfokkerij in Queensland waar ik bij pleegouders werd ondergebracht, lag niet noordelijk genoeg voor suikerriet.'

'Het is een andere wereld. Heet, vochtig, vol vliegen en slangenbeten. De hitte berooft je van je energie, je loopt constant te zweten, het riet is veeleisend.' Hij zweeg even terwijl hij nadacht over hoe het was. 'Maar wel mooi. Je zou eens een suikerrietveld in de wind moeten zien – net een grote groene zee, zwaaiend en wuivend. Maar er werken maar weinig blanke Australiërs. Er is toch wel een speciaal ras mensen voor nodig om daarin te overleven.'

Hij aaide het oor van het hondje en dacht aan de dingen die veranderd waren in het riet. Binnen afzienbare tijd zouden er alleen maar machines zijn die het werk van honderden overnamen, en mannen als zijn broers moesten dan iets anders zoeken om hun brood mee te verdienen.

'Na de oorlog namen de immigranten het over en het was moeilijk om iemand te vinden die dezelfde taal sprak. De oosterlingen, de Italianen en de

Grieken zijn de beste snijders, maar de tijden veranderen en zodra de machines het overnemen, is er niets anders meer dan de verhalen over het riet.'

Jenny schoof nog een flesje bier over de tafel. 'Ga verder,' zei ze zachtjes.

Hij nam een lange slok voor hij verderging. Het was bijna alsof hij van die smaak van stroop af moest en de herinnering aan de dikke, verstikkende rook wanneer ze de velden aanstaken voor ze gingen snijden.

'We trokken van de ene huurhut naar de andere. Altijd op een paar kilometer afstand van de velden zodat pa langs kon komen. Maar zelfs dan zagen we hem niet vaak. Hij was altijd met de andere snijders op pad. Ze hadden een vreemde soort broerderschap, die kerels. Vrouwen speelden nauwelijks een rol in hun leven en ik vraag me nu af waarom pa ooit getrouwd was. Hij moet ons als een last hebben gezien, en zijn belofte dat hij voor een echt huis zou zorgen was iets waarvan ik denk dat zelfs hij wist dat het maar een dagdroom was.'

'Dus jij hebt het ook niet gemakkelijk gehad,' zei ze op begripvolle toon.

Hij drukte zijn sigaret uit en begon het slapende hondje te aaien. Hij had vanavond waarschijnlijk meer gezegd dan hij anders in een hele maand deed. Maar ze was gemakkelijk om mee te praten en hij had er geen spijt van.

'Wat je nooit hebt gehad, kun je ook niet missen,' zei hij luchtig. 'We waren gelukkig genoeg, en ma deed haar best om ons het gevoel te geven dat we bijzonder waren.'

Brett zweeg en dacht aan de zware tijden. Er waren dagen dat mam te moe was om de was te doen, en dan stonden hij en zijn broers boven de oude wasteil te zweten zodat het geld toch binnenkwam. Tot op de dag van vandaag wist hij nog niet hoe zijn kleine, tengere moeder kans had gezien om die zware, kokendhete dekens en lakens uit de teil te tillen in die dampende oven van de suikerrietvelden van Queensland. Maar ze deed het wel. Dag in, dag uit.

Jenny bleef zwijgen, alsof ze begreep dat hij sommige gedachten voor zichzelf moest houden.

Brett was teruggeglipt naar het verleden. Hij dacht aan de tijden dat pa te ziek was om riet te snijden. Hij had vaak aanvallen van geelzucht, en van iedere aanval werd hij zwakker tot hij de kracht niet meer had om naar de velden terug te keren. Het einde liet lang op zich wachten, en Brett dacht aan zijn vader, ziek en geel, die lag te wachten tot hij doodging in die armoedige hut. Hij had nooit begrepen hoe een man ertoe komt om zich dood te werken in het riet.

'Pa was een grote vent,' zei hij ten slotte. 'Hij kon ons allemaal optillen in die enorme armen van hem en een rondje door de kamer rennen. Maar toen het riet hem eenmaal te grazen had genomen, woog hij niet meer dan zesendertig kilo.'

'Ik heb me nooit gerealiseerd dat het suikerriet zo'n verwoestende werking kon hebben,' zei Jenny zachtjes. 'We vinden suiker zo gewoon, zonder er een ogenblik bij stil te staan waar het vandaan komt of wat voor prijs iemand ervoor heeft moeten betalen om het gesneden te krijgen. Wat erg dat je vader zo gestorven is.'

Brett haalde zijn schouders op. 'Hij koos ervoor om zo te leven, Jenny. En iemand moet het doen. Maar ik kwam al jong tot de conclusie dat het niets voor mij was. John en Davey bleven nadat mam was overleden, maar Gil en ik trokken naar het zuiden om als knecht op schapenfokkerijen en veeboerderijen te werken. Gil is in Queensland gebleven en heeft uiteindelijk zijn eigen bedrijf gekocht, maar ik ben nog verder naar het zuiden getrokken. Ik werk al sinds mijn zestiende met schapen en ik heb er nooit spijt van gehad.'

Hij zag dat ze een geeuw probeerde te onderdrukken. Hij tilde het hondje op. 'Dit knulletje moet maar eens gaan slapen, denk ik. En ik moest ook maar eens gaan. Je zult me wel zat zijn met al dat geklets.'

'Nee,' zei ze snel en keek ernstig. 'Bedankt dat je me over je leven hebt verteld, Brett. Ik hoop dat het niet te veel slechte herinneringen heeft opgeroepen. Ze kunnen pijnlijk zijn – dat weet ik.'

Hij glimlachte en schudde zijn hoofd. 'Heb je zin om morgenochtend een eind met me te gaan rijden, dan laat ik je de rest van Churinga zien. Misschien, als je het ziet zoals ik het zie, zul je begrijpen waarom het bijzonder is.'

Ze hield haar hoofd schuin en haar ogen fonkelden ondeugend. 'Weet je zeker dat je gemist kunt worden?'

Hij lachte. 'Niemand mist me morgen. Dan is het zondag.'

'In dat geval, Brett, lijkt het me heerlijk.' Ze nam het hondje van hem over en beroerde het slaperige kopje met haar lippen.

'Tot morgen dan? We gaan vroeg weg, omdat het dan nog koel is.'

Ze knikte, en haar glimlach deed haar gezicht oplichten.

Brett stapte via de hordeur naar buiten. Hij was heel moe, maar betwijfelde of hij die nacht wel zou slapen.

Jenny stond in de deuropening, met de puppy in haar armen, terwijl ze hem het erf zag oversteken. Hij nam lange, soepele passen en had zijn handen diep in de zakken van zijn katoenen broek. Ze glimlachte en drukte een kus op Rippers kopje. Brett was prettig gezelschap nu hij dat arrogante, bazige uiterlijk had laten varen, en zijn cadeau was precies wat ze nodig had na die tranen om Matilda.

Het hondje jankte in zijn slaap en zijn pootjes bewogen alsof hij aan het rennen was. Hij lag warm en zwaar in haar armen terwijl ze hem terug naar de keuken bracht, waar ze een bedje en een bak voor hem klaarzette. Ze propte een deken in een groentekrat en legde hem daar in.

Toen ze zich uitkleedde om naar bed te gaan, wist ze dat ze de dagboeken niet zomaar terzijde kon leggen en er verder niet meer aan denken. Ze waren bedoeld om gelezen te worden – daarom had Matilda ze achtergelaten.

Toch had Brett gelijk. Ze moest naar de toekomst kijken en minder belang hechten aan de dingen die hier zo lang geleden waren gebeurd. Het was aan haar om dezelfde muziek te vinden die hij en Matilda hier hadden gevonden. Dan kon ze het misschien ook haar thuis noemen.

10

Het was zondag en het geluid van ma's etensbel klonk een uur later dan anders. Jenny bleef een ogenblik liggen en genoot van de luxe koelte van de vroege ochtend. Maar toen ze zich haar plannen voor vandaag herinnerde, stapte ze uit bed. Ze kwam er al snel achter dat haar hele lichaam pijn deed van de rit van de dag tevoren, en haar extra kleine teentje was bijna ontveld van de knellende nieuwe laarzen die ze had gedragen.

Ripper gluurde tussen de plooien van de lakens door, met één oor plat tegen zijn kop, en Jenny lachte terwijl ze hem van tussen de lakens plukte. 'Stoute hond,' zei ze zachtjes. 'Ik heb een bed voor je in de keuken gemaakt.'

Hij toonde geen berouw en likte haar gezicht terwijl ze hem naar de veranda achter het huis bracht, waar hij door het gras banjerde en zijn poot optilde.

Jenny strompelde terug naar de keuken, waar ze zalf en een pleister voor haar teen zocht. Ze keek op de klok en kreunde. Het was nog maar halfzes. Zou ze ooit wennen aan dat vroege opstaan en die siësta's 's middags?

Met haar teen stevig verbonden ging ze haar ontbijt klaarmaken. Met een kop thee, gekookt ei en geroosterd brood voor haar neus, realiseerde Jenny zich dat er iets ontbrak. De plof van een krant die vanaf een voorbijrijdende fiets op de veranda werd gegooid was zo'n vertrouwd zondagochtendgeluid, dat het haar in Sydney niet eens opviel, maar dat ze het ontbreken ervan vanochtend als een schrijnend gemis ervoer.

Ze dacht aan lome dagen op het balkon dat op de zee uitkeek, aan de kunst- en boekenpagina's, de bijlagen met hun roddels en glossy foto's, de financiële bijlage en het sportkatern dat Peter altijd als eerste pakte als hij thuis was. Bens favoriet waren de striptekeningen. Hij zat op haar schoot terwijl ze ze voorlas.

Ze sloeg met een gedecideerd gebaar het topje van haar ei. 'Ik zal er gewoon aan moeten wennen dat ik weer alleen ben,' mompelde ze. 'Het heeft geen zin om te zeuren.'

Rippers korte staartje veegde over de vloer en hij hield zijn kop schuin alsof hij het begreep.

Ze zaten in de zonovergoten keuken en het hondje nam kleine stukjes toast uit haar hand aan met de kieskeurigheid van een preutse oude jongejuffrouw. Na het ontbijt ging ze onder de douche en kleedde zich aan. Met een wijde katoenen broek, katoenen overhemd, oude schoenen en de oude hoed kwam ze de dag wel door. Ze legde net haar sieraden weg en zocht naar haar rijhandschoenen toen er op de hordeur werd geklopt.

'Wacht even, Brett. Ik kom eraan,' riep ze. De handschoenen waren op de een of andere manier onder het bed gevallen en ze zat op haar handen en knieën om ze te pakken. Ripper was een slechte hulp. Hij dacht dat het een spelletje was.

'Andrew Squires, mevrouw Sanders. Ik hoop dat het niet te vroeg is om langs te komen?'

Jenny verstijfde. Andrew Squires? Dit kon interessant worden.

Ze slaagde er uiteindelijk in om Ripper de handschoenen te ontfutselen, en ondanks haar nieuwsgierigheid naar de man die Matilda het hof had gemaakt, nam ze de tijd om kalm te worden. Squires kon wachten. Wat was het trouwens voor onchristelijk tijdstip om bij iemand op bezoek te gaan? dacht ze wrang.

Ze keek in de spiegel. De zon had haar huid gebruind en kleur in haar gezicht gebracht en terwijl ze haar haar in haar handen nam en er een knot van draaide, besloot ze wat lippenstift op te doen en wat parfum achter haar oren te deppen. Wetend dat ze er goed uitzag, gaf haar zelfvertrouwen.

Hij stond met zijn rug naar haar toe terwijl hij op de balustrade van de veranda leunde en naar de bedrijvigheid op het erf keek. Er stond een gloednieuwe Holden bij de paal waar de paarden vastgebonden werden, bedekt met een waas van rood stof die de fonkeling van de chromen bumpers op de een of andere manier niet kon verhullen.

Ripper gromde en zette zijn korte pootjes stijf op de vloer van de veranda.

'Meneer Squires?'

Hij draaide zich om en ze was onthutst over zijn uiterlijk dat zo uit de toon viel. Hij was lang, vierkant gebouwd en nog steeds knap, al moest hij minstens vijfenzestig zijn, maar ondanks het feit dat hij met de auto was gekomen, droeg hij een rijbroek, een tweed jasje en glimmende Engelse rijlaarzen. Zijn gesteven witte overhemd stond bij de hals open en hij droeg een dure choker. Zijn snor en haar waren nog steeds vuurrood, en zijn ogen heel blauw terwijl ze haar net zo openhartig opnamen.

'Goededag, mevrouw Sanders.' Zijn accent was meer Engels dan Australisch. Hij deed haar denken aan John Wainwright. 'Ik hoop dat ik niet ongelegen kom, maar ik wilde u graag spreken voor het te warm werd.' Hij maakte een buiging. 'Welkom op Churinga. Andrew Squires, tot uw dienst.' Jenny gaf hem een hand, zag de gemelijke trek om zijn lippen en hoe de zon op zijn koperkleurige haar glinsterde. Hij gaf een slappe, nogal onaangename hand. 'Goeiedag,' antwoordde ze terwijl ze snel haar hand terugtrok. 'Kom binnen, dan drinken we iets.'

'Na u, mevrouw.' Hij deed de hordeur open en volgde haar naar binnen. Jenny sloot snel de grommende Ripper in de slaapkamer voor ze thee zette en een paar behoorlijke koppen en schotels zocht. Met een paar koekjes voor bij de thee ging ze aan de keukentafel zitten. Op dit moment van de dag wilde ze hem niets sterkers aanbieden, en ze was zeker niet van plan om ontbijt voor hem klaar te maken. Bovendien, dacht ze, terwijl ze hem een arrogante blik door het vertrek zag werpen, heb ik roodharige mannen nu eenmaal nooit vertrouwd.

Hij pakte een kop thee, bekeek haar openlijk nieuwsgierig en sloeg het ene elegant beklede been over het andere. Het was een vreemd vrouwelijk gebaar – een gebaar dat niets aan haar mening over hem veranderde.

'Ik heb begrepen dat u op Kurrajong woont,' zei ze, om de stilte te verbreken. 'Ik neem aan dat het ook aboriginal is, net als Churinga?' Hij gaf haar een onbehaaglijk gevoel. Er lag berekening in zijn ogen, en iets zwaks rond de mond en de kin dat ze herkende als hebzucht.

'Natuurlijk,' antwoordde hij. 'Kurrajong betekent altijd groen, mevrouw Sanders. En het is al bijna een eeuw lang de buurman van Churinga.'

Jenny nam een slokje van haar thee, terwijl ze wenste dat Brett snel zou komen. Deze man kwam hier niet om over koetjes en kalfjes te praten – hij was met een bedoeling gekomen. 'Ik weet wel iets van de geschiedenis van Churinga, meneer Squires. Maar het meeste lijkt speculatie. Herinnert u zich nog iets van Matilda Thomas?' Ze keek expres onschuldig.

Andrew Squires bestudeerde zijn gemanicuurde nagels aandachtig. 'Ik heb mijn scholing in het buitenland gevolgd, mevrouw Sanders, en ben pas teruggekomen na mijn rechtenstudie. Ik heb mijn praktijk in Melbourne. Kurrajong is voor mij slechts een vakantiewoning waar ik bij kan komen van de drukte van de grote stad.' Zijn ogen waren heel blauw toen hij haar weer aankeek. 'Ik heb nooit het genoegen gehad kennis te maken met die mevrouw Thomas. Maar ik heb begrepen dat mijn vader haar goed gekend heeft.'

Leugenaar, dacht ze, terwijl ze hem strak aankeek. 'Dan zou ik misschien eens een tegenbezoek moeten afleggen, meneer Squires. Het lijkt me interessant om met uw vader over die vroegere jaren te praten.'

Hij stak zijn lange neus in de lucht en de blik in zijn ogen was kil toen hij op lijzige toon zei: 'Ik denk niet dat hij u veel zal kunnen vertellen. Ze behoorden niet tot dezelfde kringen.'

Hij is niet alleen een leugenaar, maar ook een opgeblazen kledingrek, was Jenny's conclusie. En hij zat in haar keuken haar thee te drinken alsof het huis van hem was. Het werd tijd dat hij ging.

'U had echt eerst moeten bellen, meneer Squires,' zei ze op koele toon. 'Ik heb plannen voor vandaag, en ik ben al laat.'

Andrew leek zich op een zelfvoldane manier vrolijk te maken over haar onbeholpen poging om hem weg te krijgen. Hij koos een sigaret met goudkleurig filter uit een zilveren sigarettenkoker en stopte hem in een kort ivoren sigarettenpijpje. Hij stak hem aan met een zilveren aansteker en blies rook naar het plafond voor hij haar antwoord gaf.

'U geeft me niet bepaald het gevoel dat ik welkom ben, mevrouw. En dan nog wel na zo'n lange rit.'

'Heeft u een bepaalde reden voor uw bezoek?' Ze keek naar de deur. Waar bleef Brett toch?

'Ach, ach,' zei hij lijzig. 'Zo'n zakelijke benadering. Hoe verfrissend. Ik denk dat u en ik uitstekend met elkaar overweg zullen kunnen, mevrouw Sanders.'

'Dat hangt af van wat u wilt bespreken,' zei ze koud.

Hij keek haar door de sigarettenrook aan. 'U lijkt me een verstandige vrouw, en God weet dat die dun gezaaid zijn. Met uw artistieke talenten en groeiende reputatie moet u zich ongetwijfeld meer thuisvoelen in de stad dan in dit godverlaten oord.'

'Zegt u me wat u op uw lever heeft, meneer Squires. Ik heb het druk.'

Hij meesmuilde terwijl hij as op een schoteltje tikte en Jenny vroeg zich af hoe het zou zijn om hem als tegenstander in de rechtbank te hebben. Hij was een ijskoude rotzak, iemand die je liever aan jouw kant had dan als tegenstander.

'Ik heb begrepen dat Wainwright u al op de hoogte heeft gebracht van onze belangstelling, mevrouw Sanders. Ik ben hier vanochtend om een bod uit te brengen.'

Jenny wilde iets zeggen toen hij zijn hand opstak om haar de mond te snoeren. 'Hebt u in ieder geval de beleefdheid om me uit te laten praten, mevrouw Sanders.'

'Alleen als u de beleefdheid heeft om eraan te denken dat dit mijn huis is en u niet het recht heeft hier binnen te stappen en u te laten gelden,' was haar weerwoord. 'Dit is geen rechtbank – ik sta niet in de getuigenbank.' 'Touché.' Zijn glimlach was koud toen hij zijn blik over haar liet dwalen. 'Ik hou wel van een vrouw die zegt waar het op staat. Je wordt zo moe van vleiers, vindt u niet?' Jenny keek hem minachtend aan. 'Ik zou het niet weten.' Hij leek niet gebukt te gaan onder haar gebrek aan tact. 'Zoals ik zei, ben ik bereid u een meer dan redelijke prijs te bieden voor het bedrijf. Als u erin toestemt het aan ons te verkopen, ben ik ervan overtuigd dat we tot een regeling kunnen komen die voor beide partijen interessant is.'

Jenny leunde achterover in haar stoel en hield haar woede stevig in bedwang. De Squires wisten van geen ophouden, en vanwege hetgene dat Brett haar gisteravond had verteld, wist ze dat ze het nooit zouden opgeven. Nu had Ethan die slang gestuurd om zijn smerige werk op te knappen – net als hij al die jaren geleden met Matilda had gedaan.

Ze forceerde een glimlach, maar haar hart ging tekeer en haar handen jeukten om die reptielengrijns van zijn gezicht te slaan. Ze zou het spelletje meespelen. 'Aan welk bedrag dacht u?'

Opverend bij de gedachte dat hij zijn doel had bereikt, boog Squires voorover. 'Driekwart miljoen dollar. Plus de waarde van het vee.'

Jenny was met stomheid geslagen, maar zorgde ervoor dat het niet aan haar te zien was. Ze had de boeken en de taxatierapporten gezien, en wist dat de prijs die hij bood, ver boven de waarde lag. Dit spelletje was te gevaarlijk om mee door te gaan. Ze kon een miljoen eisen – en wetend hoe graag hij Churinga wilde hebben, zou hij er misschien nog mee instemmen ook.

'Het is zeker een goede prijs, meneer Squires,' zei ze kalmer dan ze zich voelde. 'Maar waarom denkt u dat ik wel wil verkopen?'

Hij stak nog een sigaret op – zijn bewegingen waren vloeiend, alle sporen van nonchalance verdwenen in zijn vertrouwen dat ze gekocht kon worden. 'Ik heb mijn huiswerk gedaan, mevrouw Sanders. U bent weduwe. Een kunstenares met een snelgroeiende reputatie en een compagnonschap in een galerie in de stad. U heeft het grootste deel van uw leven moeten schrapen en sparen. Nu heeft u de kans om rijker te worden dan u ooit voor mogelijk had gehouden. Wat heeft een vrouw alleen aan de schapenfokkerij in de verste uithoek van het land als u voor de rest van uw leven uiterst comfortabel in de stad kunt wonen?'

De rotzak had zijn huiswerk gedaan, en ze had er al haar wilskracht voor nodig om hem niet te laten zien wat voor invloed dat op haar had. 'Dat is allemaal waar. Maar mijn overleden man heeft deze boerderij voor me gekocht. Ik kan hem niet zomaar verkopen.'

Hij boog gretig voorover. 'En daar vergist u zich nu, mevrouw Sanders. Hij heeft Churinga voor u beiden gekocht, en was van plan er samen met uw zoontje te gaan wonen en een nieuw leven te beginnen. Het was niet zijn bedoeling dat u in uw eentje verder zou tobben, om hier te gaan wonen zonder familie of vrienden om u gezelschap te houden.'

Jenny keek naar zijn gezicht, en zwoer dat als ze ooit zou verkopen, het nooit aan dit reptiel zou zijn.

Andrew had de smaak te pakken. 'Denk u toch eens in, mevrouw Sanders. U hoeft zich nooit meer zorgen over geld te maken. U zou vrij zijn om naar Parijs, Florence, Rome, Londen te reizen. U zou het Louvre en de Tate kunnen bezoeken en voor uw plezier schilderen, niet alleen voor het geld.'

'Ik heb al uitgebreid gereisd en ik moest niets van Londen hebben,' zei ze op vlakke toon. 'Churinga is niet te koop.'

Hij keek heel even verrast, maar verbloemde zijn verbazing snel. 'Ik besef dat dit misschien wat kort na uw verlies komt, mevrouw Sanders. Misschien heeft u meer tijd nodig om uw gedachten op een rijtje te zetten voor u een overhaast besluit neemt.'

Hij is een kille kikker, dacht Jenny. Die glimlach zit nog óp zijn gezicht geplakt, ook al kwam mijn weigering duidelijk als een schok. 'Ik heb geen tijd nodig om uw bod in overweging te nemen. Churinga is niet te koop, en zal ook in de nabije toekomst niet te koop zijn.' Ze stond op. 'Ik heb vandaag een hoop te doen. Dus als u het niet erg vindt...'

Squires stak zijn hand in de binnenzak van zijn keurige tweed jasje. Hij had een kleur – de woede schemerde in golven onder zijn afgemeten beleefdheid door.

'Mijn kaartje. Als u van gedachten mocht veranderen, mevrouw Sanders, belt u me dan. Over de prijs valt uiteraard te praten, maar dan moet het niet te lang duren.'

Jenny nam het rijkbedrukte kaartje aan en keek van de gouden letters naar het felle blauw van zijn ogen. 'Dank u. Maar u heeft mijn antwoord al.'

Ze liep naar de deur, en zijn hakken klonken als hamerslagen op de houten vloer terwijl hij haar volgde. Ze kwamen bij de veranda en ze stapte opgelucht naar buiten. Het huis was te benauwd geworden.

Andrew Squires zette zijn zachte, smalgerande hoed op en trok zijn handschoenen aan. Jenny snakte bijna naar adem toen hij zo brutaal was om haar hand te pakken en na een hoffelijke buiging een kus op haar vingers te drukken. 'Tot onze volgende ontmoeting, mevrouw Sanders.'

Ze bleef aan de grond genageld staan terwijl hij de trap afliep naar zijn auto, startte en in een stofwolk naar Kurrajong wegscheurde. Ze voelde nog zijn lippen, en ze wreef de achterkant van haar hand aan haar broek af.

'Wat wilde hij?'

Ze draaide zich om en zag Brett aan de andere kant van de veranda staan. Hij hield de teugels van twee paarden die gezadeld waren en klaar om bereden te worden in zijn handen. Zijn ogen fonkelden in de ochtendzon.

Ze vertelde het hem.

Brett liet de teugels los en stapte over de veranda. Hij pakte haar bij haar armen, trok haar naar zich toe, en dwong haar hem recht in de ogen te kijken. 'Het is een stuk gif, Jenny. Net als zijn vader. Zorg dat je niets met hen te maken krijgt, anders maak je alles kapot wat Matilda hier heeft opgebouwd.'

'Je doet me pijn, Brett,' protesteerde ze.

Hij liet haar los en haalde zijn vingers door zijn haar. 'Sorry, Jen. Maar ik meende wat ik zei.'

'Ik heb zijn soort wel eerder ontmoet. Koud, berekenend en hebzuchtig, eraan gewend om hun weg door het leven te kopen – maar ik ben niet gek, Brett. Ik kan zijn soort wel aan.'

'Hoe is hij weggegaan?' Zijn gezicht stond nog steeds grimmig.

'Ik heb gezegd dat ik zijn driekwart miljoen niet zou aannemen.'

'Hoeveel?'

Jenny lachte. 'Je zou je gezicht moeten zien! Ik dacht wel dat je ervan zou schrikken.'

'Potverdorie. Zelfs ík zou in de verleiding komen bij zoveel geld,' zei hij verwonderd. 'Ik had geen idee dat Churinga zoveel waard was.'

'Dat is het ook niet, geloof me,' zei ze droog. 'Maar hij was bereid heel ver te gaan. Ik kan niet doen alsof ik niet in de verleiding kwam, maar het deugt gewoon niet om de boerderij na al die jaren aan een Squires te verkopen. Trouwens, hij wist veel te veel van mij en mijn zaken. Ik denk dat hij me heeft laten bespioneren.'

'Hij is ertoe in staat,' mompelde Brett.

Jenny ademde de koele ochtendlucht waarderend in. 'Laat hem maar. De zon is op, de paarden zijn klaar, en ik ook. Laten we gaan.'

'Je kunt Andrew en zijn familie niet op zo'n manier afdoen, Jenny. Het zijn rijke, machtige mensen – en niet te vertrouwen.'

Jenny keek Brett aan en zag dat hij zich zorgen maakte bij de gedachte dat dingen zouden veranderen en hij ergens anders heen moest. 'Dat weet ik,' zei ze ernstig. 'Maar ik ben niet arm zoals Matilda – ik heb de middelen om me tegen ze te verzetten – en ík ben de eigenaar van Churinga, niet zij.' Ze legde troostend haar hand op zijn arm. 'Ik zal nooit aan hen verkopen.'

Ze toverde een glimlach op haar gezicht. 'Vergeet de familie Squires en laat me jouw Churinga zien,' zei ze opgewekt. Het gesprek met Andrew had een zure smaak achtergelaten, maar ze wilde haar dag met Brett niet laten bederven. Ze hoefde zich geen zorgen te maken. Al snel wees hij de verschillende gebouwen aan, nam haar mee naar de boxen en legde haar de seizoensrituelen uit.

'We verplaatsen de schapen naar weersconditie, water, gras en soort schaap. Om ons te verzekeren van goede fokresultaten en de fijnste wol zijn alle schapen op Churinga merino's.'

Jenny stond bij de boxen en keek over de wollige, bewegende ruggen uit. 'Waarom staan ze zo op elkaar? Dat is toch niet nodig?'

Hij grinnikte. 'Omdat het de stomste wezens op aarde zijn. Ze halen het in hun kop om ervandoor te gaan en als er één gaat, volgen ze allemaal. Als we de honden niet hadden, kregen we de krengen nooit geschoren.' Hij keek haar een ogenblik ernstig aan. 'Ze zitten maar korte tijd zo opgesloten. De scheerders werken snel. Ze moeten wel. De meesten van hen zijn aan een strak schema gebonden om naar de volgende boerderij te gaan, en er is altijd een bonus voor snel en efficiënt werken.'

'Het lijkt me zo wreed om ze vlak voor de winter te scheren. Ze hebben al die wol toch nodig om warm en droog te blijven?'

Brett schudde zijn hoofd, en er zweefde een veelzeggende glimlach om zijn mondhoeken. 'Een veelvoorkomend misverstand bij de stadsmens,' mompelde hij. 'De wol is hier alleenheerser. Schapen zijn alleen maar de grondstof. Om een dikkere, betere vacht te krijgen moeten ze nu geschoren worden.'

Jenny keek naar de opgesloten dieren en realiseerde zich dat je je geen overdreven sentimenten kon veroorloven waar alleen de sterken en nuttigen konden overleven. 'Dus, wat houdt een jaar op een boerderij als deze in? Ik neem aan dat je je alleen in de winter kunt ontspannen.'

Brett stak een sigaret op en liep zigzaggend door de doolhof van schapenboxen. 'Je moet het hele jaar door voor schapen zorgen – je hebt eigenlijk nooit tijd voor iets anders. We brengen ze van weide naar weide, delen ze in categorieën in, scheidden ze en fokken ze. Na het scheren worden ze ondergedompeld en gemerkt, en vervolgens in een bad gestopt om ze van inwendige parasieten te ontdoen. Als het niet gaat regenen en het gras is slecht, dan moeten we zelf eten snijden en ze proberen met de hand te voederen.'

Hij schoof zijn hoed achterover en veegde het zweet van zijn voorhoofd. 'Schapen zijn de stomste schepsels op aarde. Ze eten niks dat niet van hun eigen weiden komt en weigeren het voer dat wij ze geven aan te nemen tenzij de judas er als eerste van eet.'

Jenny glimlachte. 'Dat klinkt bekend. Ik herinner me dat John Carey foeterde over het judasschaap. De leider van de kudde. Duivel en verlosser – verdomd lastig.'

'Ja. Maar als je hem niet als eerste door een open hek haalt, blijft de rest van de idioten gewoon staan en laat zich gewoon tot as verbranden in een woestijnbrand omdat ze te stom zijn om te zien dat de vluchtroute maar een meter van hen verwijderd is.'

Ze keek naar hem op. 'Maar je houdt van je werk, hè?'

Hij knikte. 'Meestal wel. Maar het lammeren is niet zo leuk. Ieder lam moet opgevangen worden, de staart geringd, het oor voorzien van een merkje, en als we het niet willen voor de fok, moet het gecastreerd worden. Castreren is niet mijn favoriete karwei, en het doodschieten van lammeren waar kraaien de ogen van uitgepikt hebben en die nog steeds in de wei rondrennen ook niet.'

Jenny rilde ondanks de warmte van de opkomende zon.

'Ik heb nooit gezegd dat het allemaal rozengeur en maneschijn was, Jenny. Het is het leven, dat is alles. Wij fokken de beste merinoschapen. Alles hier is ingesteld op perfecte wol. Geen van de schapen wordt verkocht voor het vlees. Als ze geen wol meer produceren, worden ze afgevoerd voor de huid, voor vet, lanoline en lijm. Alles wordt gebruikt – niets wordt weggegooid.'

Jenny keek naar de boxen en de weiden erachter. Ze vond het nog steeds moeilijk te geloven dat zij de eigenaar was van dit alles. 'Hoeveel schapen zijn er?'

'We hebben ongeveer acht schapen per hectare weideland. Dat is zo'n driehonderdduizend in totaal, maar de aantallen gaan snel omlaag tijdens perioden van droogten of bij brand of een overstroming.'

Ze reden weg bij de schapenboxen, langs de timmerwerkplaats waar de doordringende geur van verse houtkrullen herinneringen opriep aan Waluna. Er vlakbij was een kleine houtzagerij en als kind genoot ze van de geur. Ze glipte vaak onder het prikkeldraad door om de houtkrullen te verzamelen die ze in een doosje bij haar bed bewaarde. Het kippenhok was een eenvoudig schuurtje, omgeven door kippengaas, waar de hanen majesteitelijk tussen de kippen door paradeerden. Het zuivelhuis was smetteloos schoon en de melkmachines stonden te glimmen tegen de witte tegels.

'We hebben maar een paar stuks vee. Ze leveren niet zoveel op als schapen, maar ze voorzien ons van melk, boter en kaas, en eens een keer biefstuk als variatie op het dieet van schapenvlees.'

Brett ging door naar de omheinde weide die ongeveer een hectare besloeg achter de bungalow van de knechts en leunde op de omheining. 'De meeste werkpaarden zijn halfwilde, nukkige rotzakken, maar ze zijn behendig en harde werkers. We gebruiken ze bij toerbeurt zodat ze niet uitgeput raken. Geen enkele veedrijver rijdt twee dagen achtereen op hetzelfde paard, tenzij hij zich buiten de weilanden bevindt en niet terug kan.'

'Fok je ze hier ook?'

Hij schudde zijn hoofd. 'Het zijn allemaal ruinen of merries. Hengsten zijn lastig, dus houden we ze niet. Als we nieuwe werkpaarden nodig hebben, kopen we ze.'

Jenny aaide de trillende hals van haar merrie. De vliegen zwermden om haar ogen, en ze sloeg voortdurend met haar staart. 'Zij lijkt rustig genoeg.'

'Ze is een van de weinige, maar ze is nog steeds ook een goede schapendrijver.' Hij pakte de teugels en stapte weer op zijn paard. 'Kom mee. Eerst neem ik je mee naar de hondenkennels en dan gaan we naar buiten.'

De rennen waren omheind, de kennels niet meer dan ruwe, lage hokken vol stro. De blauwgrijze honden gromden en snauwden, sprongen tegen de hekken op en lieten hun tanden zien.

'We houden de teefjes gescheiden zodat we behoorlijk met ze kunnen fokken,' zei hij terwijl hij naar een verder gelegen ren wees waar puppy's bij hun moeder lagen te drinken. 'We hebben wat Kelpies, zoals Ripper, maar er is geen betere herdershond dan een goede Queenslander Blue. Die is alles wat een hond hoort te zijn – intelligent, agressief, op zijn hoede. In tegenstelling tot de verwende schoothondjes in de stad.' Zijn schuine blik was spottend.

'Alles hier lijkt wel halfwild,' zei ze zachtjes terwijl twee katten uit een nabijgelegen schuur kwamen gestormd en in een kluwen van wol, tanden en nagels over het erf rolden. Brett haalde zijn zware veedrijverszweep uit de schede naast zijn zadel en sloeg met dodelijk precisie naar de blazende, krijsende bol. De zweep kwam met een knal centimeters boven hun oren terecht. Ze renden weg alsof ze zich gebrand hadden, en hij en Jenny lachten.

Jenny ging weer op het paard zitten, liet het keren en volgde hem de kraal in. 'Hoeveel mannen zijn er nog over na het scheerseizoen?'

'Meestal tien, soms twaalf. Veedrijvers zijn er berucht om dat je ze nooit langer dan een paar seizoenen kunt houden. Ze trekken altijd weer verder naar wat grotere en betere veeboerderijen, echte zwervers, eerlijk gezegd. Maar we moeten toch het hele jaar voor de dieren zorgen.'

Jenny kneep haar ogen toe terwijl ze over het dorre, zilverkleurige gras uitkeek dat zo fel in de ochtendzon lag te schitteren dat het pijn aan de ogen deed. Verdorde bomen stonden als eenzame wachters in de eindeloze ruimte. De schors bladderde in stijve linten van de stammen, en kleine wervelwindjes van stof veegden dode bladeren en gras van de ene lusteloze hoop naar de andere. Eén lucifer onnadenkend weggegooid, een blikje of een stukje glas in het gras, en het betekende het einde van Churinga.

Terwijl ze door een groepje buksbomen, coolibahs en eucalyptus reden, scheerde en dook een zwerm parkieten over hun hoofd, die gezelschap kregen van een roze wolk galahs die na verloop van tijd in de twee peperbomen aan de uiterste rand van het bosland gingen zitten. Klokvogels lieten hun fluitend gezang horen, en een kookaburra grinnikte een waarschuwing voor hij met geklapper van bruingespikkelde vleugels op een lagergelegen tak voor hen sprong. Enorme spinnenwebben vormden een kantwerk tussen de bladeren van de bomen, waar kristallen dauwdruppels fonkelden in de zon. De rillingen liepen Jenny over de rug toen ze de harige, langpotige bewoners zag. Ze was gewend aan de roodrugspin in Sydney, maar dit waren monsters, en waarschijnlijk twee keer zo dodelijk.

Ze begon zich te ontspannen toen ze het huis van Churinga achter zich lieten. Ondanks de hitte, de vliegen en spinnen en slangen was het majestueus. Maar zou ze hier kunnen wonen?

Ze was nu gewend aan de grote stad, genoot van de zee en het gevoel van zoute druppels op haar gezicht. Ze dacht verlangend aan een bad met kristalhelder water om uren in te weken in plaats van de poepgroene douche waar ze de laatste tijd onder stond. Ze dacht aan Diane en haar andere vrienden die haar behoefte om te schilderen begrepen. Die haar belangstelling voor het theater en kunstgaleries begrepen, en kleur en levendigheid in haar leven brachten. Zodra Simone naar de volgende boerderij trok, was zij de enige vrouw op Churinga. Alleen tussen mannen die weinig zeiden, die leefden voor het land en de dieren waar ze voor zorgden – en het waarschijnlijk niet eens prettig vonden dat ze hier was.

'Hoe gaat het, Jenny? Heb je al last van de hitte en het stof?'

Ze trok een gezicht. 'Ik lijk wel permanent bedekt met stof. Het zit overal, en ik probeer het huis niet eens meer schoon te maken. Maar ik heb geen last van de vliegen, en ik ben gewend aan de hitte.'

Ze reden zwijgend verder terwijl de kraaien krasten en de kaketoes krijsten. En toch begon ze aan Churinga te wennen, merkte ze. Er was hier iets dat zo vertrouwd was – zozeer een deel van haar uitmaakte dat, hoewel het haar eerste bezoek was, het net was of ze thuiskwam.

'We zijn nu op Wilga-land,' zei Brett een uur later. 'Zie je die bomen?' Jenny hield haar hand boven haar ogen tegen de zon. Dikke, felgroene bladeren hingen in perfecte symmetrie naar beneden en vormden prieeltjes beschut tegen de zon. 'Geeft de wind ze die vorm? Ze zien eruit alsof iemand met een snoeischaar hierheen gekomen is en ze heeft bijgeknipt.'

Brett lachte, en ze zag hoe leuk de rimpels bij zijn ooghoeken waren. 'Je hebt gedeeltelijk gelijk. De schapen eten ervan tot ze er niet meer bij kunnen. Daarom zijn alle bomen op Wilga rond.'

De paarden gingen stapvoets door het gortdroge gras. 'Vinden de eigenaren het wel goed dat we over hun land lopen? Moeten we niet eerst even langsgaan?'

Brett toomde zijn paard in en zijn humeurige ruin snoof en stampte, terwijl hij naar haar keek. 'Ik dacht dat je het wist. Heeft Wainwright het je niet uitgelegd?'

'Wat uitgelegd?'

'Dit is allemaal van jou. Het hoort bij Churinga.'

Jenny verwerkte die informatie vol verbazing. 'Maar ik dacht dat je zei dat we geen vee fokten? En wat is er met de Finlays gebeurd?'

Brett keek naar de eerstekwaliteit vleesrunderen die om hen heen graasden. 'Op Churinga niet, maar Wilga is apart, met een eigen bedrijfsleider. De Finlays zijn na de oorlog weggegaan.'

De merrie boog haar hoofd om te grazen en haar tuig tinkelde vrolijk in de stille, warme lucht. 'Vanwaar de verschillende namen? Waarom niet allemaal onder de vlag van Churinga?'

'Vroeger was het een aparte boerderij. Hij heeft zijn naam natuurlijk aan de bomen te danken, en ik denk dat niemand eraan heeft gedacht om de naam te veranderen toen de boerderij deel van Churinga werd.'

'Alles hier klinkt als muziek,' zuchtte Jenny. De geur van gebakken aarde was sterk en de geluiden van de vogels harmonieerden met hun omgeving.

'De aboriginals hebben een muzikale taal. Je zou ze moeten horen kletsen als ze samen komen voor een *corroboree*. De meeste plaatsen hier hebben een aboriginal-naam, behalve die paar die de oorspronkelijke bewoners deden denken aan hun oude thuis in Europa.'

'Dat geldt voor heel Australië,' zei Jenny glimlachend. 'Tasmanië ligt er vol mee.'

Ze reden naast elkaar door de weiden. 'Heb je veel gereisd, Jenny?' vroeg hij ten slotte.

'Aardig wat.' Toen ik bij mijn pleeggezin in Waluna wegging, ging ik naar de kunstacademie. Toen ik die afgemaakt had, reisde ik met Diane een jaar door Europa en Afrika om kunstgeschiedenis te studeren.' Ze dacht met liefde aan Dianes wijde kaftans en extreme sieraden. 'Diane werd verliefd op alles wat exotisch was nadat we in Marrakesj waren geweest, maar ik hield het meest van Parijs. Montmartre, de Linkeroever, de Seine, het Louvre.'

Hij had blijkbaar de weemoed in haar stem gehoord. 'Zou je terug willen?'

'Soms. Misschien doe ik dat ook nog wel eens, maar het zou toch niet hetzelfde zijn. Dat is het nooit. De mensen die we toen kenden, zijn ongetwijfeld weggetrokken, de dingen zullen wel anders zijn. Ik ben trouwens ook ouder geworden en me misschien wat meer bewust van de gevaren.'

'Niets in Parijs kan zo gevaarlijk zijn als de tijgerslangen die je hier tegenkomt,' zei hij peinzend.

Jenny dacht aan de met ratten vergeven kamers waar Diane en zij hadden geslapen, en de hijgerige Fransen die vonden dat alle jonge meisjes verleid moesten worden. 'Er zijn overal slangen,' zei ze onomwonden. 'Ze kruipen alleen niet allemaal op hun buik.'

'Wat ben jij cynisch,' plaagde hij.

Ze lachte. 'Zo word je van reizen. Misschien waag ik het erop en ga ik hier maar wonen. Er zijn ergere plaatsen om te wonen, maar je weet in ieder geval waar je voor uit moet kijken.'

'Dat zal ik onthouden.' Hij pakte de teugels. 'Ga mee. Ik zal je mijn lievelingsplekje laten zien. Het is hetzelfde als waar we laatst heengingen, maar dan aan de andere kant van de berg. Het is nu niet ver meer, en ik denk dat je niet teleurgesteld zult zijn.'

Ze galoppeerden over de eindeloze vlakten, door het houtland, langs de verdorde bomen die net wachters waren, en verder naar het trillende blauw van de bergen in de verte. Felgroene spinachtige vingers vormden een web door het gras – het bewijs van een waterput die de weilanden verderop bevloeide. Jenny's gewrichten deden pijn en haar benen trilden, en hoewel ze van de rit genoot, keek ze ernaar uit om een tijdje te rusten.

'We zijn er bijna,' schreeuwde Brett een halfuur later.

Jenny zag dat de bladeren dik en groen aan de bomen hingen en dat het gras weelderig groen was, opvallend tegen het omringende, bijna spiegelende, zilver. Bij de gedachte aan water spoorde ze haar merrie aan tot ze in de schaduw van de buitenste bomen waren. Ze liet zich uit het zadel glijden, zette haar hoed af en veegde het zweet af. Vliegen zoemden om haar heen, gingen op haar zitten, vlogen weg en dronken het vocht van haar gezicht en armen op.

Brett nam de teugels van beide paarden en ging voorop door de dichte begroeiing. De hitte onder het bladerdak deed haar denken aan Queensland: vochtig, klam, met het gezoem van insecten. Het zweet doordrenkte haar kleren en stroomde van haar gezicht terwijl ze hem op de hielen volgde. Zou er nooit een eind aan die wandeling komen? vroeg ze zich af.

Toen stonden ze ineens op een open plek van puur gouden licht, waar het geluid van een waterval de hitte van de dag temperde. Brett ging opzij en ze slaakte een kreet. Het was een oase, verborgen in de plooien van de berg. Bomen, groen en weelderig, bogen hun bladeren naar de brede poel die stil en glashelder aan hun voeten lag. Tussen de wirwar van gevallen rotsblokken groeiden bloemen en kruipplanten slingerden, zo mooi als in een plaatjesboek, door spleten en langs kloven. Vogels, verstoord door hun aanwezigheid, vlogen in een opgewonden zwerm boven hun hoofd. Dieppaarse en blauwe rosella's scheerden langs met groene en gele parkieten. Kleine vinkjes, mussen en spreeuwen fladderden en riepen terwijl ze van tak naar tak hipten. Het was alsof de wereld alleen maar uit vogels bestond. Ze scheerden en doken met honderden tegelijk voor ze gingen zitten en de indringers, met nieuwsgierige kraaloogjes, bekeken.

Jenny lachte van pure vreugde, en het geluid veroorzaakte een geklapwiek van jewelste toen een zwerm kaketoes uit de bomen boven hun hoofd opsteeg.

'Ik zei toch dat het bijzonder was,' zei hij met een glimlach van genoegen.

'Ik had nooit kunnen denken dat er zoiets hier kon bestaan. Niet in deze wildernis.'

'Je hoeft niet te fluisteren,' zei hij glimlachend. 'De vogels zijn snel aan ons gewend.' Hij legde zijn hand op haar arm. 'Kijk eens. Daar in die modderbank.'

Jenny volgde zijn wijzende vinger. Overal zagen ze de scharen van rivierkreeftjes in de slijmerige, grijze modder; het waren er tientallen. 'Kreeftjes,' riep ze uit. 'We moeten er straks een stel meenemen voor vanavond bij het eten.'

'Later,' zei hij gedecideerd. 'We gaan eerst lekker zwemmen, dat kunnen we allebei wel gebruiken.'

Ze keek bedrukt. Het water zag er zo uitnodigend uit in die heldere poel, maar volledig gekleed zwemmen was niet echt prettig. 'Je had me moeten waarschuwen. Ik heb niets bij me,' protesteerde ze.

Brett grinnikte en, als een goochelaar, haalde hij iets uit zijn zadeltas tevoorschijn en wierp het haar toe. Het was feloranje met paarse bloemen op de nylon ruches. 'Hij is van ma. Hij zal wel een beetje te groot zijn, maar iets anders had ik niet.'

Jenny keek ernaar. Het was enorm en hopeloos ouderwets, maar als ze de bandjes op de rug bij elkaar bond, en haar broekriem gebruikte om de middel in te snoeren, ging het wel. Maar uit veiligheidsoverwegingen zou ze haar ondergoed aan laten.

Toen ze het enorme badpak eindelijk vastgebonden en ingesnoerd en ingestopt had, aarzelde ze voor ze de bosjes uitstapte. Ze liep op haar blote voeten en hoewel ze een pleister op haar kleine teen had, was het nog steeds duidelijk te zien – ze was altijd bang dat mensen commentaar gaven en vragen stelden. De nonnen geloofden dat het een teken van de duivel was en, hoewel ze nu beter wist, schaamde ze zich er nog altijd voor.

Door de hitte en het geluid van het water was het te aanlokkelijk. Jenny deed haar medaillon af en gluurde vanachter de bosjes. Brett lag al in het water. Hij droeg een zwarte zwembroek die zijn gespierde benen, platte buik en brede borst perfect liet uitkomen. Toen hij op zijn rug dreef, glinsterde het zonlicht op zijn zwarte haar, waardoor het bijna blauw leek.

Jenny trok de bandjes over haar schouders op. Ma was gezegend met een aanzienlijke boezem, en hoe ze ook vastbond en optrok, niets kon het feit verbloemen dat Jenny aardig wat minder te bedekken had. Ze dook in het water en kwam snel naar de oppervlakte. Het was ijskoud en ze snakte naar adem. Maar toen ze door de heldere groene diepten in het zonlicht boven kwam, merkte ze dat Simones badpak was volgelopen met water, en als een opblaasbaar zwemvest om haar heen bolde.

Wat kan mij het ook schelen, dacht ze terwijl ze heerlijk dreef. Ik ben fatsoenlijk bedekt, en dit water is zalig na al die douches.

Ze zag hoe Brett met snelle, zekere slagen naar de andere kant van de poel zwom waar een klein watervalletje door kruipplanten van de rotsen plonsde. Hij zwom door tot hij eronder kon staan en liet het water over zijn hoofd stromen. Hij gaf een schreeuw van genoegen en de vogels stegen verschrikt op.

Jenny lachte met hem mee, en toen ze het badpak steeds verder voelde zinken, bedacht ze dat ze beter in haar ondergoed kon zwemmen dan verdrinken. Ze maakte de riem los en trok het badpak uit. Hij belandde met een natte plof op een overhangende rots. Ze sloeg haar benen uit en zwom vrijuit. Ze dook in de koele diepten nadat ze een paar minuten heen en weer had gezwommen, kwam aan de andere kant boven, waar grote, platte rotsen naast de bomen lagen, en hees zich uit het water.

Ze lag er te hijgen van de kou en de inspanning en koesterde zich in de warme streling van de zon die door de bladeren filterde en de stenen. Het geluid van Bretts gespetter en het gekwetter van de vogels begon te vervagen toen de vermoeidheid van de lange rit begon toe te slaan. Haar oogleden werden zwaar en bijna spinnend als een poes viel ze in slaap.

'Jenny... Jenny.'

Zijn stem kwam van veraf. Het was bijna een wiegeliedje op de melodie van het orkest van vogels en water.

'Jenny, wakker worden. Het is tijd om te eten.'

Ze deed met tegenzin haar ogen open en zag zichzelf weerspiegeld in lichtgrijze ogen met blauw en gouden vlekjes. Als kostbare opalen schoten er vonkjes af. Ze ging zitten, verward over wat ze erin las, en schudde haar natte haar uit om haar verlegenheid te verbergen. 'Heb ik lang geslapen?' vroeg ze snel.

'Je was een beetje weggedoezeld. Je zag er zo tevreden uit – zonde om je wakker te maken.' Zijn stem klonk anders, alsof hij moeite met ademhalen had, maar voor ze erachter kon komen wat het was, kwam hij in actie. 'Kom op. Ma heeft nog een picknick voor ons klaargemaakt, en er zwaait wat als we deze niet opeten.'

Hij stak haar zijn hand toe, en trok haar omhoog. Ze stonden nu dichter bij elkaar en de warmte van hun lichamen vermengde zich met het gefilterde zonlicht. Ze zag dat zijn ogen donkerder waren geworden, voelde zijn vingers trillen en hoorde zijn ademhaling sneller gaan.

'Kijk uit waar je loopt,' zei hij bars terwijl hij haar hand losliet en zich afwendde. 'Het is glad.'

Jenny kwam met moeite los uit de betovering van het moment en volgde hem door het kreupelhout. Haar gezonde verstand vertelde haar dat ze de signalen die hij afgaf verkeerd interpreteerde. Hij was alleen maar beleefd tegenover zijn baas, liet haar vol trots Churinga zien en was blij met haar reactie erop. Maar een klein, volhardend stemmetje bleef in haar onderbewustzijn zeuren. Ze had gedacht dat hij haar ging kussen – en was teleurgesteld toen hij het niet deed. Toen ze met een sprong op het gras van de open plek aan de andere kant van de poel terechtkwam, realiseerde ze zich tot haar grote schrik dat haar natte ondergoed dóórscheen. Ze pakte haar overhemd, dook de bosjes in en bedekte zich snel. Blozend van schaamte verweet ze zichzelf dat ze zo stom was. Geen wonder dat hij anders was toen hij haar zo zag liggen, zo goed als naakt, uitgestrekt op die rots. Het was niet zo verwonderlijk dat hij haar niet wakker had gemaakt. Hij had eens lekker kunnen kijken.

Ze maakte de knopen vast, stopte het overhemd in haar broek en trok haar sokken aan om haar teen te bedekken. Toen haar nuchterheid de overhand kreeg, gaf ze toe dat hij zich in ieder geval als een heer had gedragen. De meeste levenslustige mannen zouden haar besprongen hebben – maar, aangezien zij zijn baas was, had hij blijkbaar besloten dat discretie beter was.

Maar hoe moest ze hem nu onder ogen komen? Hoe kon ze brutaalweg doen alsof er niets gebeurd was? Ze haalde diep adem en stapte de bosjes uit. Er wás niets gebeurd, en als hij niets zei, dan zou zij er ook niets over zeggen.

Brett zat met zijn rug naar haar toe terwijl hij het eten op de rotsen uitstalde. Ze hadden kip en ham, brood, kaas, tomaten en een grote fles zelfgemaakte limonade, bier en een thermoskan met thee.

Jenny vermeed zijn ogen en begon te eten. Ze had zich niet gerealiseerd hoeveel honger ze had, en de kip was heerlijk. Of Brett was zich niet bewust van haar eerdere ongemak óf hij was tot de conclusie gekomen dat er niets was gebeurd dat commentaar behoefde. Hij had het alleen maar over Churinga.

Ze luisterde terwijl hij haar vertelde over wol- en schapenveilingen, en over de problemen van het vervoer en het vinden van betrouwbare mannen om het werk op de boerderij te doen. De minuten verstreken zonder dat er over zwemmen werd gesproken en ze begon zich te ontspannen en te genieten van zijn gezelschap.

Toen de zon achter de bomen verdween, visten ze een stuk of tien rivierkreeftjes uit de modder om mee te nemen voor het avondeten en reden terug naar de boerderij. Jenny was hondsmoe, en toch was het een bevredigend gevoel – het gevoel dat je hebt na een fijne en inspannende dag. Toen ze in de buurt van de kraal bij het huis kwamen, verheugde ze zich erop om naar bed te gaan. Toen de paarden afgezadeld, drooggewreven, gevoederd waren en hadden gedronken, leunden zij en Brett op het hek terwijl de wereld zachtjes donkerder werd. Een bladerdak van sterren hing boven de aarde, zo helder en fonkelend alsof ze het zuiderkruis kon aanraken, in haar hand nemen en koesteren. 'Het was een geweldige dag, Brett. Dank je. Ik heb zoveel moois gezien vandaag.'

Hij keek op haar neer. Zijn mondhoeken trilden en zijn ogen fonkelden van plezier. 'Ik ook,' zei hij, en liep met grote stappen naar de slaapschuur voor ze een snijdend antwoord kon bedenken.

11

Nu het scheerseizoen in volle gang was en de kuddes van de kleinere boerderijen waren aangekomen om geschoren te worden, had Brett weinig tijd, dus ging Jenny er zelf op uit met haar schetsboek en was uren bezig om de ziel van dit land van rode aarde vast te leggen. Hun avondritten door de weiden waren koel en ontspannend na de hitte van de dag, en naarmate de weken verstreken, ging ze er steeds meer naar uitkijken en was teleurgesteld als Brett vanwege zijn werk niet kon.

De dagen waren vol drukte en herrie. Meer dan vierhonderdduizend schapen moesten de looplanken op om geschoren te worden voor de scheerders naar de volgende schapenboerderij konden trekken. Ze zag hoe de dieren over de loopplanken trippelden waar ze door sterke handen opgetild en ondergedompeld werden. Diezelfde handen staken naalden in hun keel om ze te ontdoen van inwendige parasieten voor ze losgelaten werden in de boxen waar Brett en zijn assistenten de hamels van de fokrammen en de lammeren van hun ooien scheidden.

Het castreren van de mannelijke lammeren was snel en bloederig, en het slachten van de schapen waarvan de wol waardeloos was geworden onvermijdelijk. Hun karkassen waren alleen maar geschikt voor de leerlooierij of de lijmfabriek. Het leven op Churinga was hard, er was geen plaats voor sentimentaliteit. Zelfs de katten die tussen de schuren en boxen rondslopen waren magere roofdieren, elk van hen een ervaren, sluwe moordenaar. Ze waren nooit met de hand gevoed of geaaid en er werd van ze verwacht dat ze de boerderij vrij van ongedierte hielden. Zoals Brett had gezegd, moest alles op Churinga zijn kost en inwoning verdienen.

Wanneer Jenny eropuit reed met de veedrijvers en naar hun verhalen luisterde, begon ze te begrijpen wat voor enorm karwei Matilda op zich had genomen. De omvang van het land hield in dat de mannen om beurten door de weiden patrouilleerden, hun geweren en zwepen altijd bij de hand. Ze sliepen in de weilanden om de schapen te bewaken, konijnen die het gras opaten en dingo's en roeken die het op de lammeren gemunt hadden te schieten. Wilde zwijnen, zwart en harig en enorm, konden een ravage aanrichten in een dicht opeen grazende kudde, en de mannen waren extra op hun hoede als ze wisten dat er een in de buurt was.

Jenny wende er al snel aan om uren achtereen in het zadel te zitten en begon zelfs te leren hoe ze die onmogelijk lange en zware zweep moest gebruiken die de mannen zo moeiteloos over de schapen leken te leggen. Terwijl ze de kudde naar de winterweiden volgde, werd ze immuun voor het stof dat duizenden merinopoten opwierpen en de zwermen vliegen die in zwarte wolken rondhingen, wachtend tot ze op met drek besmeurde achterwerken konden neerdalen. Haar huid gloeide van de zon en ze kreeg eelt op haar handen. Ze viel 's nachts in bed en bewoog zich pas weer zodra de bel in het kookhuis een nieuwe dag aankondigde.

Ripper, wiens roomkleurige poten, borst en wenkbrauwen rood waren geworden van het stof, liep haar overal achterna met een aanbiddende blik in zijn ogen en zijn tong uit zijn bek. Hij scheen te weten dat hij niet hoefde te werken zoals de andere kelpies, maar hield ze toch in de gaten terwijl zijn hondengrijns een zekere superioriteit uitstraalde.

Een maand verstreek, en toen nog een. De scheerders waren bezig hun spullen bij elkaar te zoeken en verder te trekken. De herrie op het erf en in de wolschuur was nog slechts een fluistering en Brett reisde met de vrachtwagens mee om ervoor te zorgen dat het woltransport soepel verliep.

Jenny voelde de rust neerdalen en een stilte over de lege boxen en verlaten weiden bij het huis kruipen. Simone en Stan zouden morgen vertrekken. Het leven zou opnieuw veranderen – een terugkeer, misschien, naar de afzondering die Matilda moest hebben meegemaakt.

Ze dacht weemoedig aan de ongelezen dagboeken, en aan de groene jurk in de kist. De toverachtige muziek werd luider naarmate de dagen verstreken, en ze wist dat ze over niet al te lange tijd moest terugkeren naar die wereld. Terugkeren naar de spookachtige, maar vertrouwde draden van een leven dat ze nog maar net begon te begrijpen.

Het was bloedheet in de keuken; het was er over de veertig graden, en terwijl Jenny stond te zweten boven de pannen, bewonderde ze Simones volharding. Koken in die hitte was een medaille waard, maar om het iedere dag te doen voor zo'n enorm aantal mannen verdiende minstens een heiligverklaring.

Ze zouden om tien uur eten zodra het dagelijkse werk klaar was en de ergste warmte verdwenen was. Jenny droeg een katoenen jurkje en schoenen met lage hakken toen haar gasten prompt om halftien verschenen.

Simone had zich in felgeel katoen gehesen, haar gezicht opgemaakt en haar haar in stijve krullen gerold. Stan, die er nooit anders uit kon zien dan als een schapenscheerder met zijn lange armen en zijn kromme rug, zag er ongewoon netjes uit in een slechtzittend pak en zijn haar met water achterover gekamd. Hij schuifelde met zijn voeten en zag er schaapachtig en weinig op zijn gemak uit zonder zijn gebruikelijke hemd en katoenen broek.

Jenny nam hen mee door de keuken waar de geur van rosbief en Yorkshire-pudding hen vanuit de oven tegemoetkwam, naar de veranda aan de achterkant van het huis. De terrasdeuren van de aanbouw stonden open en de stoelen waren buiten gezet om van de koele avond te kunnen genieten. Ze had het grootste deel van de dag lopen boenen en stoffen; ze had de veranda geveegd en grote vazen wilde bloemen op de tafeltjes naast de stoelen gezet. De keukentafel stond ook buiten. Hij was nauwelijks herkenbaar onder het witte linnen en fijne porselein. Het zilver glinsterde in het maanlicht, en een vaas wilde boemen stond tussen de kandelaars die ze van achter in de keukenkast had opgedoken.

Simone bleef staan en keek naar alles, met een blik van genoegen in haar ogen. Jenny zag hoe ze bewonderend de servetten en het zilveren bestek aanraakte. Misschien was ze te ver gegaan. Dit waren arme werkmensen, zo ruw en weerbarstig als het land waarop ze werkten, geen carrièremakers uit Sydney.

'Jenny.' Het was een zucht van plezier. 'Dank je dat je het eten zo speciaal hebt gemaakt. Je hebt geen idee hoe graag ik eens aan een echte mooie tafel met bloemen en zilver en kaarsen heb willen zitten. Ik zal dit nooit vergeten.'

'Ik was een beetje bang dat je zou vinden dat het opschepperig was,' gaf ze toe. 'Ik wist niet meer van ophouden toen ik al deze spullen in de kast vond. Als je je er onbehaaglijk onder voelt, dan kan ik wel wat dingen terugzetten, hoor.'

Simone keek haar geschokt aan. 'Als je dat maar uit je hoofd laat. Voor de meeste mensen ben ik gewoon ma. Ze vergeten me zodra ze hun buik vol hebben. Dit is het liefste dat iemand in jaren voor me heeft gedaan.' Ze gaf Stan een por tussen zijn ribben. 'En dat geldt voor jou ook, maat.'

Jenny schonk sherry in.

Simone liet haar omvangrijke lichaam in een stoel met dikke kussens zakken en nam genietend een slok van haar amontillado. 'Dit is iets wat ik me nog lang zal herinneren,' zei ze weemoedig. 'Rondtrekken heeft zijn nadelen.'

Stan zat op het puntje van de bank, en zijn lange armen bungelden tussen zijn knieën terwijl hij om zich heen keek. 'U hebt er iets moois van gemaakt, mevrouw Sanders.'

'Dank je. Hier, ik wist wel dat je liever bier zou drinken. En trek alsjeblieft dat jasje en die stropdas uit. Het is veel te heet om zo formeel te doen.'

'O nee, dat had je gedroomd, Stan Baker,' bulderde Simone. 'Voor één keer in dat miezerige rotleven van je ga je het 's een keer goed doen. Laat dat jasje en die das waar ze zitten.'

Jenny zag hoe streng Simone keek en hoe berustend Stan. Ze schonk Simone nog eens bij. Misschien werd ze na het eten wat minder streng.

De rosbief en Yorkshire-pudding waren een succes, en als toetje had Jenny perzikschuimtaart met dikke room. Ze had de meringue eerder die dag gemaakt en hem in de koelkast moeten zetten om te voorkomen dat hij inzakte. Hij werd met smaak verorberd, en gevolgd door koffie en cognac.

Ze stonden van tafel op, liepen naar de zachtere fauteuils en keken over het slapende land uit. 'Ik zal je missen, Simone. Je bent de enige vrouw die ik heb gesproken sinds Wallaby Flats,' vertelde Jenny haar weemoedig.

'Heb je dan geen contact met je vrienden in de stad?'

'Diane heeft een paar keer geschreven, maar de telefoonverbinding is zo slecht dat je geen behoorlijk gesprek kunt voeren.'

'Heb je al besloten wat je gaat doen? Je lijkt je hier goed thuis te voelen, nu Brett en jij geen ruzie meer maken.' Simone trok haar schoenen uit. Stans colbert en stropdas waren stiekem uitgetrokken en hingen over de leuning van een stoel.

'Ik heb nog niets besloten. De boerderij heeft me op de een of andere vreemde manier in zijn greep, en toch heb ik het gevoel dat er nog zoveel in de wereld hierbuiten is dat ik niet heb gedaan. Ik vraag me af of ik Churinga gewoon gebruik als een excuus om weg te lopen voor de realiteit.'

'Hm,' gromde Simone behaaglijk. 'Niks onwerkelijks aan deze plek, kind. Je ziet het hele leven hier.'

Jenny keek uit over de door de maan verlichte weiden. 'De harde kant van het leven misschien. Maar er is in dit land nog zoveel meer te ontdekken. Zo'n enorme wereld om in rond te reizen.' Ze dacht aan Dianes laatste brief. Aan Rufus' aanbod om Jenny uit de galerie te kopen en haar huis te huren als ze in Churinga wilde blijven. Maar zo gemakkelijk kon ze het niet loslaten. Het huis, de galerie, haar vrienden waren allemaal een deel van haar. En ze wilde schilderen. Móest schilderen. Haar schetsboek zat vol tekeningen die erom schreeuwden op het doek gezet te worden. Schilderen was als een jeukende plek waaraan gekrabd moest worden, en als ze het te lang niet deed, werd ze chagrijnig.

'Het is wel eenzaam, dat geef ik toe. Ik trek mijn hele volwassen leven al door New South Wales en Queensland, en ik heb een hoop veranderingen gezien. Vrouwen moeten sterker dan de mannen zijn, met meer doorzettingsvermogen en immuun voor die rotvliegen en het stof. We blijven vanwege onze mannen en kinderen. Omdat dat erbij ons ingebakken is – de liefde voor het land. Ik denk dat je gelukkiger in de stad bent.'

Jenny keek naar haar terwijl het verdriet in haar opwelde. Simone had gelijk. Er was niets om haar hier te houden dan verloren dromen. Ze had geen man en kind meer om voor te zorgen, geen allesverterende hartstocht voor het land die haar aan Churinga bond. Maar ze wilde de stemming niet bederven, dus veranderde ze van onderwerp. 'Waar gaan jullie nu naar toe, Simone?'

'Billa Billa. Een verdomd goeie boerderij, en het kookhuis is mooi ingericht. Daarna gaan we naar Newcastle om onze dochter en de kleinkinderen op te zoeken. We hebben ze al een tijd niet meer gezien, hè, Stan?'

Een man van weinig woorden, schudde hij alleen maar zijn hoofd.

'We hebben drie kinderen. Twee dochters en een zoon,' zei Simone trots. 'Negen kleinkinderen in totaal, maar we zien ze niet veel. Ze wonen verspreid over het hele land, en als de boerderijen waar we werken te ver uit elkaar liggen, zien we ze soms tussen de seizoenen ook niet.'

Ze staarde voor zich uit in de zachte duisternis. 'En dan lopen we wel eens uit te kijken naar los werk. Maar het geld raakt al gauw op als er tussen de scheerseizoenen geen werk is, en Stan is te oud om nog in het riet te gaan werken.'

'Wat zijn jullie plannen als het scheren te zwaar wordt, Stan?' Jenny kon hem zich niet in een flatje aan zee voorstellen.

'Ik denk dat ik nog wel een paar seizoenen in me heb,' mompelde hij om zijn sigaret heen. 'Ik heb ma altijd beloofd dat we ons eigen huisje zullen hebben als het zo ver is. Niks bijzonders, hoor. Gewoon een klein boerderijtje met een paar honderd hectare waar ik zelf voor kan zorgen.'

Simone snoof minachtend. 'Allemaal beloftes! Er is altijd nóg een boerderij, nóg een seizoen. Ik denk dat ze jou in een kist uit een schuur moeten dragen.'

Jenny hoorde de teleurstelling achter die scherpe woorden en vroeg zich af of het idee dat ze koesterde eigenlijk wel zo dom was. 'Als ik besluit te blijven,' begon ze, 'en ik beloof niet dat ik het doe, zouden jij en Stan dan willen overwegen om hier te komen wonen?'

Simone wierp een snelle blik op haar man, een flikkering van hoop die onmiddellijk de grond ingeslagen werd toen ze weer naar Jenny keek. 'Ik weet het niet, kind. We trekken al zo lang, dat het me niet goed lijkt om de hele tijd op dezelfde plek te blijven.'

'Jullie zouden in de bungalow bij de beek kunnen wonen. Jij kan me helpen met het huishouden en het organiseren van het eten voor de scheerders. Stan zou op de boerderij kunnen helpen en de leiding voeren over de wolschuur.'

Zijn uitdrukking was net zo chagrijnig als anders en het uitbijven van een reactie veelzeggender dan een antwoord.

Simone keek naar hem en zuchtte. 'Het klinkt me hemels in de oren, kind. Maar Stan wil niet vastzitten. Hij heeft de kriebels in zijn voeten.' Ze haalde haar schouders op, maar haar glimlach was geforceerd.

'Rustig maar, Simone,' zei Jenny snel. 'Ik heb ook nog niet besloten wat ik ga doen, maar als ik blijf, dan schrijf ik je. Misschien kunnen we Stan tegen die tijd wel overhalen.'

Simone beet op haar lip terwijl ze van Jenny naar Stan keek, die in de diepten van zijn bier zat te turen alsof de antwoorden op de bodem van het glas lagen. 'Stan en ik hebben het op dit moment nog wel goed zo, hoor, Jen. Maar ik zal je toch het adres in Newcastle geven. Onze dochter zorgt er wel voor dat we je brieven krijgen.'

Stan dronk zijn glas leeg en stond op. 'Bedankt voor het eten, mevrouw Sanders. Ma en ik vinden het hartstikke fijn wat u gedaan hebt, maar we moeten morgen weer vroeg op.'

Jenny gaf hem een hand. Zijn hand was zacht van al die jaren met wol omgaan, want de lanoline was een natuurlijke bescherming tegen eelt. Simones omhelzing was warm en troostend, en Jenny realiseerde zich dat ze haar verschrikkelijk zou missen. Die vrolijke, nuchtere vrouw kwam het dichtst bij een moeder sinds Ellen Carey, en de gedachte dat ze elkaar misschien nooit meer zouden zien was moeilijk te accepteren.

Ze liep met ze naar de veranda aan de voorkant, en keek ze na terwijl ze het erf overstaken naar het kookhuis. Ze zwaaide nog een laatste keer en liep het huis weer in. Het voelde nu al verlaten aan, met de afwas in de gootsteen en de lege stoelen die dat gevoel van leegte alleen maar accentueerden. Het stof was alweer teruggekeerd, stilletjes en bijna stiekem zoals altijd. De geboende tafels werden er dof door, en de vrolijke bloemen gingen hangen onder het vederlichte gewicht.

Ripper mocht uit de slaapkamer om de restjes op te eten en werd vervolgens uitgelaten voor zijn avondrondje terwijl Jenny de afwas ging doen. Toen, met een laatste kop koffie, liet ze zich in een gemakkelijke stoel zakken en ademde de geur van de nacht in. De warmte streelde haar. Het geritsel van bladeren en het gras wiegde haar bijna in slaap. De muziek speelde weer. Lokte haar mee terug – terug naar een liefdevolle omhelzing en de fluistering van satijn. De tijd was gekomen om de dagboeken weer te openen.

De droge winter werd gevolgd door een regenloze zomer. Er was geen tijd om om het verlies van haar baby te treuren, want het kniehoge, bruine gras knisperde onder een genadeloze zon. De bomen leken kaal want hun bladeren waren verschrompeld en verwelkt. Duizenden konijnen en kuddes kangoeroes kwamen steeds zuidelijker naar de met gras bedekte vlakten terwijl het uitgestrekte binnenland opdroogde en blakerde.

Matilda keek uit over de weiden, met haar hoed diep over haar ogen getrokken om ze te beschermen tegen de zon. Dankzij Tom Finlay, en zijn hulp bij het toezicht op de wolschuur vorig jaar, was het geld van de wol net voldoende geweest om de laatste banklening af te lossen. Nu had ze net genoeg over om nog een zomer door te komen. Ze had te weinig voorraden voor zo'n grote boerderij als Churinga, en als er geen konijnen en kangoeroes waren, zou ze het net redden met het gras. Er waren nog duizend merino's over van de eens zo grote kudde, maar door hun sterk afgenomen aantal was het gemakkelijker ze in de gaten te houden. Als de regens niet kwamen, moest ze struikgewas snijden en ze met de hand voeren.

Met hun bescheiden proviand in de zadeltassen patrouilleerden Matilda en Gabriel door de weiden. Ze leerde te slapen op de hardgebakken aarde, met haar laarzen aan, haar geweer in de aanslag, luisterend naar het geritsel van een wild zwijn of de stiekeme sluipgang van een dingo of slang. Gloeiendhete dagen volgden op ijskoude nachten. Met Bluey naast zich dravend, reed ze langs de wijdverspreide kudde. Van ieder dood schaap moest ze huilen, maar ze begroef het in verbeten stilte, want ze wist dat ze er niets aan kon doen.

De lammertijd brak aan, en bracht een race tegen de natuurlijke roofdieren met zich mee. Matilda controleerde de omheinde weiden die Gabriel en zij in de afgelegen westhoek hadden gebouwd. Met een geslonken kudde was het simpeler om alle ooien op één plek te hebben voor ze begonnen te lammeren.

Ieder lam moest opgevangen en geclassificeerd worden, de staart geringd en het oor gemerkt. Castratie was een akelig, bloederig karwei, waarbij de testikels tussen de vingers plopten, afgebeten en uitgespuugd werden. Ze vond het weerzinwekkend, maar na haar eerste aarzeling leerde ze het snel doen. Want als ze een superieure kwaliteit wol wilde handhaven, was het een noodzakelijk kwaad.

Dat was het wegscheren van de vuile plekken in de vacht ook – een arbeidsintensieve, weerzinwekkende klus die in het veld moest worden uitgevoerd. Geen enkele zichzelf respecterende scheerder pakte een vuile vacht aan tenzij hij er dubbel voor betaald werd en ze kon zich geen leerschuur veroorloven zoals Kurrajong, waar de jonge scheerders hun vak leerden op natte, vuile en aangekoekte vachten.

Het achterste van een schaap is het vieste wat er maar aan deze kant van de wereld te vinden is. Vol uitwerpselen en vliegeneitjes pakt de wol samen tot zwarte klonten oftewel *dags*. Matilda en Gabriel worstelden met de tegenstribbelende, hersenloze dieren en schoren de wol dichtbij de papierdunne huid af. Gabe scheen geen last te hebben van de vliegen, maar Matilda moest op en neer springende kurken aan de rand van haar hoed naaien – het was haar enige bescherming tegen de zwarte zwermen die hen nooit met rust leken te laten.

Toen het scheerseizoen dichterbij kwam, begonnen Gabriel en zij de kudde bijeen te drijven. De schapen werden geclassificeerd en in aparte weiden ondergebracht, sommige in boxen, terwijl andere naar de weiden vlak bij het huis werden gebracht. Matilda volgde ze over het dorre, stoffige land en begon te tobben. Haar kudde was toegenomen, en hoewel hij nog lang niet zo groot was als hij was geweest, kon ze zich geen pond per honderd veroorloven om ze te laten scheren.

Ze stond in de stille scheerschuur en keek op naar het hoge gewelfde dak waar de stofdeeltjes dansten in de bundels zonlicht. De geur van zweet en lanoline, van wol en teer, hing in de lucht. Ze snoof het diep en vol tevredenheid op. Dit was wat het betekende om een grootgrondbezitter te zijn, een schapenhouder, een leverancier van de beste wol ter wereld. Haar blik viel op de vloer en de gebleekte kringen in het hout waar generaties scheerders hun zweet hadden laten druppen. Toen keek ze naar de teeremmers in de hoek en de generator. Hij was gemaakt door een rondtrekkende marskramer in ruil voor een paar maaltijden en een bed voor de nacht. De loopplanken en sorteertafels waren voorzien van nieuw hout, maar wat had ze eraan als ze geen scheerders, geen teerjongens, geen knechts of sorteerders had?

De zucht kwam uit de grond van haar hart. Scheerders zouden niet wachten om betaald te worden. Maar geen mannen betekende geen wol. En zonder het geld voor de wol, kon ze niet overleven.

'Goeiedag, Matilda. Ik zie dat je ze al aan het binnenhalen bent.'

Ze draaide zich om en glimlachte naar Tom Finlay wiens Ierse afkomst duidelijk bleek uit zijn zwarte haar en groene ogen. Ze gaf hem een hand. 'Ja. We zijn bijna klaar. Hoe is het op Wilga?'

'We hebben de kudde bijna binnen. Een hoop lammeren dit jaar ondanks het gebrek aan regen. Het is nog een hele klus geweest om die rotzakken met de hand te voeren.'

Matilda knikte begrijpend. 'Kom even binnen voor een kop thee. Misschien heb ik nog wel ergens een fles met iets sterkers.'

'Thee is prima.' Hij liep met haar over het vlakke erf. 'Fijn dat je er zo goed uitziet, Molly.' Ze moest glimlachen om zijn koosnaampje. Hij had haar altijd Molly genoemd, en ze had het altijd fijn gevonden. 'April en ik maakten ons zorgen toen je vorig jaar ziek was. Ze wilde je komen opzoeken nadat ik toezicht op je schuur had gehouden, maar je weet hoe het gaat.'

Ze duwde de hordeur open en liep naar het fornuis. 'Jullie zouden me vast toch niet gevonden hebben,' zei ze terwijl ze stukken koud schapenvlees afsneed en tussen twee sneden brood legde. 'Ik ben bijna het hele jaar buiten geweest om de schapen in de gaten te houden. Met alleen Gabe en ik om op de kudde te passen, heeft het niet zoveel zin om hierheen te komen.'

'En de jonge Bitjarra's dan? Gabe en jij hebben ze toch zeker wel kunnen gebruiken?'

Ze zette de eenvoudige maaltijd op de tafel en schudde haar hoofd. 'Je hebt er helemaal niks aan. De meesten zijn te jong, de anderen lopen alleen maar in de weg. Trouwens, ik heb niet genoeg paarden voor ons allemaal, dus ik heb de jongens hier achtergelaten om de schuren en hokken schoon te maken na de winter.'

Ze aten zwijgend, en toen ze klaar waren, leunden ze achterover in hun stoel met een mok lekker sterke thee.

Tom keek haar peinzend aan. 'Je bent veranderd, Molly. Ik herinner me een klein mager meisje met strikken in haar haar die graag haar zondagse jurk aantrok om naar de jaarlijkse picknick en naar boerenfeesten te gaan.'

Matilda bestudeerde zijn knappe Ierse uiterlijk, zijn sterke karakter in fijne lijntjes om zijn ogen gekerfd, de bruinverbrande huid, de brede, vaardige handen. 'We veranderen allemaal,' zei ze zachtjes. 'Jij bent nu een man. Geen vervelend jongetje meer dat altijd aan mijn haar trok en mijn gezicht in het stof wreef.' Ze zuchtte. 'De tijd van linten en feestjurken is voorbij, Tom. We hebben allebei volwassen moeten worden.'

Hij boog voorover. 'Maar dat wil niet zeggen dat je geen lol kunt hebben,

Molly. Je bent jong en mooi onder die oude vodden. Je zou naar feestjes moeten gaan en een man zoeken. Niet onder de blote hemel slapen en tot aan je ellebogen in de schapenstront en smerige wol zitten.'

Matilda lachte. Ze voelde zich honderd, en wist dat ze er niet uitzag in de oude katoenen broek van haar vader en het vaak verstelde overhemd. 'Als je dat denkt, heb je zelf te veel en te lang in je eigen weilanden rondgehangen, Tom.'

Hij schudde zijn hoofd. 'Dit is geen leven voor een jong meisje alleen, Moll. En er zijn er genoeg die de kans zouden willen krijgen om je beter te leren kennen.'

Ze lachte niet meer. 'Mannen, bedoel je?' zei ze zuur. 'Andrew Squires loopt hier nog steeds rond te snuffelen, en er zijn er nog een paar geweest, maar ik heb ze snel de deur gewezen.'

Zijn groene ogen dansten van de pret, en ze wierp hem een dreigende blik toe voor het geval hij het waagde haar uit te lachen. 'Ik heb geen behoefte aan een man in huis tenzij hij scheerder is en weer weggaat als hij zijn werk gedaan heeft.'

Tom schoof het zakje tabak naar haar toe en draaide zelf een shagje. 'Over scheerders gesproken,' zei hij lijzig terwijl zijn ogen nog steeds dansten van de pret, 'hoeveel schapen denk je dat je hebt?'

'Iets minder dan vijftienhonderd,' zei ze prompt terwijl ze moeizaam probeerde haar eigen shagje te draaien. 'Maar het lukt me dit jaar wel. Maak je maar geen zorgen.' Ze hield haar blik op het shagje gericht, bang dat hij de hoop in haar ogen zou zien.

'Bij mij komen de scheerders volgende week. Als jij je kudde tegen die tijd gemerkt, schoongemaakt en naar Wilga gebracht kan hebben, dan kunnen ze tegelijk met de mijne gedaan worden.'

'Hoeveel kost dat?' Toms vriendelijkheid was overweldigend, maar ze moest praktisch blijven.

Hij grinnikte. 'Nou, Molly,' zei hij lijzig. 'Dat hangt er helemaal van af.'

Ze trok een wenkbrauw op en keek hem recht in zijn ogen.

'Ik heb een afspraak met Nulla Nulla en Machree. Zij brengen hun kuddes dit jaar naar mij toe, en ze kunnen zich best een extra centje hier en daar veroorloven om jouw kosten te dekken.'

Ze grinnikte terug. 'Doortrapt.'

Hij schudde zijn hoofd. 'Helemaal niet. Die oude Fergus kan wel een paar centen missen, en Longhorn ook. Het zijn trouwens toch vrekken, allebei. Wat zeg je ervan?'

'Dank je,' zei ze eenvoudig terwijl de waardering in haar ogen blonk. Ze schudden elkaar de hand en de zaak was beklonken.

'Ik zeg geen nee tegen nog een kop. Mijn keel is zo droog als de oksels van een veedrijver.' Ze schonk nog een kop thee voor hem in, terwijl ze wenste dat ze een manier kon bedenken om hem terug te betalen. Maar Tom Finlay had altijd kans gezien om haar gedachten te lezen en met het ouder worden was dat talent blijkbaar niet verdwenen. 'Je komt natuurlijk bij April en mij in huis wonen, maar je kunt je schapen natuurlijk niet voor niks laten scheren. Er is veel werk te doen, en op het laatst zul je te moe zijn voor dankbaarheid.'

Matilda rookte in stilte haar shagje op. Op een dag, beloofde ze zichzelf, zou ze Tom terugbetalen. Hij was de enige van de meer dan tien buren die hulp aanbood, en dat zou ze nooit vergeten.

Toen hij weg was, stak ze het erf over naar de gunyahs van de aboriginals. 'Gabe, je moet morgen met me mee om alle schapen bijeen te drijven. Je oudste twee jongens kunnen hier blijven om ervoor te zorgen dat ze in de kraal blijven. We brengen de kudde naar Wilga.'

'We hebben verdomd goeie schuur, mevrouw. Waarom naar Wilga?'

Ze keek naar de magere gestalte in de dunne deken. 'Omdat we het werk daar goedkoper kunnen laten doen.'

Er verschenen rimpels in zijn voorhoofd terwijl hij moeizaam nadacht. 'Grote klus, mevrouw. Kudde naar Wilga brengen. Ik en de jongens is moe,' zei hij treurig.

Matilda slikte haar ongeduld in. Zij was ook moe, uitgeput zelfs, en Gabriel was een luie lamstraal. 'Wil je suiker en tabak, Gabe?'

Hij knikte grijnzend.

'Dan krijg je die als de kudde weer terug is van Wilga,' zei ze ferm.

Zijn grijns verdween en hij wierp een lepe blik op zijn vrouw. 'Kan de vrouw niet alleen laten. Baby komt.'

Haar ergernis bereikte het kookpunt. 'Er zijn verdomme zes andere vrouwen die op haar kunnen letten, Gabe. Dit is haar vierde kind, en je bent nooit eerder gebleven toen de anderen geboren werden.' Ze keek naar de vuile kinderen die rond het kampje in het stof speelden. Ze liepen uiteen van peuters tot jongvolwassenen, van ravenzwart tot een lichte koffiekleur. De meesten hadden het wilde zwarte haar van hun voorouders, maar sommigen hadden bruin haar, bijna blond. Er was blijkbaar wel eens een eenzame drijver langsgekomen die behoefte aan vrouwelijk gezelschap had. 'Waar zijn de jongens? Ik heb ze nu nodig.'

Gabriel staarde in de verte. 'Kurrajong,' mompelde hij. 'Goed geld voor knecht daar.'

Als het zo verdomde goed is, dacht ze woedend, waarom pak je je hele zootje dan niet op en ga je daarheen? Maar ze hield haar gedachten voor zich. Tot de zaken rondom Churinga verbeterden, moest ze hem aanmoedigen om hier te blijven. Ze kostten weinig, maar godallemachtig, wat waren ze irritant. 'Een zak suiker en bloem nu. En nog één als de kudde van Wilga terug is, plus een beetje tabak.'

Ze keken elkaar lange tijd zwijgend aan. Toen knikte Gabriel. De twee jonge jongens die hij meenam waren net zo handig als Bluey met het bijeendrijven, opjagen en terughalen van weglopers. Maar het bijeendrijven duurde nog drie dagen. Dagen waarin er dikke zwarte wolken aan de donkere hemel verschenen en gerommel in de verte de belofte van regen inhield. Maar terwijl ze de weiden een voor een leeghaalden en de schapen naar de weiden bij het huis brachten waar ze ingesloten werden voor ze verdergingen met de volgende troep, hielden de wolken hun kostbare lading binnen en werden weggejaagd door de hete, droge winden die het gras deden ruisen en de schapen zenuwachtig maakten.

Het was vlak voor zonsopgang op de vierde dag. Matilda had haar zadeltassen gepakt met de spullen die ze de komende paar weken nodig zou hebben, en met Lady gezadeld en klaar om weg te rijden, bleef ze bij het hek staan en keek over de bewegende wollen ruggen uit. Ondanks het gebrek aan regen had Churinga voldoende gras kunnen leveren, en de dikke, wollige dieren zagen er gezond en sterk uit. Ze zouden nog wat vet verliezen tijdens de tocht naar Wilga, maar de kwaliteit van de wol was het belangrijkst.

'Storm komt, mevrouw,' zei Gabriel die op haar ruin zat.

Ze keek naar de lucht. De wolken pakten weer samen, en de lucht was zo statisch alsof de hemel en de aarde twee enorme vuurstokken waren die tegen elkaar werden gewreven. 'Dan gaan we.' Ze gebaarde naar de jongens om het hek open te maken.

Bluey ging plat op zijn buik liggen toen ze floot, en schoot als een pijl uit een boog over en om de kudde heen terwijl ze de weide inliepen. Met een knauw hier en een zet daar, een race over wollige ruggen om een judas bij de kraag te pakken, hield hij de kudde dicht op elkaar.

Matilda reed achteraan met Gabriel. Ze joeg ze voort, terwijl ze met het grootste gemak de zweep boven hun domme koppen liet zwaaien en het stof van vijftienhonderd paar poten at. Door de statische elektriciteit kreeg ze kippenvel en de haartjes op haar armen en in haar nek stonden overeind.

Onweerswolken stapelden zich onheilspellend op, schoven voor de vroege ochtendzon en gaven de dag een dofgrijze gloed.

'Droge storm, mevrouw. Niet goed daar.'

Matilda knikte, de angst sloeg haar om het hart. Ze moest Wilga zien te bereiken voor de bui losbarstte. Er was niets griezeliger dan een droge storm en bij de eerste bliksemflits zou ze de controle over de kudde kwijtraken.

Bluey scheen de noodzaak om op te schieten aan te voelen. Hij rende achter een bange ooi aan, joeg een achterblijver op en hield de judas in de gaten. Hij hapte en gromde, rende in rondjes en over hun ruggen, bleef met zijn buik in het stof liggen tot het juiste moment waarop hij een verdwaald schaap kon afsnijden. Het duurde de hele dag, maar eindelijk, terwijl de verslagen zon achter de berg verdween, bereikten ze de weiden van Wilga en het welkome zicht van drijvers die hen tegemoet kwamen rijden. De schapen werden ten slotte in de kleine weide achter de scheerschuur geloodst, gescheiden van de andere drie grote kuddes door de enorme doolhof van boxen.

'Je kunt ze morgen sorteren en classificeren,' zei Tom. 'De bui kan ieder moment losbarsten.'

Matilda telde door tot ze klaar was en slaakte een zucht van opluchting. 'Ik heb er geen onderweg verloren. Maar goed dat we meteen op weg zijn gegaan.'

Ze keken naar de wervelende donderwolken. 'Het zal behoorlijk tekeergaan,' zei Tom grimmig terwijl hij met haar naar de omheinde weide liep. Haar twee paarden werden bij de andere gezet; hun flanken trilden van onrust over de naderende onweersbui. 'April is binnen. Kom mee, tijd om te eten.'

April was misschien drie, misschien vijf jaar ouder dan Matilda. Haar handen zagen rood van het werk en haar slanke postuur leek te tenger om deze hitte en haar zwangerschap te overleven. Ze zag bleek en was duidelijk moe, al gingen haar voeten maar door in het nooit aflatende rondje van de tafel naar het fornuis, van het aanrecht naar de tafel. Ze had de mouwen van haar jurk opgestroopt en er hingen vochtige slierten haar over haar gezicht die uit de knot op haar hoofd waren ontsnapt.

'Fijn je weer te zien, Molly,' zei ze, en haar glimlach was verlegen maar vriendelijk. 'Ik kan op het moment zeker wel een paar handen gebruiken.'

Matilda wendde haar blik af van de dikke buik. Verdriet welde in haar op, maar ze duwde het resoluut opzij. April had ervoor gekozen om te trouwen en kinderen te krijgen. Dat paste niet in haar eigen plannen, dus waarom voelde ze zich dan niet vrij?

Het huis van Wilga was groter dan dat van Churinga; het lag uitgestrekt op de top van een lage heuvel en de veranda's keken uit op de beken en wei-landen. De vertrekken van de mannen lagen in de schaduw van wilga-bomen, en buksen en coolibahs stonden langs de oevers van de beek. Net als op Churinga stonden er geen bomen te dicht bij het huis. Te groot brandgevaar. April schonk heet water uit de ketel in een zinken kom, en gaf Matilda een versleten handdoek en een stuk zelfgemaakte zeep. 'Hier, was je maar en ga even rusten, Moll. Het eten duurt nog wel even.'

Matilda's kamer lag aan de meest oostelijke kant van het huis. Hij keek uit op de schapenboxen, was klein en volgestouwd met zware meubelen en een enorm koperen bed. Maar hij rook heerlijk naar bijenwas en er lag vers zaag-sel op de vloer. Ze luisterde naar het geluid van de kinderen die op het erf speelden. Hoeveel had Tom er nu? vroeg ze zich af. Waren het er vier, of vijf? Ze haalde haar schouders op, zag haar spiegelbeeld in de spiegel en keek er geboeid en vol afschuw naar. Was zij echt die vrouw met die bruine huid en dat wilde haar? Ze had geen idee hoe hard ze gegroeid was, hoe mager ze was, of hoe oud ze leek door die lijntjes om haar ogen. Als haar haar iets donkerder, de ogen iets blauwer waren had ze de geest van Mary Thomas kunnen zijn.

Met een spijtige grimas keek ze naar de katoenen broek die ze afgeknipt had zodat hij paste. Hij was vuil en versleten en om de enkels en knieën zaten stukken boogpees, repen kangoeroehuid die nodig waren om te voorkomen dat er allerlei enge beesten langs haar benen omhoogkropen. Het grijze over-hemd was ooit blauw geweest, maar was gebleekt door de zon en te veel was-beurten met loogzeep.

Ze zuchtte. Mary Thomas droeg graag de ruwe, gemakkelijke kleren van de veedrijver, maar die van haar waren altijd smetteloos schoon en versteld, niet van die smerige lompen als deze.

Ze dacht aan April en haar nette katoenen jurk, en dacht aan Tom die had gezegd dat ze een jurk aan moest trekken en naar de feestjes en bals gaan. Met een grimas trok ze de vuile kleren uit en begon zich te wassen. Het was al lang geleden dat ze iets nets had aangetrokken, en nu zou het waarschijnlijk nooit meer gebeuren. Ze had haar manier van leven gekozen, en als ze daardoor meer op een man ging lijken, des te beter. Vrouwen hadden het toch te zwaar, en zij wilde overleven.

Matilda was op het veren matras in slaap gevallen toen de bel voor het eten ging. Ze haastte zich naar de keuken waar de anderen waren. Het was een uitdaging om in gezelschap te eten, om het brandpunt te zijn van zes paar ogen die iedere beweging van haar volgden.

De vier kinderen, allemaal jongens, hadden niet het lichtblonde haar en het zachte gezicht van April geërfd, maar de zware zwarte wenkbrauwen en groene ogen van hun vader.

'De mannen komen overmorgen,' zei Tom terwijl hij stoofpot naar binnen schoof en het liet volgen door een homp brood. 'Ik denk dat ze halverwege volgende maand wel aan die van jou toe zijn.'

Matilda knikte, haar mond was te vol om iets te zeggen. Nadat ze maanden op koud schapenvlees en ongegist brood had geleefd, wilde ze geen tijd verdoen met praten.

'April is bijna klaar met het schoonmaken van de barakken. Je kunt met de schapen helpen, of in het kookhuis. Dat moet je zelf weten.'

Matilda keek naar Aprils vermoeide gezicht en besloot dat, hoewel ze liever met de schapen werkte, ze harder nodig was in het kookhuis en de barakken. Ze moesten geboend worden en de bedden moesten gerepareerd. De scheerders zouden hun eigen kok meenemen, maar Wilga had een hoop mannen die voor hen werkten en er waren altijd groenten klaar te maken en brood te bakken. Dan moest er nog voor de kinderen gezorgd worden. Ze kon dat moeilijk allemaal aan April overlaten.

'Hoe zit jij met water, Moll? Heb je genoeg in de tanks als het niet gaat regenen?'

Ze duwde haar bord van zich af en begon een shagje te draaien. Ze zat vol. 'Ja. Die tanks zijn ongeveer het enige wat pa behoorlijk onderhouden heeft,' zei ze droog. 'We hebben natuurlijk de waterput nog, maar de rivier is niet meer dan een straaltje.'

'Je opa was zo verstandig om al die tanks neer te zetten. Ik heb er een paar extra neergezet vlak voor de regens van twee jaar geleden, maar we boffen hier met de beken en rivieren. Het water van het ondergrondse bekken houdt de velden bevloeid, maar zit zo vol mineralen dat we er in huis niks aan hebben.'

Een zwaar, onheilspellend gerommel bracht hen tot zwijgen en alle ogen keken naar de ramen.

De wereld en alles wat erop leefde hield zijn adem in, vol angstige spanning. Eindeloze seconden verstreken en de spanning liep op. Allemaal waren ze vervuld van angst. De jongere kinderen glipten van hun stoel om zich als bange diertjes in de plooien van Aprils schort te verstoppen.

Ze zag wit en haar ogen waren groot en starend. 'Rustig maar. Er is niks aan de hand,' zei ze automatisch. 'We hebben een bliksemafleider. Er kan ons niks gebeuren.' Ze huiverde. 'Alsjeblieft God, er kan ons niks gebeuren,' voegde ze er fluisterend aan toe.

De klap deed het huis trillen, spleet de hemel en stortte zijn woede uit. Blauwe bliksemschichten flitsten door de laaghangende wolken, en maakten van de nacht een dag, zó licht als niemand van hen ooit had gezien. De elektriciteit knetterde als een zweep, zwiepte van de ene wolk naar de andere en scheurde als een duivel de hemel aan flarden. De aarde trilde terwijl het onweer donderde en tegen het ijzeren dak weerkaatste. Blauwe en gele flitsen schroeiden de heuvels en weilanden, raakten een eenzame boom die als een wachter midden in een afgelegen wei stond, en vormden knetterend een duivelse stralenkrans om de stam voor ze doofden. De onweersbui weergalmde in hun hoofd, deed hun oren tuiten, verblindde hen met zijn licht en verpletterde hen als het ware onder het enorme gewicht van zijn kracht.

'Ik ga naar de dieren kijken,' riep Tom.

'Ik ga mee,' riep Matilda terug.

Ze gingen op de veranda staan en keken naar de indrukwekkende uitbarsting van de opgekropte woede van de natuur, wetend dat er geen regen zou komen, geen kans voor de uitgedroogde aarde en kurkdroge bomen om bij te komen. De lucht was zo zwaar dat Matilda moeite had met ademhalen en haar haar stond alle kanten op van de statische elektriciteit – de vonken zouden eraf schieten als ze er een kam door probeerde te halen. Ze haastten zich naar de boxen waar de andere mannen de hekken en omheiningen al aan het controleren waren. De schapen rolden met hun ogen en blaatten, maar ze stonden zo dicht op elkaar dat ze geen kant uit konden.

Matilda rende het erf over naar de kraal. De paarden steigerden en maaiden met hun poten door de lucht, met wild wapperende manen en hun staart stijf van angst. Niemand kon ze vangen, en na een vruchteloze poging besloten Tom en Matilda dat ze het er dan maar op zouden wagen. De honden huilden en jankten in hun kennels, het vee loeide en zocht beschutting door plat op de aarde te gaan liggen. Het was alsof de hele wereld kronkelde van de pijn.

Het onweer ging de hele nacht en een deel van de volgende dag door. Het bleef maar donderen, de wolken verduisterden de zon, en bliksemschichten zette de hele lucht in een blauwe gloed. Ze werden immuun voor het lawaai, en de kinderen kropen zelfs naar het raam om vol ontzag toe te kijken. Maar niemand van hen kon de angst onder woorden brengen die ze allemaal voelden. Eén grassprietje kon geraakt worden, één holle boom, dood en vergeten in een wei, kon de bliksemschicht aantrekken die als een klein blauw vlammetje begon en zich binnen seconden verspreidde.

De scheerders arriveerden met de extra knechts, drijvers en teerjongens.

Het werk in het kookhuis werd een aaneenschakeling van maaltijden, brood en schapenvlees, gebak en taarten, alles om hen maar niet aan het onweer te laten denken. Het zweet liep in straaltjes van Matilda's rug en haar kleren plakten aan haar lichaam terwijl de thermometer opliep naar de vijftig graden. De keuken was net een oven, en hoewel ze gewend was aan het harde werk buiten, was ze aan het eind van de dag kapot en vol bewondering voor April. Acht maanden zwanger, en met meer dan tachtig mensen die iedere dag te eten moesten hebben, hield ze nooit op en klaagde ze nooit.

Aan het eind van de tweede nacht kwamen de winden. Ze draaiden als spiralen over de aarde, rolden over de grond en wierpen alles omver dat op hun weg lag. Je kon niets beginnen tegen de wervelwinden. Je kon alleen maar bidden dat ze niet uitgroeiden tot tornado's en jouw kant opkwamen.

Tom keek vanaf zijn veranda toe terwijl ze over zijn veld raasden, bomen en palen uit de grond rukten en ze als luciferhoutjes naar de vier hoeken van Wilga smeten. Enorme tunnels van wind deden de aarde opstuiven, zwaaiden eerst de ene kant op en dan de andere, lieten vervolgens kleintjes ontstaan die het ondiepe water in de beken opzogen en in een eindeloze, tollende draaikolk uitspuwden. Daken rammelden en klapperden; de muur van de machinewerkplaats helde, zwaaide heen en weer en viel toen met een klap op een van de lege schapenboxen. Luiken klapperden en overal hing het verstikkende stof.

Maar de winden bliezen het onweer weg en de derde dag rond het middaguur was het stil op het land. De mensen van Wilga kwamen tevoorschijn als schipbreukelingen om de schade op te nemen.

De wilgen bij de rivier hadden het overleefd; hun lange, buigzame takken bogen naar de rotsachtige bodem, waar alleen wat plassen troebel water waren overgebleven. De eucalyptus aan het eind van de dichtstbijzijnde weide was doorkliefd. Hij lag op de grond en zijn zilveren stam was in twee takken gespleten die vergeefs omhoogklauwden. Twee van de zes waardevolle watertanks waren omgewaaid en moesten als eerste gerepareerd worden. Golfplaten daken moesten vervangen worden en de machinewerkplaats moest gesloopt en opnieuw opgebouwd worden. Gelukkig was geen van de dieren in de boxen erdoor verpletterd, alleen geschrokken en daardoor waren ze wat onrustiger dan normaal.

Een van de veedrijvers kwam terug van het repareren van de hekken, en zijn gezicht was grimmig en vuil na zijn lange rit. 'Ik heb vijf koeien gevonden, Tom. Sorry, joh. Ik denk dat ze de volle laag van de wind hebben gehad. Ze waren kilometers van de plek waar ze grazen. Zo dood als een pier.'

Tom knikte berustend. 'Het zijn er gelukkig niet meer. En er is niets met de kuddes gebeurd, ook al was er bijna een schuur op ze gevallen.'

Matilda maakte zich zorgen over Churinga terwijl zij en April naar de gloeiendhete keuken terugkeerden. De schade die op Wilga was aangericht kon snel genoeg hersteld worden met zoveel bereidwillige handen, maar stel dat Churinga van de kaart was geveegd? De tanks omgewaaid en leeggelopen, het huis en de schuren uit de grond gerukt? Haar kudde was veilig – ze kon overleven.

De scheerschuur was binnen enkele uren na het onweer in vol bedrijf, en de scheerders deden hun best om de verloren tijd in te halen. Een topscheerder kan meer dan tweehonderd schapen per dag aan. Ze hanteerden het smalle scheerapparaat in een samenspel van gratie, kracht en volharding, met één streek over het hele lichaam van het schaap, waarbij ze het mes zo dicht mogelijk tegen de losse, kwetsbare huid hielden om de wol er in één stuk af te halen en de meest veeleisende schapenhouder tevreden te stellen. Het was precies werk, in een omgeving van zweet, herrie, vliegen en de stank van duizend wollige konten.

Wanneer Matilda uit de keuken kon ontsnappen, haastte ze zich naar de wolschuur om die vaklieden aan het werk te zien, want, in tegenstelling tot sommige boeren, had Tom er geen moeite mee dat vrouwen op zijn boerderij meehielpen. Dan pakte ze een emmer vers water en een soeplepel, en gaf iedere voorovergebogen scheerder te drinken. Iedere man had in die hitte ruim tien liter water per dag nodig. Ze observeerde hen terwijl ze aan het werk waren. De meesten waren kleine, gespierde mannen die de permanente kromme rug hadden van een man die zijn leven lang scheerder geweest was, en de lange armen die nodig waren om het mes door de vacht te halen die tot aan de hoeven en neus van een merinoschaap ging.

Er waren dit jaar geen branieschoppers in Toms schuur, realiseerde ze zich. Niemand van dat zeldzame slag mensen dat er meer dan driehonderd per dag kon scheren, en een kapitaal verdiende met de weddenschappen die erbij hoorden. Ze zag hoe de baas van de schuur heen en weer liep langs de rijen zwetende en vloekende mannen. Hij had het laatste woord en van de scheerders werd verwacht dat ze voldeden aan zijn hoge maatstaven. Geen tweede poging en geen scheuren in die fijne huid.

Fergus McBride en Joe Longhorn liepen te patrouilleren toen hun schapen geschoren moesten worden. Ze tikten tegen hun hoed toen ze Matilda zagen, maar waren te verlegen om een gesprek aan te gaan en concentreerden zich in plaats daarvan op hun woloogst.

Het duurde bijna zes weken voor het scheren klaar was. Er heerste een droge warmte alsof het vocht door de onweersbui opgezogen was. Matilda stond te zweten in de keuken en zocht verlichting in de boxen en schuren, waar het net zo heet was, maar minder vochtig. Ze voelde zich opgesloten, omdat ze de hele dag binnen zat en graag de zon op haar gezicht voelde en de vermoeidheid die hoorde bij de hele dag met de schapen bezig zijn.

Terwijl McBride en Longhorn hun geschoren kudde naar hun eigen winterweidegronden volgden, klommen de scheerders op hun wagens en verlieten Wilga. De wol was gebundeld en op weg naar het station van Broken Hill.

Matilda vroeg zich af of ze Peg en Albert dit jaar zou zien, maar niemand kon zich herinneren ze de afgelopen tijd gezien te hebben en ze nam aan dat ze voor het seizoen naar Queensland gegaan waren. Waarschijnlijk schaamden ze zich te erg over het feit dat ze haar vlees en bloem gepikt hadden, dacht ze. Nee, het verbaasde haar niet dat ze besloten hadden hun gezicht dit seizoen op Churinga maar niet te laten zien.

Haar laatste maaltijd met Tom en April was voorbij, de afwas was gedaan en opgeborgen en de kinderen lagen eindelijk in bed én in slaap. Matilda zat op de veranda met de anderen, en zocht in gedachten naar de woorden die ze tegen die vriendelijke mensen wilde zeggen. Maar ze vond het moeilijk haar dank onder woorden te brengen op een manier die ook haar gevoelens weergaf, want ze had geleerd haar gevoelens te verbergen. 'Dank je, Tom,' zei ze ten slotte – en wist dat het te weinig was.

Hij scheen het te begrijpen. Hij knikte, klopte haar onbeholpen op haar schouder en keek weer quasi-geconcentreerd naar zijn erf. 'Ik denk dat ik en paar mannen morgen maar met je meegaan, Molly. Het onweer heeft behoorlijk wat schade aangericht en ik vind het een rotidee als je daar de komende winter mee zit.'

'Nee,' zei ze snel. 'Jij en April hebben al genoeg voor me gedaan. Ik red het wel, Tom. Echt.'

'Je bent altijd dwars geweest,' zei hij goedmoedig. 'April had al die mannen nooit in haar eentje te eten kunnen geven, Moll. Ik denk dat je de prijs van het scheren wel hebt verdiend.'

'Maar jij moet je kudde naar de winterweidegronden brengen, Tom, en je hebt hier nog genoeg te doen,' protesteerde ze.

'Maak je geen zorgen,' zei hij kalm. 'Onze reparaties zijn bijna klaar en de drijvers kunnen de kudde wegbrengen. En trouwens,' zei hij terwijl hij haar met pretogen aankeek, 'waar heb je nou buren voor als je elkaar niet zo nu en dan helpt?'

April legde de sok neer die ze zat te stoppen. Haar verstelmandje zat zoals gewoonlijk boordevol, en ondanks de lange uren die ze aan het huishouden besteedde, kon ze niet stil blijven zitten ook al leek ze voortdurend moe. 'We zouden gelukkiger zijn als we wisten dat alles goed met je was, Molly. Ik weet niet hoe je het kunt verdragen, daar in je eentje.' Ze rilde. 'Het is hier al erg genoeg als Tom weg is met de kudde. Ik denk niet dat ik het op jouw boerderij zou redden.'

Matilda glimlachte en raapte een sok op. 'Het is ongelooflijk wat je kunt doen als je geen keus hebt, April.'

De andere vrouw keek hoe ze een draad door de naald haalde en onhandig een van Toms sokken begon te stoppen. 'Maar ik dacht dat Ethan had aangeboden je uit te kopen?' zei ze zachtjes.

Matilda prikte zich met de naald, zag hoe het bloed uit het wondje opwelde en stak haar vinger in haar mond. 'Dat is ook zo,' mompelde ze. 'En ik heb hem verteld waar hij zijn aanbod kon stoppen.'

Tom bulderde van het lachen. 'Je klonk net als je moeder toen, Molly. Goed zo. Je wordt nog een echte grondbezitter.'

Ze waren voor zonsopgang op en hadden ontbeten toen het licht een zachte gloed over het land wierp. Matilda gaf de jongens een kus die ze van hun gezicht wreven, waarna ze er gillend vandoor gingen, en wendde zich tot April. 'Het was fijn om weer eens met een andere vrouw te kletsen,' zei ze. 'Er is niets fijners dan een roddel over de buren om op gang te komen.'

April veegde haar handen aan haar schort af en omhelsde Matilda. 'Ik heb het zo naar mijn zin gehad,' zei ze een beetje verdrietig. 'Beloof alsjeblieft dat je weer eens langskomt.'

Matilda voelde het ongeboren kind tussen hen bewegen en maakte zich los. Het verdriet kwam terug, maakte haar zwak en dreigde haar ambities teniet te doen. Ze forceerde een glimlach. 'Ik zal een keer proberen langs te komen, maar je weet hoe het gaat.'

Ze liepen de veranda af en staken het brede erf over waar het tot gisteren had gewemeld van de mannen en paarden en duizenden schapen. Blue hoorde haar fluiten en sprong uit de hondenhokken om haar op de voet te volgen. Gabriel, die een gunyah met drie andere aboriginals had gedeeld, liep naar de omheide weiden en haalde de twee paarden. De schapen werden uit hun boxen vrijgelaten, de honden gingen aan het werk, en ze gingen allemaal op weg naar Churinga.

Matilda kon het pad van de wind door het gras volgen en zag de veranderingen aan de horizon. Bomen waren omgewaaid, palen van omheiningen waren uit de grond gerukt en lagen in een wirwar van prikkeldraad. Bekende herkenningspunten, zoals de oude, verschroeide boom, waren voor altijd verdwenen. Maar de berg veranderde nooit. Die stond daar net zo stevig als altijd, nog steeds bedekt met dikke, groene bomen. Nog steeds de wachter van Churinga.

Ze slaakte een zucht van opluchting toen ze in de wei bij het huis kwamen, want er leek geen echte schade te zijn.

'Allemachtig. Kijk toch eens.' Ze schrok van Toms schorre gefluister en volgde de richting die hij aanwees.

Een van de gietijzeren watertanks was omgewaaid en was dwars door het dak gezakt. Hij lag dronken tegen de resten van de zuidmuur, terwijl de golfplaten van het dak als grote roestige vleugels grotesk boven de puinhoop uitstaken.

Matilda wendde zich tot Tom, terwijl ze overspoeld werd door een eigenaardige mengeling van schrik en opluchting. 'Je hebt mijn leven gered,' fluisterde ze. 'Als ik niet naar Wilga was gekomen...' Ze haalde haar tong over haar lippen. 'Die is boven op mijn slaapkamer gevallen.'

Hij nam onmiddellijk de leiding. 'Jij en Gabe gaan voor de schapen zorgen. Wij zorgen voor de reparaties. Het ziet ernaar uit dat je het ergste van de bui gemist hebt; er is niet zoveel schade.' Hij keek haar doordringend aan. 'Godzijdank was je bij ons, Molly.' Toen stuurde hij zijn paard naar het huis en riep bevelen naar de drijvers die met hen meegekomen waren voor Matilda een antwoord kon bedenken.

Zij en Gabriel dreven de schapen in de boxen. Het kon geen kwaad ze daar een paar dagen te laten terwijl de reparaties uitgevoerd werden. Gabriel keerde terug naar zijn pas opgebouwde gunyah en pasgeboren baby – nu hij zijn tabak en bloem had ontvangen, beschouwde hij zijn werk als gedaan.

Matilda kon het huis niet in, ook al was het grootste deel van de schade maar aan één kant van het huis, dus groef ze een kuil in het erf, legde er stenen omheen en maakte er een vuur. Met een waterketel en een nogal gedeukte oude koekenpan slaagde ze erin de komende paar dagen voor Tom en de twee drijvers te koken, en 's nachts sliepen ze buiten, in hun paardendekens gewikkeld.

Tom en de anderen zetten een takel op en werkten zich in het zweet om de zware watertank weer op zijn poten te krijgen voor ze de hekken en daarna het huis gingen repareren. De houten wanden waren versplinterd, de ramen verbrijzeld, de balustrades van de veranda als luciferhoutjes geknakt, en het

212

dak was niet meer dan een wirwar van golfplaten. Hij zette zijn hoed af en krabde op zijn hoofd. 'Ik denk dat we opnieuw moeten beginnen, Moll. Dat ouwe huis staat gewoon op instorten.'

Ze keek hem somber aan. 'Daar heb je geen tijd voor, Tom. Hoe moet het met je schapen?'

'Die schapen kunnen de pot op,' zei hij op lijzige toon. 'De mannen zorgen voor ze, en ik wil er zeker van zijn dat je voor de winter warm en droog zit.' Hij liep weg voor ze verder nog iets kon zeggen.

De mannen werkten meer dan een week keihard. Eén drijver kwam terug uit Wallaby Flats met een wagen vol hout waarvan hij beweerde dat hij het van een oude boer had gekregen die besloten had een van zijn schuren te slopen. Matilda keek hem vol ongeloof aan, maar aangezien hij zijn verhaal stug bleef volhouden, besefte ze dat er niets anders opzat dan zijn verhaal maar te geloven.

Tom kon ook goed met de Bitjarra's overweg. Hij liet Gabe en de jongens de hoekpalen vasthouden terwijl hij en de drijvers het nieuwe hout van de wanden vasttimmerden. Gaf ze een hamer en spijkers om het dak te vervangen en leerde ze alle bijzonderheden van het inzetten van ruiten.

Met een nieuwe voordeur, gerepareerde hordeuren en luiken, en een nieuwe laag verf glom Churinga in de late zomerzon. De veranda liep nu om het hele huis heen en was beschut tegen de zon door het nieuwe overhangende dak en de ruwe pilaren.

'April heeft bloemen over ons dak en langs de palen van de watertanks geplant. Over een paar jaar zie je die lelijke dingen niet meer. Moet je ook eens proberen, Moll.'

Ze keek naar haar nieuwe huis, sprakeloos van blijdschap, bijna verblind door tranen van dankbaarheid. 'Je hebt vast gelijk, Tom.' Ze keek hem aan. 'Hoe kan ik je ooit bedanken? Je hebt me zoveel gegeven.'

Hij sloeg zijn arm om haar heen en trok haar tegen zich aan. 'Laten we maar zeggen dat het een manier is om sorry te zeggen voor al die keren dat ik aan je haar getrokken heb en je in de rivier heb gegooid. Sorry dat we ons niet vaker hebben laten zien sinds het overlijden van je moeder. We zijn vrienden, Molly. En daar zijn vrienden voor.'

Ze keek de mannen na toen ze wegreden, stapte toen met Blue op haar hielen haar nieuwe huis binnen en deed de deur dicht. Er waren geen woorden om te beschrijven hoe ze zich voelde toen ze de aquarel van haar moeder van Churinga aan de muur hing, maar wist dat ze eindelijk een man had gevonden die ze kon vertrouwen. Een eerzame man die ze haar vriend kon noemen. Misschien waren er anderen. Goede mensen in de gemeenschap die ze tot nu had geschuwd.

De moed om ze onder ogen te komen kwam terug en ze besloot dat nadat ze de schapen naar de winterweidegronden had gebracht, ze misschien wel naar de stad zou rijden om een jurk te kopen. En op een dag, beloofde ze in stilte, zou ze een manier vinden om Toms goedheid terug te betalen.

Jenny stopte een bladwijzer op die plaats in het dagboek. Ze begreep hoe Matilda zich voelde. Zoveel goedheid na zoveel wreedheid moest haar wel sprakeloos, misschien wel in de war maken – maar toch putte ze er moed uit. Een ander soort moed dan nodig was om in de weiden te werken, het soort moed dat inhield dat ze zich openstelde – om mensen te ontmoeten en weer vertrouwen te krijgen.

Ze keek naar het hondje dat zich enthousiast aan het krabben was. 'Kom op, Ripper. Tijd om naar bed te gaan. En morgen, jongeman, ga je in bad,' zei ze streng.

Hij keek naar haar op en zijn aanbiddende blik volgde haar de kamer door voor hij naar buiten ging. Jenny wierp een lange, laatste blik op de stille weiden en de hoge zwarte hemel waar een miljoen sterren over uitgestrooid waren. Het was mooi en wreed, maar altijd de moeite waard. Ze begon te begrijpen waarom Matilda en Brett ervan hielden.

12

De stilte werd iets levends dat op Jenny drukte en naarmate de dagen verstreken, werd ze zich meer bewust van haar isolatie. Maar toch vond ze troost in haar eigen gezelschap, en in dat van de mannen die op Churinga waren achtergebleven, een soort rust die ze nooit eerder had ervaren.

Tijdens de lange dagen zwierf ze te paard over de uitgestrekte weidegronden, met haar schetsboek in haar zadeltas, en tijdens de nachten dat het vroor en de dauw op het gras glinsterde, veegde en stofte ze en deed het huishouden. Ze waste gordijnen en beddengoed, schilderde de kastjes in de keuken en zette de kist in de slaapkamer. De jurken hoorden in de kleerkast, besloot ze. Ze hoorden niet weggestopt te worden.

Ze haalde de zeegroene japon tevoorschijn en hield hem tegen zich aan. De herinnering aan lavendel zweefde door de kamer terwijl het spookorkest een wals begon te spelen. Matilda's geest was bij haar toen ze danste, maar er klonk ook een verdrietige toon in die muziek door. Door het refrein liep een rode draad van onvervulde dromen die ze niet kon plaatsen of begrijpen.

Jenny deed haar ogen dicht en dwong de beelden die ze zich van de dansers gevormd had terug te keren. Want zij waren het die haar door de bladzijden van Matilda's leven hadden geloodst. Het was hun verhaal dat verteld moest worden.

'Jenny? Ben je thuis?'

Haar ogen vlogen open, de muziek viel in stukjes uiteen en verdween terwijl de beelden vervaagden. Het was alsof ze van de ene dimensie werd overgezet naar de andere, maar ondanks het feit dat ze gedesoriënteerd was, was haar eerste gedachte dat Brett haar zo niet mocht aantreffen. 'Wacht even. Ik kom eraan,' riep ze.

De klap van de hordeur werd gevolgd door het gebonk van zijn laarzen op de keukenvloer terwijl ze de japon in de kleerkast hing. Zijn stem was een bariton tegen Rippers felle korte blaf van blijdschap terwijl ze de ene werkelijkheid voor de andere verruilde en snel een overhemd en broek aantrok. Ze haalde diep adem en deed de slaapkamerdeur open.

'Hoi, Jen.' Brett keek op van de puppy die enthousiast aan zijn vingers kauwde.

Ze glimlachte, opvallend blij hem te zien. 'Ik verwachtte je niet zo snel terug. Hoe is het woltransport verlopen?'

'Prima. We hebben een mooie prijs op de veiling gekregen, en ik heb de cheques zoals gewoonlijk naar de bank gebracht.' Hij viste in zijn zak. 'Ik moest de lonen en onkosten eraf halen, maar hier zijn de kwitanties.'

Jenny wierp een blik op de getallen. Dat was meer geld dan ze zich kon voorstellen. 'Krijgen we altijd zoveel geld voor de wol?'

Brett haalde zijn schouders op. 'Dat hangt van de markt af, maar dit is zo het gemiddelde.'

Hij leek zo nonchalant. Alsof zo'n enorm bedrag niets betekende, dacht ze. Ze vouwde de kwitanties op en stopte ze in de zak van haar spijkerbroek. Maar het was natuurlijk zijn geld ook niet, waarom zou hij er dan opgewonden over doen?

'Heb je een biertje, Jen? Het was een lange rit.'

Ze haalde twee flesjes en wipte de doppen eraf. 'Op de wolopbrengst.'

'Nou en of.' Hij nam een lange teug en veegde toen zijn mond af met zijn hand. 'O, trouwens, ik heb iets voor je opgehaald in Broken Hill. Het stond daar op Chalky White te wachten om het met de post mee te brengen.' Zijn lome grijns breidde zich uit naar zijn grijze ogen en bracht warmte en humor in die gouden en groene vlekjes terwijl hij het enorme pakket vanaf de veranda naar binnen droeg.

Jenny snakte naar adem. 'Diane heeft mijn spullen gestuurd.' Ze scheurde het papier los en worstelde met het touw tot ze bij de oude houten kist met olieverf, de rollen geprepareerde schilderdoek en setjes penselen kwam. 'Ze heeft er zelfs aan gedacht om mijn lichtgewicht ezel erbij te doen,' riep Jenny blij verrast uit.

'Jij komt de winter dus wel door.'

Jenny knikte. Ze ging zo op in haar tubes verf, de fonkelende paletmessen, de kleine flesjes terpentine en lijnzaadolie dat ze niets zei. Nu kon ze Churinga tot leven wekken op het doek. Kleur en licht aanbrengen in de tekeningen die ze de afgelopen maand had gemaakt, en misschien zelfs een poging wagen om de beelden vast te leggen die door de dagboeken tot leven waren gekomen. Haar ongedurigheid keerde terug. Ze kon niet wachten om een begin te maken.

'Als je besluit te blijven tenminste. Er gebeurt hier de komende paar maanden niet veel, nu de drijvers op de winterweidegronden rondhangen.'

Ze keek naar hem op, en haar handen lagen stil tussen de tubes verf. 'Nu ik deze heb, heb ik niet zo'n moeite met de afzondering. Er zijn zoveel dingen die ik wil schilderen, zoveel schetsen die ik op het doek wil zetten. Ik heb het huis, de weiden, het stuk land dat naar die prachtige waterval en poel leidt. De berg, de oase waar we gezwommen hebben, de wilga-bomen, de scheerschuur en de stallen en hokken.' Ze zweeg even om op adem te komen. 'En 's avonds heb ik jou en Ripper als gezelschap.'

Brett schuifelde een beetje met zijn voeten, zijn handen diep in zijn zakken en zijn blik strak op zijn laarzen gericht. 'Tja...' begon hij.

Jenny ging op haar hurken zitten, en haar vrolijkheid verdween. 'Wat is er, Brett?' vroeg ze zachtjes. Hij keek ongemakkelijk. Er zat hem iets dwars, maar hij vond het moeilijk om het onder woorden te brengen. 'Is het de gedachte dat je hier met mij zit opgescheept? Want als dat het is, hoef je je geen zorgen te maken. Zolang ik maar weet dat er iemand in de buurt is, hoeven we elkaar niet eens te zien,' zei ze dapper.

Moedige woorden, dacht ze. Waarom geef je niet gewoon toe dat je je erop verheugde om meer tijd met hem door te brengen? In een periode waarin Churinga niet zo veeleisend was. Tijd om elkaar te leren kennen.

Zijn ogen hadden de kleur van rook toen ze op haar gezicht rustten. 'Dat is niet eerlijk, Jen. Ik heb moeite met de gedachte je hier alleen te laten – ik zou het ook niet doen als het niet strikt noodzakelijk was,' zei hij zachtjes.

'Wat maakt het dan noodzakelijk?' vroeg ze iets te scherp toen ze aan Lorraine dacht.

'Er lag een brief voor me in Broken Hill. Van Davey, mijn broer in Queensland. John is dit keer echt heel ziek, Jen. En dit is de enige kans die ik dit jaar heb om hem op te zoeken.'

Jenny zag de pijn van het dilemma in zijn ogen. 'Hoe lang ben je weg?' Ze klonk kalm, ondanks haar bittere teleurstelling.

'Een maand. Maar ik annuleer mijn vlucht als je niet zo lang alleen wilt blijven. Je zult je de afgelopen paar weken ook wel eenzaam hebben gevoeld.'

Jenny was woest over de steek van jaloezie die ze voelde, woest over de opluchting toen ze hoorde dat hij zijn verlof niet met Lorraine zou doorbrengen, en schaamde zich dat ze overhaast een verkeerde conclusie had getrokken. En waarom zou ze zich daardoor laten beïnvloeden? Het waren haar zaken niet. Brett was alleen maar een vriend, en vrienden moesten elkaar vertrouwen en niet argwanend tegenover elkaars motieven staan.

217

'Natuurlijk moet je gaan,' zei ze ferm. 'Met mij komt het wel goed, hoor. Ik heb dit allemaal om me bezig te houden, en ik heb altijd nog de zender/ontvanger om me op de hoogte te houden van alle nieuwtjes en als ik hulp nodig zou hebben.'

'Ik vind het een vervelende gedachte dat jij hier alleen zit. Het is hier niet zoals de stad, Jen.'

'Nee, dat klopt,' zei ze luchtig terwijl ze opstond en het stof van haar broek klopte. 'Maar het komt wel goed. Ga maar naar je broer, Brett. Ik red me wel.'

Hij leek niet overtuigd en bleef aarzelend in de deuropening staan.

Jenny zette haar handen op haar heupen en keek hem recht in de ogen. 'Ik ben een grote meid, Brett, ik kan voor mezelf zorgen – en als het me te veel wordt, kan ik altijd terug naar Sydney. Laat me nu met rust, dan kan ik gaan schilderen.'

Hij keek haar lange tijd bedachtzaam aan, terwijl zijn ogen over haar gezicht gleden alsof ze er iets zochten. Toen was hij weg. De hordeur kletterde dicht en zijn laarzen bonkten over de houten planken van de veranda.

Jenny slaakte een lange, diepe zucht toen de stilte weerkeerde. Ze had zich veel meer op zijn terugkeer verheugd dan ze wilde toegeven – en ze besefte het met een schok. Het huis leek leger als hij weg was, de stilte dieper, de afzondering van Churinga voelbaarder. De lange weken strekten zich voor haar uit en ze meende zacht gelach en het geruis van zijde te horen.

Ongeduldig snuivend pakte ze de kist met olieverf. Haar fantasie ging met haar op de loop. Churinga en de mensen die er ooit hadden gewoond, hadden een vreemd effect op haar en hoe eerder ze met schilderen begon hoe beter.

Het kostte niet veel tijd om een paar spullen in een reistas te mikken. Nu stond hij weer op de veranda en keek door de hordeur naar binnen.

Jenny was druk geweest in die paar minuten dat hij weg was, realiseerde Brett zich. De meubelen achter in het huis waren bij de ramen weggehaald, en er lagen lakens over de tafel en de vloer. Haar ezel stond op de tafel, de penselen stonden in potjes naast haar en de tubes verf lagen in keurige rijtjes. Ze had haar plek goed uitgekozen. Het licht stroomde naar binnen vanuit de weiden en de gordijnen zwaaiden zachtjes heen en weer in de warme bries.

Hij zag hoe ze het doek spande op de lijsten die Woody in de timmerwerkplaats had gemaakt en voelde hoe teleurgesteld hij was. Ze had hem niet nodig. Ze zou het waarschijnlijk niet eens merken als hij weg was. Ze had alles wat ze wilde.

Met een zucht wendde hij zich af en stak het erf over naar de pick-up. De jerrycans water en benzine, elk goed voor veertig liter lagen achterin, en de reservebanden en het gereedschap lagen stevig vastgebonden in de laadbak. Hij gooide zijn tas op de passagiersstoel en klom in de cabine. Hij had een lange reis voor de boeg, maar hij had het gevoel dat hij minder moeite gehad zou hebben om weg te gaan als hij nog een laatste blik in die mooie ogen had kunnen werpen. Hij vloekte zachtjes terwijl hij de motor startte. Hij stelde zich aan en het werd tijd dat hij eens wat kilometers tussen Churinga en zichzelf legde. Terwijl de pick-up over de rotsachtige grond ratelde, dwong hij zich om zich te concentreren. Eén verkeerde beweging en hij zou omslaan. De eenzame weg naar Bourke was geen plek waar je pech wilde krijgen. Van Bourke zou hij in noordelijke richting naar Charleville in het hart van het droge Mulga-land rijden, een vliegtuig naar Maryborough nemen en vandaar naar Cairns in het noorden vliegen, waar hij een lift met een Cessna had geregeld naar de suikerrietvelden waar Davey hem zou opwachten.

Hij haatte vliegen, zeker in kleine vliegtuigjes, en zou het liefst de hele weg gereden hebben, maar met zo'n vijfentwintighonderd kilometer voor de boeg, moest hij tijd besparen. Het was al ongebruikelijk dat Davey schreef, en zijn brief over John was een schokkende eerste. Hij was al eerder ziek geweest en dat was nooit genoemd tijdens hun korte en niet erg frequente telefoongesprekken. Brett was er pas achtergekomen tijdens zijn bezoeken aan het noorden. Maar dit keer klonk het ernstig en het idee dat hij te laat zou zijn om nog iets te doen, spoorde hem aan om risico's te nemen die hij onder normale omstandigheden altijd vermeed. Toch dwong hij zichzelf om het rustig aan te doen. Zijn broers hadden geen van beiden meer iets aan hem als hij verongelukte.

Kilometer na hobbelige kilometer volgde. De dag werd nacht en hij sliep rusteloos, omdat hij meteen bij het eerste licht verder wilde rijden. Churinga leek een wereld van hem verwijderd, maar de eenzame uren achter het stuur betekenden dat hoewel zijn gedachten voortdurend bij John waren, hij de gedachten aan Jenny ook niet van zich af kon schudden. Gedachten aan hoe haar haar koper oplichtte wanneer het licht er op scheen. Aan de lange benen en het slanke lichaam dat lag te bakken in de zon die dag dat ze waren gaan zwemmen. Hij schold op zichzelf dat hij zich zo aanstelde. Hij probeerde haar uit zijn gedachten te bannen en zich op de reden van zijn reis te concentreren. Maar terwijl de kilometers tussen hen groeiden, bleef ze stevig in zijn hoofd en hij vroeg zich af hoe het met haar ging in haar eentje en of ze aan hem dacht.

Eindelijk stapte hij uit het lichte vliegtuigje dat hem naar dit gehucht in de rietvelden had gebracht. Hij werd onmiddellijk overvallen door de al te vertrouwde stank van melasse, die hem snel terugbracht naar zijn kindertijd en herinneringen opriep waarvan hij dacht dat ze allang verdwenen waren. Het was plakkerig en drong door alles heen zoals het in een verstikkende deken in de vochtige lucht bleef hangen. Binnen enkele seconden nadat hij uit het vliegtuig was gestapt, was hij doorweekt en plakte zijn overhemd aan zijn rug.

'Hoe gaat het, jongen? Goed je te zien.' John droeg het suikerrietuniform dat bestond uit een korte broek van kaki, laarzen en een hemd. Zijn huid had de kleur van oud perkament, zijn verschrompelde armen en benen waren bedekt met littekens.

Brett staarde naar de man tegenover hem. Ze hadden elkaar drie jaar niet meer gezien en terwijl ze elkaar een hand gaven, probeerde hij zijn schrik te verbergen en in deze grijze, kromme oude man de gespierde reus te zien die hij zich herinnerde. Davey had gelijk dat hij zich zorgen maakte. Het riet werd de dood van zijn oudere broer, precies zoals het de dood van hun vader was geworden.

'Wat doe jij hier in godsnaam, John? Ik dacht dat Davey me zou komen halen?'

'Hij is bezig met een overeenkomst voor het volgende seizoen,' antwoordde John. 'En ik had er genoeg van om de hele dag als een ouwe lul op mijn bed te liggen. Frisse lucht is goed voor me.'

Brett keek hem nijdig aan. 'Dit heeft niks fris, man. Het is gewoon vloeibare suiker.'

John grinnikte en de scherpe contouren van zijn schedel waren duidelijk zichtbaar door de papierachtige huid. 'Zo te zien doet New South Wales je goed. Je hebt het daar maar makkelijk, knulletje. Op een stelletje schapen passen is niet wat ik mannenwerk noem. Je hebt nog niet eens grijs haar,' voegde hij er spijtig aan toe terwijl hij de dunne overblijfselen van zijn eigen haar achteroverstreek.

Brett probeerde er een grapje van te maken, maar inwendig huilde hij om zijn broer. 'Eerlijk is eerlijk, John. Je bent nu een ouwe vent – je bent al over de veertig.' Hij gaf zijn broer een klap op zijn schouder om zijn woorden te verzachten en voelde hem ineenkrimpen voor hij zijn hand terugtrok.

Brett keek hem onderzoekend aan. 'Hoe ziek ben je nu eigenlijk, John? Wees eens eerlijk.'

'Het gaat wel,' mompelde hij terwijl hij Brett voorging naar de pick-up. 'Een beetje Weil. Als je dat eenmaal krijgt, houd je het. Dat weet je.'

Brett klom in de pick-up. Hij keek hoe zijn broer startte en op weg ging naar de rietvelden. De ziekte van Weil verklaarde het gele van Johns huid en zijn uiterlijk van gestoofd fruit. Het verklaarde ook de verschrompelde armen en benen, het vroeg oud worden en de pijnlijke gewrichten. 'Davey schreef dat je een maand geleden deze laatste aanval hebt gekregen. En zo te zien zou je in bed horen te liggen.'

John stak een sigaret op en liet hem, na een verstikkende hoestbui, aan zijn onderlip bungelen. 'Nee. Het komt wel goed. Ik moet gewoon een paar weken uit het riet blijven.' Hij hield zijn blik op het slingerende karrenspoor gericht dat dwars door de rietvelden leidde. 'Ik was goed ziek toen Davey schreef. Maar zoals ik al tegen hem zei, ik word altijd beter.'

Brett voelde zich ongeduldig worden. Had John dan niets van pa geleerd? Zijn broer leek zich niet bewust van zijn bezorgdheid en stuurde de pick-up met achteloze roekeloosheid langs de kuilen in de weg. 'Je hebt een goeie tijd uitgekozen om langs te komen, Brett. Het seizoen is voorbij en Davey denkt dat we wel in de raffinaderij kunnen werken tot het volgende seizoen. Maar dat is pas over een paar weken.'

'Ik heb gehoord dat er dingen aan het veranderen zijn hier. Wat ga je volgend seizoen doen als de boeren machines gaan inzetten?'

'Ach, dat komt wel goed. Machines kosten geld en Davey krijgt een enorme bonus, bijna net zoveel als ik toen ik zo oud was als hij. Hij staat samen met de Griek bovenaan in de snijderscompetitie, dus ik denk dat we nog wel een paar jaar werk hebben. Binnenkort hebben we onze eigen boerderij. We hebben een prachtig stuk land vlak bij Mossman gezien. De eigenaar gaat met pensioen, en hij is bereid om met zijn prijs te zakken.'

Brett keek naar zijn broer en zag het valse optimisme in die koortsige ogen schijnen. Hij was vijfenveertig en zag eruit als zestig. Waarom leefden Davey en hij toch zo als het zoveel gezonder was in de droge hitte van New South Wales? Wat was er zo aantrekkelijk aan het van ratten vergeven suikerriet, aan het dag in, dag uit in die uitputtende vochtigheid lopen beulen en aan de dubieuze eer de snelste snijder van de competitie te zijn? En wat het idee van een eigen boerderij betrof? Dat was gewoon een dagdroom. Ze hadden het er al jaren over en konden die boerderij bij Mossman nu waarschijnlijk al drie keer betalen. Maar ze wilden geen vaste plek. Het riet en de manier van leven van de rietsnijder was hen in het bloed gekropen.

Brett zuchtte. Hij had John willen overhalen om met hem mee terug te gaan. Er was werk genoeg op Churinga dat hij kon doen. Werk dat zijn lichaam de kans gaf om te herstellen. Want als John hier bleef, dan zouden er niet veel seizoenen meer voor hem overblijven.

Brett draaide zich om en keek uit over de rietvelden van verbrande stoppels die zich zover het oog reikte aan weerszijden van de smalle weg uitstrekten. Hij wou dat hij niet gekomen was. John had hem niet nodig, wilde toch niet naar zijn goede raad luisteren. Hij hoorde hier niet meer, al lang niet meer. Brett trok zijn overhemd uit en veegde het zweet van zich af. Met iedere kilometer die ze aflegden, voelde hij zich uitgebluster worden door die vochtige hitte, en hij dacht verlangend aan de groene weiden en schaduwrijke wilgabomen van Churinga. En aan Jenny.

Hij staarde naar de afgebrande velden, maar zag ze in die oogverblindende flits van inzicht niet meer. Hij hield van Jenny. Hij miste haar, wilde bij haar zijn. Wat deed hij hier in godsnaam terwijl zij alleen op Churinga zat en waarschijnlijk maar besloot om naar Sydney terug te gaan? De uitdrukking op haar gezicht toen hij zei dat hij een maand wegging sprak boekdelen; hij zag dat ze zich in de rimboe nooit zou thuisvoelen. Het was te eenzaam, te afgelegen voor zo'n aantrekkelijke, intelligente vrouw. Ze zou het land verkopen, verdergaan en dan had hij niets. Geen thuis, geen werk, geen vrouw.

Hij vroeg bijna aan John of hij hem terug wilde brengen naar het vliegveld – maar zijn gezonde verstand nam het over en hij hield zijn mond. Ondanks zijn angst wat Jenny betrof, moest John toch zijn eerste prioriteit zijn. Er moest een manier zijn om hem over te halen uit het riet weg te gaan, al was het maar voor een poosje. Als hij zo snel naar huis ging, zou hij helemaal niets bereiken.

'Wat ben je diep in gedachten, Brett? Problemen?' John had zijn ene hand uit het raampje terwijl hij met de andere stuurde.

'Niets dat ik niet aankan,' zei hij kortaf.

John grinnikte terwijl hij de pick-up op het parkeerterrein van een bouwvallig gebouw zette dat zichzelf hotel noemde. 'O, je bedoelt een vrouw?' Hij zette de motor af en keek zijn jongere broer aan. 'Je moet ze niet serieus nemen, broertje. Ze leggen je vast, ze leggen beslag op je tijd en je geld. Luister naar je grote broer, en blijf alleen. Dat is fijner.'

'Zo simpel ligt het niet,' bromde Brett terwijl hij zijn tas pakte. John had altijd weinig respect voor vrouwen gehad, en zijn houding begon hem nu te irriteren.

'Ik dacht dat je je lesje wel geleerd had met die vrouw van je. Hoe heette ze ook alweer? Merna? Martha?'

'Marlene,' zei Brett op neutrale toon. 'Deze is anders.'

John rochelde en spoog. 'In het donker zijn alle katjes grauw, Brett. Neem dat nou maar aan van iemand die er verstand van heeft.'

'Ik ben niet geïnteresseerd in een snelle wip. Ik wil een vrouw, kinderen, een eigen plekje.'

222

John keek hem minachtend aan. 'Dat heb je al eerder geprobeerd. En dat werd niks. Volgens mij ben je beter af met die barmeid over wie je het de laatste keer had. Ze klinkt gewillig, en je hoeft niet met haar te trouwen.'

'Lorraine is prima gezelschap, maar verder gaat het niet.' Hij dacht aan haar en de manier waarop ze hengelde naar meer dan vriendschap. Hij was stom geweest om er geen punt achter te zetten. Arrogant in zijn denken dat hij de dingen kon hebben zoals hij ze wilde zonder zich te hoeven vastleggen. Natuurlijk wilde ze meer van hem. Meer dan hij bereid was te geven. 'Je vergist je in dat trouwen, John. Volgens mij ziet ze me als haar kans om uit Wallaby Flats weg te komen.'

Zijn broer trok een gezicht. 'Dat zou wel kunnen, hoor. De meeste vrouwen willen iets van een vent. Nou, kom mee, ik wil een biertje.' Hij trok een van pijn vertrokken gezicht terwijl hij het portier opendeed en uitstapte. Hij zag grauw van de pijn en het zweet stond in druppels op zijn voorhoofd.

Brett wist dat hij geen hulp hoefde aan te bieden, dus volgde hij de sloffende gestalte over het parkeerterrein en de trap op naar de voordeur. Johns dubieuze wijsheden waren allemaal leuk en aardig, dacht hij. Maar hij zat vast aan het riet, en dat was veel veeleisender dan welke vrouw dan ook. Alleen wilde hij het nooit zo zien, dus had het geen zin om erover in discussie te gaan.

Het hotel stond op palen en lag halverwege een heuvel. Omringd door tropische bomen en felgekleurde klimplanten en kruipers, vingen de veranda's en openstaande ramen nauwelijks enige wind. De lucht was minder vochtig, hier in de heuvels, maar de geur van melasse die uit de schoorstenen van de raffinaderijen in de vallei kwam was nog steeds sterk.

Brett volgde zijn broer over het gebarsten linoleum van de donkere gang naar een kale trap. John gooide de deur van zijn kamer open en liet zich op bed vallen. 'Het bier ligt in de koelkast,' zei hij vermoeid.

Brett trok een gezicht toen hij de kamer bekeek die hij met zijn broers zou delen. Zelfs de jonge knechten op Churinga hadden een beter onderkomen dan dit. Er stonden drie bedden en een tafel; er hingen geen gordijnen, er was geen vloerbedekking en alleen maar een kaal peertje aan het plafond. De verf bladderde af, er groeide schimmel in de hoeken, en het beddengoed zag eruit alsof het al maanden niet verschoond was. Een plafondventilator piepte lusteloos en de vliegenstrips waren duidelijk al weken niet vervangen. Hij zette zijn tas neer en deed de koelkast open. Hoe eerder hij John kon overhalen uit deze hel weg te gaan, hoe eerder hij het vliegtuig terug naar Maryborough kon nemen.

Het bier was ijskoud; het brandde in zijn mond en keel, bevroor zijn smaakpapillen en hij kreeg een steek door zijn hoofd toen hij slikte. Maar niets had zijn dorst ooit zo goed gelest, of zo snel verlichting van die lome warmte gebracht. Hij dronk het flesje leeg, gooide het in de prullenbak die toch al overliep en maakte er nog een open. Hij schopte zijn schoenen en sokken op de vloer en liet zich op bed vallen. Zo snel als het bier hem afgekoeld had, zo snel zweette hij het weer uit. Hij was uitgeput.

'Waarom leef je in godsnaam zo, John, als je weet dat je er kapot aan gaat?' Brett was opzettelijk tactloos, omdat diplomatie een vreemde taal voor John was.

Zijn broer lag op zijn rug op het smerige matras, met zijn dunne armen onder zijn hoofd. 'Omdat het het enige leven is dat ik ken en ik er goed in ben.' Hij draaide met een pijnlijk gezicht op zijn zij. Zijn perkamentachtige gezicht zag er levendig uit, met die hoogrode vlekken op zijn uitstekende jukbeenderen. 'Er is niks zo mooi als het gevoel dat je koning van het riet bent. Ik kan nog steeds met de snelsten meekomen, en hoewel ik op het moment een beetje mager ben, ben ik nog niet verslagen. Nog een paar weken en dan gaat het wel weer. We worden allemaal gammel, dat hoort bij het leven. Maar er is niks zo mooi als met een stel gabbers samenwerken, je kapot werken en het geld op de bank maar zien groeien.'

'Wat heeft al dat geld voor zin als je er geen gebruik van maakt? Je hebt het al jaren over een eigen boerderij. Waarom stap je er niet uit, nu het nog kan, koop je eigen boerderijtje, ga met pensioen en laat een andere idioot het werk maar opknappen?'

John liet zich weer in de kussens zakken. 'Nee. De boerderij die ik wil kost alles wat Davey en ik hebben, en meer. Over een paar jaar hebben we genoeg.'

'Gelul! Je klinkt net als pa. Er komt geen boerderij voor Davey en jou, John, en je weet het. Weer een andere slaapschuur, weer een ander armoedig hotel tot je te oud en te ziek bent om te werken. Al het geld dat je gespaard hebt gaat dan op aan ziekenhuisrekeningen.'

John leek onberoerd door de uitbarsting van zijn jongere broer. 'Weet je nog dat ik je vertelde van die boerderij bij Mossman? Die is echt mooi, met een huis en zo. Ik denk dat Davey en ik daar wel kunnen wennen als we het geld ervoor hebben.'

'Hoeveel heb je nodig? Ik zal het verschil wel bijleggen als dat betekent dat we je daarmee het riet uit krijgen.'

'Bedankt voor het aanbod, maar Davey en ik redden het wel zonder jouw aalmoes.' John dronk zijn bier op en pakte een nieuw flesje.

Brett zag hoe zijn hand trilde en de pijnlijke manier waarop hij slikte. Hij was een heel zieke man, en hoewel hij waarschijnlijk meer geld weggestopt had dan Brett zich kon voorstellen, zou zijn stomme trots voorkomen dat hij ooit uit het riet wegkwam tot hij dood neerviel. Het aanbod van Bretts eigen spaargeld zou betekend hebben dat zijn eigen droom van een schapenhouderij nooit in vervulling zou gaan – maar dat had hij ervoor over als John daardoor weer sterk en gezond zou worden.

Hij keek lange tijd naar zijn broer. De jaren die tussen hen lagen en de grote afstand tussen hun verschillende levens maakten hen tot vreemden. Als iemand ernaar gevraagd had, zou Brett niet hebben kunnen zeggen wat John dacht over andere dingen dan suikerriet. Zijn leven was een mysterie voor hem. Geen van beiden begrepen ze iets van de aantrekkingskracht van de ambities van de ander, geen van beiden erkenden ze dat ze van elkaar vervreemd waren. De reden dat hij dit jaar was gekomen was duidelijk. Maar waarom was hij al die andere jaren gekomen? De banden van het bloed waren ragfijn – zó dat ze bijna knapten – maar toch was er iets dat hem weer terugvoerde naar de wortels die hij verachtte. Iets ontastbaars en buitengewoon frustrerends.

Zijn gedachten werden verstoord door de deur die met een klap openging en voor hij kon vluchten werd hij bijna platgewalst door Davey. Lachend en stikkend probeerde Brett hem af te weren maar zijn broer had hem in een greep waar hij niet uit los kon komen.

'Oké, oké,' schreeuwde hij. 'Ik geef me over. Jezus Christus, laat me los, klootzak.'

Davey liet hem los, trok Brett overeind en omhelsde hem. 'Hoe is het, jongen? Jezus, wat ben ik blij je te zien. Die zielige ouwe lul wil niet meer stoeien, die ligt de hele dag zichzelf maar zielig te vinden.'

Brett grinnikte. Er was niets aan Davey dat ooit veranderde, behalve zijn omvang. Hij was een centimeter of vijf langer, zijn schouders en borst waren breder dan ooit, zijn armen waren gespierd en zijn huid bruinverbrand. In ieder geval was het riet bij hem nog niet begonnen zijn tol te eisen.

Brett kon niet tegen hem op ondanks het feit dat hij zelf behoorlijk sterk was en pas de belofte van bier maakte een eind aan de vriendschappelijke stoeipartij. 'Je ziet er een beetje zwakjes uit, Davey,' plaagde hij.

'Sodemieter op,' grinnikte zijn broer. 'Wedden dat ik sterker ben dan jij?'

Brett was nog maar net op adem van de laatste stoeipartij. Hij stak zijn handen op. 'Te warm voor dat soort dingen. Ik geloof je wel. Neem nog een biertje.'

Davey dronk een tweede flesje bier en pakte een derde voor hij zich aan het voeteneinde van Bretts bed liet vallen. 'Oké. Hoe staat het leven in de wildernis waar de mannen mannen zijn en de schapen zenuwachtig?' Brett rolde met zijn ogen. Het was een oud grapje. 'Het zou wel eens kunnen dat ik van Churinga wegga. Er is een nieuwe eigenaar,' zei hij achteloos.

Davey keek hem over de rand van zijn bierflesje aan. 'Lullig, joh,' zei hij ten slotte. 'Betekent dat dat je naar huis komt?'

'Nooit van mijn leven! Het riet is niks voor mij. Ook nooit geweest. Ik denk dat ik een andere schapenhouderij moet gaan zoeken, dat is alles.' Nu Brett zijn gevoelens op tafel had gelegd, waren ze pijnlijker dan ooit, maar hij peinsde er niet over om tegen zijn broers te zeuren.

John schudde de vochtige kussens op en hees zich op. Het zweet stond op zijn gezicht en Brett hoorde het gerochel in zijn longen terwijl hij naar adem snakte. 'Hoe is je nieuwe baas? Is het een rotzak?'

Brett schudde zijn hoofd; hij had geen zin om over Jenny te praten. 'Het is een vrouw,' zei hij op neutrale toon. Toen veranderde hij snel van onderwerp. 'Zullen we nog een biertje nemen? Ik heb de laatste paar al uitgezweten,' eindigde hij gehaast.

Daveys ogen waren groot van schrik, maar het was John die een gezicht trok en hun mening onder woorden bracht. 'Potverdorie! Geen wonder dat je weg wil, met verdomme een vrouw als baas. Wat een pech, man. Neem nog een biertje. We gaan de tijd die we kunnen drinken toch niet verlullen?'

Brett nam het bier aan, dankbaar dat geen van zijn broers meer wilde weten, maar toch ook teleurgesteld dat ze niet meer belangstelling voor zijn problemen hadden.

John leek zich erdoorheen te slepen. Hij hing uit alle macht en tegen alle verwachtingen aan het leven vast. En toch wist Brett dat het wel eens de laatste keer kon zijn dat hij hem zag. Zijn komst hierheen was een vergissing geweest – hij had niets bereikt – en John zou gewoon doorgaan tot hij er bij neerviel. Maar de snijders wisten wel wat feestvieren was, gaf Brett na tien dagen van stug doordrinken en feesten toe. De doedelzakken gingen tot diep in de nacht door voor het dansen, het bier vloeide met liters tegelijk, de vechtpartijen waren legendarisch en zijn kater scheen permanent bezit van de ruimte achter zijn ogen te hebben genomen.

Hij rolde die laatste dag zijn bed uit, keek naar zichzelf in de spiegel vol vliegenpoep en trok een gezicht. De diagnose was erger dan hij dacht. Het deed zelfs pijn om zich te scheren en zijn haar te kammen.

Na een ontbijt van te lang getrokken thee, vette bacon en te lang gebakken eieren, klom hij in de pick-up met zijn broers. 'Klaar?' Daveys gezicht stond voor de verandering ernstig, waardoor hij er ouder, zorgelijker uitzag. Brett knikte. Deze pelgrimstocht was waarschijnlijk de enige reden voor zijn bezoek – de enige band die hij met dat stukje van de wereld had.

Het klein houten kerkje lag genesteld in een diepe, groene vallei waar palmbomen een parasol vormden tegen de schroeiende zon en het weelderige tropenwoud tegen de houten wanden opkroop. De begraafplaats was een keurig verzorgde oase tegen de achtergrond van woeste wildernis. De marmeren grafstenen en ruwhouten kruisen schitterden in de zon, in keurige rijen achter elkaar over verscheidene aren verspreid. Zo betaalde het riet degenen terug die erin gewerkt hadden.

Brett knielde bij de twee marmeren grafstenen neer en zette de bos bloemen die ze gekocht hadden in de stenen urn. Toen ging hij bij zijn broers staan en ieder van hen herdacht zijn ouders in stilte.

Zijn eigen gedachten keerden terug naar zijn moeder. Ze was klein en slank, maar met een ijzeren inwendige kracht die uit nood geboren was, begreep hij nu. Ze was een lieve en liefdevolle moeder, ondanks de armoede en de dagelijkse zorgen om de eindjes aan elkaar te knopen, en hij miste haar nog steeds, wenste nog steeds dat hij met haar kon praten. Ze was de rots waarop hun gezin was gebouwd en nu ze er niet meer was, was die basis verbrokkeld.

Hij keek naar de grafsteen van zijn vader. Het riet was zijn dood geworden, net als bij zovelen die hier begraven waren – net als bij John en Davey zou gebeuren als ze niet op tijd weggingen. Pa was een vreemde toen zij klein waren. Een man die er, meestal, aan dacht om een geldwissel te sturen. Hij volgde de snijders naar het noorden en woonde in barakken en logementen, gaf de voorkeur aan het gezelschap van zijn vrienden boven dat van zijn vrouw en kinderen. Voor zijn oudste zoons was hij een held. Maar voor Brett en Gil was hij een raadsel.

Bretts herinnering aan hem als een jonge man was vaag, maar als hij naar Davey keek, werd hij weer herinnerd aan de sterke, luidruchtige figuur die hun leven zo bepaald had. Toch was zijn enige echte herinnering die aan een verschrompelde oude man die tussen met zweet doordrenkte lakens naar adem snakte, en de dodelijke stilte in huis terwijl ze wachtten tot hij doodging.

Pas toen hij volwassen was, was Brett de sterke band tussen zijn ouders gaan begrijpen. Het riet was het enige dat zijn vader kende en zijn moeder had dat geaccepteerd omdat ze van hem hield. Samen hadden ze een soort bestaan in de hel van het noorden opgebouwd om hun kinderen zo goed mogelijk op te voeden. Nadat pa was overleden, had ma het gewoon opgegeven. Het was net alsof ze zonder hem de wil om te vechten had verloren. Haar jongens hadden haar niet langer nodig, nu kon ze eindelijk rusten.

Brett draaide zich om en liep de begraafplaats af. Het was tijd om het noorden te verlaten. De bergen sloten de hemel af, het regenwoud drong zich op, de hitte was te verstikkend om te verdragen. Hij verlangde naar de ruimte en het stof van een kudde schapen, wilga-bomen en gombomen tegen het zachtgroene gras. Churinga – en Jenny.

Terug in het hotel, gooide hij zijn kleren in zijn tas en bestelde een taxi. John had erop aangedrongen dat hij vandaag met Davey naar de raffinaderij zou gaan, ondanks zijn verstikkende hoest en slechte conditie, en Brett wist dat hij hem toch niet kon tegenhouden.

'Ik ga maar weer eens,' zei Brett tegen John terwijl hij onbeholpen zijn armen om hem heen sloeg. Hij zag zijn gezicht vertrekken van pijn, hoorde hoe hij naar adem snakte en hoe zijn longen piepten. 'Ga eens naar een dokter. Geef eens wat van dat vervloekte geld aan behoorlijke medicijnen uit. En blijf eens thuis,' zei hij bars.

John maakte zich los. 'Ik ben geen profiteur,' gromde hij. 'Ik ga me niet ziek melden omdat ik een beetje moet hoesten.'

Davey sloeg zijn armen om Brett heen en gooide vervolgens zijn spullen in een bundel die hij over zijn schouder sloeg. 'Ik zorg wel voor die ouwe, maak je maar geen zorgen, Brett. Geef ons maar een lift naar de stad. De pick-up heeft het wel gehad en we hebben hem toch een tijdje niet nodig.'

Ze zaten met zijn drieën zwijgend in de taxi. Ze hadden weinig tegen elkaar te zeggen, afgezien van wat ditjes en datjes, en het was te heet om een inspanning te leveren. De enige band die ze nog hadden was die van het bloed, en Brett realiseerde zich tot zijn grote verdriet dat dat niet meer genoeg was.

Hij zag zijn broers weglopen, op weg naar de hoge schoorstenen en rode bakstenen van de fabriek, en wist dat hij ze waarschijnlijk nooit meer zou zien. Er was hier niets meer voor hem.

Hij was blij om weg te gaan.

Toen hij weer in Charleville was, klom hij in de pick-up en reed naar het zuiden. De lucht was licht, heet en droog, met een zweem van winterse kou die er een verkwikkend staartje aan gaf. Het was niet de lucht die de longen in water deed verdrinken en het lichaam van zijn vitaliteit beroofde, maar hem liet ademen. Hij haalde diep adem terwijl hij zijn blik over de vertrouwde zachte kleuren en contouren van het eindeloze weideland van het zuiden liet gaan. Ze strekten zich in alle richtingen uit – het zilveren gras, de witte schors, de groene eucalyptus – zachte kleuren na de felle citrusgloed van het tropische noorden, kleuren waar een mens mee kon leven.

Gils boerderij lag zo'n honderdvijftig kilometer ten zuidwesten van Charleville, diep in het droge Mulga-land waar meer schapen en vee dan mensen woonden. Het huis was een elegante oude Queenslander, met diep overkapte veranda's en drukbewerkt siersmeedwerk langs de leuningen. Groepjes peperbomen hielden de weiden in de schaduw, en de tuin was een weelde van kleuren toen hij de oprijlaan opreed.

'Waar kom jij ineens vandaan, Brett? Jezus, wat fijn je te zien.'

Brett klom uit de pick-up en omhelsde zijn broer. Er zat nauwelijks een jaar tussen hen, en de meeste mensen dachten dat ze een tweeling waren. 'Ook fijn jou te zien, joh,' zei hij, en grinnikte. 'Ik ben in het noorden geweest, om John en Davey op te zoeken, en ik dacht dat ik net zo goed eens even hier langs kon komen. Maar als ik ongelegen kom, kan ik altijd weer in de pick-up stappen en naar huis rijden.'

'Als je dat maar laat, maatje. Gracie zou het me nooit vergeven als ik je weg liet gaan.'

Ze liepen net de trap op naar de veranda toen de hordeur met een klap dichtsloeg en Grace zich in Bretts armen wierp. Ze was lang en donker, zo gespierd en slank als een jongen ondanks de drie kinderen die ze had gehad, en Brett hield van haar als een zusje.

Ze liet hem eindelijk los en deed een stap achteruit om hem goed te bekijken. 'Nog net zo knap als altijd. Het verbaast me dat je nog steeds niet gestrikt bent.'

Hij en Gil wierpen elkaar een veel betekenende blik toe. 'Ik zie dat er hier niets verandert,' mompelde Brett wrang. Grace gaf hem een speelse tik. 'Het wordt eens tijd dat je trouwt, Brett Wilson, en mijn kinderen neefjes en nichtjes geeft bij wie ze kunnen logeren. Er moet toch wel iemand zijn die je wel bevalt?' Hij haalde zijn schouders op, woest over de kleur in zijn gezicht die ze ongetwijfeld moest zien. 'Heb je een biertje voor me, Gracie? Mijn keel is kurkdroog.'

Ze wierp hem een blik toe die hem duidelijk maakte dat ze zich niet zomaar liet afleiden van haar levenswerk, en ging een biertje voor hen halen.

'Waar zijn de kinderen?'

'Met Will Starkey mee. De kudde is naar de winterweidegronden en de kinderen zijn groot genoeg om buiten te slapen. Ze komen morgen terug.'

Brett glimlachte bij de gedachte aan de twee jongens en hun zusje. 'Ik kan me niet voorstellen dat die kwajongens een kudde in bedwang kunnen houden.'

'Je zult versteld staan. Ze rijden net zo goed paard als ik, en ik denk dat ze alledrie na hun school wel op het land zullen blijven.' Hij keek Brett aan. 'Ze hebben er dat speciale gevoel voor. Net als jij en ik.'

Grace kwam terug met het bier en een schaal boterhammen om de tijd tot aan het avondeten mee door te komen. Ze gingen met zijn drieën ontspannen in de gemakkelijke stoelen op de veranda zitten en keken uit over de weiden. Ze praatten over John en Davey, over het riet, en Bretts bezoek aan het kerkhof. Gil praatte over de wolprijs, het gebrek aan regen, en het fokken van veedrijverspaarden, zijn nieuwste avontuur. Gracie probeerde Brett over te halen om tijdens zijn bezoek kennis te maken met een paar van haar ongebonden vriendinnen, maar gaf het op toen hij dreigde weg te gaan.

Ze keek hem onderzoekend aan. 'Er zit je iets dwars, Brett – en ik heb het gevoel dat het niets met John en Davey te maken heeft.' Ze steunde met haar armen op haar knieën terwijl ze vooroverboog. 'Wat is er, lieverd? Problemen op Churinga?'

Verdomme, die Gracie, dacht hij woedend. Dat vervloekte mens zag ook alles. Hij nam een flinke slok van zijn bier om tijd te winnen. 'Churinga is verkocht,' vertelde hij hun ten slotte.

'Allemachtig, dat is jammer,' zei ze verschrikt. 'Maar je houdt je baan toch wel?'

Hij tuurde diep in zijn glas voor hij het leegdronk. 'Ik weet het niet. De nieuwe eigenaar komt uit Sydney en het is niet zeker of ze wel blijft.'

'Ze?' Gracies ogen lichtten op; ze leunde achterover in haar stoel en sloeg haar armen over elkaar. 'Nu krijgen we het dan te horen,' zei ze triomfantelijk. 'Ik wist dat er iets was zodra je binnenstapte.'

'Laat hem, Gracie,' bromde Gil. 'Geef hem ook eens een kans om wat te zeggen.'

Brett voelde zich rusteloos. Hij stond op en begon over de veranda te ijsberen terwijl hij hun over Jenny vertelde. Toen hij klaar was bleef hij staan, met zijn handen diep in zijn zakken. 'Dus, jullie begrijpen, mijn dagen op Churinga kunnen geteld zijn, en ik moet bedenken wat ik nu ga doen. Dat is voor een deel de reden van mijn bezoek.'

Gracie lachte tot de tranen over haar wangen stroomden en de twee broers keken naar elkaar en haalden hun schouders op. Het had geen zin om zelfs maar te proberen te begrijpen hoe de geest van een vrouw werkte. Ze hield

230

eindelijk naproestend op en keek ze vol medelijden aan. 'Mannen,' zei ze vol ergernis. 'Eerlijk waar. Jullie hebben geen idee, hè?' Ze keek naar Brett. 'Volgens mij ben je verliefd op die jonge weduwe, dus waarom zo dramatisch? Vertel het haar, oen! Hoor eens wat ze te zeggen heeft voor je in paniek raakt.' Ze hield haar hoofd schuin en haar ogen fonkelden als die van een mus. 'Je zou nog wel eens voor een verrassing kunnen komen te staan.'

Brett veerde op, maar zakte weer in toen de kille realiteit tot hem doordrong. 'Ze is heel rijk, Grace, wat kan ze in godsnaam in me zien?'

Grace verzamelde de lege glazen en borden. Ze had felle blossen op haar wangen. 'Haal jezelf niet omlaag, Brett. Als ze niet ziet wat een geweldige vent je bent, verdient ze je ook niet.' Ze stond op en keek hem dreigend aan. 'Je hebt lang gewacht op de juiste vrouw in je leven. Verpest het nu niet. Het is misschien je laatste kans.'

'Het is niet zo gemakkelijk,' bromde hij. 'Ze is rijk, ze is mooi, en ze is nog steeds in de rouw.'

Grace liet de borden op haar arm balanceren terwijl ze de neus van haar laars onder de hordeur haakte om hem open te doen. 'Ik zeg ook niet dat je tekeer moet gaan als een olifant in een porseleinkast,' zei ze zuchtend. 'Neem er de tijd voor, geef haar de kans je te leren kennen. Zorg eerst dat je haar vriend wordt, en zie dan hoe de zaken zich ontwikkelen.' Ze keek hem liefdevol aan. 'Als je genoeg van haar houdt, dan is ze het waard om op te wachten, Brett.' De hordeur klapte achter haar dicht, en er bleef een diepe stilte achter.

'Ik denk dat Gracie gelijk heeft, maat,' zei Gil peinzend.

Gil leunde achterover in zijn stoel en legde zijn laarzen op de leuning van de veranda. 'Er komt over een paar maanden een heel leuke boerderij op de markt. Ik heb het uit de eerste hand van Fred Dawlish. Hij en zijn vrouw gaan met pensioen en verhuizen naar Darwin om bij hun kleinkinderen te kunnen zijn. De boerderij is nu te groot voor ze, en geen van hun zoons wil hem overnemen, dus verkopen ze hem.' Hij keek naar zijn broer. 'Het is iets minder dan vijfentwintigduizend hectare. Goed schapenland, en de kudde is topkwaliteit. Het zou prima voor jou zijn, Brett – als je het geld ervoor hebt?'

Hij dacht aan het geld dat op de bank stond. Het was minder dan hij had gehoopt na de echtscheiding, maar genoeg voor de prijs die Gil noemde. Maar de gedachte aan Jenny en Churinga weerhielden hem. 'Het klinkt goed; ik moet er over nadenken,' zei hij ten slotte.

'Doe dat, dan zal ik eens met Gracie praten. Nu ze romantiek ruikt, is er geen land met haar te bezeilen.'

De twee broers grinsden naar elkaar en gingen een nieuw groepje paarden bekijken dat die ochtend was aangekomen. De uren verstreken en de dag ging om. Ten slotte viel Brett in de logeerkamer in slaap, omringd door het speelgoed dat de kinderen hadden laten slingeren.

Hij bleef een week, en die ging te snel voorbij. Terwijl hij zijn spullen pakte en de tas in de pick-up smeet, voelde hij een steek van jaloezie. Gil had het maar getroffen. Hij had zijn plek gevonden en de juiste vrouw om hem mee te delen. De kinderen maakten het tot een thuis en gaven een doel aan het harde werk op de boerderij die op een dag hun erfenis zou worden.

Toen hij door de eerste van de vijftien hekken reed, draaide hij zich om en zwaaide. Hij zou de vrolijke herrie van de kinderen missen. Gracies kookkunst en enthousiasme voor alles. Buiten Churinga kwam dit het dichtst in de buurt van een thuis voor hem, en de gedachte aan de lege bedrijfsleidersbungalow vervulde hem met angst. Zou Jenny weg zijn? Was de afzondering haar te veel geworden?

Hij zette de pick-up in de derde versnelling en drukte het gaspedaal in. Hij had al te veel tijd verspild – het kon al te laat zijn – want nadat hij met Gracie gepraat had en over de alternatieven had nagedacht, had hij zich eindelijk gerealiseerd waar zijn toekomst lag. En hij was vastbesloten om die kans niet te laten liggen.

Terwijl hij in zuidelijke richting de honderden kilometers tussen Gils boerderij en Churinga aflegde, tolden de gedachten door zijn hoofd. Jenny treurde nog steeds. Gracie had gelijk, hij moest geduld hebben, en haar tijd geven. Haar vriend worden voor hij verderging. Maar hij wist dat hij geneigd was zijn geduld te verliezen en realiseerde zich dat Jenny het hof maken een van de moeilijkste dingen was die hij ooit had geprobeerd. Hij verlangde zo naar haar dat het pijn deed, maar de eerste stap moest van haar komen – en hij was er helemaal niet zeker van of ze bereid was meer in hem te zien dan de bedrijfsleider van Churinga.

Brett reed eindelijk Wallaby Flats binnen en kwam in een stofwolk tot stilstand voor het hotel. Het was minder dan drie weken geleden dat hij weg was gegaan, maar het leek veel langer. Hoewel hij liever eerst naar Churinga was doorgereden, was er iets dat hij eerst moest doen – en hij keek er niet naar uit.

Lorraine stond glazen te drogen achter de bar toen hij binnenstapte. Haar strogele haar zag eruit alsof windkracht tien nog geen haartje kon verplaatsen en de dikke make-up was doorgelopen door de warmte. Ze slaakte een gilletje van blijdschap en rende naar hem toe. 'Je had me moeten laten weten dat je terug zou komen,' zei ze ademloos terwijl ze hem bij zijn arm pakte. 'O, Brett. Wat fijn je te zien.'

Hij was zich bewust van tien paar ogen die het tafereeltje bekeken en voelde hoe hij bloosde terwijl hij zich uit haar klauwen losmaakte. 'Ik kan niet lang blijven. Geef eens een biertje, Lorraine.'

Ze schonk het deskundig in het hoge, gekoelde glas en keek toe terwijl hij het leegdronk, met haar ellebogen op de bar zodat er een behoorlijk stuk decolleté te zien was. 'Wil je er nog een?' kirde ze. 'Of kan ik iets anders voor je doen?'

Brett zag de belofte in haar ogen en schudde zijn hoofd. 'Alleen bier, Lorraine.'

Haar stemming veranderde en haar glimlach werd kil. 'Zo. Hoe is het leven op Churinga? Valt de nieuwe baas een beetje mee?'

Hij sloeg zijn bier achterover, en voelde de kou door zijn keel glijden en zich door zijn borst verspreiden. 'Ik weet het niet. Ik ben in het noorden geweest.' Hij wilde niet over Jenny praten. Daarvoor was hij niet gekomen.

Ze leunde over de bar en haar borsten deinden tegen het glanzende teak. 'Ik heb gehoord van die kerels daar. Die het riet snijden.' Er ging een huivering van genoegen door haar heen terwijl ze met een gelakte vingernagel over zijn arm ging. 'Dat moet echt iets bijzonders zijn. Misschien moet ik uit Wallaby Flats weggaan en gaan reizen.'

Hij maakte zich van haar los, draaide op zijn gemak een shagje en stak het aan. De situatie was moeilijker dan hij had gedacht. 'Je bent hier beter af, Lorraine, tenzij je tweede viool wilt spelen na een suikerrietveld.'

Ze pruilde. 'Wat heb ik hier nou? Een stel schapen en een kerel die ik minder dan vier keer per jaar zie.'

Hij nam een flinke slok van zijn bier en dronk het glas leeg. 'Jij en ik zijn geen Siamese tweeling, Lorraine. Ga reizen als je dat wilt. Australië is een groot land en er lopen duizenden andere kerels rond.'

Ze kromp ineen alsof ze gestoken was, en begon fanatiek de natte kringen op de bar weg te vegen. 'Nu weet ik meteen waar ik sta, hè?' snauwde ze.

'Je zei dat je wilde reizen,' zei hij verdedigend terwijl hij opzettelijk de verborgen betekenis achter het gesprek vermeed. 'Ik was het alleen maar met je eens.'

Lorraine stopte met poetsen. Haar ogen fonkelden en haar stem klonk hees van onderdrukte rancune. 'Ik dacht dat ik iets voor jou betekende, Brett Wilson. Maar je bent net als al die andere klootzakken hier.'

'Eerlijk is eerlijk, Lorraine. Dat is een beetje overdreven. We zijn nooit een stel geweest, en ik heb je nooit iets beloofd.'

Ze boog dichter naar hem voorover. 'O nee? Waarom nam je me dan mee naar feestjes? Waarom kwam je hier uren zitten kletsen als je geen belangstelling had?'

Hij deed een stap achteruit, gestoken door het gif dat ze spuwde. 'We hebben het gezellig gehad, dat is alles,' hakkelde hij. 'We hebben elkaar gezelschap gehouden. Maar ik heb vanaf het eerste begin gezegd dat ik niks vasts wilde na Marlene.'

Ze zette met een klap een glas op de bar. 'Jullie kerels zijn verdomme allemaal hetzelfde,' gilde ze in zijn gezicht. 'Jullie komen hier binnen, drinken tot jullie omvallen en praten over niets anders dan die rotschapen en het rotgras en het rotweer. Ik zou net zo goed een meubelstuk kunnen zijn wat jullie aangaat.'

Er viel een verbijsterde stilte in het stoffige vertrek terwijl alle blikken zich op hen richtten.

'Het spijt me, maar als je er zo over denkt, dan is het misschien maar beter dat je hier weggaat.'

Zwarte mascaratranen rolden over haar wangen. 'Ik wil verdomme helemaal niet gaan reizen,' snufte ze. 'Wat ik wil is hier. Zie je dan niet wat ik voor je voel?'

Hij voelde zich een vuile, laffe dingo, en liet zijn hoofd hangen. 'Ik heb het me nooit gerealiseerd,' mompelde hij. 'Het spijt me, Lorraine, maar je hebt me verkeerd begrepen. Ik dacht dat je het begreep.' Hij schaamde zich zo erg dat hij haar niet recht in de ogen kon kijken.

'Klootzak,' siste ze. 'Je zit zeker achter die verwaande mevrouw Sanders aan, hè? Als je haar in je bed krijgt, is Churinga van jou. Nou, ze zal je nog mooi te kakken zetten. Dat zul je zien. Ze gaat gewoon terug naar de stad waar ze thuishoort en jij staat op straat. Maar je hoeft niet te denken dat ik op je sta te wachten – dan ben ik allang weg.'

'Wat is hier verdorie aan de hand?' Lorraines vader had nog steeds een zwaar Russisch accent dat een vreemde combinatie vormde met zijn Australische tongval. Brett keek naar Nicolai Kominski en schudde zijn hoofd, opgelucht over de onderbreking. 'Maak je geen zorgen, Nick. Lorraine blaast even wat stoom af. Het komt wel goed.'

De inhoud van het volle glas bier kwam in zijn gezicht terecht en doorweekte zijn overhemd. 'Doe niet zo neerbuigend, lul!' gilde ze.

Nick pakte de hand van zijn dochter. Hij was een paar centimeter kleiner dan zij, en broodmager, maar hij scheen haar aardig aan te kunnen. 'Ik heb het verdorie toch gezegd, kind. Die man is niet geïnteresseerd. Ik vind wel een leuke Russische jongen. Je gaat trouwen. Kinderen krijgen.'

Lorraine schudde hem af. 'Ik wil niet een of andere immigrant. Dit is verdomme Moskou niet.' Ze liep de bar uit en haar naaldhakken klikten als castagnetten op de houten vloer.

Nicolai haalde zijn schouders op en schonk voor zichzelf een glaasje wodka in dat hij in één teug leegdronk. 'Vrouwen,' zuchtte hij. 'Die meid veroorzaakt al moeilijkheden sinds haar mama er niet meer is.'

Ondanks de onverwachte douche moest Brett grinniken. 'Nou, ze heeft haar mondje wel bij zich, Nick. Het spijt me echt, maar ik heb nooit...'

Nicolai wuifde zijn verontschuldiging weg en schonk een klein glaasje wodka voor hem in. 'Ik weet het, ik weet het. Je bent een goeie man, Brett, maar niet voor mijn Lorraine. Ik zoek wel een Russische jongen voor haar, dan is het gauw gedaan met haar grote mond.'

Hij lachte en sloeg met zijn knokige hand op de bar. 'Vrouwen weten niet wat goed voor ze is tot een man het hun vertelt. Ik zorg wel voor Lorraine. Maak je geen zorgen.'

Brett sloeg de wodka achterover, dronk zijn bier op en pakte zijn hoed. Hij had geen zin om met Nick te blijven drinken; hij had dat wel eens eerder gedaan en had er een hoofdpijn aan overgehouden die nog dagen duurde. En hij had zijn lichaam toch al overbelast met de slemppartijen met John en Davey.

'Tot ziens op de rennen, maat.' Hij liep het hotel uit en stapte in de pickup. Die scène in de bar zat hem dwars. Het speet hem dat hij Lorraine had pijn gedaan, maar hij had er geen idee van dat haar gevoelens zo heftig waren. Achteraf bedacht hij dat hij met vuur had gespeeld en gewoon te stom was het in de gaten te hebben.

235

13

Jenny en Ripper namen een rustig tempo aan toen Brett en de anderen eenmaal weg waren, en in de rust en afzondering van een herfstachtig Churinga merkte ze dat het genezingsproces begon. Ze had die tijd en ruimte nodig om de innerlijke rust terug te vinden die ze al zolang kwijt was. Om haar leven en de tragedie die haar nooit zou verlaten te evalueren, en met de woede om te gaan. Ze merkte dat ze die woede nu kon onderzoeken, er afstand van nemen, begrijpen dat het een noodzakelijk onderdeel van het genezingsproces was en hem daarna achter zich laten. Herinneringen aan Peter en Ben zouden nooit verdwijnen, maar hoewel het nog steeds pijnlijk was, besefte ze dat het tijd was om ze los te laten.

De dagen verstreken in hetzelfde ritme, gingen naadloos in elkaar over en dat had een kalmerende invloed op haar die haar de innerlijke kracht gaf om de toekomst onder ogen te zien. Ze bracht de ochtenden door met zwerftochten door de weiden of een rit naar de winterweidegronden om de beelden van de mannen en de grote witte kudde vast te leggen. De paarden die gebruikt werden voor het bijeenhouden van de kudde, waren vals en halfwild, en de mannen die ze bereden net zo ruw en genadeloos. Hier zag ze de rauwe kleuren tegen een achtergrond van bleek gras en een blauwe berg, en terwijl haar potlood over het papier vloog, probeerde Jenny de beweging en kracht in de taferelen vast te leggen.

Ripper holde naast haar mee. Als hij moe werd, zette ze hem in de zadeltas waar hij grijnzend van plezier in zat, met zijn oren wapperend in de verkoelende bries. In de hitte van de middag vonden ze een koel plekje op de veranda en Jenny legde het werk van die ochtend op doek vast. Ze werkte met een vaart en behendigheid die ze nooit eerder had gekend – alsof er een tijdlimiet was aan wat ze deed, een innerlijke kracht die haar aanspoorde om geen seconde te verliezen.

Terwijl de herfst langzaam naar de winter kroop, glinsterde de dauw 's ochtends vroeg op het gras en de avonden werden kil genoeg om het fornuis aan te steken en er in een stoel bij te kruipen. Met Ripper aan haar voeten, dook Jenny opnieuw in de wereld van Matilda. Dit was het dikste dagboek, dat het grootste aantal jaren besloeg. Het schrift was krachtiger dan in de voorgaande boeken, de zinnen korter, alsof Matilda weinig tijd had gehad om de gebeurtenissen uit die drukke tijd vast te leggen.

1930 bracht de crisis naar het binnenland. Hij woedde in de steden, waar vrouwen en kinderen voor zichzelf moesten zorgen en een uitkering kregen terwijl hun mannen aan het zwerven gingen. Die rondtrekkende mannen liepen met hun bundel op hun schouder van boerderij naar boerderij op zoek naar werk en eten. Ze vormden een leger van nomaden in lompen die naar iets zochten dat zich alleen in hun hoofd bevond. Ze hadden een rusteloosheid die hen het onbekende indreef, en ze bleven nooit lang op één plaats. Het was alsof de zuiverheid en uitgestrekte eenzaamheid van het land hen aanmoedigde om te zwerven en het was beter dan slapen in de parken van Sydney.

Matilda verstopte haar geld onder de vloerplanken en had een geladen geweer bij de deur staan. Hoewel de meerderheid van de zwervers geen kwaad in de zin had, was het beter geen risico te nemen. Er viel een hoop te halen in de omgeving van Wallaby Flats, vooral toen er geruchten gingen over een opaalvondst in een lang ongebruikte mijn, en naarmate de gevolgen van de recessie toenamen, kwamen er steeds meer kwaadwillende mannen uit de steden. Mannen die naar haar keken met ogen als die van Mervyn. Mannen die meer wilden dan een warme maaltijd en een bed in een schuur.

Maar het waren de vrouwen die hun mannen vergezelden die Matilda bewonderde en die haar sympathie hadden. Hoe hard het land ook was waar ze doorheen trokken, deze nieuwe generatie *Sundowner* trok het hele binnenland door in wagens waar de potten en pannen hingen te rammelen. Net als Peg waren sommigen vrolijk, anderen zuur – maar ze kon begrijpen waarom ze het verdriet verborgen dat hun eenzame leven met zich meebracht. Ze wist dat er ergens in het enorme vergeten land een speciale boom of steen was die de begraafplaats van een kind, man of vriend aangaf. Die plaatsen leken misschien onbelangrijk voor anderen, maar hun betekenis werd voor altijd meegevoerd in de nuchtere harten.

De mannen hielpen in en om het huis in ruil voor bloem, suiker en een paar shillings. En omdat het eten goedkoop was, zorgde Matilda er altijd voor dat ze met volle magen weggingen. Zodra ze weg waren, werd hun plaats ingenomen door een andere man, een andere wagen, een ander gezin.

Matilda wist wat de strijd om te overleven was. Dankzij Tom die haar nog steeds zijn scheerschuur liet delen, zag ze kans om van de wolopbrengst de kudde aan te vullen met een paar goede fokrammen en -ooien, en een stel drijvers in dienst te nemen. Die mannen waren meestal gemakkelijk te pakken te krijgen, maar om degenen te vinden die voor een vrouw wilden werken was veel moeilijker. De mannen van het binnenland hadden zo hun eigen ideeën en daar hoorde een vrouwelijke baas niet bij. Maar die koppige houding sloeg al snel om in respect als ze lang genoeg bleven om erachter te komen dat Matilda niet meer van hun vroeg dan ze zelf bereid was te doen. Ze nam Mike Preston en Wally Peebles aan die uit het Mulga-land waren gekomen waar hun baas failliet was gegaan, en was blij met hun gezelschap nu er zoveel zwervers naar de boerderij kwamen.

Ethan Squires bleek een sluwe tegenstander. Hoewel hij nooit weer naar Churinga kwam, voelde ze zijn kwaadaardige invloed op haar land. Hekken werden kapotgesneden zodat haar kudde op zijn land terechtkwam en hun merktekens vervangen werden door het groen van de Kurrajong-pijnboom. Lammeren werden weggegrist zodra ze geboren werden en een van haar rammen werd aangetroffen met een keel die te netjes was opengesneden om veroorzaakt te kunnen zijn door een zwijn of dingo. Maar zij en haar drijvers hadden geen bewijzen tegen de Squires. Ondanks de eindeloze patrouilles in de weiden en de lange nachten dat ze onder de blote hemel sliepen, was het onmogelijk om iedere hectare in de gaten te houden, en hij scheen altijd te weten waar Matilda het kwetsbaarst was.

Het was winter en het was zo koud dat haar adem verdampte terwijl ze stilletjes naast Lady in de droge greppel lag die de uiterste hoek van de zuidelijke weide doorsneed. De anderen patrouilleerden in nabijgelegen weiden, waar ze volop aan het fokken waren. Zij had gekozen voor een meer afgelegen hoek van Churinga. Het was stil in het donker en de dunne deken vormde maar een slechte bescherming tegen de kou. Zelfs de schapen stonden zielig tegen elkaar gedrukt.

Het geluid waardoor ze opschrok uit een lichte slaap was zacht, stiekem en heel dichtbij. Te stiekem voor een wild zwijn, maar voorzichtig genoeg om een dingo te zijn. Matilda pakte haar geweer, spande de haan en verschool zich in de schaduwen. Ze kon goed zien in het donker en ze zag de bewegende gestalten bij haar hek al snel. Die jagers liepen op twee benen, en hun doel was overduidelijk. Ze sloop stilletjes de greppel door, voorovergebogen en in het donker tot ze achter hen zat. Bluey volgde haar, met ontblote tanden en zijn haren overeind. Zijn houding was gespannen; aan zijn sterke schouders was te zien dat hij klaar was om toe te slaan, maar hij scheen te begrijpen dat het verstandig was om stil te zijn en wachtte op haar signaal om aan te vallen.

De drie mannen begonnen het gladde draad door te knippen en de palen los te wrikken. De schapen bewogen ongemakkelijk. Honden jankten.

'Zorg ervoor dat die honden hun kop houden,' siste een bekende stem. De koude rillingen die door haar heen gingen hadden niets met de winterse kou te maken, maar leek sterk op haat. Billy, de jongste van het nest van Squires, knapte het vuile werk van zijn vader op.

'Ik wou dat ik haar gezicht kon zien als ze ziet dat de helft van haar kudde is verdwenen!'

'En dat gebeurt ook als we niet opschieten,' zei de veedrijver van Squires met schorre stem. 'Zet die honden aan het werk. Nú!'

Matilda wachtte tot haar kudde bijna bijeengedreven was en stond toen op, met haar geweer in de aanslag en de vijftienjarige Billy Squires in haar vizier. 'Dat is ver genoeg. Nog één stap en ik schiet.'

Haar dreigement ging vergezeld van Blueys gegrom, maar hij bleef wachten op haar signaal.

De drie mannen bleven doodstil staan, maar hun honden dreven de schapen steeds dichter naar het gat in de omheining toe.

Haar schoten knalden in de grond voor Billy's voeten. Het stof stoof op en hij sprong een meter in de lucht. De schapen schrokken zoals ze wist dat ze zouden doen en verspreidden zich tot in alle hoeken van de wei. Ze duwde nog twee patronen in de kamer en hield het geweer gericht. 'Roep die honden terug en ga van mijn land af!' gilde ze.

Bluey kroop over de grond terwijl hij naar een andere Queenslander Blue sloop – een bruut van een hond, de leider van de meute, met lange hoektanden en een gemene grom.

'Je schiet toch niet, Matilda. Doe het eens als je durft!' Billy klonk niet zo zelfverzekerd als zijn woorden.

'Zeg dat nog eens,' antwoordde ze grimmig. Ze haalde de haan over terwijl ze de jongen in het vizier had.

De mannen mompelden geschrokken, maar het was Billy die zich het eerst omdraaide en aan de andere kant van het hek naar Kurrajong terugvluchtte.

De twee honden stonden tegenover elkaar. Kwijlend, met woeste blikken en hoge rug liepen ze met stijve poten om elkaar heen. 'Roep hem terug, anders schiet ik hem dood,' waarschuwde ze.

De scherpe fluittoon ging bijna verloren in het gedender van naderende paardenhoeven. Matilda hoefde haar blik niet van Billy te wenden om te weten dat Mike en Wally haar schoten hadden gehoord. 'Pak ze, jongens. Ze hebben een omheining te repareren en schapen te vangen.'

De mannen van Kurrajong renden naar hun paarden, maar tegen een zweep, een lasso en een heel kwade hond konden ze niet op. Matilda klom op Lady's rug en reed naar Mike en Wally, die hun geweren op de zwoegende mannen gericht hielden. Toen ze ervan overtuigd was dat haar omheining en hekken keurig op hun plaats stonden, keek ze naar Mike. 'Bind ze maar vast. Het is tijd dat dat joch terug naar zijn pappie gebracht wordt.'

Mike grinnikte terwijl hij hielp de paarden bij elkaar te drijven en de kronkelende, woedende mannen over hun zadel te hijsen en vast te binden. Met Bluey happend naar hun bungelende handen en voeten, begonnen ze de lange rit naar de Kurrajong-boerderij.

De zon was al bijna weer ondergegaan toen ze de volgende dag door de laatste weide liepen en Kurrajong voor zich zagen liggen. Achter ieder raam van dat elegante stenen huis brandde licht, dat over de prachtig aangelegde tuinen scheen die tot aan de rivier liepen en de diepe schaduwen in de tuin en de omringende schuren accentueerde.

Matilda toomde in en alledrie bleven ze staan om naar de majestueuze aanblik te kijken. Ze wist dat het een van de rijkste boerderijen van New South Wales was en toch kwam het als een schok om het voor de eerste keer te zien. Ze staarde naar het uit twee verdiepingen bestaande huis met de fraaie balkons en het rijkversierde smeedijzer. Ze zuchtte toen ze het prachtig groene gazon en de rijen rozenstruiken en treurwilgen zag. Wat was het mooi!

Toen viel haar blik op Billy en haar bewondering verdween als sneeuw voor de zon. Squires had al meer dan genoeg. Hoe durfde hij zijn jongste aan te moedigen om te stelen? Ze trok de teugels nog strakker aan en gaf Lady de sporen. Het was tijd om die rotzak eens te zeggen wat ze van hem dacht.

Met de anderen dicht op haar hielen vormden ze een vreemde stoet over de smetteloze oprijlaan, maar Matilda was te kwaad om zich door zoveel grootsheid te laten afleiden. Met een signaal naar de anderen om te blijven staan, klom ze van Lady en liep de trap naar de veranda op om hard op de deur te bonken.

Squires verscheen in de deuropening, die hij bijna geheel vulde zodat er bijna geen licht vanuit de hal achter hem naar buiten kwam. Hij schrok duidelijk van haar.

Matilda zag een glimp van dikke tapijten en kristallen kroonluchters – en ze was niet onder de indruk. 'Ik heb Billy betrapt bij het stelen van mijn kudde,' zei ze koel.

Zijn mond zakte open toen hij de drie hulpeloze bundels zag die over hun zadels waren geslingerd. Maar er verscheen een harde blik op zijn gezicht toen hij zag dat de geweren van Mike en Wally op zijn jongste zoon gericht waren. Zijn ijskoude blik dwaalde terug naar Matilda. 'Ze zijn waarschijnlijk per ongeluk op je land terechtgekomen,' zei hij vol kille minachting.

'Gelul!' snauwde ze. 'Ik zag ze mijn omheining naar beneden halen. Ze hadden zelfs hun honden bij zich.' Ze maakte een breed armgebaar naar de roedel die tussen de benen van de paarden door naar elkaar gromden.

De uitdrukking op Squires' gezicht was ondoorgrondelijk, en zijn ogen bleven emotieloos toen ze haar aankeken. 'Kun je je beschuldigingen bewijzen, Matilda? Misschien kun je me de beschadigde omheining laten zien, dan zal ik je met liefde helpen de weggelopen dieren terug te vinden.'

Ze dacht aan de gerepareerde omheining en hoe de kudde zich over hun weiden had verspreid. Wat had Squires snel door haar verdediging heengeprikt. Wat was hij slim en adrem. Geen wonder dat hij zo rijk en machtig was. 'Ik heb twee getuigen. Dat is voor mij bewijs genoeg,' zei ze koppig.

'Voor mij niet, Matilda.' Hij stapte de veranda op terwijl hij langs haar liep alsof ze niet bestond. 'Ik stel voor dat jij en je mannen zo snel mogelijk Kurrajong verlaten voor ik jullie allemaal laat arresteren wegens wederrechtelijk betreden en mishandeling.'

Ze was verbijsterd over zijn arrogantie. 'Als ik jou of iemand anders van Kurrajong weer een keer op mijn land betrap, dan breng ik hem meteen naar Broken Hill. Het wordt tijd dat de politie eens te horen krijgt wat jij allemaal uitspookt, Squires.'

Hij nam een ontspannen houding aan en nam er de tijd voor om een dun sigaartje op te steken. Toen hij een trekje had genomen, nam hij hem uit zijn mond en bekeek hem aandachtig. 'Ik denk niet dat de politie erg behulpzaam zal zijn, Matilda. Wat ik doe, daar hebben zij niets mee te maken – en ze worden er goed voor betaald om me met rust te laten.' Hij keek op haar neer en grijnsde wolfachtig. 'Daar draait het in de echte zakenwereld om, Matilda. De ene hand wast de andere.'

'Ik zou je hand er het liefst afhakken, rotzak,' siste ze. Ze draaide zich met een ruk om, stampte de houten trap af en klom op Lady's rug. Ze pakte de teugels en draaide de merrie zodat ze naar hem kon kijken. 'De volgende keer schiet ik meteen. Zelfs de politie zal de dood van een van jouw mannen op mijn land moeilijk kunnen negeren.'

'Ga naar huis, meisje, en pak een borduurwerkje,' zei hij sarcastisch. 'Of nog beter, verkoop je land. Dit is geen plek voor vrouwen.'

Hij was van de veranda in de schaduwen van de oprijlaan gaan staan, en hoewel het licht achter hem scheen en zijn gelaatstrekken vrijwel onzichtbaar waren, wist ze dat zijn ogen zo hard als graniet waren. 'Ik ben blij dat je van me geschrokken bent, Squires. Dat betekent dat je eindelijk begrijpt dat je me nooit zult verslaan.' Ze stuurde haar merrie naar het hek. Het was een slechte vierentwintig uur geweest, maar dit was waarschijnlijk nog maar het begin. De oorlog tussen hen was openlijk verklaard, en het was tijd om nog meer mannen aan te nemen om Churinga te bewaken.

April had weer een jongen gekregen. Joseph was nu drie – een intelligent, energiek kind van wie Matilda hield alsof het haar eigen zoon was. En terwijl ze hem en zijn broers zag opgroeien, verloor ze nooit dat diepe verlangen naar haar eigen kind.

'Je slijt dat kind nog eens met al die kussen,' merkte Tom op een avond op toen Matilda hem gewassen en aangekleed had om naar bed te gaan.

'Je kan een kind nooit te veel liefde geven,' mompelde ze terwijl ze de heerlijke geur van zijn pasgewassen en gepoederde huid opsnoof.

Tom keek een ogenblik naar haar en sloeg toen zijn krant open. 'Het wordt tijd dat je eens zelf kinderen krijgt, Molly. Er lopen genoeg mannen rond, als je ze maar een kans zou geven.'

Matilda tilde Joseph op en zette hem op haar heup. 'Ik heb het te druk om Churinga tegen Squires te beschermen om aan dat soort dingen te denken.'

'Je bent nog maar twintig, Moll. Ik vind het gewoon zonde dat alleen April en ik je nieuwe jurken te zien krijgen,' bromde hij. 'Dat is alles.'

Ze keek naar de jurk van gebloemd katoen die ze tijdens haar eerste en enige bezoek aan Broken Hill had gekocht. Het bovenstuk viel recht van haar schouders tot aan haar heupen waar een brede band liep met daaronder een plooirok die tot op haar knieën viel. Ze vond de nieuwe mode heel gewaagd na de lange jurken met hoge kraag die haar moeder altijd droeg, maar nadat ze op jaarmarkten vrouwen met dezelfde soort jurken had gezien, genoot ze erg van de vrijheid die ze met zich meebrachten. 'Het heeft toch geen zin om je op te tutten om de kudde bijeen te drijven,' wierp ze tegen. 'Als ik me in deze kleren op wolveilingen zou vertonen, zou niemand me serieus nemen.' Ze liep de kamer uit en hielp April met de kinderen in bed stoppen. Het was bijna tijd om de radio aan te zetten.

Dit was het nieuwste wonder dat de streek was binnengedrongen en bijna iedere boerderij had er een. Matilda had erover nagedacht en was tot de conclusie gekomen dat ze veedrijfverspaarden harder nodig had, maar als ze een bezoek aan Wilga bracht, was ze er bijna niet bij weg te slaan.

Het was een lelijk groot ding, dat bijna de hele hoek naast de open haard in beslag nam. Maar het was een verbinding met de buitenwereld en Matilda kon er maar niet over uit dat ze kon horen over een overstroming in Queensland, een droogte in West-Australië of een overschot aan suikerriet in het noorden. Voor het eerst in haar leven was ze in staat de wereld buiten Churinga te verkennen, maar ze had geen behoefte er weg te gaan. De steden waren gevaarlijke plekken, ze had gezien wat ze hadden gedaan met de mannen en vrouwen die gedwongen waren om ver van huis te gaan zwerven.

April had haar verstelwerk van de onvermijdelijke stapel naast haar stoel gepakt, en Tom zat tevreden zijn pijp te roken terwijl ze wachtten tot de radio opgewarmd was. 'Je zou je eigen kinderen moeten hebben, Molly. En een man om voor je te zorgen. Je gaat zo leuk met mijn kinderen om.'

Ze keek naar April en toen naar Tom. 'Ik heb dit gesprek al gevoerd. Jouw kinderen zijn genoeg voor mij – en waar heb ik een man voor nodig?'

'Om je gezelschap te houden,' zei April zachtjes. 'Om voor je te zorgen.' Haar naald ging op en neer in de wollen sok. 'Je moet toch wel eens eenzaam zijn, Molly, en Tom en ik zouden ons veel geruster voelen als we wisten dat je iemand had die je beschermde.'

Matilda kwam een ogenblik lang in de verleiding om hun te vertellen van Mervyn en de dode baby, maar het was al zolang een geheim dat ze niet wist hoe ze het onder woorden moest brengen – om kleur en vorm te geven aan iets dat ze het liefst in haar hart bewaarde. 'Ik ben gelukkig zo, April. Ik heb een keer geprobeerd naar een feestje te gaan, maar ik viel uit de toon. Ik kan me maar het best bij mijn eigen gezelschap houden en me bezighouden met de dingen die op Churinga gebeuren.'

April keek haar recht in de ogen. 'Dat heb je nooit verteld. Wanneer was dat?'

Matilda haalde haar schouders op. 'Het feest aan het eind van het seizoen op Nulla Nulla. Joseph was net geboren.'

De lichtblauwe ogen werden groot in het bleke gezicht. 'Ben je in je eentje gegaan? O, Molly. Tom was wel met je meegegaan als je het had gezegd.'

'Hij had het druk,' zei ze op vlakke toon.

'En wat is daar gebeurd?' Het verstelwerk werd opzijgelegd en Tom liet zijn krant zakken.

Matilda dacht aan die avond en rilde. 'Ik had eindelijk besloten eens wat nieuwe kleren te kopen, en toen de uitnodiging kwam, leek het me een goed idee om er maar eens op in te gaan. Ik zou de meeste mensen daar toch kennen – in ieder geval de mannen, want daar heb ik op de markten en veilingen mee te maken. De Longhorns brachten me onder in de bungalow van de bedrijfsleider samen met nog wat andere ongetrouwde vrouwen.' Ze zweeg en bloosde weer toen ze dacht aan dat vagevuur van een kleine ruimte die ze moest delen met vijf andere ongetrouwde vrouwen die ze niet kende en met wie ze niets gemeen had.

'Je vond het verschrikkelijk, hè Moll?'

Ze knikte. 'Ze keken naar me alsof ik iets was dat een dingo naar binnen gesleept had, en na een hoop vragen die ik te persoonlijk vond, lieten ze me links liggen.' Ze slaakte een diepe zucht en begon een shagje te rollen. 'In zekere zin maakte dat het gemakkelijker. Ik kon toch niet praten over de nieuwste zanger die alle vrouwenhoofden op hol bracht of de laatste film in de reizende bioscoop. Ze konden amper een schaap van een geit onderscheiden. Dus trok ik mijn nieuwe jurk aan, luisterde naar hun geklets over vriendjes en make-up en liep achter ze de deur uit om naar het feest te gaan.'

Ze dacht aan hoe ze in haar eentje op dat smalle bed had gezeten terwijl ze giechelden en kletsten en hun gezichten beschilderden. Ze had zo graag deel willen uitmaken van zo'n opgewekt, levendig groepje, maar ze wilden haar niet en ze wilde zich niet voor gek zetten door zich ertussen te dringen. Dus had ze ze zonder haar naar het feest laten gaan, en slenterde op haar gemak het kleine stukje naar de schuur waar het bal werd gehouden. Het was een prachtige avond, zwoel, met veel sterren aan de hemel, en een licht briesje dat de blote huid van haar armen en benen streelde. Ze had zich mooi gevoeld in de jurk toen ze hem kocht, maar vergeleken met de grotestadsjurken die de anderen droegen, wist ze dat hij hopeloos ouderwets en ouwelijk was voor een meisje van zeventien.

'Charlie Squires stond bij de deur en ging iets te drinken voor me halen. Hij was heel aardig en vroeg me ten dans en zo.' Matilda glimlachte. Ze had Charlie graag gemogen, en verbaasde zich erover hoe goed ze het samen konden vinden. Hij was maar twee jaar ouder dan zij, maar zo ontwikkeld na al die jaren die hij op kostschool in Melbourne had doorgebracht dat ze zich afvroeg waarom hij met haar omging terwijl er zoveel andere, veel mooiere meisjes waren om mee te dansen. Maar zijn hart lag ook bij het land en terwijl ze kletsten en dansten wist ze dat ze iemand gevonden had die haar gevoelens voor Churinga deelde.

April trok haar wenkbrauwen op. 'Jij en Charlie Squires? Allemachtig. Ik durf te wedden dat zijn ouwe heer daar wel iets over te zeggen had.'

'De anderen waren er niet, dus ik denk dat Charlie zich vrij voelde om met mij te dansen.' Ze keek neer op het shagje dat tussen haar vingers opbrandde, maar waar ze nauwelijks een trek van genomen had. 'Bovendien was het maar voor één avond, en daarna ben ik niet meer naar een feestje gegaan.'

'Waarom, Molly? Als Charlie belangstelling voor je had, waarom vroeg hij je dan niet mee naar de andere feestjes?'

Ze keek naar April en schudde langzaam haar hoofd. 'Het kwam niet door Charlie dat ik geen zin meer had. Eerlijk gezegd hing hij een maand lang iedere dag aan de zender/ontvanger en is me zelfs een of twee keer komen opzoeken.' Ze drukte haar shagje uit. 'We konden heel goed met elkaar overweg, toen hij ineens niet meer langskwam.'

'Nou zeg, wat ben jij een stiekemerd, Molly. Dat heb je ons nooit verteld.' Tom keek haar strak aan. 'Waardoor had hij ineens geen zin meer? En waarom ging jij niet meer naar andere feestjes? Je had het moeilijkste al gehad – de volgende keer moest het gemakkelijker zijn.'

'Ik weet niet wat er met Charlie is gebeurd,' zei ze peinzend. 'Ik had gedacht dat Squires een gat in de lucht zou hebben gesprongen na wat er met Andrew was gebeurd. Maar er werd niets gezegd, en als ik Charlie nu tegenkom, zegt hij me gedag en dan kijkt hij weg. Het is net of hij zich ervoor schaamt om mij te zien.'

Tom fronste zijn voorhoofd. 'Vreemd. Er moet iets gebeurd zijn waardoor hij ineens van gedachten is veranderd. Hij was tenslotte nog maar negentien en jongens van die leeftijd hebben vaak nog te veel wilde haren om zich al vast te leggen.'

'Dat zou kunnen,' zei ze luchtig, om niet te laten merken dat ze gekwetst was door zijn afwijzing. Ze had Charlie graag gemogen; hij maakte haar aan het lachen en ze voelde zich aantrekkelijk en meisjesachtig in zijn gezelschap. 'Maar ik ben opgehouden om naar feestjes te gaan vanwege de andere vrouwen. Ik kan de confrontatie met een wild zwijn of een dingo aan en hem tussen de ogen schieten, maar dat kan ik niet met de insinuerende, hatelijke opmerkingen en het omgekeerde snobisme van de vrouwen en dochters van de andere veeboeren.'

April legde haar ruwe werkhanden op de hare. 'Wat is er dan gebeurd, Moll? Waren ze erg onvriendelijk?'

Matilda slaakte een diepe zucht. 'Ik hoorde ze de volgende ochtend praten terwijl ik in de badkamer mijn haar stond te doen. Ze lachten om mijn jurk, om de manier waarop ik loop en praat, hoe mijn handen en mijn ondergoed eruitzien... Maar dat kon me nog niet eens zoveel schelen. Het was wat ze over Charlie en mij zeiden dat de deur dichtdeed.'

Ze zweeg even terwijl ze aan dat vernederende gegiechel achter de dichte deur van de badkamer dacht. Ze wisten dat ze er stond. Ze wisten dat ze hen hoorde. 'Ze zeiden dat Charlie alleen maar aardig tegen me deed omdat die ouwe Squires mijn land wilde. Ze zeiden dat geen enkele man bij zijn volle verstand ooit met me zou trouwen, dat ik waarschijnlijk op den duur met een stel abokinderen zou komen te zitten, omdat alleen een zwarte iets in me zou zien. Ze zeiden insinuerende dingen over Gabe en mij, afschuwelijke dingen, en ik werd razend. Ik stormde naar buiten, vertelde hun wat ik van ze dacht en ging weg. Maar ik hoorde ze nog lachen toen ik Lady ging halen en terug naar Churinga reed. En ik hoor het soms nog wel eens – als herinnering waarom ik me bij mijn eigen gezelschap moet houden en mijn plaats moet weten.'

'Dat is verschrikkelijk,' protesteerde Tom. 'Longhorn zou het vreselijk vinden als hij dat hoorde, en zijn vrouw ook. Waarom heb je niks gezegd?'

'En nog meer trammelant veroorzaken?' Matilda glimlachte. 'Het zou niks uitgemaakt hebben, Tom. Ze zouden toch zo over me zijn blijven denken, en ik over hen. Ik ben gelukkig zoals ik leef. En wat Charlie betreft... Het was leuk om een tijdje het hof gemaakt te worden, maar zelfs ik besefte dat het toch niks zou zijn geworden, omdat ik me altijd af zou vragen of Ethan erachter zat en Charlie het alleen maar had gedaan vanwege Churinga.'

'Wat zonde,' zei April zachtjes.

Matilda's lach klonk luchtig. 'Ik heb genoeg problemen om die rottige drijvers in toom te houden zonder dat ik een man heb die me voor de voeten loopt. Jij hebt de kinderen en ik ben dol op ze. Maar ik hou me bij het land en de schapen in plaats van theekransjes. Met hen weet ik tenminste waar ik aan toe ben.'

Er daalde een genoeglijke stilte neer waarin ze luisterden naar het avondnieuws dat gevolgd werd door een concert uit Melbourne. Matilda's gedachten aan die afschuwelijke avond en het doodzwijgen door Charlie werden naar het verleden verdrongen waar ze thuishoorden. Haar leven lag vast en ze was gelukkig genoeg in haar eentje. Wat had ze meer te wensen?

Ze neuriede het refrein van een heel mooie wals terwijl ze op de veranda stapte voor een laatste sigaret voor ze naar bed ging. Tom kwam ook op de veranda en samen zaten ze een ogenblik in kameraadschappelijke stilte op de krakende tuinstoelen – Bluey lag tussen hen in en zijn gesnurk vormde een plezierig basritme tegen het getjirp van de krekels.

'Die hond van jou heeft rond een van mijn teefjes lopen draaien en ik denk dat ze drachtig is. Als ze goed zijn, delen we ze. Goed?'

'Goed van jou, Bluey. Ik wist niet dat je het nog in je had.' Matilda lachte.

'En óf we delen, Tom Finlay! Zelfs als ze blijken half de hond te zijn die Bluey is, dan heb ik nog werk voor ze.' Hij keek peinzend terwijl hij in zijn stoel schommelde. 'Je moet niet te veel op April letten. Ze wil alleen maar dat je trouwt, dat is alles. Ik hoop dat we je niet al te verdrietig hebben gemaakt door je over dat feest op Nulla Nulla te laten praten? Het zal niet gemakkelijk voor je geweest zijn, meisje.'

Matilda zuchtte. Tom bedoelde het goed, maar ze wou dat hij het nu maar liet rusten. 'Ik ben zo gelukkig als ik maar enigszins zijn kan, denk ik. Ik heb mijn vrienden, mijn land en een paar cent op de bank. Wat kun je nog meer wensen?'

'Regen,' zei hij gevat.

Ze keek naar de heldere sterrenhemel en knikte. Het had al vier jaar niet meer behoorlijk geregend, en hoewel ze het land niet had laten overbegrazen, begon het gras op Churinga schaars te worden.

Terwijl het vierde jaar overging in het vijfde, begon Matilda steeds meer zwarte inkt in haar grootboek te zien, maar wist dat dat snel zou veranderen als het nog lang zo doorging. Blueys jongen bleken prachtexemplaren te zijn. Het waren er acht, waarvan twee teefjes. Tom en zij namen ieder één teefje en verdeelden het nest eerlijk. Ze waren intelligent en gehoorzaam, en al snel kon ze ze meenemen naar de omheinde weiden om hun ingeboren talent voor veedrijven te cultiveren.

Ze liet haar schapen van weide naar weide trekken toen het gras in stof veranderde, en sloot ze uiteindelijk op in de omheinde weiden bij het huis waar het gras weelderig bleef door de waterput. Ze had al wat schapen verkocht en het geld op de bank gezet. Je kon schapen niet dwingen om te eten, en het was goedkoper om haar kudde tot een minimum te beperken dan te proberen ze met duur, in een winkel gekocht voer te voederen.

Iedereen leed eronder. Wilga, Billa Billa en zelfs Kurrajong. De slechte kwaliteit wol werd tegen de laagste prijs sinds mensenheugenis verkocht en Matilda vroeg zich af of dit het einde was van alles waar ze zo hard voor gewerkt had. Het gras was dun, zilverkleurig en ruiste als ze door de weiden reed. De schapen waren lusteloos en lieten hun koppen hangen in de ongelooflijke hitte.

Toen kwamen de onweersbuien. Droog en hard en vol statische elektriciteit, knetterden ze boven hun hoofd en maakten de boeren warm, geïrriteerd en wanhopig. De sfeer werd drukkend door de zware regenwolken die de lucht donker maakten zodat ze overdag de lamp aan moest steken. Matilda en haar drijvers keken constant naar de lucht, naar de regen waar ze al zolang op hoopten, maar toen hij kwam was het zo weinig dat het geen soelaas bood voor de uitgedroogde aarde. Het was zo weinig en verdampte zo snel dat het niet langer dan een paar seconden bleef liggen.

Ze lag in bed en wilde dolgraag slapen na weer een lange dag waarin schapen naar een andere wei gedreven moesten worden waar het gras maar een heel klein beetje beter was dan in de vorige. Ze had het onverdraaglijk heet en lag maar te woelen, terwijl Bluey onder het bed lag te rillen van angst. Het geluid van het onweer dreunde door het huis, donderde over het dak en trilde tot in de fundering door. Het was alsof de wereld in brand stond en op die laatste bliksemschicht wachtte die de dag des oordeels zou aankondigen.

Ze was blijkbaar toch in slaap gesukkeld, want toen ze haar ogen weer opendeed, realiseerde ze zich dat, hoewel het nog steeds donker buiten was, en de donder voortdurend over het land rolde, er iets veranderd was. Ze leunde op haar elleboog en snoof de lucht op. De temperatuur was een paar graden gedaald en een koelere, frisse bries kwam door het raam naar binnen.

'Regen!' schreeuwde ze terwijl ze uit bed sprong. 'Het gaat regenen!'

Met Bluey dicht op haar hielen, rende ze het huis door de veranda op. De eerste dikke druppels spatten op het dak en maakten de droge aarde van de brandweg donker. Ze namen in aantal toe en volgden elkaar als een enorme drumroffel steeds sneller op tot de stortvloed een oorverdovend gebrul werd.

Matilda vergat dat ze haar nachthemd aan had. Ze vergat dat ze op haar blote voeten liep. Terwijl haar tranen zich vermengden met de heerlijke, zoete regen, stapte ze de veranda af en hief haar armen naar de hemel. 'Eindelijk, eindelijk,' fluisterde ze.

Gabriel en zijn gezin kropen hun gunyah uit en lachten en dansten in de koude regen. Wally en Mike kwamen met ontbloot bovenlijf en slaperige gezichten uit hun bungalow. Zelfs van die afstand kon ze de grijns op hun gezicht zien.

'Het regent,' riep ze overbodig.

'Dat kun je wel stellen,' lachte Wally, de jongste van de twee, toen ze bij haar op het erf kwamen staan.

Matilda zat vol rusteloze energie en een verlangen om het te vieren, en nadat ze Gabriel met zijn vrouw in de modder had zien hossen, pakte ze Wally bij de hand en trok hem in een woeste rondedans het erf over. Mike pakte Gabriels jongste dochter beet en volgde hen. Binnen enkele seconden zaten ze allemaal onder de modder en liepen ze te hijgen.

Toen ze zich eindelijk op de treden van de veranda lieten vallen, bleven ze allemaal zitten en keken hoe de uitgedroogde aarde de centimeters en centimeters van het kostbare water opzoog. Het was een wonder – en het was geen dag te vroeg gekomen.

Mike was de eerste die de bezorgdheid onder woorden bracht die ze allemaal begonnen te voelen. 'Ik denk dat we de schapen naar hogergelegen grond moeten brengen, Molly, voor het zo doorgaat. Ze lopen te dicht bij de rivier en als er een dijk doorbreekt, zijn we ze allemaal kwijt.'

Toen hij haar aandachtig opnam, realiseerde Matilda zich ineens dat haar katoenen nachthemd doorweekt was en weinig aan de fantasie overliet. Ze bloosde hevig en wikkelde de plooien om zich heen. 'Ik ga me aankleden,' mompelde ze. 'Zorg jij voor het ontbijt, Mike.'

Ze rende naar binnen en trok het smerige, doorweekte stuk katoen uit. Ze waste zich snel en boende zich droog met een van de nieuwe handdoeken die ze de laatste keer van Chalky White had gekocht.

Chalky White, en zijn vader voor hem, trok al jaren door het binnenland. Niemand wist zijn echte naam, of leeftijd, maar er werd door de dames altijd naar zijn bezoeken uitgezien, want hij had altijd de nieuwste collectie japonnen bij zich, make-up en schoenen, grammofoonplaten, boeken en alle dingen die een huis tot een thuis maken. Vroeger reisde hij met paard en wagen, maar reed nu in stijl rond in een verbouwde kermisvrachtwagen en kwam vaker dan twee keer per jaar.

Ze keek naar haar nieuwe broek van Engels katoen en haar nieuwe laarzen, maar besloot ze niet aan te trekken. Ze zouden maar naar de vernieling gaan in de modder. Maar de waterdichte cowboyjas was een godsgeschenk.

Het ontbijt was een haastige bedoening met boterhammen met schapenvlees en koppen sterke, zoete thee. Er werd weinig gezegd, omdat ze elkaar toch niet konden verstaan door het geratel van de regen op het dak, maar ze stonden als één man op om hun paarden te gaan zadelen. Gabe zou achterblijven om ervoor te zorgen dat de koeien en varkens niet verdronken, en de schuren en hooizolders te schalmen, zodat de regen hun kostbare voorraden niet kon aantasten. De regenval was zwaar, bijna pijnlijk op de huid. Matilda stopte haar kin in de kraag van haar cowboyjas en trok haar hoed over haar ogen terwijl ze keek hoe Blue en zijn drie pups de schapen bijeendreven. Het gefluit van de drijvers werd overstemd door het geluid van de regen die op de grond beukte, maar de dieren bleken behendig en goedgetraind.

Lady was nerveus; ze danste, zwaaide met haar manen en rolde met haar ogen. Matilda hield haar kort en spoorde haar aan. Het zou een lange dag worden, en ze zouden moeten ploeteren, maar ze dankte God ervoor.

Schapen vinden het verschrikkelijk om nat te worden. Pasgeschoren, stonden ze in zielige groepjes bij elkaar te rillen en sprongen alle kanten op om aan de koeionerende honden en drijvers te ontkomen. Maar er was altijd wel iets of iemand die hen tegenhield, ze terug naar de kudde te dwingen en voort te drijven. Dit maakte de uittocht uit de weiden moeizaam, maar terwijl de horizon verborgen bleef achter een gordijn van regen ging het steeds vlotter.

Matilda snoof de heerlijke frisse geur in van doorweekte aarde en natte struiken en bomen. Tweeënhalve centimeter regen betekende hier niets, maar vijfentwintig centimeter betekende vers gras – en gras betekende leven voor een veeboer.

Ze kwamen eindelijk op de hogergelegen weiden aan die ten oosten van de Tjuringa lagen. Er was niet veel gras, maar er zou binnenkort genoeg opkomen en er was genoeg water van de snelstromende bergstroompjes. Nadat ze de omheiningen hadden gecontroleerd, lieten ze de kudde gaan en gingen terug.

Het was drie uur 's middags, maar er was die dag geen echte zonsopgang geweest. De wolken joegen, zwart en zwaar, langs een loodgrijze hemel, en een scherpe wind blies vlagen van striemende regen tussen de bomen door. De paarden baanden zich een weg door de riviertjes en stroompjes water die over de aarde spoelden die zo hard was als beton terwijl de regen van hun manen spatte en het water langs hun hals en benen liep.

De lange waterdichte cowboyjas woog zwaar op Matilda's schouders en de koude druppels vielen in haar nek. Maar het kon haar niet schelen. Ze was niet eens in staat zich koud en akelig te voelen, nu het regende. Nat worden was een kleine prijs die betaald moest worden om te overleven.

De beek met de steile oever stroomde over. Wat een paar uur geleden nog een zielig stroompje was geweest, was nu een razende stroomversnelling die alles voor zich uit joeg. Matilda greep de gladde teugels stevig beet, dwong Lady het water in.

De oude merrie durfde niet verder toen ze in de modder slipte en wegdraaide; ze zwaaide woest met haar hoofd, haar ogen wild van angst terwijl het water om haar benen kolkte. Matilda probeerde haar te kalmeren en naar voren te dwingen, maar de merrie rolde met haar ogen en probeerde terug te deinzen.

Mikes zwarte ruin was te dichtbij. Terwijl hij steigerde en hinnikte, voelde ze de reactie huiverend door Lady voeren. Het duurde enkele minuten voor ze de paarden onder controle hadden. 'We moeten erdoorheen, Molly,' schreeuwde Mike boven de watervloed uit. 'Er is geen weg terug – en als we het nu niet doen, zitten we vast.'

'Ik weet het,' gilde ze terug. 'Maar Lady is geschrokken, en ik weet niet of ze het wel redt.'

'Het is dát of wachten tot het ophoudt met regenen – en ik denk niet dat dat de komende dagen gebeurt.' Wally's vos stond rustig naast het kolkende water, ogenschijnlijk onaangedaan door de nervositeit van de andere twee. 'Ik ga wel als eerste, dan neem ik een touw mee.'

Hij rolde zijn touw uit en sloeg het om de stam van een boom die normaal gesproken meer dan een meter boven het water op de oever stond, maar nu bijna helemaal door het water werd omspoeld. Hij bond het andere eind stevig om zijn middel, pakte een paar pups en stopte ze in zijn waterdichte jas. De vos stapte in het snelstromende water en zwom al snel krachtig tegen de stroom in.

Mike en Matilda hielden het touw stevig vast, klaar om Wally terug te trekken als zijn paard onder hem vandaan gesleurd werd. De regen striemde in hun gezicht, prikte in hun ogen en maakte hun handen ijskoud, maar ze verslapten geen moment. De stroming was sterk en de onderstroom dodelijk zoals hij in draaikolken over de rotsachtige bodem raasde – en Wally's leven hing van hen af.

Hij kwam eindelijk aan de andere kant uit, en zijn paard gleed en glibberde in de modder terwijl hij probeerde vaste voet te krijgen op de steile oever. Het paard probeerde het telkens weer en worstelde om naar boven te komen. Ten slotte gleed Wally van zijn rug, klauterde de oever op en trok het paard omhoog terwijl hij aanmoedigingen riep.

Voor degenen die toekeken duurde de worsteling omhoog eindeloos lang, maar eindelijk kwamen ze op vaste grond en Wally bond het touw aan een boomstronk. Matilda en Mike slaakten een zucht van verlichting toen hij zijn hoed afnam en ermee zwaaide. Met hem was alles goed, hij had het gehaald.

'Ga jij nu maar, Molly,' schreeuwde Mike. 'Maar als je voelt dat het paard wegglipt, moet je haar niet proberen vast te houden. Hou je aan het touw vast en trek jezelf naar de overkant.'

Ze knikte, maar was niet van plan om Lady onder haar weg te laten glippen, een zekere dood tegemoet. Ze waren al zolang samen en hadden zoveel meegemaakt dat Matilda haar niet zomaar in de steek kon laten. Ze stopte de overgebleven pup in haar jas, waar hij wriemelde en met zijn natte vacht haar overhemd doordrenkte. Ze wachtte tot hij rustig lag en spoorde Lady toen zachtjes aan het water in te gaan. Ze hield met één hand de teugels vast, terwijl ze haar andere om het touw klemde, en gebruikte haar knieën en dijen om de oude merrie in bedwang te houden terwijl het water in heftige draaikolken om haar voeten wervelde.

Lady gleed en struikelde, haar hoofd omhoog terwijl ze hinnikte van angst. Matilda boog zich over haar hals, fluisterde geruststellende woordjes en haalde haar over om verder te gaan tot ze vaste grond voelde en de moed vond om tegen de stroom in te gaan.

Het water stroomde over hun benen en Matilda voelde de stroming toen Lady begon te zwemmen. Ze klampte zich aan haar rug vast, haar gezicht raakte bijna Lady's manen terwijl ze de teugels en het touw omklemde en de puppy tussen hen in kronkelde.

'Brave meid,' suste ze. 'Brave meid. Rustig maar, Lady. Ga maar door, lieverd. Ga maar door.'

Het regende pijpenstelen – de regen verblindde hen, maakte de waterstroom nog breder en de oevers glad en dodelijk. Wally stond aan de andere kant aanmoedigingen te schreeuwen, maar Matilda was blind en doof voor alles terwijl ze voelde dat de oude merrie moe begon te worden. 'Kom op, meid. Nog even. Nog heel even en dan zijn we thuis,' drong ze aan.

Lady hees zichzelf in het ondiepe gedeelte en ploeterde dapper de oever op. Maar er was geen vaste grond, alleen maar spekgladde, slijmerige modder die onder haar hoeven vandaan glibberde en haar mee het water in sleepte.

Matilda hoorde het zwoegen van die machtige longen, voelde het spannen van die vermoeide spieren, en sprong van haar rug. Ze pakte het hoofdtuig beet, plantte haar voeten stevig in de modder, en probeerde haar het water uit te trekken en de helling op te sjorren.

Lady snoof en worstelde, vechtend om vaste grond te vinden, met ontblote tanden van inspanning terwijl Matilda de helling opklauterde met haar achter zich aan. Ze schreeuwde aanmoedigingen en toen ze eenmaal uit het water waren, glibberde Wally naar beneden om de teugels te pakken en mee te sjorren.

De tijd hield op te bestaan in die pijnlijk langzame worsteling van de merrie om boven te komen, maar toen kwam ze op vaste grond en met een laatste enorme krachtsinspanning krabbelde ze op de oever. Ze bleef daar doodstil staan en haar flanken gingen op en neer terwijl ze op adem kwam. Toen zakte ze door haar benen en viel op de grond. Haar lange gele tanden klapten op elkaar, haar ogen draaiden weg en ze lag stil.

Matilda liet zich op haar knieën in de modder vallen, terwijl de puppy ongemerkt uit haar jas glipte en naar zijn broertjes en zusje rende. Ze aaide

Lady's hals en volgde de vertrouwde contouren van het ooit zo krachtige lichaam terwijl de tranen over haar wangen liepen en zich vermengden met de regen. Lady was een echte vriendin geweest – haar enige vriend in dat eerste jaar – en ze was tot het einde toe zo moedig geweest.

'Mike komt naar de overkant,' schreeuwde Wally vlak bij haar oor. 'Help eens.'

Matilda slikte haar tranen in en pakte het touw beet. Mike was al halverwege de rivier met Bluey achterop. Terwijl het water over de rug van het paard stroomde, verloor de hond bijna zijn houvast en Matilda hield haar adem in.

Bluey was niet van plan te gaan zwemmen. Hij kroop ineengedoken tegen Mike aan, blafte fel en kwispelde enthousiast.

'Die rotzak vindt het nog leuk ook,' schreeuwde Wally terwijl ze aan het touw trokken. 'Ik durf te wedden dat hij zit te grijnzen.'

Matilda was sprakeloos van angst en verdriet. Ze had vandaag al een vriend verloren. Ze moest er niet aan denken om er nog een te verliezen.

Mikes ruin worstelde op de oever, maar kreeg al snel vaste grond onder de voeten. Bluey sprong van zijn rug en schudde zich uitgebreid uit voor hij zich met modderige poten en zijn tong uit zijn bek op Matilda wierp. Zij en de twee mannen lieten zich op de grond vallen, buiten adem en uitgeput, zonder dat het hun iets kon schelen dat ze met de minuut kouder en natter werden. Ze hadden het gehaald.

Toen ze weer op adem waren, klom Matilda achter Mike en ze begonnen de lange tocht naar huis. De honden renden naast hen voort, verlangend naar een warm hok en eten. Matilda kon alleen maar aan Lady denken. Ze hadden haar achter moeten laten – een onwaardig einde voor zo'n moedig paard. Matilda klemde haar zadel tegen zich aan. Ze zou haar missen.

De regen had hun gras gebracht dat tot aan hun middel groeide. De veeboeren van New South Wales haalden voor het eerst in vijf jaar gemakkelijker adem. De schapen die de droogte hadden overleefd, zouden sterke, gezonde wol produceren. Ze zouden goed fokken en het leven zou zijn normale gangetje weer gaan.

Maar het leven in het binnenland was wreed, de elementen bedrieglijk, en hun opluchting was van korte duur. Het water dat in zo'n stortvloed was gevallen liep over de samengepakte aarde en verdween. De zon klom weer hoog aan de hemel, feller en brandender dan ooit. Het land dampte, en al gauw was het gras weer zilverkleurig en waren de weiden gehuld in een nevel van stof en hitte.

Tom had een paar schapen in een van de lagergelegen weiden verloren, maar zijn kudde was veel groter dan die van Matilda en hij vond dat hij bofte dat het er niet meer waren geweest. Matilda kocht een van zijn werkpaarden om Lady te vervangen, en het leven begon zijn onvermijdelijke cyclus van bijeendrijven, fokken, scheren en verkopen.

Het was een ritueel voor haar geworden om ten minste een paar keer per jaar bij Tom en April langs te gaan. Het nieuws uit Europa was niet goed en minister-president Menzies waarschuwde dat er oorlog kon komen als Hitler zijn aanvallen in Europa voortzette.

'Wat betekent het voor ons als Hitler Polen binnenvalt, Tom?' Ze zaten allemaal in de keuken en de sfeer was gespannen op die septemberavond in 1939. 'Waarom zou een oorlog in Europa invloed hebben op Australië?'

'Het betekent dat we erin meegesleept worden,' antwoordde hij bedachtzaam. 'Dat is logisch, denk ik, omdat we lid van het Gemenebest zijn. Chamberlain moet er iets aan gaan doen, en snel ook.'

Het werd stil en April hield op met breien, haar gezicht bleek in het licht van de lamp. 'Maar jij hoeft toch niet te gaan, Tom? Jij bent nodig op de boerderij. Het land zal wol nodig hebben en talk, schapenvlees en lijm. Als het oorlog wordt,' voegde ze er met tranen in haar ogen aan toe. Ze keek verwachtingsvol naar haar man, maar hij wendde zijn blik af en zette de radio uit.

'Dat hangt ervanaf hoe de dingen gaan lopen, schat. Je kunt als man niet zomaar lekker op je kont blijven zitten als er op je maten geschoten wordt. Als ze me nodig hebben, dan ga ik.'

Matilda en April keken hem vol afschuw aan. 'En Wilga dan? Je kunt hier niet zomaar weglopen,' zei Matilda op scherpe toon. 'En April en de kinderen? Hoe moeten zij het zonder jou redden?'

Tom glimlachte. 'Ik zei toch niet dat het zeker was. Ik zei alleen maar dat ik zou gaan als ik nodig ben. Misschien komt er niet eens oorlog.'

Matilda zag hoe zijn ogen schitterden van opwinding en wist dat zijn woorden niets betekenden. Hij werd al opgestookt door het idee. Hij kon nauwelijks wachten tot hij opgeroepen werd. Ze keek naar April en wist dat zij die blik in zijn ogen ook gezien had, want haar bleekheid was uitgesprokener dan ooit, en haar handen lagen stil in haar schoot.

Matilda beet op haar lip en nam een besluit. Ze had gezworen zijn vriendelijkheid terug te betalen – misschien was het nu tijd voor die wederdienst.

'Maar als je gaat, Tom, dan zorg ik voor Wilga. De schapen kunnen bijeengedreven worden en ik kan jouw schuren gebruiken voor het scheren. Ik hoop dat een paar mannen blijven om het land te bewerken, maar we zullen het op de een of andere manier wel redden tot je terugkomt.'

April barstte in tranen uit en terwijl Tom haar ging troosten, liep Matilda de kamer uit en dwaalde via de veranda de wei in. Ze hadden er behoefte aan om alleen te zijn – en zij had behoefte aan ruimte en tijd om na te denken.

Ze bleef bij de omheinde weide staan, keek een ogenblik naar de paarden en toen naar de hemel. Hij leek eindeloos groot en omvatte met al zijn sterren dit kleine stukje aarde bijna helemaal. Het was moeilijk te geloven dat diezelfde hemel op het door oorlog verscheurde Europa neerkeek. Mannen zouden vechten en sterven. Het land zou overgelaten worden aan de vrouwen en jongens die te jong waren om te weten wat ze aan het doen waren. Of aan oude mannen die niet langer de kracht hadden om te vechten tegen de uitbarstingen van de natuur. Voor het eerst in vele jaren was ze blij dat ze geen man was. Blij dat ze Churinga niet hoefde te verlaten voor een slagveld in een ander land.

Ze rilde. Ze zou haar best doen voor April en de jongens, maar ze had nog steeds herinneringen aan hoe het voor haar moeder was geweest tijdens de Eerste Wereldoorlog. En mocht God hen helpen als dat werkelijk allemaal opnieuw zou gebeuren.

14

Het licht was verdwenen voor die dag. Jenny had de doeken die af waren tegen de muur gezet en stond haar penselen schoon te maken toen ze Ripper hoorde blaffen. Ze draaide zich om toen ze voetstappen op de veranda hoorde en er ging een schok van blijdschap door haar heen toen ze Brett in de deuropening zag staan.

'Hallo.' Er was iets mis met haar stem, hij was te hoog, bijna ademloos. Ze schraapte haar keel en glimlachte. 'Jij bent vroeg terug.'

Hij grinnikte terwijl hij zijn hoed afzette, en veegde zijn voorhoofd af. 'Ik zie dat je druk bent geweest,' zei hij, terwijl hij in de richting van de doeken knikte. Hij floot bewonderend. 'Allemachtig! Jij werkt snel.'

Jenny keek naar de schilderijen. Ze was uit haar doen door zijn onverwachte verschijning en had een ogenblik nodig om aan die grijze ogen te ontsnappen en tot zichzelf te komen. Wat is er toch met me? dacht ze. Ik ben zo zenuwachtig als een schoolmeisje.

'Wat vind je van mijn inspanningen?' zei ze toen Brett naast haar ging staan en de meer dan tien landschappen bestudeerde.

Hij stopte zijn handen in zijn zakken en keek bedachtzaam. 'Ik weet niet zoveel van dat soort dingen, maar je hebt in ieder geval wel de sfeer van hier te pakken.' Hij pakte een van de doeken en zette hem op de ezel. 'Ik vind deze wel heel mooi,' mompelde hij.

Jenny ontspande zich, en haar glimlach was warm toen ze naar het landelijke tafereel van schapen en drijvers keek. 'Ik ben voor die met de drijvers mee gaan rijden. Het licht was buitengewoon, en ik wilde de essentie vastleggen van alles wat Churinga is.'

Hij keek naar haar en knikte. 'Volgens mij heb je dat ook gedaan. Ik kan de schapen bijna ruiken.'

Ze keek hem aan en vroeg zich af of hij haar plaagde, maar zijn uitdrukking was alleen maar nadenkend terwijl hij nog steeds aandachtig naar het schilderij keek. Ze draaide zich om en ging weer druk in de weer met het schoonmaken van de penselen en het schoonschrapen van het palet. Ze wist niet wat ze moest zeggen tegen die lange, stille man die zo dicht bij haar stond dat ze de warmte van zijn lichaam bijna kon voelen. Door zijn afwezigheid van de afgelopen paar weken was ze zich gaan realiseren dat hij een deel van Churinga was dat het belangrijkst voor haar was – en haar tegenstrijdige loyaliteit en emoties voerden een stille, innerlijke strijd.

'Heb je een fijne vakantie gehad?' vroeg ze toen er niets meer op te ruimen viel en de stilte beklemmend begon te worden.

'Mijn broer John is ziek en zou naar het ziekenhuis moeten, of in ieder geval eens een tijd uit het riet weg. Maar het is zo'n koppige klootzak, en ik kon hem er met geen mogelijkheid van overtuigen dat hij beter kon stoppen en iets beters met zijn leven moest gaan doen. Het was dus eigenlijk een vergeefse reis, maar het was wel fijn om Gil daarna te zien.'

'Heb je zin in bier en een boterham?' Ze hoorde haar eigen afgemeten toon en vroeg zich opnieuw of waarom ze geen behoorlijk gesprek met de man kon voeren zonder dichtgeknepen keel. Ze liep met het geïmproviseerde avondeten naar de veranda. Ze had lucht nodig.

Brett slenterde achter haar aan en leunde tegen de leuning terwijl hij keek hoe ze de tafel dekte. 'Het is morgen Anzac-dag en dan zijn de paardenrennen. Ik dacht dat je misschien wel zin zou hebben om mee te gaan.'

Dit was veilig terrein en hij klonk bijna onpersoonlijk dus misschien had ze zich toch niet zo voor schut gezet. 'O ja. Het wordt op Kurrajong gehouden, hè? Ik heb er op de zender naar geluisterd en het lijkt wel het enige onderwerp van gesprek.'

Hij knikte. 'Het is de grootste boerderij, dus in de loop der jaren is dat de gewoonte geworden. Het gedoe duurt drie dagen, dus je moet er wel op voorbereid zijn dat je er blijft slapen.'

Jenny probeerde de opwinding in haar ogen te verbloemen terwijl ze een hap van een boterham nam. De kans om de familie Squires te ontmoeten wilde ze niet graag missen. 'Waar slapen we dan? In een van de bungalows?'

'Ik neem aan dat ze jou als de nieuwe eigenaar van Churinga in een logeerkamer in het grote huis onderbrengen.' Hij keek haar over zijn bier aan. 'Het is nogal iets om jou als gast te hebben, weet je. Sinds je komst wordt er druk gespeculeerd op de radio.'

'Ik weet het,' giechelde ze. 'Ik heb meegeluisterd.' Ze kauwde op haar boterham. 'Ik hoop dat ze niet teleurgesteld zullen zijn. Ik ben niet gewend aan zoveel beruchtheid.'

Hij grinnikte. 'Je moet iets slechts doen om berucht te zijn, Jenny. En ik denk niet dat daar veel kans op is.'

Ze dronk zwijgend haar bier en dacht aan Ethan Squires en zijn zoons. Misschien kon ze de oude man overhalen om wat hiaten op te vullen uit Matilda's dagboeken – en het zou interessant zijn om erachter te komen waarom Charlie haar zo abrupt had laten vallen.

'Wat gebeurt er precies?'

'We hebben een herdenkingsdienst in Wallaby Flats, dan gaan we terug naar Kurrajong voor de rennen. De afvalraces zijn eerst – zowat iedere man in New South Wales hoopt de finale te halen die op de derde dag is. Er zijn natuurlijk allerlei picknicks, en vuurwerk, en een kermis. En dan op de laatste dag is er een bal op Kurrajong.'

'Dat klinkt leuk.'

De warmte van Bretts lome glimlach werd weerspiegeld in zijn ogen. 'Dat is het ook. De vrouwen zijn er net zo dol op als de mannen, want ze krijgen de kans om zich op te tutten en te roddelen.'

'Wanneer vertrekken we?'

'Morgenochtend heel vroeg. Ik moet een stel paarden meenemen, dus jij moet de pick-up maar nemen.' Hij keek naar de puppy die onder Jenny's stoel in slaap gevallen was. 'Ripper zal hier moeten blijven. De honden op Kurrajong vreten hem op.'

Ripper scheen te horen dat er over hem gepraat werd, want hij kwam kronkelend over de vloer om zijn buik te laten krabben. 'Rustig, maatje. Ik ben al gewassen.'

Brett lachte zachtjes terwijl hij met het enthousiaste diertje speelde, en toen hij opkeek, voelde Jenny een steek van iets dat sterk op verlangen leek. Ze wendde snel haar gezicht af en nam een flinke slok lauw bier. Door de eenzaamheid was haar fantasie op hol geslagen. Hij was alleen maar vriendelijk – niets meer – en ze liep het risico zichzelf volledig voor gek te zetten door iets anders te denken.

De zon versmolt met de aarde en wierp een heel korte roze en oranje gloed over alles terwijl ze zaten te eten. Jenny keek op haar horloge en geeuwde. 'Ik ga maar eens naar bed als we morgen zo vroeg op moeten,' zei ze nonchalant. Ze wilde helemaal niet gaan slapen – ze wilde veel liever met Brett hier blijven zitten en het zuiderkruis helder zien worden.

Hij keek haar aan toen ze allebei opstonden. Zijn ogen waren peilloos, zijn uitdrukking raadselachtig. Er viel een diepe stilte waarin ze het gevoel had dat ze naar hem toegetrokken werd, maar de betovering werd verbroken toen hij zijn hoed op zijn hoofd zette en zich omdraaide.

'Oké, vijf uur morgenochtend. Welterusten, Jen.'

Ze zag hem met grote passen over het erf lopen, terwijl de platte hakken van zijn laarzen over de aarde schraapten, de gemakkelijke, soepele gang van een man die vele uren in het zadel doorbracht. Ze glimlachte en vroeg zich af of hij kon dansen, bloosde bij de gedachte aan die sterke handen waarmee hij haar tegen zich aan zou houden, snoof toen vol afkeer en liep het huis in. Wie hou ik nou voor de gek? dacht ze. Ik ben zijn baas en hij is Lorraines vriendje. En, kwam ze gedecideerd tot de conclusie, hij kan waarschijnlijk niet eens dansen.

Toch begon ze steeds opgewondener te worden. Het was zo lang geleden dat ze naar een feestje was geweest – ze had niet zoveel zin na Peters overlijden, en vrienden waren helemaal niet zo dol op alleenstaande vrouwen bij etentjes en op feestjes. Ze dacht aan de luidruchtige feesten waar ze als tiener naartoe was gegaan. Ze had er zin in om zich op te tutten en zich over de dansvloer te laten zwieren tot ze buiten adem was.

Haar dagdroom kwam tot een abrupt einde toen ze zich realiseerde dat ze niets anders te dragen had dan spijkerbroeken, overhemden en korte broeken. 'Ik kan niet gaan,' zei ze tegen Ripper. 'Niet terwijl ik weet dat alle andere vrouwen de mooiste jurken dragen die ze maar hebben kunnen vinden.'

Hij hapte en ging fanatiek op zoek naar een vlo.

Jenny keek toe zonder hem te zien. Er kwam een idee in haar op, maar het was zo extreem dat ze het terzijde schoof. En toch. En toch... Het was misschien mogelijk. Als ze de lef had.

Ze ging de slaapkamer binnen en deed de deur van de kleerkast open. De zachte geur van lavendel kwam de kamer binnen. Het was een geur van vervlogen jaren, die als een herinnering bleef hangen. Het spookachtige refrein begon in het lege huis te weerklinken en terwijl ze de zeegroene jurk pakte, was het alsof Matilda de kamer was binnengekomen en haar aanmoedigde hem te passen. Alsof zij en haar geheimzinnige danspartner wilden dat Jenny met hen meedanste.

De muziek was hypnotiserend terwijl ze haar kleren uittrok en in de wolk van zijde en chiffon stapte, en toen ze naar zichzelf in de spiegel keek, dacht ze even een glimp van woest rood haar te zien en de zachte lach van een andere vrouw te horen.

Ze deed haar ogen dicht en toen ze ze weer opendeed, was ze bijna teleurgesteld toen ze zag dat ze alleen was.

Ze bekeek zichzelf kritisch terwijl ze voor de spiegel alle kanten opdraaide en de lichten van de lampen op de zijden plooien liet dansen en glinsteren. Het oceaangroen was doorschoten met lichtpaars, een perfect accent voor haar ogen en de kastanjebruine lichtjes in haar haar. Het lijfje was voorzien van baleinen en een strakke taille, een ronde hals en pofmouwtjes. Hij was een beetje kort, maar dat deed er niet toe. Tenslotte was de minirok nog steeds mode en Jenny wist dat ze mooie benen had.

Maar terwijl ze naar de spookmuziek stond te luisteren, realiseerde ze zich dat de jurk hopeloos ouderwets was. Ze wilde niets aan zoiets moois veranderen – iets dat duidelijk zo belangrijk voor Matilda was geweest.

Er klonk een zachte zucht, en alsof er een warm briesje de kamer binnengekomen was, streek er iets heel lichts langs haar armen. Ze was niet bang, want Matilda was geen vreemde. Dit was eenvoudig een teken dat ze maar moest doen wat haar het beste leek. Een erkenning dat de tijd verder was gegaan en Matilda wilde dat haar speciale japon weer gedragen werd.

'Dank je,' fluisterde Jenny. 'Ik zal er goed voor zorgen, dat beloof ik.'

Ze trok de japon uit en legde hem op bed. Ze had schoenen nodig. Toen dacht ze aan het paar dat ze onder in de kist had gevonden en die duidelijk bij de japon hoorden. Ze viste ze uit de kleerkast en zuchtte van teleurstelling. Ze waren iets te klein en met de extra teen aan haar rechtervoet kwam ze er met geen mogelijkheid in. Dan moest ze de sandalen met de platte hakken die ze op het laatst had ingepakt maar dragen. Ze waren tamelijk chique, en aangezien ze het dichtst bij een dansschoen kwamen, moest ze het daar maar mee doen.

Ze nam de japon mee naar de keuken en tornde voorzichtig de zijden rozen van de taille en de schouder. Toen, na een lange aarzeling, begon ze te knippen. Toen ze twee uur later haar naald en draad weglegde, had ze een uitgaansjurk zonder bandjes die met de duurste in Sydney kon wedijveren.

Toen ze hem zichzelf voorhield en in de spiegel keek, realiseerde ze zich dat ze nog één ding moest doen en dan was haar verschijning perfect. Minuten later strikte ze het groenzijden lint om haar hals. De rozen waren nu licht bespoten met goudverf, stevig aan het lint gestikt en lagen in de holte tussen haar hals en schouder.

Jenny keek naar haar spiegelbeeld en stond versteld van de verandering. Toen giechelde ze. 'Nou, Assepoester. Je gaat echt naar het bal. En hóé!'

Jenny was wakker en volop bezig voor de zon opkwam. Ze had gedoucht en haar haar gewassen, en was gekleed in een katoenen broek en een witte kanten blouse toen ze haar nagels lakte. Ze had maar weinig sieraden om, omdat ze niet meer bij zich had – alleen zilveren ringen in haar oren en het medaillon dat Peter haar had gegeven en dat ze altijd bij zich had. Ze bekeek zichzelf kritisch in de spiegel en voelde zich een beetje zenuwachtig. Het was jaren geleden dat ze op een plattelandsfeest was geweest en wist niet zeker of ze er wel voldoende op voorbereid was – maar nu was het te laat. Zo moest het maar.

Ripper liep treurig achter haar aan terwijl ze haar rugzak inpakte en de slaapkamer opruimde. Hij volgde haar naar de pick-up en ging hoopvol aan haar voeten zitten terwijl ze de in een laken verpakte jurk over de passagiersstoel hing. Hij wist dat er iets zou gebeuren en vermoedde dat hij niet mee mocht doen.

Ze pakte hem op om hem een laatste kus te geven. Hij zou het weekend in de kennels doorbrengen en ze zou hem missen. Maar ze kon die trieste bruine ogen die zo smekend naar haar opkeken niet weerstaan en na een korte aarzeling gaf ze hem zijn zin.

'Kom dan maar mee, oude schooier. Spring er maar in, nu toch niemand kijkt.' Ze tilde hem in de pick-up en zwaaide streng met haar vinger. 'Maar ik waarschuw je: één blaf en ik laat je achter.'

Ripper kwispelde zo hard dat de rest van zijn lijfje meeschudde, maar hij scheen het bevel tot stilte te begrijpen. Jenny stapte na hem in en startte de motor. Ze had Brett aan de andere kant van het erf gezien met een groep paarden aan de teugel om hem heen.

'Op de vloer, Ripper,' fluisterde ze. 'Als hij je betrapt, zijn we allebei de sigaar.'

De stoet van paarden en pick-ups werden uitgezwaaid door de twee mannen die op Churinga achter zouden blijven. Toen Jenny zich bij het eerste hek bij de optocht voegde, besefte ze dat de reis niet mee zou vallen. De weg naar Kurrajong zat vol kuilen en het stof van de andere pick-ups vormde een grote wolk die zich aan haar transpirerende huid vasthechtte en haar een onaangenaam gevoel gaf. Het was een vergissing geweest om in schone kleren op weg te gaan.

Vijf uur lang stikte ze zowat in hun stof en keek ze naar de mannen in de laadbak van de pick-up voor haar. Met de kilometer werden ze luidruchtiger. Het bier stroomde al rijkelijk en zo te zien aan de grillige bewegingen van de drie pick-ups kregen de bestuurders ook hun deel.

De hoofdingang die naar Kurrajong leidde bestond uit twee pasgeschilderde smeedijzeren hekken onder een poort, met in het midden het altijd groene embleem. Het was een imposante kennismaking, maar nog niets vergeleken bij haar eerste blik op het huis.

De veranda en het balkon in koloniale stijl tegen het warme honinggeel van de stenen en de pilaren waar bougainville en rode jasmijn omheen kropen gaven het huis klasse en schoonheid. De weelderige tuinen en stille grootsheid ademden rijkdom en macht – en overtuiging van de eigen belangrijkheid. Het was zoals Matilda had beschreven en even had Jenny last van hetzelfde onbehagen. Toen herinnerde ze zich de felle manier waarop Matilda haar eigen boerderij in dit enorme land verdedigd had en wist dat ze niets had om zich onbehaaglijk over te voelen. Wat er was gebeurd, lag in het verleden. Dit was een nieuwe tijd – een tijd om dingen bij te leggen – een kans voor de mensen van Kurrajong en Churinga om vrede te sluiten.

'Onder de indruk?' Brett boog vanaf zijn paard naar haar toe.

'Waarschijnlijk niet zo erg als er van me verwacht wordt,' lachte Jenny. 'Maar het is spectaculair.'

'Ga jij maar naar het huis. Ik moet voor de paarden zorgen.'

'Ga je niet mee?' Ze schrok van het idee om al die vreemden in haar eentje onder ogen te moeten komen.

Hij schudde zijn hoofd en grinnikte. 'Ik ben maar een knecht. Ik moet naar de bungalow. Ik zie je straks wel.' Zijn blik viel op Ripper die, toen hij Bretts stem hoorde, uit zijn schuilplaats kwam gewurmd.' Wat had ik nou gezegd?'

Jenny zette het hondje op haar schoot. 'Het gaat vast goed. Hij kan in de pick-up slapen. Ik kon hem gewoon niet achterlaten.'

Brett snoof. 'Vrouwen,' mompelde hij voor hij met de paarden naar de omheinde wei liep.

Er was geen tijd voor een weerwoord. Andrew Squires kwam de brede treden van de veranda af om haar te begroeten. Hij was knap, erkende Jenny, en buitengewoon zelfverzekerd. Maar hij was ook een leugenaar en bedrieger, en ze verheugde zich niet op zijn gezelschap.

Zijn glimlach was vrolijk en hij gaf haar een warme, stevige hand. 'Goedemorgen, mevrouw Sanders. Wat een genoegen u weer te mogen ontmoeten.'

Jenny glimlachte terug. Ze had het warm, voelde zich vies en wilde iets drinken – en zijn perfectie irriteerde haar. Hoe kon iemand zo schoon blijven met al dat stof? 'U heeft een mooi huis,' zei ze beleefd.

'Fijn dat u er zo over denkt,' zei hij terwijl hij haar rugzak en jurk uit de pick-up haalde. 'Ik zal u een dezer dagen een rondleiding geven.' Zijn blauwe ogen keken haar een ogenblik aan en dwaalden naar de pick-up terwijl Ripper uit zijn schuilplaats kwam geklauterd. 'Hallo. We hebben blijkbaar een verstekeling.'

Het ijs brak en Jenny lachte. 'Hij wilde per se meekomen. Maar hij kan hier slapen en ik beloof dat hij niet in de weg zal lopen.'

Ripper kwispelde hoopvol toen Andrew hem over zijn kop aaide. 'Maakt u zich maar geen zorgen. Zolang hij zindelijk is, is hij welkom.'

Jenny voelde hoe haar mening over Andrew een verandering onderging. Hij kon niet helemaal slecht zijn als hij Ripper leuk vond. Misschien zou het niet zo akelig worden als ze eerst had gedacht. Ze volgde hem de trap op en stapte via de elegante voordeur de hal binnen.

Het was alsof ze een andere wereld binnenstapte. Op de vloeren lagen Perzische tapijten en de muren waren versierd met schilderijen en spiegels in vergulde lijsten. Er stonden bloemen in kristallen vazen op de gepolitoerde tafels, en antiek porselein vocht om een plaatsje met zilveren trofeeën. Ze bleef onder de prachtige kroonluchter staan en haar aangeboren gevoel voor schoonheid werd geprikkeld door de manier waarop de kristallen druppels regenbogen op de muren en het plafond wierpen.

'Mijn grootvader heeft dat vele jaren geleden van zijn rondreis door Europa uit Venetië meegebracht. Het is een soort erfstuk,' zei Andrew trots.

'Ik zou hem niet graag schoonmaken,' antwoordde Jenny laatdunkend.

'Daar hebben we bedienden voor,' antwoordde Andrew kortaf. 'Kom mee, dan breng ik u naar uw kamer.'

'Heeft u daar geen bedienden voor?' Haar toon was licht sarcastisch, maar ze verborg haar venijn onder een glimlach.

Hij keek haar ernstig aan. 'Jawel, maar aangezien dit uw eerste bezoek aan Kurrajong is, dacht ik dat u een wat persoonlijke kennismaking op prijs zou stellen.'

Jenny wendde haar gezicht af, beschaamd over haar stekeligheid, en volgde hem de brede wenteltrap op.

'Een dienstmeisje zal uw tas voor u uitpakken,' zei Andrew terwijl hij haar rugzak en japon op het bed legde. 'Daar is de badkamer. Zodra u klaar bent, kunt u naar de salon komen en met de rest van de familie en de andere gasten kennismaken. Ik hoef u niet te vertellen dat ze nieuwsgierig zijn naar de nieuwe eigenaar van Churinga.'

Zijn glimlach was warm en versterkte zijn knappe gelaatstrekken – als ze geen getuige was geweest van zijn andere kant, zou ze er misschien wel ingetuind zijn en gedacht hebben dat hij aangenaam gezelschap was. Ze bedankte hem en wachtte tot hij de kamer uit was voor ze zich over Ripper boog en hem begon te aaien. 'Wel wat anders dan wij gewend zijn, hè, jongen?'

Jenny keek naar het crèmekleurige brokaat aan weerszijden van het raam en rond het hemelbed. Er lag een dik, crèmekleurig tapijt op de glanzende parketvloer, een perfect contrasterende achtergrond die de volle glans van het Victoriaanse meubilair deed uitkomen. Ze liep de kamer door naar de kaptafel en bekeek de rij kristallen parfumflesjes en de piepkleine rozenknopzeepjes die in een Wedgewood-schaaltje lagen. Balmain, Chanel, Dior. Haar gastheren lieten graag zien hoe grootmoedig ze waren, maar ze vroeg zich af of er een verborgen boodschap achter dit uitbundige welkom lag.

Bij de gedachte aan Churinga met zijn ruwhouten vloeren en eenvoudige meubelen leek deze pracht en praal nogal overdreven en voor het eerst kreeg Jenny heimwee naar dat mooie, vertrouwde huis. Want het was een thuis geworden, realiseerde ze zich met een schok. Het huis in Sydney leek lichtjaren van haar verwijderd. Ze verlangde ernaar om terug te zijn in de eenvoudige boereneenvoud van haar erfenis.

Een discrete klop op de deur onderbrak haar gedachten. Jenny draaide zich om en zag dat ze opgenomen werd door een paar treurige zwarte ogen. Het meisje had een donkere huid en droeg een blauw-met-witte katoenen jurk onder het gesteven schort. Ze liep op haar blote voeten en glimlachte vriendelijk.

'Ik hoor bij u, mevrouw. Tassen uitpakken, hè?'

Jenny glimlachte. 'Dat doe ik straks wel.'

De glimlach van het meisje verdween en ze schuifelde met haar brede voeten terwijl ze Jenny door haar wimpers aankeek. 'Baas tegen me gezegd, hè?'

Jenny zag hoe ongemakkelijk ze zich voelde en gaf toe. Het had geen zin om te proberen het systeem op zijn kop te zetten, maar een dienstmeisje een rugzak laten uitpakken vond ze een beetje ver gaan.

Ze liep bedrijvig heen en weer om ondergoed in laden te leggen en de japon op te hangen, wees toen naar Jenny's verreisde kleren. 'Goed wassen, hè?'

Jenny trok een gezicht. 'Geen tijd. Ik moet zo naar beneden.'

Het meisje schudde ongeduldig haar hoofd. 'Genoeg tijd. Goed schoonmaken, hè?'

Jenny haalde berustend haar schouders op en kleedde zich uit tot op haar ondergoed. 'Hoe heet je?'

'Jasmine, mevrouw.' Ze had de kleren al onder haar arm genomen en stond op het punt de deur uit te gaan.

Jenny zuchtte en slenterde de badkamer in. Nu ze toch niets om aan te trekken had, kon ze net zo goed even de tijd nemen om uitgebreid in bad te gaan voor ze de familie Squires en hun gasten onder ogen kwam.

Ze bleef in de deuropening staan en haar mond viel open van schrik en vrolijkheid. De badkamer was zo overdadig dat hij niet zou hebben misstaan in een bordeel. De kranen waren gouden dolfijnen, de tegels handgeschilderd en Italiaans. Een albasten Venus van Milo stond in een hoeknis, omringd door verschillende flessen badzout. Dikke, wollige handdoeken hingen over een verwarmd rek, en de zijden ochtendjas die over een namaak-Lodewijk XVI-boudoirstoel hing glansde in het licht van kristallen lampen. De mensen van Kurrajong hoefden zich blijkbaar niet in modderig water te wassen.

Terwijl het water om haar oren kabbelde, deed Jenny haar ogen dicht en leunde achterover tegen het attent opgehangen kussen. Dit was het wel – en ook al was het een beetje te veel van het goede, ze was vastbesloten om deze kans te nemen en er uitbundig van te genieten.

Ze had geen idee hoe lang ze in het water had gelegen, maar toen ze haar ogen weer opendeed, was het water lauw geworden. Met grote tegenzin stapte Jenny eruit en wikkelde zich in een warme handdoek voor ze een haastige blik op de flesjes body lotion, dagcrème en andere crèmes wierp die onder de gedienstige Venus stonden opgesteld. Er was geen tijd om te experimenteren, ze was al laat.

Jasmine had een wonder laten geschieden. De katoenen broek was afgeborsteld en geperst, de blouse gewassen. Hoe ze het in vredesnaam zo snel voor elkaar gekregen had, was een raadsel, maar Jenny had geen tijd om er bij stil te blijven staan, realiseerde ze zich geschrokken toen ze op haar horloge keek. Er was een uur verstreken zonder dat ze het in de gaten had gehad.

Terwijl ze zich haastig aankleedde en mascara en lippenstift opdeed, hoorde ze auto's de oprijlaan oprijden en het gemurmel van mensen die elkaar begroetten. Ze werd zenuwachtig. Zij was een vreemde – een voorwerp van nieuwsgierigheid en speculatie. Hier was een flinke portie moed vereist.

Ze bekeek zich in de spiegel en moest denken aan hoe het met haar eerste tentoonstelling was gegaan. Ze had die dag ook vlinders in haar buik, maar toen kon ze zich verstoppen achter de persoon van kunstenaar en een rol spelen tot ze zich op haar gemak voelde. Vandaag was ze nog precies dezelfde – maar in plaats van kunstenares was ze een herenboer. De nieuwe, zeer rijke weduwe uit de grote stad die gewend was aan een druk sociaal leven. Ze haalde diep adem.

'Als dit me lukt,' mompelde ze, 'dan ga ik er toch serieus over denken om aan het toneel te gaan.'

Ripper jankte en hield zijn kop schuin terwijl ze naar de deur liep. 'Blijf,' beval ze. 'Ik laat je straks uit.'

Toen Jenny boven aan de trap verscheen, realiseerde ze zich dat ze alleen maar op de stemmen hoefde af te gaan om de salon te vinden. Haar hart klopte in haar keel en ze wenste dat ze Brett naast zich had. Ze haalde diep adem, rechtte haar schouders en liep langzaam naar beneden. Het doek was op. Tijd voor het eerste bedrijf.

Een knappe, glimlachende man van een jaar of zestig kwam door de openstaande deuren en bleef onder aan de trap wachten. Zijn bewonderende blik gleed over haar terwijl hij zijn hand uitstak, en ze wist onmiddellijk dat dit ook een van de zoons van Squires was. 'Wat fijn u eindelijk te mogen ontmoeten, mevrouw Sanders. Mijn naam is Charlie. Mag ik u Jenny noemen?'

Hij had onmiddellijk haar sympathie. Geen wonder dat Matilda hem mocht – ze begreep waarom. 'Jenny is prima. Aangenaam kennis met je te maken, Charlie.'

Hij pakte haar hand en stopte hem onder zijn arm. 'Op naar het hol van de leeuw. Je kunt het maar het beste zo snel mogelijk achter de rug hebben, dan kunnen we lekker in een rustig hoekje gaan zitten met een fles bubbels. Ben je er klaar voor om met mijn vader kennis te maken?'

Ze glimlachte. 'Alleen als je belooft om me niet in de arena alleen te laten.'

Hij keek haar onderzoekend aan. 'Veel te aantrekkelijk om waar dan ook alleen te laten,' zei hij plagend. 'Ik denk dat jij en ik het wel met elkaar zullen kunnen vinden, Jenny.'

Ze liet zich door hem door de mensenmenigte meetronen. Hoewel ze zich bewust was van belangstellende blikken en opgewonden gefluister, was haar aandacht gericht op de man in de rolstoel.

Ethans huid had de kleur van plamuur, hij had een haakneus en zijn ogen waren bijna kleurloos onder de zware oogleden. Vergroeide en zwaargeaderde handen lagen levenloos op de geruite deken die over zijn knieën lag. De blik die hij over haar liet glijden was scherp, intelligent en veelzeggend.

'Je doet me aan Matilda denken,' zei hij luid in de verwachtingsvolle stilte. 'Ik vraag me af of je net zo vurig bent.'

'Alleen als ik uitgedaagd word, meneer Squires,' antwoordde ze, hem op dezelfde manier en op dezelfde toon van repliek diendend. De actrice in haar verhulde haar schok over zijn uitspraak met een sluier van hooghartigheid.

Ethan snoof en keek naar Charlie. 'Kijk uit voor haar, mijn zoon. Als ze ook maar in de verste verte op haar voorgangster lijkt, dan jaagt ze je het erf af met een kogel in je kont.'

Zijn minachtende lach werd onderbroken door een hoestaanval.

Een slanke, elegante vrouw van achter in de vijftig baande zich een weg naar voren en liet de oude man een slokje water uit een glas nemen. Ze wierp Charlie een afkeurende blik toe. 'Ik zei toch dat hij zich niet mocht opwinden. Je zou toch beter moeten weten dan hem uit te dagen.'

Hij pakte Jenny's elleboog alsof hij zich wilde verdedigen. 'Pa hoeft helemaal niet uitgedaagd te worden. Dit is zijn gebruikelijke manier om zich te amuseren.'

De vrouw hief haar ogen ten hemel en zuchtte. 'Het spijt me, mevrouw Sanders. U zult ons wel vreselijk onbeleefd vinden.' Ze stak haar een gemanicuurde hand vol diamanten toe. 'Helen Squires. Ik ben de vrouw van Charlies broer James.'

'Jenny.' Ze wierp haar een zelfde vriendelijke glimlach toe en schudde haar stevig de hand. Tot haar opluchting nam de oudere vrouw haar terzijde.

'Hij zint al op een scherpe opmerking sinds hij van je komst hoorde,' zei Helen samenzweerderig. 'Charlie had je echt moeten waarschuwen over zijn onbeleefdheid. Het spijt me als pa je beledigd heeft, maar je krijgt hem niet meer stil als hij eenmaal tekeergaat.'

'Maak je maar geen zorgen.' Jenny glimlachte, maar onder dat beleefde uiterlijk trilde ze nog steeds van schrik. 'Laten we hopen dat hij voldoende kalmeert om met me over de geschiedenis van Churinga te praten.'

Ze zag de heimelijke blik die broer en schoonzuster wisselden, maar voor ze iets kon zeggen, werd ze gedecideerd weggeleid door Charlie om kennis te maken met de andere gasten. 'Er is straks tijd genoeg om met pa te kletsen, maar ik denk dat je hem nu het beste even in zijn sop kunt laten gaarkoken,' mompelde hij. 'Ik zal je eens aan wat mensen voorstellen.'

Jenny schudde handen en glimlachte naar gezichten. Probeerde namen en familiebanden te onthouden terwijl ze dezelfde vragen beantwoordde en dezelfde banaliteiten ten beste gaf. Ze voelde zich naakt onder hun nieuwsgierige blikken en was dankbaar toen Charlie haar eindelijk meesleurde naar de veranda voor de brunch. Ze nam een slok van de gekoelde champagne terwijl een dienstmeisje een bord met luchtige roereieren voor haar neer zette.

'Nogal een bezoeking, hè? Maar ik vind dat je het er goed vanaf hebt gebracht – vooral de uitbarsting van pa.'

Jenny keek hem aan. 'Wat vreemd dat hij zoiets zei, Charlie. Wat bedoelde hij daar in vredesnaam mee?'

Hij haalde zijn schouders op en nam een slok van zijn champagne. 'Het gebrabbel van een oude man. Let er maar niet op.'

267

'Het klonk veel gerichter dan dat,' zei ze peinzend.

Hij dacht een tijdje diep na. 'Ik denk dat hij iets van Matilda's onafhankelijkheid in je zag. Diezelfde koppigheid – die hooghartige blik die vuur beloofde als ze gedwarsboomd werd.' Hij glimlachte naar haar. 'Je snelle weerwoord heeft de overeenkomst alleen maar benadrukt. Ik heb haar ooit gekend; het was niet iemand die je gemakkelijk vergat. Je moet je gevleid voelen.'

Jenny dacht erover na. 'Ja, dat ben ik ook.' Ze stond op het punt hem te vragen naar de abrupte beëindiging van zijn vriendschap met Matilda en besloot toen dat het misschien beter was hem beter te leren kennen voor ze iets zei. Hij wist vast niet van de dagboeken, en het was misschien verstandig hun bestaan geheim te houden.

Hij klonk vrolijker toen hij zijn servet neerlegde en tegen de kussens van de rotanstoel leunde. 'Ik heb het gevoel dat heel New South Wales dit jaar is komen opdagen. Maar je hoeft me er natuurlijk niet aan te herinneren wie ze zijn komen bekijken. Twee maanden van roddel en speculatie hebben hun honger aangewakkerd.'

'Straks ben ik oud nieuws.' Ze keek naar de omheinde weide waar ze Brett tussen een groep mannen tegen de omheining geleund zag staan. Twee maanden. Zo lang leek het nog niet, dacht ze. Maar het was bijna winter, en algauw moest ze een beslissing over Churinga nemen.

'Een dollar voor je gedachten.'

'Zoveel zijn ze niet waard,' zei Jenny luchtig. 'Wanneer begint de parade?'

Hij keek op zijn horloge. 'Over een uur of twee. We moeten ervoor zorgen dat iedereen in actie komt. Ik hoop dat jij me de eer wilt doen om in mijn auto plaats te nemen?'

Jenny glimlachte om zijn ouderwetse hoffelijkheid en wierp een blik op de andere kant van het erf. Ze zou liever met Brett en de andere mannen van Churinga zijn gegaan, maar blijkbaar hadden ze hun eigen afspraken gemaakt. De groep mannen bewoog zich naar de pick-ups. 'Dank je, Charlie,' zei ze. 'Het is me een eer.'

Het gedenkteken stond aan het eind van een stoffige straat aan de buitenkant van Wallaby Flats. Jenny werd behoed voor de stofwolken en gloeiende hitte door de airconditioning van Charlies auto. Ze keek uit het raam naar de mensen die langs de kant van de weg stonden en vroeg zich af waar ze allemaal vandaan kwamen. Het waren veedrijvers, schaapscheerders, knechts en winkeliers. Boeren, rijk en arm, in auto's of te paard. Rondtrekkende landarbeiders en marskramers in hun stoffige wagens waar potten en pannen aan hingen te rammelen. Vrouwen in felgekleurde katoenen jurken en met opzichtige hoeden op hielden kleine kinderen aan de hand; mannen in uniform vormden een rij, hun medailles trots opgepoetst, slappe hoed zwierig over hun ernstige voorhoofd getrokken. Schuifelend en dringend, tegen een achtergrond van donkerrode aarde en een halfbewolkte hemel was het een caleidoscoop van kleuren, en Jenny wou dat ze eraan gedacht had haar schetsboek mee te nemen.

Charlie parkeerde zijn auto naast die van de andere van Kurrajong en ze liepen langzaam terug om zich in de menigte langs de kant van de weg te mengen. Ze zocht naar Brett tussen het gewoel en het lawaai, maar kon hem niet vinden. Toen, met het verstikte gejank van een doedelzak, werd haar aandacht naar het begin van de optocht getrokken.

Met klingelend tuig liepen de paarden achter de fanfare van Wallaby Flats. Vele marcherende laarzen wierpen het stof op. De menigte werd getroffen door een golf van vaderlandsliefde toen de fanfare meer dan drie generaties militairen naar het gedenkteken leidde. Er waren gezichten die ze herkende, gezichten die met afgewende ogen voorbijliepen, de kin vol trots geheven terwijl hun medailles glinsterden en zwaaiden – gezichten van mannen die schapen dreven op Churinga, mannen die haar niet oud genoeg leken om in de oorlog gevochten te hebben.

Plaatselijke hoogwaardigheidsbekleders, in vol ornaat, wachtten op hun komst. Toen begon een priester, zwarte soutane bollend in de wind, de herdenkingsdienst. De psalmen waren oude favorieten, uit volle borst meegezongen, en Jenny werd meegesleept in het vaderlandslievende vuur. En toen de kransen van rode klaprozen op de stenen treden werden gelegd en de onmogelijk jonge soldaat de *Last Post* begon te spelen, voelde ze de tranen in haar keel opwellen en toen de laatste toon wegstierf over het land, slaakten zij en de menigte een sidderende zucht.

'Nu begint de pret,' zei Charlie terwijl hij in de richting van het café knikte. Er stonden al mannen bij de deur te dringen. 'Vanavond zijn de pijnlijke hoofden niet meer te tellen.'

Jenny richtte haar aandacht weer op hem, en het droevige moment verdween in zijn vrolijke glimlach. 'En nu?'

'Terug naar Kurrajong,' zei hij gedecideerd. 'Voor iedereen de beste picknickplekjes te pakken heeft.'

De rivier de Culgoa rimpelde in het zonovergoten briesje. Tegen de tijd dat Jenny en Charlie aankwamen, waren er al heel wat dekens en picknickmanden onder de bomen uitgestald. Kinderen spetterden in het koude water en voetbalden op het gras. Er waren felgekleurde kraampjes opgezet waar het een drukte van belang was. Er waren jongleurs en vuurvreters, boksers, dikke dames en vrouwen met een baard, een draaimolen en schommelboten.

'Als gastheer zijn er dingen die ik moet doen, Jenny.' Charlie keek haar ernstig aan. 'Ik zou iemand kunnen vragen je gezelschap te houden als je dat liever hebt?'

Ze schudde haar hoofd. 'Ga maar. Ik ga graag in mijn eentje op verkenningstocht.'

Hij keek haar een ogenblik aan en was toen weg. Hoewel hij prima gezelschap was, was Jenny blij dat Charlie andere dingen te doen had. Ze verheugde zich erop om alleen rond te dwalen, en een suikerspin en een caramelappel te kopen. De geluiden en geuren van de plattelandskermis brachten herinneringen terug aan haar kindertijd op Waluna.

Ze baande zich een weg tussen de picknickmanden en groette vrolijk terug wanneer zij gegroet werd. Blijkbaar wist iedereen al wie ze was, maar gelukkig waren er maar een paar die een praatje met haar wilden maken. Ze liep langs de biertent. Het was er stampvol, en de stapel lege vaten die al buiten stond, groeide gestaag. Er was een verhitte woordenwisseling gaande achter de tent, met een hoop geduw en getrek, maar enkele minuten later liepen de tegenstanders arm in arm en zongen een oud schaapscheerdersliedje.

Jenny liep verder, genietend van de smaak van een suikerspin, en vroeg zich af of Brett in de buurt was.

Eindelijk zag ze hem staan, tussen een menigte die om een boksring stond. Nadat ze zich een weg naar voren had gedrongen, bleef ze stokstijf staan. Hij was met Lorraine. Arm in arm terwijl hij naar haar keek alsof hij volkomen op zijn gemak was. Ze zagen er uit als een stelletje, zo hecht als willekeurig wat voor stelletje dat genoot van een dagje uit met zijn tweeën.

Jenny draaide zich snel om voor ze haar in het oog kregen. De dag had op de een of andere manier zijn belofte verloren.

15

Toen Brett opkeek, zag hij het verslagen gezicht van Jenny voor ze zich afkeerde. Hij raakte in mineur toen hij zich realiseerde hoe het eruit moest hebben gezien, en hij maakte zich los uit Lorraines greep. Ze was een paar minuten geleden op hem af gesprongen, en omdat hij liever geen scène wilde veroorzaken, had hij besloten te wachten tot hij kon ontsnappen. 'Ik moet maar eens gaan,' mompelde hij. 'De paarden moeten verzorgd worden.'

Ze pruilde. 'Ik dacht dat we samen zouden picknicken. Ik heb alles onder de bomen bij het water uitgestald.'

'Ik mag voor de races niet eten, Lorraine.' Hij zag een koppige blik in haar ogen. 'En ik heb de Squires beloofd dat ik nog even iets bij hen zou gaan drinken.'

'Dat heb je eerder dat mens van Sanders beloofd,' sneerde ze. 'Je zet jezelf voor gek, Brett Wilson. Haar soort is alleen maar op geld uit. Ik durf te wedden dat ze al flink met die Charlie aangepapt heeft.'

'Niet iedereen is zoals jij, Lorraine,' zei hij grimmig.

'Klootzak,' snauwde ze. 'Ik snap niet wat ik ooit in je gezien heb. Maar als je denkt dat je wel goed zit bij die vrouw van Sanders, dan heb je het mis. Zij is een van hen. Een van de rijken – en jij bent gewoon een boerenknecht.' Ze draaide zich met een ruk om en stapte driftig weg, haar hoge hakken diep wegzakkend in het gras.

Brett zag haar weglopen; hij was gestoken door haar woorden en wilde ze niet geloven. Want hij had niet alleen intuïtief aangevoeld, maar ook gezien dat Jenny anders was dan de Squires op deze wereld. Ze werd niet beïnvloed door geld of macht, ze nam zelf haar beslissingen over de toekomst. Hij baande zich een weg door de duwende mensenmassa en liep naar het picknickterrein.

Maar toen Brett het grote gezelschap in het oog kreeg, aarzelde hij. Het was een interessant tafereel – een tafereel waar hij zich liever niet binnendrong. Lorraines woorden kwamen met volle kracht bij hem terug toen hij Jenny zo gezellig met Charlie Squires zag praten. Haar gezicht stond geanimeerd terwijl hij naar haar toeboog. Ze leek zich in die weelderige omgeving op haar gemak te voelen onder zijn attenties.

Er waren dekens op het gras onder de wilga-bomen gespreid. Er stonden tafels en stoelen in de schaduw, fonkelend van het zilver en de oogverblindend witte tafellakens. De Kurrajong-vrouwen waren koel elegant in hun zomerjaponnen en met hun grote hoeden terwijl ze champagne dronken uit hoge kristallen glazen en met hun gasten lachten en kletsten. De oude Squires hield hof onder een grote parasol en de rook van zijn sigaar hing in een sluier boven zijn hoofd terwijl hij bevelen blafte en zijn gasten onderhield. Helen liep, zoals gewoonlijk, voor hem te zorgen, dansend naar zijn kwaadaardige pijpen, terwijl haar man James de drankjes rondbracht.

Maar hij keek eigenlijk naar Jenny en Charlie. Ze leken op hun gemak bij elkaar, erkende hij. Hoewel Charlie zeker veertig jaar ouder was dan Jenny, was hij nog steeds een knappe vent die erom bekendstond dat hij wist hoe hij met vrouwen om moest gaan.

Hij was ook een rijke vent, voegde Brett er grimmig in stilte aan toe. Iemand die haar alles kon geven wat ze ooit had gewild – maar ook iemand wiens prioriteit toch wel het verkrijgen van land moest zijn.

Brett draaide zich om voor ze hem in het oog kregen. Hij had geen rol te spelen in dat tafereel; hij zou zich alleen maar de buitenstaander gevoeld hebben die hij ook was. En toch werd zijn tegenzin om weg te gaan gevoed door de gedachte dat Jenny hem aan het ontglippen was. Nu ze geproefd had wat voor leven een rijke boer kon leiden, wat kon hij haar dan nog bieden wat ze niet al had?

Jenny had nog nooit zo'n picknick gezien. Er waren verschillende soorten koud vlees en salades, hele gerookte zalm en gebraden kip, en er lag glanzende kaviaar op een bedje van ijs. Een piramide van fruit sierde het midden van de tafel die bedekt was met wit damast en glinsterde van het zilver en kristal. De heren van Kurrajong wisten wel hoe ze gasten moesten ontvangen. En toch, ondanks de gastvrijheid en beleefde gesprekken, voelde ze dat er iets ontbrak, en terwijl ze keek hoe ze met elkaar omgingen, realiseerde ze zich wat dat was.

Het was een familie van uiteenlopende persoonlijkheden die elkaar niet zo mochten. Ethan Squires was de onbetwistbare patriarch die zijn uitgebreide familie van kinderen en kleinkinderen door middel van angst regeerde. Angst om overgeslagen te worden. Angst om uit een testament geschrapt te worden. De angst dat de rijkdom van Kurrajong op de een of andere manier weggegrist zou worden als hij niet voortdurend gehoorzaamd werd. Zoals bij veel oude mensen, lag het in zijn macht om dingen af te dwingen. En hij gebruikte die macht met plezier.

James had geen enkele ambitie meer over doordat de oude man de teugels van Kurrajong meedogenloos in handen hield. Charlie was best aangenaam gezelschap, maar zijn eigen frustraties bleken duidelijk uit de manier waarop hij het over plannen voor Kurrajong had die tijdens het leven van zijn vader nooit gerealiseerd zouden kunnen worden. Andrew was de enige die tevreden leek met zijn leven. Maar hoewel hij aan de klauwen van de oude man was ontsnapt door een carrière in de grote stad op te bouwen, waren de banden die hij met Kurrajong had nog steeds heel sterk. Ondanks al zijn wereldsheid was hij nog steeds overgeleverd aan de genade van Ethans tirannieke overheersing. Alle zaken van Kurrajong werden via zijn kantoor geregeld, en Jenny vermoedde dat Ethan alles strak in de hand hield.

Loom van te veel eten en wijn en slaperig van de warmte, leunde ze achterover tegen de kussens en deed haar ogen dicht. Er zat geen verband tussen de gesprekken om haar heen en aangezien ze een vreemde was tussen die mensen uit het binnenland, kon ze niet deelnemen aan de roddels van de vrouwen.

'Allemachtig! Dat noem ik nog eens een paradijsvogel.'

Jenny deed haar ogen open en vroeg zich slaperig af wat Charlie bedoelde. Haar mond viel open. 'Diane,' zei ze, naar adem snakkend.

Charlie wendde met moeite zijn blik af van het visioen in een paarse kaftan en keek vol belangstelling naar Jenny. 'Ken je die exotische verschijning?'

Ze grinnikte en kwam overeind. 'En óf ik die ken,' antwoordde ze. 'En ben ik even blij haar te zien!' Ze wachtte niet op een reactie van de verbijsterde Charlie. Diane had altijd dat effect op mannen.

Jenny rende naar haar vriendin en sloeg haar armen om haar heen. 'Wat doe jij hier in godsnaam?'

'Dat is een leuke manier om een vriendin te begroeten die het halve land afgereisd heeft om jou op te zoeken,' lachte Diane terwijl ze haar losliet en Jenny's pols vastpakte met haar sterke vingers. 'Allemachtig, je ziet er goed uit, meid. Het buitenleven doet je goed.'

Jenny keek naar de knalpaarse kaftan die op de een of andere manier niet vloekte bij de oranje sjaal die Diane als een piratenhoofddoek om haar hoofd had gebonden. Gouden ringen hingen in haar oren en armbanden rammelden en rinkelden om haar polsen. De make-up rond haar ogen was zwaar, zoals altijd, ondanks de hitte, en haar parfum deed denken aan de Arabische bazaars in Marokko. 'Ik zie dat je besloten had om totaal onzichtbaar op te gaan in de plaatselijke bevolking,' proestte ze.

Diane keek om zich heen en glimlachte naar het publiek dat zich verzameld had. 'Ik dacht, ik zal die wolkwekers eens iets geven om over te praten,' zei ze luchtig.

Jenny ving een glimp op van Charlie die naar hen toe kwam gelopen. 'Kom mee, zodat we de kans krijgen om te praten,' zei ze snel.

Diane volgde haar blik en deed een stap buiten haar bereik. 'O, nee. Niet voor ik iedereen heb ontmoet over wie je me geschreven hebt.' Ze keek naar Charlie. 'Dat is Brett toch niet, hè? Wel knap, maar een beetje oud.'

'Gedraag je,' fluisterde Jenny haastig. 'Dat is Charlie Squires.'

De met kohl omrande ogen werden groot. 'Toch niet die achterbakse Squires?'

'Zijn zoon,' mompelde Jenny toen Charlie dichterbij kwam.

Diane was net een felgekleurde parkiet tussen de mussen toen Charlie haar bij de arm nam en haar mee terugvoerde naar de picknick om haar aan iedereen voor te stellen. Haar armbanden rinkelden terwijl ze handen schudde en een glas champagne aannam. Ze bleef breed glimlachen terwijl de andere vrouwen vol afgrijzen naar haar keken.

Jenny observeerde haar, wetend hoe Diane ervan genoot het middelpunt van de belangstelling te zijn. Zo was het altijd geweest, en ze nam aan dat de opvallende kleding en extroverte natuur van haar vriendin heel veel te maken hadden met het feit dat ze als kind achtergelaten was. Het was haar manier om een stempel te drukken, een verdediging tegen de onverschilligheid en anonimiteit waar ze als wees onder geleden had.

Diane dwaalde eindelijk bij het groepje bewonderaars vandaan en ze slenterden, terwijl ze Jenny een arm gaf, naar de rivier. De zon stond lager aan de hemel, en een welkom briesje bracht wat koelte.

'Hoe heb je me in vredesnaam gevonden?' Dit was de eerste keer dat Jenny de kans had om haar alleen te spreken.

'Ik heb een oude camper gekocht van een vriend, ook een kunstenaar, die net terug is van de westkust. De tentoonstelling was een succes en ik was echt uitgeput. Ik had er behoefte aan om weg te gaan en de ruimte op te zoeken.' Diane lachte. 'En, allemachtig, is er een ruimte hier! Kilometers en kilometers. Ik dacht dat ik Wallaby Flats nooit zou bereiken, laat staan Churinga.'

Jenny keek haar aan.

'Ben je helemaal hierheen komen rijden? Jij? Die een taxi neemt om naar de winkels te gaan?'

Diane haalde haar schouders op. 'We hebben het eerder gedaan, dus waarom nu niet.'

'We waren achttien, Diane. En zonder een greintje gezond verstand. Wanneer ik denk aan de risico's die we hebben genomen toen we door Europa en Afrika reden, lopen de rillingen over mijn rug.'

Diane tuitte haar lippen en er verscheen een ondeugende twinkeling in haar ogen. 'Maar we hebben wel lol gehad, hè?'

Jenny dacht aan de koude, vochtige kamer waar ze in Earl's Court woonden, en de donkere stegen waar ze door moesten lopen als ze klaar waren met werken in die kroeg in Soho. Ze dacht aan het stof en de vliegen van Afrika en de gevaarlijke belangstelling in die donkere Arabische ogen die ze onderweg naar Marrakesj ontmoetten. Ze dacht aan het saamhorigheidsgevoel dat ze deelden met de andere arme, zwervende Australiërs die van huis waren gegaan om het avontuur te zoeken. Ze herinnerde zich dat het gevaar hun reizen alleen maar spannender maakte. Heerlijk onwetend en naïef waren ze vrolijk op pad gegaan zonder maar één keer na te denken. Maar ondanks dat, hadden ze goede vrienden gemaakt tijdens dat jaar na de kunstacademie, en de herinneringen zouden altijd blijven.

'Ik kan maar niet geloven dat je er bent,' zei ze ten slotte. 'Goh, wat ben ik blij je te zien.'

Diane keek haar recht in de ogen. 'Ik maakte me zorgen over je, daarom ben ik gekomen. Je schreef te weinig en met te grote tussenpozen. Je brieven vertelden me niets, maar toch had ik het gevoel dat er iets mis was.'

Jenny gaf haar een kus. 'Alles is goed met me. Ik ben alleen een tijdje zo opgegaan in de dagboeken en ik heb mijn fantasie met me op de loop laten gaan. Maar ik heb de tijd en de ruimte gehad om alles te verwerken, en op een gekke manier denk ik dat de dagboeken me geholpen hebben in te zien dat er leven na de tragedie is. Door Matilda's voorbeeld ben ik gaan beseffen dat het tijd werd dat ik verder zou gaan met mijn leven en het verleden achter me te laten.'

'Dus je bent van plan om naar Sydney terug te komen?'

'Niet noodzakelijkerwijs,' antwoordde ze voorzichtig.

'Die aarzeling heeft toch toevallig niets te maken met een zekere Brett Wilson, hè?'

Jenny voelde dat ze bloosde. 'Klets niet. Hij is hier met zijn vriendin.'

Diane keek haar een ogenblik onderzoekend aan, maar liet het zonder commentaar passeren. 'Zo te zien is het tijd voor de volgende race,' zei ze toen de mensen zich in de richting van het afgezette circuit begonnen te bewegen. 'Doet er nog een interessante figuur mee?'

Jenny haalde haar schouders op. 'Ik heb geen idee,' zei ze waarheidsgetrouw. 'Het is de veteranenrace voor de finale.'

Ze baanden zich een weg door de menigte en werden al snel aangestoken door de opwinding terwijl ze bij de hekken stonden en zagen hoe de mannen en paarden zich voorbereidden. De werkpaarden schenen aan te voelen dat er iets te gebeuren stond, en ze stampten, snoven en schopten naar elkaar, tandenknarsend en met opgetrokken lippen.

Zoals tijdens alle races in dit weekend vormden de ruiters een aardige afspiegeling van de mannen die in het binnenland werkten en woonden. Herenboeren, drijvers, scheerders en bedrijfsleiders. Ze waren allemaal gekleed in de felle kleuren van hun sponsors, met een opgerold slaapmatje, of 'bundel', op hun rug.

Er daalde een diepe stilte neer over de toeschouwers. Paarden en ruiters gingen klaarstaan. De startvlag wapperde in de wind. Toen waren ze weg, in een explosie van stof en het gebrul van aanmoedigingen.

Het parcours liep over een smal recht stuk, en daarna een heuvel op waar hij tussen de bomen en om de termietenheuvels heen slingerde. De toeschouwers verloren de koplopers uit het oog, maar zelfs na twee dagen van paardenrennen kon niets hun enthousiasme temperen terwijl ze naar de stofwolk keken die boven de bomen hing. Er verstreken lange minuten tot de koploper vanuit de bomen tevoorschijn kwam om aan de steile afdaling naar het dal te beginnen. Met hoeven die over schalie glibberden en zwoegende longen, draaiden de werkpaarden links en rechts tussen het groepje bomen door en raceten over de ongelijke bodem. De mannen op hun rug hadden de teugels stevig vast en drukten hun hakken in de flanken terwijl ze tegen de bezwete halzen leunden en in gespitste oren schreeuwden. Dáár lag de finish, en er kon er maar één de winnaar zijn.

Jenny en Diane gilden en juichten net zo hard als iedereen toen de drijver van Kurrajong won. 'Poeh! Dit is spannender dan de Melbourne Cup,' zei Diane. 'Zullen we inzetten op de volgende race?'

'Wat een uitstekend idee, dames. Zal ik voor jullie inzetten?'

Charlie keek glimlachend op hen neer. 'Je wilt zeker wel een weddenschap met een open uitkomst op je bedrijfsleider afsluiten, Jenny? Hij maakt weinig kans, maar je kunt slechter kiezen.'

Ze ontweek angstvallig Dianes scherpe blik terwijl ze hem vijf dollar gaf.

'Waarom niet? Maar wel als winnaar, geen open uitkomst. Hij draagt tenslotte de kleuren van Churinga en ik weet zeker dat hij weet wat hij doet.'

'Waarom zijn zijn kansen zo klein?' zei Diane terwijl ze Charlie haar geld gaf.

Charlie lachte. 'Omdat hij de laatste drie jaar heeft gewonnen. Maar Kurrajong heeft dit jaar een geheim wapen en ik denk dat Brett niet langer als Koning van de Heuvel zal regeren.' Zijn blik vloog naar een magere jongen met een geniepig gezicht die op een gemeen uitziend bont paardje zat.

'Dingo Fowley heeft dit jaar al in Queensland en Victoria gewonnen, en hij heeft het in de voorwedstrijden al goed gedaan. Hij is de beste ruiter die ik in lange tijd gezien heb.'

Jenny keek hem na terwijl hij wegslenterde en wendde zich naar Diane die naar haar stond te kijken. 'Nou, welke is het nou?' zei ze ongeduldig. 'Ik wil weten wat ik voor mijn vijf dollar gekocht heb.'

Jenny keek naar de start. Brett zat op een vosruin, met de Churinga in aborginal-kunst op zijn groen met gouden shirt. Hij zag er knap en geheimzinnig sterk uit in het zadel terwijl zijn capabele handen het opgewonden paard kalmeerden en op zijn plaats hielden. Hun blikken kruisten elkaar en ze bleven elkaar even aankijken. Zijn knipoog riep het idee op van een intieme samenzwering die hen van de menigte isoleerde en naar elkaar toetrok.

Diane maakte een sensueel grommend geluid in haar keel. 'Dat noem ik nou een geheim dat het waard is bewaard te blijven. Geen wonder dat je geen tijd had om te schrijven.'

Jenny voelde dat ze bloosde toen ze haar blik van Brett afwendde. 'Je denkt alleen maar aan seks, Diane,' zei ze ferm. 'Niets is minder waar. Dit is de eerste keer dit weekend dat ik hem zie.'

'Echt?' mompelde haar vriendin bedachtzaam.

De startvlag ging omhoog en Brett greep de teugels wat steviger beet. Stroller rilde onder hem en danste nerveus en vol verwachting. Het bonte paard van Dingo Fowley stond hem te duwen en te porren, maar Brett concentreerde zich op het parcours. Hij had van Dingo en de trucjes gehoord die hij in de voorwedstrijden had uitgehaald, en was vastbesloten hem te verslaan. Hij had een naam hoog te houden en een trofee te winnen – en nu Jenny keek terwijl hij haar kleuren droeg, was het belangrijker dan ooit om Koning van de Heuvel te blijven.

De vlag ging omlaag en Stroller schoot naar voren, nek-aan-nek met het bonte paard. De smalle baan was steil en zat vol groeven. Dingo's laars kwam tegen Bretts stijgbeugel, en schopte diens laars los zodat hij bijna zijn even-wicht verloor. Stroller versnelde zijn galop en maakte zich los terwijl ze de eer-ste bocht boven op de heuvel namen en zich op het slingerende pad door het bos begaven.

De adrenaline spoot door zijn aderen terwijl bomen aan weerszijden tegen hen aanzwiepten en hoeven op droge aarde en planten stampten. Manshoge termietenheuvels doemden op – solide hindernissen waar je alleen omheen kon met de zekerheid en snelheid die voortkwam uit jarenlange ervaring met het bijeendrijven van schapen.

Man en paard waren bedekt met stof en zweet toen ze de tunnel van licht aan het eind van het kleine bos naderden. Dingo was nog steeds bij hem en lag bijna plat tegen de hals van zijn paard. Zijn handen en benen spoorden het dier aan om nog een beetje sneller te gaan terwijl hij opnieuw probeerde Bretts voet uit de stijgbeugel te duwen.

Het zonlicht verblindde hen na het groene schemerlicht toen ze onder de bomen uit kwamen en over de heuvel denderden. De wereld was een menge-ling van hitte en stof, van roffelende paardenhoeven en de geur van zweet. Toen Brett Strollers hoofd wendde om aan de steile afdaling te beginnen, wist hij dat Dingo nog steeds bij hem zat.

Hoeven glibberden over schalei, spieren spanden samen en machtige lon-gen zwoegden terwijl slanke benen vochten om het evenwicht te bewaren. Handen omklemden teugels, knieën omklemden paardenflanken. Zowel paard als ruiter zat onder het vuil en zweet toen ze op het laatste plateau aan-kwamen. De finish lag voor hen, maar het gejuich van de menigte werd over-stemd door het gedender van paardenhoeven. Dingo zat nog steeds naast hem, en het bonte paard lag nek-aan-nek met Stroller.

Ze werden overspoeld door de kleuren en het lawaai van de menigte toen de vlag omlaagging en de paarden glijdend en schuivend tot stilstand kwa-men. Strollers neus stak net iets verder vooruit.

'Goed gedaan, hoor,' schreeuwde Dingo. 'Maar volgend jaar zal het niet zo gemakkelijk gaan.'

Brett keerde Stroller zodat hij Dingo kon aankijken. Hij kon zich maar nau-welijks inhouden toen hij het kleine, magere mannetje bij zijn kraag pakte. 'Probeer dat nog eens en ik ram je tanden zover door je strot dat je met je reet kunt eten,' gromde hij.

Dingo's ogen werden groot van gespeelde onschuld. 'Wat proberen?'

Brett bedwong de neiging om hem van zijn paard te trekken en hem een kaakslag te geven. Hij zag dat de Squires eraan kwamen met de trofee en wilde geen scène veroorzaken. 'Dat ouwe trucje met die laars uit de stijgbeugel, Dingo,' siste hij in zijn gezicht. 'Probeer in ieder geval eens origineel te zijn.'

Het mannetje lachte cynisch toen Brett hem losliet. 'Tot volgend jaar. Als je durft, tenminste.' Hij keerde zijn paard en ging verloren in een kring bewonderaars.

Brett gleed van Strollers rug en terwijl hij de teugels pakte, werd hij bijna omvergeduwd. Hij wankelde en zag dat hij gevangenzat tussen Stroller en Lorraine. Ze sloeg haar armen om hen heen en haar mond was zo hardnekkig als een vleesvlieg terwijl ze hem met kussen overlaadde. 'Geweldig,' fluisterde ze. 'Je was geweldig. Ik wist wel dat je zou winnen.'

Hij probeerde zich los te maken, maar het was onmogelijk om uit haar greep te komen zonder geweld te gebruiken. 'Lorraine,' zei hij ruw. 'Laat los. Je zet jezelf voor gek.'

Ze wierp een blik over zijn schouder en Brett zag de sluwe blik in haar ogen voor ze hem in zijn gezicht uitlachte en een kus op zijn mond drukte. 'Mijn held.' Ze klonk sarcastisch, maar met een ondertoon die op triomf leek en toen ze zich eindelijk losmaakte, begreep hij waarom.

Jenny stond vlak bij hen. Toen ze zich omdraaide om in de menigte op te gaan, was duidelijk aan haar gezicht te zien dat ze getuige van de hele komedie was geweest.

Hij hield Lorraine van zich af. 'Waarom doe je dit? Er is niks meer tussen ons, waarom doe je dan zo moeilijk?'

'We hebben pas niks meer met elkaar als ik dat zeg,' wierp ze tegen. 'Zo gemakkelijk kom je niet van me af, Brett Wilson.'

'Wie is die slet?' Diane draaide er, zoals gewoonlijk, niet omheen.

'Lorraine,' zei Jenny neutraal. 'Ze is de vriendin van Brett.'

Diane bromde. 'Hij heeft niet veel smaak.' Ze legde een koele hand op Jenny's arm. 'Ik zou me er niet te veel zorgen over maken, Jen. Dat duurt niet lang.'

'Wie maakt zich zorgen?' wierp ze nonchalant tegen, maar haar toon was in tegenspraak met het gevoel van somberheid dat een schaduw over die vrolijke dag wierp. Ze wou dat ze weer op Churinga was.

'Jenny, vader wil dat jij de trofee uitreikt.'

Ze keek Charlie geschrokken aan. 'Waarom ik?'

Hij glimlachte naar haar. 'Omdat jij de eigenaar van de winnende boerderij bent. Kom mee.'

Met een hulpeloze blik over haar schouder naar Diane, liep Jenny vol tegenzin naar de mensenmenigte die om Brett heen stond. Ze hoorde het gemompel toen ze langsliep en was zich bewust van hun blikken die haar volgden, maar het enige dat ze kon zien was Lorraines zelfvoldane grijns terwijl ze naast Brett stond.

Ethan wierp haar vanuit zijn rolstoel een boze blik toe. 'Gefeliciteerd,' blafte hij. 'Beginnersgeluk natuurlijk. Volgend jaar hebben wij de trofee weer.'

Ze keek naar het barokke beeld van het steigerende paard en wendde zich tot Brett. Hij trok een dreigend gezicht toen hij bij Lorraine vandaan stapte. 'Gefeliciteerd,' zei ze koel, en wendde net op tijd haar gezicht af om de kus te ontwijken die hij op haar wang wilde geven.

'Jenny,' zei hij zachtjes in haar haar. 'Het is niet zoals het lijkt.'

Ze keek in zijn ogen, zag daar iets waardoor haar hart sneller ging kloppen, haar blik viel vervolgens op Lorraines bezitterige hand op zijn arm, en wist dat ze zich vergist moest hebben. 'Ik zie u weer op Churinga, meneer Wilson.'

Terwijl ze zich naar Diane en Charlie omdraaide, hoorde ze het zachte gegniffel van Lorraine en moest zich dwingen om een beleefd gesprek te voeren en champagne te drinken alsof er niets aan de hand was. Maar er was wél iets aan de hand. Wat voor spelletje speelde Brett? En waarom waren zijn ogen in tegenspraak met wat hij deed?

De dag liep geleidelijk ten einde toen de picknickmanden voor de laatste keer weggestopt werden en de kraampjes uit elkaar werden gehaald. Jenny verontschuldigde zich tegenover Charlie en de anderen, sprak met een van de drijvers af dat hij de pick-up naar huis zou rijden en stapte in de opzichtig beschilderde camper met Diane.

'Welkom in Trevor,' zei ze terwijl ze de bus startte. 'Van alle moderne gemakken voorzien, er zit zelfs airconditioning in.'

Jenny keek achterom. Er lag een provisorisch bed op de vloer, er hingen sarongs uit Bali aan het plafond, en schetsboeken en ezels stonden in de zijvakken, naast reservebanden en jerrycans.

'Dat doet me aan iets denken,' zei ze glimlachend.

Diane lachte. 'Dat klopt. Trevor zou Allans tweelingbroertje kunnen zijn.'

Jenny leunde achterover en keek naar het landschap. Allan was hun camper al die jaren geleden in Europa. Ze hadden hem in Earl's Court gekocht en blauw geschilderd, met aan de ene kant een hoge golf, en een zon, maan en sterren aan de andere kant. Ze hadden de Australische vlag op het dak geschilderd, en het achterportier versierd met knalgele zonnebloemen. Trevor had oranje vlammen aan zijn zijkanten likken, met doodshoofden op zijn portieren en ban-de-bomtekens op zijn dak. Een andere generatie misschien, maar de boodschappen waren nog hetzelfde. 'Ik vraag me af wat er met die arme Allan is gebeurd.'

Diane probeerde de kuilen in de weg te omzeilen terwijl ze de auto's van de Squires volgde. 'Hij rijdt waarschijnlijk nog steeds,' zei ze weemoedig. 'Het was een brave, ouwe bus.'

Ze waren allebei in hun eigen gedachten verzonken terwijl ze kilometer na kilometer aflegden en toen ze eindelijk voor Kurrajong stopten, moest Jenny glimlachen om Dianes reactie. 'Een ballentent. Wat schitterend,' fluisterde ze. 'Wacht maar tot je het binnen ziet,' zei ze meesmuilend.

Helen begroette hen in de hal. 'Ik hoop dat jullie het niet erg vinden om een kamer te delen? Het huis is vol, zie je.'

Jenny en Diane grinnikten naar elkaar. 'Net als vroeger, Helen. Maak je geen zorgen.'

Jenny ging haar voor de trap op en deed een stap opzij om haar vriendin een juiste indruk van de kamer te geven.

'Jezusmina. Je gaat nu om met de crème de la crème. Ik heb nog nooit zoiets gezien.' Diane tilde een opgewonden Ripper op en liep de kamer door. Ze pakte beeldjes en parfumflesjes op en gluurde in kasten en laden. Toen ze de badkamer binnenstapte, slaakte ze een gil.

'Wie dat heeft gedaan, hoort de kogel te krijgen,' lachte ze. 'Heb je ooit zo'n vreselijk beeld gezien? Arme, oude Venus.'

Jenny lachte met haar mee. 'Ze kijkt inderdaad heel zelfvoldaan. Maar dat zou jij ook als je de hele dag niets anders te doen had dan hier een beetje rondhangen.'

Diane liet zich op het bed vallen en rekt zich uit als een kat in de laatste zonnestralen. 'Wel wat anders dan wat we als kinderen gewend waren, hè? Ik verwacht zuster Michael ieder moment binnen te zien stappen.'

Jenny huiverde. 'Hou op. Ik hoop die vrouw of dat tehuis nooit van mijn leven meer te zien.'

Diane leunde op één elleboog en keek opeens somber. 'Het was beter dan sommige van die pleeggezinnen waar we naartoe gestuurd werden.'

Jenny wilde niet meer denken aan de nachtmerrie van dat eerste pleeggezin. Wilde niet meer denken aan hoe haar pleegvader 's nachts haar kamer binnensloop of aan de verschrikkelijke ruzie toen ze gilde en naar zijn vrouw rende. Ze werd niet geloofd, er werd gezegd dat ze een leugenachtig, wraakzuchtig en kwaadaardig meisje was en werd naar Dajarra teruggestuurd.

De moeder-overste had geluisterd en was aardig geweest, maar zuster

Michael beet haar toe dat ze haar mond had moeten houden en had moeten blijven liggen – ondanks wat er met haar had kunnen gebeuren. Ze had nog een jaar moeten wachten voor ze naar de veilige haven van Waluna werd gebracht. Jenny toverde een opgewekte, vastberaden glimlach op haar gezicht. 'Wil jij als eerste in bad? We hebben nog drie uur voor het bal begint.'

Jenny had de tijd ervoor genomen om zich aan te kleden en was juist bezig make-up aan te brengen toen Diane uit de badkamer kwam. Ze droeg een donkerpaarse, met zilver doorvlochten, lange, rechte jurk die een hoop decolleté en lange, gebruinde benen liet zien. Ze had haar donkere haar opgestoken en met zilveren clips vastgezet terwijl er aan weerszijden van haar gezicht een pijpenkrul hing. Amethysten fonkelden in haar oren en om haar hals. 'Een afscheidscadeautje van Rufus,' giechelde ze. 'Ze zijn best mooi, hè?'

Jenny zag het en keek spijtig naar haar eigen zilveren ringen en medaillon. 'Ik voel me nu weer veel te informeel gekleed,' zei ze vermoeid.

'Flauwekul. Dit jurk is ongelooflijk – het enige wat jij nodig hebt zijn mijn jade oorhangers en een behoorlijk stel schoenen.' Diane begon in haar buitenmaatse tas te rommelen en haalde triomfantelijk de oorhangers tevoorschijn.

Jenny keek met genoegen naar de manier waarop het groen en het zilver de japon accentueerden, toen er op de deur werd geklopt en Helen de kamer binnenstapte.

'Zijn we te laat?' Jenny nam de elegante zwarte japon op die de bleke, slanke schouders onbedekt liet en de eenvoudige korte parelketting die waarschijnlijk een kapitaal had gekost.

De oudere vrouw glimlachte. 'Helemaal niet. Ik wilde gewoon even de kans krijgen om met jullie te kletsen en te vragen of jullie alles hebben wat je nodig hebt.' Ze keek ze allebei vol oprecht genoegen aan. 'Wat een mooie meisjes zijn jullie,' zuchtte ze. 'Alle mannen willen met jullie dansen.'

Jenny voelde zich belachelijk onbeholpen tegenover die elegante, beschaafde dame, en keek nerveus naar Diane. 'U vindt dus niet dat we ons een beetje te veel opgetut hebben?'

Helen lachte. 'Nee, natuurlijk niet. Wanneer kun je je hier in de buurt anders optutten en het naar je zin hebben?' Ze voelde even aan de zeegroene japon. 'Dit is prachtig. Die kleur doet iets met je ogen.' Ze zuchtte. 'Ik zou die kleur nooit kunnen dragen zonder dat ik er doodziek uitzie. Ik vind het vreselijk om zo blond te zijn.'

Jenny keek naar de zijdeachtige lok lichtblond haar die zo ingenieus achter in haar porseleinen nek krulde. 'Ik zal er nooit zo koel en elegant uitzien. Ik heb blondines altijd benijd.'

Helens hand was zacht op haar arm. 'We schijnen een of ander wederzijds bewonderend genootschap te hebben gesticht, hè?' Ze giechelde meisjesachtig. 'Maar zou je erg beledigd zijn als ik je nog een goede raad gaf?'

Jenny slikte en keek steels naar Diane. Wat had ze verkeerd gedaan? Wat voor taboe had ze doorbroken?

'De schoenen, kind. Veel te informeel. Wacht even, dan pak ik een paar van mij.'

Jenny en Diane keken elkaar aan toen de deur achter Helen dichtging. 'En mijn teen dan?' fluisterde ze dringend. 'Ik kom nooit in haar schoenen als ze te smal zijn.'

'Ik heb geen idee,' zei Diane. 'Laten we alleen hopen dat ze niet te ouderwets zijn, want hoe je het ook draait of keert, als ze passen, moet je ze ook aan.'

Helen kwam een paar minuten later binnen met een schoenendoos met een indrukwekkend etiket. 'Volgens mij hebben we wel dezelfde maat. Pas ze eens.'

Ze waren gemaakt van heel licht, heel fijn kant en zaten haar als gegoten. De smal uitlopende hak was heel dun, terwijl de neus lang was en bezet met parels. Jenny hoorde Diane naar adem snakken en keek naar Helen.

'Ze zijn prachtig,' fluisterde ze. 'Maar ik weet niet of ik ze durf te dragen.'

'Onzin,' antwoordde ze gedecideerd. 'Hou ze maar. De japon die erbij hoorde is hopeloos ouderwets, en ik ben waarschijnlijk veel te oud om dergelijke dingen nog te dragen. Maar kom maar mee, als gastvrouw moet ik vroeg zijn, en aangezien jullie allebei klaar zijn, kunnen jullie net zo goed met me mee komen.'

De grote schuur was bijna vier kilometer van het huis verwijderd en om hun goeie goed te beschermen reed de familie erheen. De schuur rook nog steeds naar hooi, maar was voor de gelegenheid schoongeschrobd. Er waren strobalen door de hele schuur neergelegd om op te zitten en er stond een bar bij de deur. Een groep mannen in Amerikaans kostuum stond op een provisorisch podium hun instrumenten te stemmen, en er hingen ballons en vlaggetjes aan de balken.

'Dit ziet er allemaal bekend uit,' zei Diane. Ze knikte in de richting van een groepje jonge meisjes dat verwachtingsvol in de hoek zat. 'En dat ook. Weet je nog hoe afschuwelijk het was om te wachten tot je ten dans gevraagd werd?'

Jenny knikte. De herinnering was maar al te levend, maar in alle eerlijkheid kon ze zich niet herinneren dat Diane ooit een muurbloem was geweest.

Ze namen de glazen champagne aan die Andrew hen aanreikte en keken naar de mensen die aankwamen. 'Hij is er nog niet,' mompelde Diane. 'Maar zij ook niet.'

Het was duidelijk over wie haar vriendin het had, maar Jenny hoefde niet te reageren door het applaus dat James en Helen begroette toen ze de dansvloer op gingen om het bal te openen. Er was geen tijd om zich af te vragen waar Brett was, aangezien Charlie haar beetpakte en enthousiast een polka met haar ging dansen.

Binnen de kortste keren werd er volop energiek gedanst. Jenny werd meegesleept door mannen die ze nooit eerder had gezien, en stevig beetgepakt door jongelui met warme handen en een bieradem die haar in de rondte zwierden tot ze duizelig was. Oude, grijze drijvers die op haar voeten trapten en in haar decolleté keken, vroegen haar om met haar te kunnen pronken. Ze zweette en was uitgeput toen ze eindelijk aan de chaos wist te ontsnappen en zich op een strobaal liet vallen om op adem te komen.

De oplettende Charlie was nergens te bekennen en Diane zwierde nog steeds in het rond in de armen van een buitengewoon knappe drijver die haar als eerste ten dans had gevraagd. Ze scheen het ontzettend naar haar zin te hebben. Jenny benijdde haar om haar energie, maar het was net zo prettig om zomaar een beetje te zitten en naar de kleur en beweging in het vertrek te kijken.

Ze wilde net een slok nemen toen het glas uit haar hand werd gehaald en ze overeind werd getrokken. 'Charlie, ik kan niet meer.' Haar protesten hielden op toen Brett haar in zijn armen nam.

'Het is een langzame dans, maar ik kan je niet beloven dat ik niet op je tenen trap,' schreeuwde hij boven de herrie uit.

Jenny bewoog zich in zijn armen als in een trance. Ze kon zijn warmte door zijn overhemd heen voelen, en voelde zijn handpalm, warm en stevig op haar rug. Op de een of andere manier versterkte het de opwinding van het moment – maakte Charlies deskundige, maar gladde benadering van het dansen tot een verre herinnering. Want ondanks haar woeste ontkenning was dit het moment waarop ze had gewacht. Ze ontspande zich in zijn armen en deed haar ogen dicht.

De band was heel goed en begon een medley van country & western-favorieten te spelen. Gebroken dromen, gebroken harten, gebroken beloften – de teksten waren misschien droevig, maar terwijl ze in zijn armen danste, realiseerde ze zich dat ze zich lang niet zo gelukkig had gevoeld.

'Je ziet er heel mooi uit, Jenny,' zei hij in haar haar.

Ze keek in zijn grijze ogen en wist dat hij het compliment meende. 'Dank je. En goed gedaan, hoor, dat winnen van de Koning van de Heuvel.'

'De vierde keer achtereen al,' zei hij. 'Maar ik geloof dat ik dit beter vind.'

'Echt?'

Hij knikte. 'Dat zei ik al eerder – het is anders dan het eruitzag. Lorraine en ik hebben niks meer met elkaar te maken.'

Ze keek hem een ogenblik bedachtzaam aan, kwam tot de conclusie dat ze de avond niet door twijfels wilde laten bederven, en liet hem haar meeslepen in de snelle polka die op de wals volgde. Ten slotte moest ze hem smeken te stoppen. 'Ik heb het te warm en mijn voeten doen pijn,' zei ze met een spijtige lach. 'Kunnen we deze uitzitten?'

Hij bracht haar terug naar de strobaal. 'Ik denk dat we allebei wel een drankje kunnen gebruiken. Beloof je dat je niet weggaat?'

Jenny voelde zich kinderlijk opgetogen dat hij bij haar wilde zijn, en knikte. Toen zag ze hem langs de dansende stelletjes naar de bar manoeuvreren en voelde zich opeens heel alleen.

'Ik denk dat u zonder twijfel de schoonheid van het bal bent, mevrouw Sanders.'

Jenny had hem niet horen aankomen, maar zijn rolstoel was ook niet te horen op de houten vloer. Ze keken elkaar zwijgend aan – een oase van wederzijdse antipathie en nieuwsgierigheid in een zee van kleur en lawaai.

'Matilda voelde zich boven dit soort dingen staan. Ze verstopte zich bij haar zwarte kerels en wees alle uitnodigingen af.'

'Misschien had ze meer aan haar hoofd dan boerenbals,' antwoordde Jenny koel. Ze had een scherp beeld van Matilda op haar eerste en enige bal, en rilde. Mensen konden zo wreed zijn.

Ethan boog voorover in zijn rolstoel en greep haar pols met zijn knokige vingers. 'Charlie wilde dat ze met hem trouwde, weet je. Maar ik vond haar niet goed genoeg voor hem. Wat denk je daarvan?'

'Misschien was het een opluchting voor haar. Hij was trouwens waarschijnlijk toch niet verliefd op haar.'

Hij liet haar los en er verscheen een neerbuigende grimas op zijn gezicht. 'Liefde,' snauwde hij. 'Dat is het enige waar jullie domme vrouwen aan denken. Het is het land dat hier heerser is, mevrouw Sanders. De koning van ons allemaal.'

'Blijkbaar heeft het u heel bitter gemaakt, meneer Squires. Hoe komt dat, vraag ik me af?'

De ogen met de zware oogleden keken weg terwijl hij deed alsof hij haar niet gehoord had. Toen hij weer naar haar keek, was zijn gezicht beheerst en afgesloten als een huis tijdens een stofstorm. 'Denk je erover om op Churinga te blijven?' vroeg hij abrupt.

Ze was koel toen ze hem aankeek. 'Ik weet het niet. Hoezo?'

'Ik zal je er een mooie prijs voor geven. Kurrajong is de paardenfokkerij aan het uitbreiden. Churinga zou een mooie hengstenboerderij zijn.'

Brett kwam met hun drankjes, en Jenny stond op, blij met het excuus om van het gezelschap van de oude man af te zijn. 'Andrew heeft me al benaderd met een aanbod. Ik heb hem afgewezen. Misschien als u me de ware reden vertelt waarom het zo belangrijk voor u is om Churinga te hebben, zal ik het in overweging nemen.'

Hij bleef doodstil zitten en zijn ogen boorden zich secondenlang in de hare voor hij zijn blik afwendde.

'Dat meende je toch niet, hè – van dat in overweging nemen?' Bretts glimlach was verdwenen en hij had een rimpel tussen zijn wenkbrauwen.

Ze glimlachte toen ze het glas van hem aannam. 'Nee, maar dat weet hij niet.'

Het was bijna vier uur in de ochtend en het feest was nog steeds in volle gang. Diane was in de nacht verdwenen met haar drijver, Brett was onder protest meegesleurd door zijn maten in een bijzonder energieke dans die eeuwig leek te duren, en Jenny was doodmoe. Haar voeten deden pijn, ze had te veel champagne gedronken en dat Charlie steeds achter haar aanliep, begon te vervelen. Met een zucht wierp ze een laatste blik op de wervelende dansers en liep de schuur uit.

De nacht was koel, de hemel een licht fluwelig paars in het uur voor zonsopgang, en terwijl het lawaai uit de schuur wegstierf in de verte, deed ze haar schoenen uit en genoot van het gevoel van de droge aarde tussen haar tenen. De lange wandeling naar huis zou haar de tijd geven om haar hoofd helder te krijgen en de kostbare tijd die ze met Brett had doorgebracht op te slaan.

Het huis was bijna verlaten, maar de ramen waren verlicht en schenen in de ochtendschemering als verwelkomende bakens. Ze danste zingend de trap op. Het was een geweldige avond geweest – nu kon ze naar morgen uitkijken.

Jenny werd vijf uur later wakker. Diane moest op een eerder moment zijn binnengeslopen want ze lag uit gestrekt op het bed naast haar, met haar jurk tot aan haar heupen opgetrokken. Ripper kwispelde hoopvol.

'Ik ga me eerst wassen en aankleden en dan neem ik je mee uit voor we naar huis gaan,' fluisterde Jenny. De gedachte aan Churinga spoorde haar aan.

Churinga en Brett. Zij waren de twee belangrijkste zaken in haar nieuwe leven en eindelijk had ze een toekomst om naar uit te kijken.

Terwijl ze Diane liet slapen, haastte ze zich naar beneden en stapte op de veranda. Er was al volop bedrijvigheid, met paarden en mannen die over het erf liepen en de geur van bacon die uit de keuken kwam. Ze maakte Rippers riem los zodat hij kon gaan snuffelen in de bosjes en snoof het zware parfum van stof en bougainville op. Het zou weer een hete dag worden, zonder een spoor van regen waar ze allemaal zo op zaten te wachten.

Haar blik gleed over het erf en dwaalde naar de bungalow waar Brett en de voorman de afgelopen paar dagen hadden geslapen. Ze vroeg zich af of hij al op weg naar Churinga was of dat hij nog ergens op Kurrajong was. Toen viel haar blik op iets dat in de schaduwen rond de bungalow bewoog – en haar hoop werd de grond ingeboord.

Want daar was Lorraine. Met haar schoenen in de hand, haar in de war en make-up doorgelopen, kwam ze de deur uitgeslopen.

Jenny had zich niet gerealiseerd dat ze van de veranda was gestapt tot ze halverwege het erf was. Ik moet geen overhaaste conclusies trekken,' zei ze vastberaden bij zichzelf. Lorraine was waarschijnlijk bij de voorman geweest of misschien zelfs op weg terug van een van de wagens van de bezoekers die achter de bungalows van de scheerders waren geparkeerd. Het had een speling van het licht kunnen zijn.

'Goeiedag. Wat een feest, hè?' Lorraine balanceerde op één voet terwijl ze haar schoenen probeerde aan te trekken. Ze probeerde wat orde in haar warrige haardos te brengen en gaf het ten slotte met een veelbetekenende grijns op. 'Verwacht Brett maar niet te vroeg op Churinga terug. Hij heeft een zware nacht achter de rug.' Ze knipoogde. 'Als je begrijpt wat ik bedoel.'

Jenny snakte naar adem en propte haar handen in haar zakken voor ze in de verleiding kwam om Lorraine bij haar verwarde haren te pakken en er eens flink aan te trekken. Ze wilde die slet niet laten merken hoeveel pijn haar woorden hadden gedaan. 'Ik heb geen idee waar je het over hebt,' zei ze hooghartig. 'En wat deed jij in de bungalow van de voorman? Zoals je weet is dat verboden terrein.'

Lorraine lachte. 'Potverdorie, je klinkt net als mijn oude lerares.' Er kwam een harde uitdrukking op haar gezicht en ze priemde met een knalrode nagel in de lucht tussen hen in. 'Luister eens, mevrouw o-wat-ben-ik-deftig. Dit is jouw boerderij niet en ik ga waar ik verdomme gaan wil.' Ze stak haar kin in de lucht en met één laatste uitdagende sneer bracht ze haar genadeslag toe. 'Brett zei dat ik mocht blijven – waarom neem je het niet met hem op?'

Jenny zag haar in een gedeukte pick-up stappen en van het erf wegscheu-ren voor ze het huis weer inliep. Ze rende naar boven en sloeg de deur van de slaapkamer achter zich dicht. 'Sta op, Diane. We gaan naar huis.'

Dianes make-up was uitgelopen rond haar bloeddoorlopen ogen en haar haar viel over haar gezicht. 'Wat is er?' mompelde ze.

Jenny begon haar rugzak met nietsontziende energie in te pakken. 'Het is die verdomde klotevent,' vloekte ze terwijl ze moest vechten om niet in huilen uit te barsten. 'Je raadt nooit wat hij nu weer heeft gedaan!'

Diane rekte zich uit en geeuwde. 'Ik weet niet eens waar ik moet beginnen. Kunnen we niet eerst even koffie drinken voor we gaan?' zeurde ze. 'Ik heb een verschrikkelijke smaak in mijn mond.'

'Nee,' siste Jenny. 'Hoe eerder ik terug op Churinga ben, hoe beter. Ik heb mezelf volkomen voor gek gezet. Het is tijd dat ik de dagboeken uitlees en dan terug naar Sydney ga.'

Ze trok laden open en propte ondergoed in haar rugzak. 'Lorraine mag Brett hebben, en Squires mag Churinga hebben,' zei ze bars. 'En jij,' zei ze streng tegen het kleine hondje, 'zult moeten wennen aan lantaarnpalen.'

16

Diane hield haar mond terwijl ze naar Churinga reden. Jenny was duidelijk niet in de stemming om te praten, en ze wist uit ervaring dat ze haar vriendin maar het beste in haar sop kon laten gaarkoken. Ze zou alles uiteindelijk wel uitleggen – dat deed ze altijd. Maar het was frustrerend om te moeten wachten, en het gebrek aan slaap en koffie maakte het er niet beter op.

Diane klampte zich grimmig aan het stuur vast terwijl ze over de nauwelijks zichtbare weg probeerde te rijden en wou dat ze weer in de stad was. Niet dat ze de primitieve schoonheid van het land niet kon waarderen, gaf ze toe toen ze een eenzame adelaar moeiteloos over het land zag scheren, maar ze was gewend geraakt aan behoorlijke wegen en winkels, en om buren te hebben die niet op honderd kilometer afstand woonden.

Ze stak een sigaret op en keek naar Jenny die uit het raam zat te staren. Als ze maar kon uitleggen waarom ze ineens zo snel naar Churinga moesten. Wat was er in godnaam tussen haar en Brett gebeurd dat ze zo kwaad was?

De stilte was ineens ondraaglijk. 'Ik snap niet hoe je zelfs maar kunt overwegen om hier te gaan wonen, Jen. Er is niets anders te zien dan aarde en lucht.'

Jenny wendde haar gezicht naar Diane, en haar ogen waren groot van verbazing. 'Niets te zien? Ben je gek? Kijk eens naar die kleuren, naar de manier waarop de horizon trilt en het gras rimpelt als vloeibaar zilver.'

Diane voelde zich stilletjes tevreden. Ze wist wel dat Jenny het niet kon weerstaan om de oerschoonheid van de streek te verdedigen. 'Nou ja, ik zie wel een zekere woeste charme,' zei ze nonchalant. 'Maar al die ruimte is claustrofobisch.'

'Je spreekt in raadselen, Diane.'

Ze glimlachte. 'Niet echt. Denk je eens in, Jen. We hebben hier duizenden kilometers niets en ergens midden in dat niets wonen groepjes mensen op kleine stukjes. Dat bedoel ik met claustrofobie.'

'Ga verder.'

Diane keek even naar haar. Ze zag dat Jenny het begreep, maar het kon geen kwaad om uit te weiden. 'Die mensen wonen en werken in kleine gemeenschappen. Ze houden contact met elkaar via de radio en zo nu en dan ontmoeten ze elkaar bij een bal, of een feestje, of een picknick. Altijd dezelfde gezichten, altijd dezelfde onderwerpen van gesprek, altijd dezelfde rivaliteit.'

'Zo is het overal,' onderbrak Jenny haar.

'Niet echt. Sydney is een grote stad, met een hoop mensen die elkaar niet kennen. Het is gemakkelijk om te verhuizen en opnieuw te beginnen, om van baan te veranderen en nieuwe vrienden te maken. Er zijn andere dingen om je mee bezig te houden, je verveelt je niet zo snel. Hier is niets anders dan schapen en land. De afzondering brengt mensen bij elkaar, omdat ze dat menselijke contact nodig hebben, maar met dat contact komt het geroddel en het voeden van oude rivaliteiten. Het moet bijna onmogelijk zijn om te ontsnappen. Die mensen trekken maar zelden verder – vooral de boeren. Ze kennen elkaar door en door dankzij roddels en het feit dat ze met elkaar trouwen. Aan loyaliteiten valt niet te tornen. Als je hier een vijand maakt, maak je er tien.'

Jenny staarde uit het raam. 'Ik vind dat je overdrijft, Diane. Er is hier genoeg ruimte voor iedereen, en als iemand dat wil, hoeft hij nooit van huis weg te gaan.'

'Oké. Maar dat huis is wel vol mensen die hun eigen loyaliteiten hebben, hun eigen rivaliteiten en antipathieën. Als je nu eens niet met ze kan opschieten? Hun manieren onbehouwen vindt, hun gewoonten weerzinwekkend? Het is bijna zeker dat je ze minstens een keer per week zult zien. Daar kun je op geen enkele manier onderuit – ze wonen en werken op jouw land. Maken deel uit van de kleine gemeenschap die een boerderij is.'

Jenny zweeg even en keek haar vriendin toen aan. 'Ik weet wat je wilt zeggen, en ik realiseer me dat je alleen maar wilt helpen. Maar dit is iets waar ík uit moet komen, Diane. Dus laat het met rust.'

Trevor ging steunend een steile helling op terwijl Diane schakelde. 'Wat is er tussen jou en Brett gebeurd?'

'Niks.'

'Schei uit! Ik zag hoe jullie naar elkaar keken. Je straalde gewoon.'

'Dan ben je net zo blind als ik ben,' wierp Jenny tegen. 'Brett mag dan prettig gezelschap zijn, hij en Charlie zijn precies hetzelfde – maar op één ding uit.'

'Wat heeft Charlie hiermee te maken?'

'Niets. Niet echt. Hij is prettig gezelschap, dat is alles, maar zijn charme kan niet verdoezelen dat hij achter Churinga aan zit. En Brett ook.'

Diane keek bedenkelijk. 'Hoe weet je dat?'

'Omdat hij dat min of meer heeft gezegd,' antwoordde Jenny geprikkeld. 'Dat is het enige waar hij zich druk over maakt sinds ik hier ben. Hij valt me lastig met zijn plannen, en loopt me maar achterna om me over te halen de boerderij niet te verkopen.'

'Ik vind dat je hem wel erg hard valt, Jenny. Hij leek oprecht genoeg toen ik hem ontmoette, en hij is duidelijk erg op je gesteld.'

'Hm. Hij is zo op me gesteld dat nadat hij me lieve dingen in mijn oor heeft gefluisterd, hij de nacht met Lorraine doorbrengt.'

Diane verloor bijna de macht over het stuur van schrik en de wielen hobbelden over een bijzonder diep spoor. 'Weet je dat zeker?'

'Ik zag haar vanochtend zijn bungalow uitkomen. Ze wilde maar al te graag duidelijk maken dat zij en Brett een heel actieve nacht met elkaar hadden doorgebracht, en, als ik haar zo bekeek, loog ze niet.' Jenny klonk scherp.

Diane was verwonderd. Dit keer had haar intuïtie haar in de steek gelaten. Ze was er zo zeker van dat hij net zo stapelgek op Jenny was als zij dat duidelijk op hem was. Ze was zo zeker dat Lorraine geen enkele bedreiging vormde. Geen wonder dat Jenny vanochtend zo overstuur was.

'Het spijt me dat het niets geworden is,' zei ze zachtjes. 'Ik dacht...'

'Nou, dan had je het mis.' Jenny ging rechtop in haar stoel zitten en sloeg haar armen stijf over elkaar alsof ze geen verder geanalyseer wilde. 'Ik had verdorie meer verstand moeten hebben dan meteen te vallen voor de eerste de beste knappe man die een lijntje uitgooide. Ik weet niet wat er met me aan de hand was.'

'Eenzaamheid? We hebben allemaal iemand in ons leven nodig, Jen. Het is nu een jaar geleden. Tijd om opnieuw te beginnen.'

'Dat is onzin en dat weet jij ook,' zei ze beslist. 'Ik ben volkomen gelukkig met mijn eigen gezelschap. Het laatste wat ik nodig heb is een man die mijn leven overhoop gooit.'

'Dat dacht ik ook altijd,' zei Diane meesmuilend. 'Maar sinds Rufus terug in Engeland is, merk ik dat ik hem meer mis dan ik voor mogelijk had gehouden.' Ze was zich ervan bewust dat Jenny naar haar staarde en hield haar blik op de weg voor zich. 'Dat wil niet zeggen dat ik niet over hem heen kom. Dat doen we uiteindelijk allemaal,' zei ze met een luchtigheid die ze niet voelde.

Jenny zweeg lange tijd. 'In mijn geval is het meer een kwestie van gekwetste trots,' zei ze. 'Ik denk dat ik me gevleid voelde, en in mijn kwetsbare toestand een al te gemakkelijk slachtoffer – en daar ben ik zo kwaad om.'

Diane knikte meelevend. 'Beter om kwaad te worden dan te mokken en je wonden te likken. Maar als je die trots wilt herstellen, moet je Brett wel onder ogen komen voor je weggaat.'

'Dat weet ik,' antwoordde Jenny beslist. 'En hoe eerder hoe liever.'

Diane liet zich niet foppen door die besliste houding. Ze kende Jenny te goed.

Brett verbaasde zich over het feit dat Jenny zo vroeg van Kurrajong was weggegaan. Hij had willen uitleggen dat hij volledig van plan was geweest haar thuis te brengen na het bal, maar tegen de tijd dat hij kans zag bij zijn vrienden weg te gaan, was ze de schuur al uit. Gecombineerd met een knetterende hoofdpijn, werd zijn frustratie die ochtend nog versterkt door het feit dat de mannen hun bed niet uit wilden om naar Churinga te gaan.

Zijn geduld raakte bijna op toen hij merkte dat twee van de aboriginal-jongens op zwerftocht waren gegaan, en een van de paarden zijn hoefijzer was kwijtgeraakt. Hij moest wachten tot de hoefsmid van Kurrajong het paard beslagen had, en in de tijd dat ze daarop moesten wachten, waren de mannen weer naar bed gegaan en duurde het weer een halfuur om ze te verzamelen. Uiteindelijk was hij erin geslaagd iedereen in de pick-ups te krijgen, en nu, terwijl de zon achter de Tjuringa begon te zakken, begon de slordige stoet aan het laatste stuk van hun reis.

Hij slaakte een zucht van tevredenheid toen hij de boerderij in zicht kreeg. De hippiebus stond voor het huis, Jenny was thuis. Maar tegen de tijd dat hij voor de paarden had gezorgd en de opdrachten voor de volgende dag had uitgedeeld, was het al laat op de avond en brandden de lichten in de slaapkamers. Het was te laat om langs te gaan, besefte hij, en hoewel hij ernaar verlangde haar te zien, wist hij dat hij tot de ochtend moest wachten.

Hij sliep lekker, dromend van paarse ogen en een jurk die hem aan de oceaan deed denken. Zodra de eerste zonnestralen op zijn gezicht schenen, sprong hij uit bed. Binnen een halfuur liep hij over de platgestampte aarde van het erf en zijn hart sprong op toen hij haar op de veranda zag.

Jenny had hem nog niet gezien, en hij maakte gebruik van die momenten om haar te bestuderen. Ze zag er goed uit, zelfs in die oude spijkerbroek en dat verbleekte overhemd. Haar haar had de kleur van zijn vosruin, en terwijl ze over de veranda liep, viel het vroege ochtendlicht op de koperen vlammetjes in haar haar. Hij glimlachte bij die warme herinnering aan hoe ze in zijn armen danste, en zijn tred kreeg iets lichts dat er zolang in ontbroken had.

'Hoi, Jenny. Leuk feest, hè?'

Ze stond boven aan de trap met haar rug naar hem toe en eerst dacht hij dat ze hem niet gehoord had. Hij wilde net iets zeggen toen ze zich eindelijk omdraaide, en hij werd koud van wat hij zag. Haar ogen waren op een ver punt achter zijn schouder gericht en haar gezicht kon wel uit marmer gehouwen zijn, zo weinig emotie straalde het uit.

'Ik neem aan dat het wel leuk was als je van dat soort dingen houdt. Maar ik ben een wat minder platvloers uitgaansleven gewend.' Ze klonk koud en superieur, helemaal niet zichzelf.

Hij fronste zijn voorhoofd. Dit was niet de vrouw die zo enthousiast in zijn armen had gedanst. Niet de vrouw die had geglimlacht en gelachen en twee avonden geleden nog zo op haar gemak bij hem leek. Hij werd somber. Dit afstandelijke wezen was een wereld verwijderd van de Jenny die hij kende en beminde. 'Wat is er gebeurd?' vroeg hij zachtjes.

Ze staarde in de verte – zo ver verwijderd en onbereikbaar als de horizon. 'Ik realiseer me dat ik niets gemeen heb met de mensen hier,' zei ze op kille toon. 'Diane gaat over een week terug naar Sydney. Ik ben van plan met haar mee te gaan.'

Hij was verbijsterd over haar hardheid. 'Maar dat kan niet,' sputterde hij tegen. 'En wij dan?'

Toen keek ze hem aan, haar paarse ogen zo hard en fonkelend als amethist. 'Wij, meneer Wilson? Er is geen "wij", zoals u het noemt. Ik ben de eigenaar van Churinga. U bent mijn bedrijfsleider. Het is niet uw plaats om mijn beslissingen in twijfel te trekken.'

'Kreng,' fluisterde hij, verbijsterd dat hij zich zo gemakkelijk in de luren had laten leggen. Ze was geen haar beter dan Marlene.

Het was alsof Jenny hem niet gehoord had. 'Ik zal mijn advocaat u op de hoogte laten stellen van mijn plannen. Tot die tijd kunt u als bedrijfsleider aanblijven.' Ze draaide zich om, en voor hij iets kon zeggen sloeg de voordeur achter haar dicht en was ze weg.

Brett bleef lange tijd staan, terwijl verdriet en verwarring een innerlijke strijd voerden en hij wachtte tot ze weer naar buiten kwam. Het moest een of andere wrede grap zijn die ze met hem uithaalde. Maar waarom? Waarom? Wat was er in de afgelopen twaalf uur gebeurd dat ze zo veranderd was? Wat had hij gedaan?

Hij deed een stap achteruit, toen nog een, en na een laatste, lange blik op de deur, draaide hij zich om en liep weg. Zijn verstand vertelde hem dat hij beter af was zonder haar, maar zijn hart zei iets anders. Ondanks haar ontkenning moest er iets gebeurd zijn waardoor ze zo gemeen was geworden. Terwijl hij op de omheining van de weide bij het huis leunde, dacht hij weer aan het bal van de avond tevoren. Toen was ze gelukkig, warm en meegaand in zijn armen, terwijl haar parfum hem duizelig van blijdschap maakte. Hij had haar bijna verteld wat hij voor haar voelde, maar Charlie Squires kwam ertussen en sleepte haar mee om samen met het gezelschap van Kurrajong een *reel* te dansen. Dat was de laatste maal dat Brett met haar had gedanst. Enkele minuten later werd hij ook meegesleept in een heftige dans met zijn maten en toen hij eindelijk wist te ontsnappen was ze al weg.

Hij vernauwde zijn ogen tot spleetjes terwijl hij naar de horizon staarde. Hij was naar buiten gegaan om haar te zoeken, maar had haar niet gevonden, en, nu hij erover nadacht, was er ook geen teken van Charlies auto geweest. Zijn knokkels werden wit toen hij het hek omklemde. Charles en Jenny. Jenny en Charles. Natuurlijk. Hoe had hij zo stom kunnen zijn om te denken dat hij bij zo'n vrouw een kans maakte terwijl Charles Squires haar zoveel meer kon bieden? Lorraine had al die tijd gelijk gehad. Jenny had geproefd van wat het leven voor een rijke herenboer kon zijn, was in de luren gelegd door die vrouwengek van een Charles Squires – en was tot de conclusie gekomen dat haar wel beviel wat ze zag.

Zijn herinnering bracht een soort foto's van hen tweeën naar boven. Twee hoofden bij elkaar terwijl ze praatten en champagne dronken. Ze waren van dezelfde soort. Rijk en ontwikkeld, meer thuis in de stad dan op het platteland. Het was alleen maar logisch dat Jenny geen belangstelling had voor een man die haar niets anders kon bieden dan hard werken.

Ziek van teleurstelling zette Brett zich tegen de omheining af en liep naar de schuren. Het kon hem niet langer schelen of Churinga opgeslokt werd door Kurrajong, want wat had hij eraan als hij Jenny niet naast zich had om de boerderij te runnen?

Hij keek met toegeknepen ogen in de zon terwijl hij zijn paard zadelde en reed naar de winterweiden. Er was werk aan de winkel en als hij zich maar hard genoeg concentreerde, voelde hij de pijn misschien niet zo erg.

Jenny leunde tegen de deur, terwijl de hete tranen over haar wangen rolden. De breuk was definitief, maar ze zou nooit de blik van minachting in Bretts ogen vergeten voor de manier waarop ze het had gedaan. En toch was het de enige koers die ze had kunnen varen. Als ze had toegegeven, was ze verloren geweest.

'Pff, Jenny. Dat was hard.'

Ze veegde haar tranen weg en snufte. 'Het moest gebeuren, Diane.'

'Misschien wel. Maar nu kwam je over als een rotwijf en zo ben je helemaal niet.' Diane keek bezorgd. 'Weet je zeker dat je er goed aan gedaan hebt?'

'Te laat voor twijfels.'

'Ja,' antwoordde haar vriendin langzaam. 'Ik denk wel dat je je schepen achter je verbrand hebt.'

Jenny liep bij de deur vandaan. 'Het heeft geen zin erover te praten, Diane. Wat gebeurd is, is gebeurd. Ik ben niet trots op de manier waarop ik hem behandeld heb, maar ik vond dat hij een lesje moest leren.' Ze sloeg haar ogen neer onder Dianes strakke blik. 'Ik ben nu een grote meid,' zei ze uitdagend. 'Ik kan de consequenties dragen.'

'Dus je denkt dat je hem de komende week wel onder ogen kunt komen?'

Jenny knikte. Maar schaamte en liefdesverdriet gingen maar moeilijk door één deur, en om haar nu te vragen hoe ze dacht dat ze zich zou voelen als ze Brett weer zag, zou te veel inspanning vergen.

Diane sloeg haar armen over elkaar. 'Jij liever dan ik, meid. Als ik jou was, zou ik hier vandaag nog vertrekken. Dat claustrofobiegedoe is ineens wel heel reëel geworden.'

Jenny wist precies wat ze bedoelde, maar verdomd als ze haar beslissingen door Brett zou laten beïnvloeden. 'Ik laat me niet uit mijn huis zetten tot ik er klaar voor ben,' verklaarde ze onomwonden. 'Ik wil eerst de dagboeken uit hebben.'

'Waarom neem je ze niet mee? Ik vind het niet erg om eerder weg te gaan dan ik gepland had, en je kan ze net zo goed in Sydney lezen.'

'Nee, dat kan niet. Matilda wil dat ik ze hier op Churinga houd.'

'Ik vind het nogal een hoop gedoe over een paar beschimmelde oude boeken. Wat doet het ertoe?'

'Het doet er voor Matilda en mij toe,' zei Jenny zachtjes.

Diane keek haar vernietigend aan. 'Dat geloof je toch niet echt, hè?' Toen Jenny bleef zwijgen, veranderde haar uitdrukking in een van verwondering. 'Wil je me vertellen dat je gelooft dat de geest van Matilda voortleeft op Churinga?'

'Haar geest is hier, ja,' antwoordde Jenny uitdagend. 'Ik kan haar aanwezigheid soms zo duidelijk voelen dat het net is of ze bij me in de kamer is.'

Diane schudde haar hoofd. 'Het is echt tijd dat je hier weggaat, Jen. Door al die eenzaamheid ben je aan hersenverweking gaan lijden.'

Jenny keek haar een ogenblik aan en liep toen de slaapkamer in. Toen ze terugkwam, stond Diane haar doeken te bekijken.

'Deze zijn fantastisch. We kunnen een tentoonstelling houden zodra we terug zijn, en ik durf te wedden dat je ze allemaal verkoopt.'

'Laat ze staan, Diane.' Ze had geen zin om over haar schilderijen te praten. Ze waren gemaakt toen ze tevreden was en wilde blijven, nu herinnerden ze haar alleen maar aan wat ze op het punt stond te verliezen. 'Ik wil dat je Matilda's dagboeken leest. Misschien begrijp je dan waarom ze hier op Churinga moeten blijven.'

Het was zondag, 3 september 1939, en Matilda was op bezoek bij April en Tom. Het nieuws uit Europa was allengs slechter geworden en sinds Hitlers inval in Polen werd er druk gespeculeerd. Het was doodstil in het kleine keukentje terwijl ze luisterde naar het deftige Engelse accent van de omroeper toen hij minister-president 'Pig Iron' Bob Menzies aankondigde.

'Mede-Australiërs,' begon hij met zijn geruststellende accent, 'het is mijn droeve plicht u officieel op de hoogte te brengen dat als gevolg van de volharding van Duitsland in haar invasie van Polen, Groot-Brittannië haar de oorlog heeft verklaard, en Australië dientengevolge ook in staat van oorlog verkeert.'

April en Matilda slaakten een kreet, de jongens zaten opgewonden te fluisteren.

'Ons uithoudingsvermogen, en dat van het moederland, is het best gediend door onze productie draaiende te houden, onze beroepen en zaken voort te zetten, door te gaan met werken en daarmee onze kracht behouden. Ik weet dat ondanks de emoties die we voelen, Australië er klaar voor is om dit te doorstaan.'

April pakte Toms hand met een hoopvolle blik in haar ogen. 'Je hoeft niet te gaan, hè, Tom? De minister-president zei dat het belangrijk was om het land te blijven bewerken.'

Hij sloeg zijn arm om haar schouders. 'Ze willen ons niet allemaal, April. Maar het zal hard werken worden om de boerderij te runnen zonder de mannen.'

Matilda keek naar hem en zag de blik van opwinding in zijn ogen. Hoe lang zou het duren voor hij zich overgaf aan de oorlogskoorts die door het binnenland waarde? vroeg ze zich af. De zender/ontvanger op Churinga was een medium voor roddel en speculatie, zoals op iedere boerderij in New South Wales. Ze had ernaar geluisterd om de sfeer te proeven en besefte al snel dat de mannen dolgraag oorlog wilden en dat de vrouwen, hoewel ze zielsverdrietig waren, niet de gelegenheid konden weerstaan om te pochen over het offer dat ze brachten voor de goede zaak.

'Mijn drijvers hebben zich al aangemeld,' zei Matilda stilletjes. 'Ze kwamen op vrijdag al, na het wereldnieuws, en dienden hun ontslag in.'

Ze glimlachte vreugdeloos. 'Ze zeiden dat het een kans was om eropuit te gaan en de rest van de wereld te laten zien wat voor stoere kerels wij hier voortbrengen.' Haar toon was vernietigend. 'Als je het mij vraagt, is het gewoon een excuus voor een enorme vechtpartij. Beter dan wat je in het café op vrijdagavond tegenkomt – heel wat spannender dan een groepje scheerders aan de rol.'

Ze zweeg toen ze de verwarde en angstige uitdrukking op Aprils gezicht zag, maar ze wist dat ze de waarheid sprak. De Australische man ging tot het uiterste om te bewijzen dat hij een echte man was, en Tom vormde daar geen uitzondering op.

April keek naar haar jongens, die met grote ogen om de tafel zaten. 'Godzijdank zijn het nog maar baby's,' mompelde ze.

'Ik ben geen baby, mam. Ik ben bijna zeventien,' protesteerde Sean, terwijl hij zijn haar achteroverstreek, zijn gezicht stralend van opwinding. 'Ik hoop alleen dat het lang genoeg duurt, dat ik ook nog mee mag doen.'

April gaf hem een harde klap in het gezicht. 'Waag het niet om ooit nog eens zoiets te zeggen,' gilde ze.

Sean ging staan in de geschokte stilte die erop volgde. Zijn magere polsen piepten uit zijn manchetten en zijn overhemd spande over zijn breder wordende borst. Op zijn wang was de afdruk van zijn moeders hand te zien, maar de schittering in zijn ogen had niets te maken met de pijn van de klap.

'Ik ben bijna een man,' zei hij trots. 'En een Australiër. Ik zal er trots op zijn om te vechten.'

'Ik verbied het,' krijste April.

Hij ging met zijn ruwe werkhand over zijn pijnlijke wang. 'Ik blijf me niet hier achter mijn moeders rokken verstoppen terwijl mijn maten aan het vechten zijn,' zei hij beslist. 'Ik meld me aan zodra ze me willen hebben.' Hij keek ze allemaal aan voor hij stilletjes de keuken uitliep.

April sloeg haar handen voor haar gezicht en begon te snikken. 'O God. Tom, wat moet er van ons worden? Moet ik mijn man en mijn kind zomaar naar de oorlog laten gaan zonder dat ik er iets over te zeggen heb?' Er kwam geen antwoord, en ze hief haar betraande gezicht naar hem op. 'Tom? Tom?'

Hij maakte een hulpeloos gebaar. 'Wat kan ik zeggen, April? De jongen is oud genoeg om zijn eigen beslissingen te nemen, maar ik zal mijn best doen om hem thuis te houden tot hij opgeroepen wordt.'

Haar snikken kwamen van heel diep en Tom nam haar in zijn armen. 'Maak je toch niet zo'n zorgen, schat. Ik ga nergens heen tot het moet – en Sean ook niet.'

Matilda ving een glimp van de zestienjarige Davey op en kreeg het koud. Hij was ook bevangen door de oorlogskoorts en met de invloed van zijn oudere broer zou het moeilijk worden hem ervan te overtuigen dat hij op de boerderij nodig was.

Ze stond op van tafel en loodste de jongere kinderen de keuken uit. Tom en April moesten even alleen zijn en het was niet goed voor ze hun moeder zo verdrietig te zien. Nadat ze de vele vragen van de jongens had beantwoord en hun opwinding en verwarring had gesust, blies ze eindelijk de olielampen uit en liep de veranda op.

Seans uitbarsting had haar net zo erg geschokt als April. Matilda had de jongens op zien groeien en net als April beschouwde ze ze nog als kinderen. Maar na vanavond zag ze dat er moeilijkheden zouden komen, want Sean en Davey waren inderdaad bijna mannen. Het leven in het binnenland had ze gehard. Ze konden net zo goed paardrijden en schieten als Tom, en de zon had hun huid al bruinverbrand en fijne lijntjes om hun ogen en mond getekend. Mannen uit het binnenland zouden in het leger verwelkomd worden vanwege hun doorzettingsvermogen en kracht – net als in Gallipoli.

Het volgende jaar klampten Matilda en April zich vast aan de hoop dat ze Tom en Sean op het land konden houden, maar het oorlogsnieuws was een gerommel van ver dat steeds meer invloed deed gelden in het binnenland en ten slotte eiste dat de mannen onder de wapenen gingen en het land aan de vrouwen, de jongens en de ouderen overdroegen.

Zelfs in goede tijden was mankracht schaars; nu was het crisis. De droogte was in het vijfde jaar en regen was een vage herinnering, de prijs van voer was hoog, en het gras schaars dankzij een bevolkingsexplosie onder de konijnen. Matilda en Gabriel patrouilleerden door de weiden en dreven de kudde voortdurend van de ene wei naar de andere om het broze gras te sparen. Ze sliepen onder de blote hemel, in dekens gerold, op de loer voor roofdieren, omdat ze wisten dat ieder verlies een ramp kon zijn.

Door de slag om Duinkerken werden de sluizen eindelijk opengezet en Australiërs stroomden de rekruteringskantoren binnen om zich aan te melden voor het Tweede Australische Leger. Het binnenland leek verlatener dan ooit en Matilda vroeg zich af hoe lang ze Churinga nog kon behouden. Door de afgelopen jaren van hard werken was de kudde vertienvoudigd – maar die toename betekende meer werk, meer duur voer, en zonder de mannen om haar te helpen, wist ze dat het veel moeilijker zou worden om te overleven.

Het was half juni, maar er was geen wolkje aan de blauwe hemel toen ze

Wallaby Flats binnenreed om afscheid te nemen van Tom en Sean. Het was druk in het kleine stadje. Een fanfare speelde voor het hotel; auto's, pick-ups en paarden stonden naast wagens en kinderen renden opgewonden heen en weer.

Matilda bond het paard vast en bestudeerde de gezichten om zich heen. Ze herkende drijvers, veeboeren, scheerders en schapenboeren – en zelfs een of twee zwervers die nog wel eens voor haar gewerkt hadden. De oorlogskoorts had hard toegeslagen in het hart van het binnenland en ze had het afschuwelijke gevoel dat het nooit meer hetzelfde zou zijn.

Ethan Squires stond naast zijn glimmende auto. James, Billy, Andrew en Charles zagen er knap uit in hun officiersuniformen terwijl ze champagne dronken, maar hun lach was te hoog, te luid, en ze kon zien dat ze, ondanks al hun jeugdige deftigheid, net zo bang waren als de anderen.

De zoon van de cafébaas was veel te jong om opgeroepen te kunnen zijn en ze vermoedde dat hij over zijn leeftijd gelogen had, zoals vele anderen. De twee zoons van de winkelier stonden stilletjes in de schaduw van de veranda van het café, zo identiek als twee vlooien op een schapenrug, hun blonde hoofden naar elkaar toegebogen terwijl ze een krant lazen.

Maar het waren de vrouwen die haar aandacht trokken en vasthielden. Hun gezichten verrieden geen enkele emotie. Met geheven hoofd keken ze toe terwijl hun mannen zich voor het café verzamelden. Ze waren te trots om hun zwakheid door middel van tranen te tonen, maar hun ogen verrieden hen. Fonkelend, iedere beweging van hun geliefden volgend terwijl ze langs de tafel schuifelden om hun oproep te laten zien. Hopend, altijd hopend, dat hun man afgewezen zou worden. Weg was het parkietachtige geklets, de vaderlandsliefde die de roddels en speculaties aangewakkerd had. Dit was de harde werkelijkheid, en niets had hen erop kunnen voorbereiden.

Matilda zag het allemaal met groeiende woede aan. Een rij legertrucks stond voor de winkel in de verzengende hitte, met draaiende motoren en uitlaten waar zwarte rook uitkwam terwijl de chauffeurs tegen de motorkap leunden. Ze zouden de mannen meenemen en een of andere soldaat zonder gezicht, zonder naam zou hen leren anderen te doden. En als de mannen geluk hadden – heel veel geluk – zouden ze ze misschien terugbrengen. Maar dan zou de oorlog ze veranderd hebben, hun geestkracht hebben geknakt, net als met Mervyn was gebeurd.

De chauffeurs klommen in hun trucks en lieten de motor sneller draaien. Vaders schudden hun zoons onbeholpen de hand – door het onverschillige imago van de stoere Australische man durfden ze niet de emoties te tonen waar ze ongetwijfeld mee overspoeld werden. En de vrouwen vonden het blijkbaar zelfs nog moeilijker.

Matilda voelde hun verlangen om hun geliefde nog één keer aan te raken en vast te houden voor de trucks de mannen wegvoerden, maar hun harde leven had hun een kern van staal gegeven. Het waren moeders en vrouwen, vertegenwoordigers van de boerderijen in het binnenland, van wie men verwachtte dat ze sterk bleven in tegenspoed. Matilda zag wat een pijn het deed om hun tranen in te houden, hoe erg het was voor de moeders om hun zoon niet voor de laatste keer een kus te kunnen geven, en dankte in stilte dat zij geen mannen had om weg te sturen. De kleine zilveren broches die de vrouwen hadden gekregen als symbool van hun opofferingsgezindheid waren geen compensatie voor dat hartverscheurende verdriet.

Matilda stapte van de veranda en baande zich langzaam een weg door de menigte naar Tom en April toe. Ze zag Sean, een lange vent naast zijn vader, zo volwassen in zijn bruine uniform en slappe hoed, Toms evenbeeld. April huilde. Langzame, stille tranen die over haar wangen rolden terwijl ze zich aan hun handen vastklampte en ze met haar ogen verslond. De jongere jongens waren ongewoon stil, alsof ze onder de indruk waren van dit bijzondere moment, zonder precies te begrijpen wat het voor hen kon betekenen.

Tom keek over Aprils hoofd en glimlachte toen Matilda aan kwam lopen. Zijn gezicht zag asgrauw en ze zag dat hij moest vechten om zijn emoties onder controle te houden.

Hij sloeg zijn arm om haar heen en ze ging op haar tenen staan om hem een kus op zijn wang te geven. Hij was de broer die ze nooit had gehad. Zijn vertrek zou een enorme leegte in haar leven achterlaten.

'Pas goed op jezelf, Tom,' zei ze zachtjes. 'En maak je geen zorgen over April en de jongens, ik zal voor ze zorgen.'

'Bedankt, Molly.' Hij schraapte zijn keel. 'April zal je nodig hebben, en ik weet dat je haar nooit zult laten vallen.'

Een voor een legde hij zijn hand op de hoofden van de andere jongens en bleef iets langer bij Davey stilstaan. 'Zorg voor de vrouwen, zoon. Ik reken op je.'

De zestienjarige knikte terwijl hij zijn hoed in zijn handen liet draaien, maar Matilda zag het verlangen in zijn ogen toen Tom en Sean eindelijk in de truck stapten, en wist dat het niet lang zou duren voor hij precies hetzelfde zou doen.

Ze sloeg haar arm om Aprils middel terwijl de trucks wegreden en de jongens erachteraan renden, schreeuwend en zwaaiend met hun pet. Om hen heen drongen vrouwen naar voren om nog één laatste glimp op te vangen, maar al gauw was er alleen maar een wolk van stof en uitlaatgassen aan de horizon te zien.

'Jij gaat met mij mee, April,' zei Matilda gedecideerd. 'Het heeft geen zin om jou en de jongens vanavond naar een leeg huis te laten gaan.'

'En de dieren dan?' Aprils ogen waren enorm in het smalle gezichtje. 'De konijnen hebben het meeste gras opgegeten en ik moet de kudde met de hand voeren.'

'Je hebt nog steeds twee knechts over die dat kunnen doen, April. Ze zijn dan misschien te oud voor de oorlog, maar ze zijn sterk en weten wat ze doen.'

Matilda dacht aan de twee oudere mannen en dankte de hemel dat zij er nog waren. De twee boerderijen leden al genoeg onder de droogte en de konijnen, en zonder de twee mannen zou het onmogelijk zijn geweest om de twee kuddes constant in de gaten te houden. April had flink wat steun nodig, als ze nog iets aan haar wilden hebben. Het was niet goed om haar de gelegenheid te bieden zich aan haar verdriet over te geven.

'Vanavond mogen de konijnen al het gras opeten dat ze maar kunnen vinden,' zei Matilda terwijl ze de familie in de richting van de paarden stuurde. 'Morgen kunnen Davey en de jongens terug naar Wilga, dan leer ik jullie hoe je de kudde bijeendrijft en konijnen schiet. God weet hoe lang deze oorlog gaat duren, maar we moeten ervoor zorgen dat Wilga en Churinga blijven draaien tot de mannen terugkomen.'

April keek haar aan en de tranen sprongen weer in haar ogen. 'Ze komen toch terug, hè?'

Matilda stapte op haar paard en pakte de teugels. 'Natuurlijk komen ze terug,' zei ze, met meer overtuiging dan ze voelde.

'Hoe kun je toch zo sterk zijn, Matilda? Zo zeker dat alles goed komt?'

'Omdat het nodig is,' antwoordde ze. 'Iets anders denken is defaitistisch.'

De dagen en weken werden maanden en de omheiningen tussen Wilga en Churinga werden weggehaald. Het was gemakkelijker om de twee kuddes in de gaten te houden als ze bij elkaar liepen en ze voorkwamen ook dat het gras overbegraasd werd.

Net als Gabriel en de twee drijvers patrouilleerden Matilda en April door de weiden, gewapend met messen en geweren. De droogte begon zijn tol te eisen en stervende dieren moesten snel uit hun lijden verlost worden. Snel hun keel doorsnijden was de humaanste manier, maar April vond het zo akelig dat het meestal Matilda was die uiteindelijk de keel doorsneed.

Het land was keihard en er liepen overal barsten doorheen. Zielige groepjes bomen hingen boven de zilveren slierten gras die de konijnen hadden achtergelaten en dingo's en adelaars werden steeds brutaler. Kuddes kangoeroes, wombats en emoes drongen de weiden bij het huis binnen en moesten doodgeschoten of weggejaagd worden. Het water was nog slechts een straaltje in de rivieren en beken en alleen het zwavelhoudende water uit de put kon gebruikt worden om het vee in leven te houden. De tanks van Churinga waren nog vol, maar iedere druppel water werd angstvallig bewaakt, want er was weer een jaar voorbijgegaan zonder een teken dat de droogte binnenkort ten einde zou komen.

De radio was hun enige verbinding met de buitenwereld, en het werd een ritueel dat iedere avond iemand van hen naar het wereldnieuws luisterde dat vervolgens aan de anderen werd meegedeeld.

'Pig Iron' Bob trad af en John Curtin vormde een Labour-regering. De Japanners bombardeerden Pearl Harbour en Hong Kong viel. Ineens was de oorlog heel dichtbij en Matilda en April wachtten vol angstige spanning af. De grote lege Australische vlakten lagen te dicht bij de Aziatische eilanden. Als de Japanners het land binnenvielen, was er niets om hen tegen te houden. Australië had geen soldaat meer over – ze waren allemaal in Europa – en het gele gevaar was plotseling een reële dreiging.

Matilda was bezig de vuile stukken vacht bij een tegenstribbelende ram weg te snijden toen ze het geluid van roffelende hoeven hoorde. Terwijl ze haar arm boven haar ogen hield tegen de zon, keek ze op en zag April, met wapperende haren en rokken, haar paard aansporend terwijl ze over de weide aan kwam rijden. Matilda's hart bonkte haar in de keel terwijl ze wachtte. Alleen bij slecht nieuws reed April zo fel.

Ze hield abrupt het paard in en liet zich uit het zadel glijden. 'Davey, Matilda! O, mijn God, Davey...'

Matilda maakte haar graaiende vingers los, pakte haar bij de schouders en schudde haar door elkaar. 'Wat is er met hem gebeurd?'

April was onsamenhangend en Matilda gaf haar een klap in het gezicht. 'Beheers je, April, en vertel in godsnaam wat er met Davey gebeurd is!' gilde ze.

Het smalle gezichtje verstijfde terwijl de afdruk van Matilda's vinger op haar wang gloeide; toen stak ze haar een briefje toe en zakte huilend in elkaar.

Matilda wist wat het was nog voor ze het jongensachtige handschrift zag en werd neerslachtig. Davey was weggelopen om zich aan te melden. Ze keek naar April terwijl de pijn van dat verlies diep in haarzelf weerklonk en wist dat er geen woorden waren om die pijn uit te wissen. April was eindelijk ingestort. Het was, zoals gewoonlijk, Matilda die praktisch moest zijn.

Terwijl ze haar eigen bezorgheid stevig in bedwang hield, trok ze April overeind en hield haar in haar armen tot de huilbui voorbij was. Toen het gesnik in gesnuf was overgegaan en April haar gezicht aan haar schort afdroogde, had Matilda hun prioriteiten op een rijtje gezet. 'Heb je naar het rekruteringskantoor gebeld?'

April knikte en snoot haar neus. 'Ik heb ze geprobeerd te bereiken, maar er was alleen nog maar een schoonmaker. De trucks waren vanochtend vroeg al naar Dubbo vertrokken.'

'Heeft hij een nummer achtergelaten dat je kunt bellen? Het leger mag hem niet aannemen. Hij is nog te jong, dat horen ze te weten.'

April schudde haar hoofd. 'Die man op het rekruteringkantoor zei dat aangezien hij bijna achttien was, het er niet toe deed. En als hij in een van de trucks van vanochtend zat, hij al op weg naar het trainingskamp was en dan kon niemand er meer iets aan doen.'

Matilda's gedachten tolden door haar hoofd, maar ze hield ze voor zich. Het had geen zin April weer hoop te geven door te zeggen dat een telefoontje naar het hoofdkwartier haar zoon terug kon brengen, want ze betwijfelde of het leger nog tijd verspilde aan het zoeken naar weer een minderjarige die door de mazen was geglipt. Er waren er zoveel en Davey zou over een paar maanden al achttien worden, dus waarom het onvermijdelijke uitstellen?

'Je had hem toch niet tegen kunnen houden, April. Die jongen is er al over bezig sinds Sean samen met zijn vader wegging.'

Aprils blauwe ogen zwommen in nieuwe tranen. 'Hij is nog maar een jongen. Ik wil niet dat hij daar heen gaat. Tom zegt niet veel in zijn brieven, en Sean ook niet, maar ik kan tussen de regels en het geknip van de censor doorlezen. Het is een slachting, Molly. En ik wil niemand van mijn gezin daar hebben – ik wil ze thuis bij me hebben. Veilig, en bezig op het land zoals het hoort – zoals het altijd is geweest.'

'Ze zijn alledrie oud genoeg om te weten wat ze willen, April,' zei Matilda voorzichtig. 'Davey is misschien nog jong, maar hij rijdt al vanaf dat hij drie turven hoog was door de weiden, en is net zo taai en sterk en koppig als alle Australiërs.'

Ze hield haar vriendin tegen zich aan, wiegde haar hoofd en streelde haar haar. 'Hij wilde vechten, dat weet je, en we hadden hem met geen mogelijkheid kunnen tegenhouden.'

De twee vrouwen vochten tegen de elementen en hun eigen verdriet terwijl de oorlog zich voortsleepte. Tom en de jongens schreven regelmatig, en Matilda was April dankbaar dat ze hun brieven met haar deelde. Ze waren hen allebei dierbaar, en hoewel de schaar van de censor ze voddig en moeilijk te lezen maakte, waren ze in ieder geval een bevestiging dat de mannen nog leefden. Stukje bij beetje pasten de twee vrouwen de stukjes aan elkaar en volgden de mannen met behulp van een heel oude atlas.

Tom en Sean waren ergens in Noord-Afrika, en Davey, slechtgetraind en snel uitgezonden, zat in Nieuw-Guinea.

Matilda las zijn brieven zorgvuldig, en kende, omdat ze de gewoonte had boeken van de reizende bibliotheek te lenen, de werkelijkheid achter de zorgvuldig geformuleerde briefjes aan zijn moeder. Ze hield de wetenschap voor zichzelf. Wat had het voor zin om April te vertellen dat oorlogvoering in de jungle dagen, soms weken, betekenden waarin een mens niet droog werd? Vocht deed de huid rotten en schimmels groeiden op hun kleren. De hoge vochtigheidsgraad verzwakte ze en muskieten brachten ziekten. Giftige slangen en spinnen waren zo dodelijk als valkuilen. De Australische cowboys zouden ontdekken dat de jungle een heel andere, veel dodelijkere wereld was dan de droge, warme omgeving die zij gewend waren. Het was beter om April te laten denken dat haar jongen in een comfortabele barak zat waar hij drie stevige maaltijden per dag kreeg.

De zomer sleepte zich voort en Maleisië en de Filippijnen werden binnengevallen. Nu was het nog belangrijker dat ze in contact bleven met de buitenwereld en iedere ochtend keerden ze terug naar een van de boerderijen en luisterden naar het nieuws.

Singapore viel op 8 februari 1942 in Japanse handen. Vol verbijstering en afschuw staarden de oude mannen, de jonge jongens en de overwerkte vrouwen elkaar aan. Het was maar een sprongetje van het vasteland van Nieuw-Guinea en het schiereiland Cape York naar het bovenste deel van Queensland. Ineens kwam de oorlog wel heel dichtbij; de grote open vlakten waren een gemakkelijk doelwit nu Australië was beroofd van zijn legers.

Minister-president Curtin eiste dat Churchill de Australiërs het recht zou geven hun eigen land te verdedigen en eindelijk scheepten twee Australische divisies in Noord-Afrika zich in om de lange reis naar huis te maken.

'Ze komen terug,' zei April vol blije verwondering. 'Tom en Sean zitten vast op dat troepenschip.'

'Ze komen niet naar het land terug,' waarschuwde Matilda. 'Ze zullen wel in het noorden nodig zijn om ons tegen de Jappen te beschermen.'

April straalde. 'Maar ze zullen toch wel verlof krijgen, Molly. Moet je je

toch voorstellen, ze weer op Wilga te zien! Hun stemmen weer te horen.'
Opeens keek ze somber. 'Maar Davey dan? Waarom kan hij niet thuiskomen?'

Matilda ving de veelbetekenende blik op tussen de twee oudere drijvers en wist wat ze dachten. Davey zat in de hoek waar de klappen vielen, zijn laatste brief was al weken oud toen ze hem kregen. Er was maar weinig hoop op dat ze hem zouden zien voor alles voorbij was.

Matilda zuchtte en pakte Aprils hand. 'Het is niet voor altijd. Binnenkort zijn ze allemaal thuis.'

Maar dat mocht niet zo zijn. Churchill en Curtin sloten een overeenkomst, en in plaats van dat alle Australische troepen thuiskwamen, kreeg Australië een Amerikaanse divisie toegestuurd. Samen met de rest van Australië, voelden Matilda en April zich verraden door het moederland. Hoe konden zo weinigen zo'n enorm gebied verdedigen, en waarom zou Engeland Australische soldaten het recht weigeren om hun vaderland te verdedigen nadat ze zo dapper door heel Europa voor Engeland hadden gevochten?

Terneergeslagen sleepten de twee vrouwen zich door de maanden die volgden, terwijl ze troost vonden bij elkaar en het werk waar nooit een einde aan kwam. Maar niemand dwaalde te ver uit de buurt van de radio – het nieuws was hun enige verbinding met de buitenwereld.

Matilda was naar Churinga teruggekeerd om een lading voer op te halen die die ochtend per wagen bezorgd was. De schapen leefden nog, maar het was een eindeloze taak om ervoor te zorgen dat ze goed gevoed werden. Zij en Gabriel laadden zakken achter in de pick-up die ze een paar maanden daarvoor had gekocht toen ze het bekende gebalk van het muildier van de priester hoorde.

'Breng deze maar naar de oostwei, Gabe. Ik kom je dadelijk achterna,' zei Matilda stilletjes.

'Problemen, mevrouw?'

Ze knikte. 'Ik denk het wel, Gabe. Laat het maar aan mij over.'

Ze hoorde hem de motor starten en concentreerde zich op de priester.

Priester Ryan was een magere, donkere man die weigerde met zijn tijd mee te gaan en nog steeds zijn uitgestrekte parochie rondreed in zijn krakende vierwielige karretje. De oorlogsjaren hadden hem oud gemaakt en er liep nu grijs door zijn zwarte Ierse haar, terwijl hij letterlijk krom liep van het gewicht van te veel slecht nieuws.

'Het is slecht nieuws, hè?' vroeg Matilda terwijl ze wachtte tot hij van de bok was geklommen en zijn muildier water had gegeven.

Hij knikte; ze gaf hem een arm en nam hem mee het huis binnen. Haar hart bonkte pijnlijk terwijl ze dacht aan het onvermijdelijke van wat ze te horen zou krijgen. Maar nog niet, smeekte ze in stilte. Ik ben er nog niet klaar voor.

'Laten we eerst een kop thee nemen. Ik heb altijd gevonden dat slecht nieuws beter te verwerken is wanneer je zit.' Ze liep bedrijvig de keuken door, terwijl ze zijn blik meed en probeerde niet stil te staan bij de vraag wie van de Finlay-mannen niet terug zou komen. Ze zou er snel genoeg achterkomen – er kon nu toch niets meer aan veranderd worden.

Priester Ryan nam een slokje van zijn thee en knabbelde op een paar koekjes die ze die ochtend had gebakken. 'Dit zijn tragische tijden, Matilda,' zei hij bedroefd. 'Kun je het een beetje redden in je eentje?'

'Ik heb Gabe hier op Churinga, en April heeft de twee drijvers en de jongens. We hebben de twee kuddes zolang bij elkaar gestopt. Zo is het gemakkelijker.'

'Ze heeft de komende dagen alle kracht nodig die ze maar kan vinden, Matilda. Maar dat heb je al begrepen, hè?' Zijn zachtmoedige glimlach was vermoeid terwijl hij haar handen pakte en ze in de zijne hield.

Ze knikte. 'Wie is het, eerwaarde?' vroeg ze nors – ook al wilde ze het niet weten, kon ze de werkelijkheid van de oorlog hier op het land waar ze zo van hield niet onder ogen zien.

'Allemaal, Matilda.'

Ze staarde naar zijn grauwe gezicht en lege ogen. 'Allemaal?' fluisterde ze. 'O, lieve God,' kreunde ze toen de volle omvang van het nieuws tot haar doordrong. 'Waarom, eerwaarde? In godsnaam, waarom? Het is niet eerlijk.'

'Oorlog is nooit eerlijk,' zei hij vriendelijk. 'En je kunt God er niet de schuld van geven dat hij oorlog heeft gemaakt. De mens heeft het gedaan. En het is de mens die hen heeft gedood. Tom in een loopgraaf buiten El Alamein, Sean tijdens een raketaanval op hetzelfde slagveld, en Davey door een sluipschutter in Nieuw-Guinea.'

De tranen sprongen in haar ogen toen ze dacht aan de twee jongens van wie ze had gehouden alsof het haar eigen kinderen waren, en aan de man die ze beschouwde als haar broer. Ze zou ze nooit meer zien. En bij dat besef gaapte er een leegte voor haar die haar hele wereld omvatte. Niets zou ooit meer hetzelfde zijn.

Priester Ryan maakte zachtjes haar vingers los die als een bankschroef zijn arm omknelden en kwam naast haar zitten. Matilda legde haar hoofd op zijn schouder en ademde de vage geur van wierook en stof in terwijl haar tranen zijn versleten soutane doorweekten.

'Er zijn anderen die jouw pijn delen, Matilda. Je bent niet alleen.'

Zijn stem klonk kalmerend en door de duisternis van haar eigen verdriet luisterde ze met die dodelijke kalmte die vlak voor de onweersbui komt.

'Kurrajong heeft Billy verloren,' zei hij zachtjes. 'Tja, het is iets verschrikkelijks, die oorlog.'

Ze rukte zich los en veegde met een woedend gebaar de tranen van haar gezicht. 'Ja, maar dat weerhoudt die achterlijke idioten er niet van om met hun geweren en hun bravoure eropuit te trekken om te bewijzen wat een grote, dappere kerels ze zijn, hè?' schreeuwde ze. 'En de moeders, de vrouwen en de vriendinnen? Zij moeten een andere oorlog voeren, weet u. De vijand schiet misschien niet op ze, maar de littekens zijn echt genoeg. Wat moet April zonder man? Hoe kan ze de toekomst aan zonder haar twee oudste zoons? Heeft die dierbare God van u dáár antwoord op, eerwaarde?'

Ze hijgde terwijl ze woedend naar de priester keek, maar kreeg onmiddellijk spijt van haar uitval. Ze was kwaad, ja. Maar het was kwaadheid die uit verdriet voortkwam – uit het nutteloze van de oorlog.

'Ik begrijp je gevoelens, Matilda. Het is niet gek dat je bitter bent. Er zijn de afgelopen paar jaar te veel telegrammen gekomen, en ik ben niet immuun voor het lijden dat ze veroorzaakt hebben.'

Hij zweeg alsof hij naar de juiste woorden zocht. 'Maar kwaadheid is wat onze mannen heeft gedood. Onvermogen om vreedzame oplossingen te vinden ligt ten grondslag aan dit alles. Kwaadheid, hoewel het goed is als uitlaatklep, brengt ze niet terug.'

'Het spijt me, eerwaarde,' snufte ze. 'Maar het is allemaal zo zinloos. Mannen die met mannen vechten om een stuk grond. Vrouwen die vechten om droogtes en bomaanvallen te overleven. Waar is het allemaal goed voor?'

De priester liet zijn hoofd hangen. 'Daar kan ik geen antwoord op geven, Matilda. Ik wou dat ik het kon.'

Ze volbrachten de lange rit naar Wilga in stilte terwijl ze allebei met hun eigen gedachten bezig waren. Matilda was bang om April onder ogen te komen en omklemde de teugels toen ze zag dat ze al vanaf de boerderij waren gezien.

Het gezicht van haar vriendin zei Matilda genoeg; ze wist al waarvoor ze gekomen waren, maar de volle omvang van hun verschrikkelijke nieuws moest toch genoeg zijn om het tengere vrouwtje te breken dat zo gevochten had om haar broosheid te overwinnen – en Matilda putte uit haar eigen laatste beetje de kracht om klaar te zijn voor wat er zou komen.

April weigerde hen binnen te laten. Weigerde hen bij haar in de buurt te laten komen, maar bleef op haar veranda staan. Haar gelaatstrekken leken uit steen gehouwen terwijl ze luisterde naar wat de priester te zeggen had.

Ten slotte, na een ondraaglijke stilte, haalde ze diep en sidderend adem. 'Bedankt dat jullie gekomen zijn, eerwaarde, Molly, maar ik wil nu liever alleen zijn.' Haar stem klonk dof, levenloos, zonder enige emotie, en met haar kin uitdagend in de lucht, draaide ze zich om en deed de deur achter zich dicht.

Matilda wilde haar achternagaan, maar de priester hield haar tegen. 'Laat haar maar met rust. Wij hebben allemaal onze eigen manier van treuren en ze wil bij haar kinderen zijn.'

Ze staarde naar de gesloten deur en knikte met tegenzin. Aprils reactie op het nieuws verraste haar en baarde haar zorgen, maar ze wist dat ze naar haar toe kon komen als ze hulp nodig had.

'Dan ga ik maar verder met het werk,' zei ze. 'Ik kan tenminste iets nuttigs doen ter afleiding.'

Priester Ryan klopte op haar hand. 'Doe dat maar, Matilda. En denk eraan, God zal je de kracht geven om hier overheen te komen.' Hij tikte met de zweep tussen de oren van het muildier en ging op weg naar het noorden. Er waren andere telegrammen die bezorgd moesten worden – andere families om te troosten en voor te bidden.

Matilda keek hem na en vroeg zich af waar zijn God uithing toen ze verkracht werd door Mervyn. Waar hij was toen Tom en Sean en Davey bescherming nodig hadden. Wat had je aan een God als dat nog steeds betekende dat een vrouw als April twee zoons en een man moest verliezen om de bloeddorst van een of andere naamloze generaal zonder gezicht te bevredigen?

Ze keerde haar paard en reed naar de weiden van Wilga. Het scheerseizoen zou zo beginnen en er was werk te doen – en zelfs de alwetende, alziende God van priester Ryan kon geen dertigduizend schapen scheren.

Het duurde nog drie dagen voor Matilda April weer zag. Ze kwam laat in de middag in Toms oude pick-up aan. De kinderen zaten naast haar, en de laadbak was hoog opgestapeld met huishoudelijke voorwerpen.

'Ik ga naar Adelaide,' verkondigde ze terwijl ze uit de pick-up stapte. 'Mijn ouders zijn daar en die hebben ons een thuis aangeboden.'

Haar stem klonk beheerst. Matilda kon alleen maar raden wat het haar kostte om niet in te storten waar de kinderen bij waren.

'En Wilga? Dat kun je toch niet zomaar achterlaten? Niet na al dat werk dat Tom en jij er jarenlang ingestopt hebben.'

Aprils ogen stonden koud. 'Wat heb ik aan land als ik geen man heb die het me helpt bewerken?'

'Jij en ik hebben het tot dusver aardig gered. En de jongens begonnen al heel goed te leren met de schapen om te gaan.' Matilda wilde haar hand op Aprils arm leggen, maar April trok haar arm terug. 'Wilga is al drie generaties in Toms familie, April. Je kunt er niet zomaar van weglopen.'

'Kom maar met een bod,' zei ze onverstoorbaar.

Matilda staarde haar aan. 'Je hebt tijd nodig om erover na te denken, April. Met een overhaaste beslissing nu, ontneem je de kinderen hun erfenis. En je weet dat Tom niet voor niks zo hard gewerkt heeft.'

April schudde haar hoofd terwijl ze haar jongste zoontje op haar heup zette. 'Ik wil de boerderij nooit meer zien,' zei ze bitter. 'Iedere boom, ieder grassprietje, ieder konijn en ieder schaap is een herinnering aan wat ik kwijt-geraakt ben. Hij is voor jou, Matilda. Voor iedere willekeurige prijs die je me wilt betalen.'

Ze zag het vastberaden gezichtje en wist dat ze April in deze stemming niet kon overhalen om een tijdje na te denken over zo'n belangrijke beslissing.

'Ik weet niet hoeveel Wilga waard is, April, maar ik weet wel dat ik vast niet genoeg op de bank heb staan om hem te kunnen betalen. Misschien als je nog even wacht en hem in groter verband te koop aanbiedt? Je zou er een goede prijs voor kunnen krijgen en dan zitten jij en de jongens goed.'

'Nee.' Ze klonk beslist. 'Tom en ik hebben het erover gehad dat de moge-lijkheid bestond dat hij niet terug zou komen en we waren het erover eens dat jij hem dan moest hebben.' Ze rommelde in haar handtas en haalde er een sta-peltje offciële papieren uit. 'Hier zijn de eigendomsakten en de sleutels van het huis. En hier,' ze haalde een stapel boeken van de voorbank van de pick-up, 'zijn de veelijsten en de handelsboeken.'

Ze legde ze met een klap op de verandatafel. 'Betaal me maar wat je eer-lijk lijkt, en stuur me het geld zodra je het hebt. Hier is het adres in Adelaide.'

'Maar, April...'

Ze wuifde het protest weg. 'Ik red me wel, Molly. Pa en ma hebben een goedlopende zaak in de stad – ik zal niks tekort komen.'

'Maar je kunt...'

'Genoeg, Moll. Je bent een fantastische vriendin geweest. Ik weet niet wat ik zonder jou die afgelopen paar jaar had moeten beginnen. Ik weet dat je waarschijnlijk net zoveel verdriet hebt als ik, maar...' De tranen schoten in haar ogen en ze schraapte haar keel terwijl ze de kleine jongen wat hoger op haar heup hees. 'Dit is wat Tom en ik besloten hebben, dus maak het niet nog moei-lijker dan het al is. Dag, Molly. En succes.'

Matilda sloeg haar armen om het kleine, frêle vrouwtje die haar dierbaarste vriendin was geworden, en wilde haar dolgraag smeken te blijven. Maar ze wist dat het April veel beter zou vergaan in de stad waar ze thuishoorde. Het zou egoïstisch zijn om te proberen haar om te praten.

'Ik zal je missen,' zei ze zachtjes. 'Jullie ook,' voegde ze eraan toe terwijl ze iedere jongen om de beurt een kus gaf.

April gaf haar een laatste kus, loodste de jongens de pick-up in en startte de motor. 'Dag, Molly,' riep ze en met een zwaai verliet ze Churinga voor de laatste keer.

Matilda stond alleen op het erf dat plotseling eenzamer dan ooit was geworden, en vroeg zich af hoe ze het probleem van Wilga moest oplossen. De droogte duurde nu al ruim acht jaar en niemand kocht nog land. Het vee ging dood van de honger, de wol was van slechte kwaliteit, en terwijl haar spaargeld afnam, nam de konijnenbevolking toe. Het was al moeilijk genoeg geweest met de twee boerderijen toen ze April en de jongens nog had om op terug te vallen. Hoewel Wilga in betere tijden een godsgeschenk zou zijn geweest, was het nu gewoon een extra verantwoordelijkheid.

Ze zadelde haar paard en ging op weg naar de weidegronden. Tom had haar zijn vertrouwen geschonken en April had het geld nodig. Op de een of andere manier, besloot Matilda, zou ze dat vertrouwen moeten waarmaken.

17

Jenny klapte het boek dicht en staarde naar het plafond. Ze had verhalen over de oorlog van oude mannen gehoord als ze in cafés herinneringen aan het ophalen waren, maar nu begreep ze uit Matilda's dagboeken hoe zwaar het moest zijn geweest voor de vrouwen die achterbleven. Hun ellende bestond niet uit loopgraven en kogels, hun vijand droeg een ander uniform. Vechtend tegen de vijanden droogte en vraatzuchtige konijnen, werd er strijd gevoerd tegen dezelfde aarde waarvan ze afhankelijk waren. Hun moed was onbewust, maar ze waren net zo gehard door de strijd en heldhaftig als de Australische soldaten.

Ze geeuwde en rekte zich uit voor ze uit bed stapte. Diane liep al in de keuken rond en Jenny was benieuwd om te horen wat ze van de vroege dagboeken vond.

'Morgen, Jen. Hier, eten. Ik weet niet hoe het met jou zit, maar ik heb het grootste deel van de nacht liggen lezen.' Ze gaf haar een beker sterke thee en een stuk toast.

Jenny nam een slok van de thee en trok een gezicht. Er zat te veel suiker in. 'En wat denk je ervan? Het is nogal wat, hè?'

Diane streek haar haar achterover en stopte het achter haar oren. Ze zag er moe uit.

'Ik kan me voorstellen dat je eraan verslaafd bent geraakt,' zei ze peinzend. 'Het is een alledaags verhaal van incest en armoede – maar al te bekend bij mensen als jij en ik – maar ik moet toegeven dat ik net zo benieuwd naar het einde ben als jij.'

Ze zweeg even en staarde in de dampende beker voor haar. 'Ik begrijp alleen nog steeds niet waarom je zo sterk het gevoel hebt dat de dagboeken hier moeten blijven. Een uitgever zou je arm eraf rukken om ze te pakken te krijgen.'

'Precies. En daarom moeten ze blijven.' Jenny zette de beker neer en boog over de tafel. 'Hoe zou jij het vinden als je diepste, donkerste geheim vrolijk rondgestrooid werd? Tot dusver zijn er alleen maar geruchten over Churinga en de mensen die er gewoond hebben – ik zou het gevoel hebben dat ik Matilda verraden had als ik de waarheid zou laten uitkomen.'

'Ze heeft die dagboeken nagelaten zodat ze gevonden zouden worden, Jen. Ze wilde dat iemand ze las. Waarom heb jij dit als een persoonlijke kruistocht op je genomen? Matilda betekende niets voor jou.'

'Denk eens even na, Diane. Ze was misschien een vreemde, ze heeft dan misschien een tijd van enorme armoede en ellende doorgemaakt die ik me niet eens zou kunnen voorstellen als ik die dagboeken niet had gelezen – en toch zijn onze levens met elkaar verbonden door de dingen die ons beiden zijn overkomen. Ze raken elkaar telkens weer en ik heb heel sterk het gevoel dat ik degene ben die die boeken moest vinden en moet beslissen wat er mee gaat gebeuren.'

Diane keek haar onderzoekend aan terwijl ze een sigaret opstak. 'Ik geloof nog steeds dat al die dingen niet goed voor je zijn, Jen. Waarom zou je het verleden oprakelen, al die jaren van mishandeling, afzondering en verlies herleven als je zelf nog maar net met alles in het reine bent gekomen.'

'Omdat Matilda mijn inspiratiebron is geworden. Zij heeft me geleerd dat niets de menselijke geest kapot kan krijgen als hij maar sterk genoeg is.'

Diane glimlachte. 'Jij hebt altijd genoeg karakter gehad om je middelvinger naar de wereld op te steken, Jen. Maar als Matilda's dagboeken je dat hebben laten inzien, dan is het wel goed dat je ze gevonden hebt, neem ik aan.'

Jenny staarde naar haar vriendin. Als haar gevraagd was zichzelf te beschrijven zou ze het woord volhardend hebben gebruikt, en aangezien ze zichzelf nooit als dapper of karaktervol had gezien, verbaasden Dianes woorden haar.

'Laten we op de veranda gaan zitten. Het is nu al te warm hier,' zei ze afwezig.

Diane volgde haar toen ze door de hordeur naar buiten ging. Het erf was verlaten, maar ze konden allebei het getinkel van de hamer in de smidse horen. Ondanks dat het bijna winter was, was het een van die dagen dat de hemel dichter bij de aarde leek dan gewoonlijk. Met de zon was de vochtigheidsgraad gestegen en geen zuchtje wind lichtte de stoffige aarde op of ritselde door de bomen. Zelfs de vogels hadden blijkbaar de energie niet meer om te tjilpen.

Jenny staarde over het erf. Er hing een vreemde stilte over alles. Het was alsof het grote rode hart van Australië gestopt was met kloppen.

'Op momenten als deze wou ik dat ik terug was in Sydney,' mompelde Diane. 'Wat ik niet zou geven voor de geur van zout en die enorme rollers die op de rotsen van Cogee kapotslaan.'

Jenny bleef zwijgen. Ze wilde dit allemaal in haar geheugen opslaan, het met haar mee terug naar de stad nemen, zodat ze erdoor verwarmd zou worden op koude winteravonden als de zee tegen de rotsen beukte.

'Blijkbaar hebben we bezoek.'

Jenny volgde haar blik en kreunde. Charlie Squires kwam net het laatste hek door gereden. 'Wat wil hij nou weer?'

Diane grinnikte. 'Je het hof maken. Je weet wat voor invloed dit warme weer op mannen heeft.' Ze drukte haar sigaret uit. 'Ik laat jullie alleen.'

'Blijf hier,' siste Jenny terwijl Charlie van zijn paard stapte. Maar ze merkte dat ze tegen zichzelf praatte. Diane was het huis alweer ingegaan en het was voor haar te laat om hetzelfde te doen.

'Goeiedag, Jenny. Ik hoop dat ik niet te vroeg ben om je een bezoekje te brengen, maar ik wilde me ervan overtuigen dat alles goed was.' Hij zette zijn hoed af en glimlachte. Het zilver bij zijn slapen accentueerde zijn knappe gezicht, en zijn smetteloze broek van Engels katoen en gesteven overhemd waren een welkome afwisseling van de stoffige, bezwete kleren die de mannen droegen die op Churinga werkten.

Ze gaf hem een hand en glimlachte naar hem. Hij was het afgelopen weekend prettig gezelschap geweest. 'Het is fijn je weer te zien, Charles, maar waarom dacht je dat er iets aan de hand was?'

'Je was de volgende ochtend zo overhaast vertrokken. Ik hoop dat er tijdens het bal niets is gebeurd waardoor je je onwelkom voelde op Kurrajong?'

Ze schudde haar hoofd. 'Jullie gastvrijheid was geweldig. Het spijt me dat ik niet meer in de gelegenheid ben geweest om behoorlijk afscheid te nemen, maar ik moest hierheen.'

'Dat is het probleem als je grondbezitter bent. Het werk is nooit klaar.' Hij glimlachte weer en stak een sigaartje aan. 'Ik hoopte dat ik je nog een rondleiding over Kurrajong kon geven. Maar goed, er is altijd een volgende keer.'

Jenny vond het niet zinvol hem te vertellen dat ze over zes dagen weg zou zijn. 'Dat zou heel fijn zijn,' zei ze beleefd. 'En dan heb ik ook weer de kans Helen te zien. Zij en ik konden het heel goed vinden, en ik heb haar een van mijn schilderijen beloofd.'

'Je moet de groeten van Helen hebben. Ze vond het heel leuk jou en Diane te logeren te hebben. Ze gaat bijna nooit meer uit tegenwoordig, met vader en zo, maar jullie korte bezoek heeft haar echt opgevrolijkt.'

'Kom binnen voor een kop thee, Charlie. Diane is hier ook ergens, en ik weet dat ze je graag wil zien.'

Zijn mond vertrok een beetje. 'Daar ben ik niet zo zeker van, Jenny. Ik zag haar wegduiken toen ze me aan zag komen. Ik hoop niet dat het iets was dat ik gezegd heb?'

Jenny lachte terwijl ze de thee inschonk. 'Wat kun je in vredesnaam gezegd hebben waarmee je Diane beledigd zou hebben?'

Hij lachte met haar mee. 'Dat weet ik niet,' proestte hij. 'Maar ik heb een reputatie hoog te houden, weet je.'

Jenny zat nog te glimlachen toen ze Brett in de deuropening zag staan. Haar hart ging sneller kloppen en ze was onmiddellijk op haar qui-vive. 'Wat staat u daar op de loer, meneer Wilson? Is het u niet opgevallen dat ik bezoek heb?'

Brett wierp Charlie een vernietigende blik toe en stapte de keuken in. Ripper sprong tegen hem op om geaaid te worden, maar werd genegeerd. 'Ik kom mijn laatste spullen halen. Ze staan in de voorraadkamer.'

Jenny knikte instemmend, woedend op zichzelf dat ze niet meer gedacht had aan de dozen en tassen die hij had laten staan toen hij uit het huis trok. Ze was zich verschrikkelijk bewust van zijn aanwezigheid in het huis terwijl zijn laarzen op de houten vloer klonken, en wou dat Diane haar laffe gezicht zou laten zien om haar te redden. Ze wendde zich weer naar Charlie die haar nieuwsgierig, met één wenkbrauw opgetrokken, aankeek.

'Ik had me niet gerealiseerd dat de zaken er zo voorstonden,' zei hij genietend.

'Brett is uit huis getrokken toen ik hier kwam wonen,' verdedigde Jenny zich. 'Er is absoluut niets aan de hand dat niet op het theekransje van de dominee kan worden verteld.'

'Me dunkt dat de dame te zeer protesteert,' zei hij zachtjes terwijl hij een veelbetekenend gezicht trok. 'Maar ja, wie ben ik om de eerste steen te werpen?'

'Charlie, je bent onmogelijk,' zuchtte ze.

Brett stapte de keuken in, zijn armen vol dozen. Hij keek ze allebei vernietigend aan en stapte op de veranda terwijl hij de hordeur met een klap achter zich dicht liet vallen.

'O jee,' zuchtte Charlie. 'Jouw meneer Wilson is vanochtend blijkbaar een beetje uit zijn doen. Hij verlangt ongetwijfeld naar die pittige barmeid van hem.' Hij richtte zijn heel blauwe ogen op haar. 'Ze vormen een aardig stel, vind je niet?'

Ze wendde haar blik af, bang voor wat hij in haar ogen zou lezen. 'Ik heb geen mening over het liefdesleven van meneer Wilson,' zei ze beslist.

Hij gniffelde zacht en veelbetekenend. 'Nou, ik zal je niet langer ophouden, Jenny. Ik weet dat je het druk hebt. Doe Diane de groeten van me, en vergeet niet dat je beloofd hebt langs te komen. Helen zou jullie allebei dolgraag willen zien.'

Hij pakte haar hand en hield hem iets langer vast dan nodig was. 'Ik zou je ook graag willen zien,' zei hij zachtjes. 'Je hebt kleur en leven op Churinga gebracht. Zonder jou zou het niet meer hetzelfde zijn.'

'Het is altijd aardig te weten dat je indruk hebt gemaakt,' zei ze adrem.

'Ik merk dat je je niet gemakkelijk laat vleien, Jenny. En dat bewonder ik in een vrouw. Ik moet de volgende keer beter mijn best doen. Ik zou niet graag het idee hebben dat ik mijn stijl ben kwijtgeraakt.' Hij glimlachte en drukte een kus op haar hand.

Jenny trok zachtjes haar hand weg en ging hem voor naar de veranda voor hij meer kon zeggen. Dit gesprek begon uit de hand te lopen en aangezien de avond van het bal haar nog helder voor de geest stond, voelde ze zich ongemakkelijk. Ze herinnerde zich hoe dicht hij haar tegen zich aan had gehouden terwijl ze een wals dansten, en de manier waarop ze haar kin moest heffen om in die fascinerende ogen te kijken. Er was geen twijfel over mogelijk, Charles Squires was een schelm en een vrouwenjager. Hoewel ze zich geen moment in de luren liet leggen over de ware reden achter zijn geflirt, had hij gevoel voor humor, en daarom mocht ze hem wel.

'Ik denk dat je hier wel goed zou kunnen zitten, Jen. Het is het misschien waard om nog een beetje rond te blijven hangen.'

Ze draaide zich met een ruk om en zag Diane met haar handen in haar zij staan terwijl ze Charlies stofwolk in de verte zag verdwijnen. 'Wat bedoel je daar nou weer mee?'

'Tut, tut, wat een humeurtje,' spotte Diane terwijl ze met één lange gelakte nagel zwaaide. 'Ik wil alleen maar zeggen dat als je echt niks meer met Brett te maken wil hebben, waarom blijf je hier dan niet nog wat rondhangen voor een echt grote vis. Die ouwe Charlie Squires is wel goed voor een aardige cent.

Jenny's ergernis had het kookpunt bereikt. 'Je hebt geen smaak, Diane, en je bent nog laf ook. Je hebt me met Charlie alleen gelaten terwijl je wist dat ik niet met hem alleen gelaten wilde worden en, als klap op de vuurpijl, kwam Brett ook nog binnen.'

Haar ogen werden groot. 'Tjonge jonge. Zoveel mannen – zo weinig tijd. Je hebt het maar druk gehad vanochtend.'

Jenny moest lachen. Het was onmogelijk om lang kwaad te blijven op Diane. 'Je had het gezicht van Brett moeten zien,' proestte ze. 'Als blikken konden doden, waren Charlie en ik nu morsdood geweest.'

'Je kunt hem misschien voor de gek houden, maar mij niet, Jen. Je geeft nog steeds om Brett en ik denk dat je een grote fout hebt gemaakt door hem zo op zijn nummer te zetten. Je hebt hem geen kans gegeven om zich te verdedigen, en dat hij je nu met Charles heeft gezien, maakt het nog erger.'

'Ik wil dit niet horen, Diane.'

'Misschien niet,' wierp ze tegen. 'Maar ik heb ook recht op mijn eigen mening, weet je.'

Jenny staarde naar Diane, en liep toen langs haar. 'Het is te warm om ruzie te maken. Ik ga weer lezen.'

Diane haalde haar schouders op. 'Dat moet jij weten. Maar vroeg of laat zul je moeten leven met je besluit om weg te gaan – en je in Matilda's dagboeken verdiepen, maakt het er echt niet gemakkelijker op.'

Jenny liep haar slaapkamer binnen en keek uit het raam. Diane had natuurlijk gelijk, maar ze zou nooit toegeven dat ze een vergissing had begaan. Ze pakte het dagboek, vond waar ze gebleven was en begon te lezen.

Matilda had de afgelopen maand alleen door de weiden van Churinga lopen patrouilleren. Gabriel was een paar dagen nadat April naar Adelaide was vertrokken op zwerftocht gegaan en de drijvers hadden het druk met het fokprogramma waar ze op Wilga mee gestart waren. Ze was moe, ze had dorst en had het warm na haar vier dagen durende karwei. Ze moest terug naar Churinga om haar waterzak opnieuw te vullen.

Terwijl ze over de stoffige, ritselende resten van het zilveren gras reed, draafde Bluey naast haar voort. Hij begon oud te worden, besefte ze. Binnen afzienbare tijd zou hij het werk in de weiden niet meer aankunnen. Zodra de tijd daar was, zou ze ervoor zorgen dat hij zijn welverdiende rust kreeg. Voor hem niet de kogel, maar een deken voor de haard.

Haar gedachten dwaalden naar die geniepige ouwe schurk Gabriel. Het was weer net iets voor hem om te verdwijnen als ze hem het hardst nodig had. Hij was werkschuw en sluw, en hij moest beseft hebben dat Aprils vertrek betekende dat hij meer moest doen. Ze was niet verbaasd toen bleek dat hij uit zijn gunyah verdwenen was – ze kenden elkaar al te lang om zich nog over elkaar te verbazen – maar ze was diep teleurgesteld dat hij haar in de steek liet terwijl hij wist hoe erg ze hem nodig had nu ze voor twee boerderijen moest zorgen.

Een scherpe geur in de warme wind deed haar problemen met Gabriel vergeten en ze verstarde in het zadel. Ze hief haar hoofd en snoof terwijl ze haar paard inhield.

Rook. Ze rook rook.

Matilda's keel kneep dicht van angst terwijl ze langs de horizon tuurde op zoek naar tekenen van brand. Het was de enige vijand tegen wie ze machteloos was.

De grijze pluimpjes die tegen het strakke blauw opstegen zagen er te iel uit om schade te kunnen aanrichten, maar ze wist dat ze binnen enkele seconden in een brandende hel konden veranderen, die alles voor zich uitjoeg in een voortrazende, brullende zee van vernietiging.

Haar hart klopte haar in de keel toen ze haar paard aanspoorde tot een galop. De rook kwam uit de richting van het huis. Churinga stond in brand!

Ze liet haar paard over het laatste hek springen en denderde naar het erf. De rook was nu dikker, maar kwam nog steeds van dezelfde plek. Er was een kans dat ze de brand nog kon blussen voor hij zich verspreidde. Ze stormde de hoek van de scheerschuur om, zag de bron van het vuur en bracht haar paard abrupt tot stilstand. Matilda gleed uit het zadel. Ze trilde van woede.

'Gabriel,' gilde ze. 'Waarom maak je in godsnaam een vuur op het erf?'

De oude man kwam uit zijn kleermakerszit en slenterde met een opgewekte glimlach naar haar toe. 'Moet eten, mevrouw.'

Ze keek hem boos aan. Hij was een maand weggeweest en ze kon zijn ribben tellen. Er zat zilver in die woeste bos zwart haar en de laatste van zijn tanden was eindelijk uitgevallen.

'Waar heb je in godsnaam gezeten? En wie zijn al die mensen?'

Hij wierp een onverschillige blik op de kring van mannen en vrouwen die gehurkt om het diep gegraven kampvuur zaten en zoog op zijn tandvlees. 'Breng zwarte mannen mee voor hulp, mevrouw. Werken goed voor tabak, bloem en suiker.'

Ze keek hem een ogenblik onderzoekend aan, keek naar de hutten van acacia en takken die ze bij de droge rivierbedding hadden gebouwd en de in lompen gehulde kinderen die in het stof speelden. Ze moesten minstens met hun dertigen zijn, dacht ze vol afschuw – en ze verwachten dat ik ze te eten geef. Ze keek weer naar Gabriel.

'Geen tabak, geen suiker, geen bloem. Ik heb nog nooit een van jullie ontmoet die wist wat een dag hard werken was. Ik kan me jullie echt niet veroorloven.'

Hij keek haar bedroefd aan. 'Vrouwen en kinderen honger, mevrouw.

317

Werken goed mee.' Hij spande de spieren van zijn magere arm en grinnikte. 'Veel spieren. Goeie werker ik.'

Matilda had dat al eerder gehoord en was niet onder de indruk. Ze had gezien wat Gabriels idee van een dag hard werken was. Maar toch, toen ze naar het armoedige gezelschap en de magere kinderen keek, gaf ze toe. Als het moeilijk voor haar was, dan was het nog moeilijker voor hen. Zelfs in goede tijden leefden ze van de hand in de tand, en hoewel ze betwijfelde of er veel werk uit de handen van Gabriel en zijn gemêleerde gezelschap zou komen, was het waarschijnlijk de enige hulp die ze te pakken kon krijgen zolang die rotoorlog voortduurde.

'Goed, Gabriel. Maar iedereen blijft uit het huis en de schuren tot ik zeg dat ze erin mogen. Als ik er eentje bij de kippen of de varkens in de buurt zie, schiet ik eerst en stel later pas vragen. Begrepen?'

Hij knikte.

Ze keek naar de sudderende pan en snoof argwanend. 'En ook geen groenten van me stelen – en als je niet werkt, krijg je geen tabak.'

'Ja, mevrouw. Meeste zwarte mannen van missie bij Dubbo. Goeie mannen. Houden van tabak.'

'Oké. Jij kunt beginnen met hout te hakken voor het fornuis. Je weet waar de bijl en de houtstapel liggen. Een van de jongens kan voor de paarden zorgen, en hij kan beginnen met deze droog te wrijven en te voeren. Zorg ervoor dat een paar mannen de dode bomen weghalen en laat een veel bredere brandweg maken. Ik wil geen risico lopen met die droogte. En zeg tegen een van je vrouwen dat ik haar nodig heb om me in het huis te helpen. Het is er smerig, nu ik er nauwelijks woon.'

Er lag een gewiekste fonkeling in Gabriels ogen, maar zijn glimlach was onschuldig genoeg. 'Genoeg vrouwen, mevrouw. Gabe heeft nieuw liefje.'

Ze keek hem verbaasd aan. Gabriels vrouw was vijf jaar geleden overleden, en hij liet tot zijn volle tevredenheid de andere vrouwen zijn kinderen opvoeden en hem aan zijn gerief helpen.

'O ja?' zei ze, haar verbazing verbergend. 'Wie is het en hoe heet ze?'

Er stonden verscheidene vrouwen bij het vuur, gekleed in de gescheurde overblijfselen van wat vermoedelijk afdankertjes van de missie waren. Ze keken verlegen naar haar en giechelden achter hun hand toen Gabriel drie van hen uit de kring trok.

'Daisy, Dora, Edna,' zei hij trots.

Wat een belachelijke namen, dacht Matilda. Dat was natuurlijk de schuld van de missie in Dubbo. Ze keek een ogenblik naar de vrouwen. Het was heel ongebruikelijk voor een aboriginal om meer dan één vrouw te nemen – ze waren een monogaam volk, en hadden strenge regels met betrekking tot vrij seksueel verkeer. Misschien waren de drie vrouwen zusters en had hij ze in huis genomen, zoals de gewoonte was.

'Wie is jouw vrouw, Gabe? Ik heb ze niet alledrie nodig.'

'Edna,' antwoordde hij. 'Maar alledrie is goed.'

'Ik neem degene die niet meteen op zwerftocht gaat zodra ik me even omdraai,' antwoordde Matilda kattig.

Gabriel haalde zijn schouders op en zijn grijns verdween een beetje terwijl hij peinzend naar de drie vrouwen keek. 'Edna,' zei hij ten slotte.

'Goed dan.' Ze probeerde niet te lachen, maar het viel niet mee als hij haar met zo'n overduidelijke slinksheid aankeek. 'Maar denk eraan, Gabe. Geen werk, geen tabak. En dat geldt ook voor je liefje. Begrepen?'

Hij knikte wijs. 'O ja, mevrouw. Gabe weet.'

'Kom mee, Edna, dan gaan we schoonmaken.' Matilda liep naar het huis en realiseerde zich toen dat alledrie de vrouwen achter haar aanliepen. 'Ik heb alleen Edna nodig,' legde ze uit. 'Jullie twee kunnen de barak van de scheerders schoonmaken.'

Edna schudde nadrukkelijk haar hoofd. 'Daisy, Dora kom mee, mevrouw? Doen ander huis later.'

Matilda bekeek ze alledrie om beurten. Het waren geen schoonheden en hadden beslist hun beste tijd gehad, maar· ze hadden een waardigheid die je bij alle aboriginals in het binnenland zag, en ze bewonderde hen erom. Met een zucht gaf ze toe.

'Goed dan. Maar ik wil wel dat jullie werken, en niet de hele dag staan te kletsen.'

Het leven op Churinga ging door zoals het al jaren ging, maar Gabriels idee om de rest van zijn stam binnen te halen, bleek een godsgeschenk te zijn. Hij was een wijze, zij het geslepen, oude man die erin slaagde zijn mannen en vrouwen veel harder te laten werken dan ze had verwacht.

Natuurlijk, zoals de leider van een stam betaamde, voerde Gabriel zelf nooit veel uit, maar zat dromerig bij zijn gunyah en deelde bevelen uit, waarbij hij steeds weer nadrukkelijk liet merken wie de leiding had.

Matilda was het nooit eens geweest met de manier waarop hij zijn vrouwen behandelde, maar had zich al lang geleden gerealiseerd dat ze zich er niet mee mocht bemoeien. De vrouwen waren stoïcijns over hun pakken slaag en liepen op te scheppen over hun blauwe plekken alsof het trofeeën waren. Hun idee van hygiëne en de manier waarop ze kookten en voor elkaar zorgden zou een zogenaamd beschaafde maatschappij de stuipen op het lijf hebben gejaagd, maar de aboriginals hadden hun eigen manier om met dingen om te gaan en ze was niet van plan om duizenden jaren oude tradities te veranderen.

Ze leidde de jongere mannen op tot knechts, en leerde de vrouwen hoe ze dingen in het huis en het kookhuis gedaan wilde hebben. Ze kreeg zelfs de kinderen zover dat ze in de moestuin meehielpen.

Ze waren zo gemakkelijk te verwennen, ontdekte ze, met hun omfloerste ogen, hun brutale grijnzen en woeste haar, en ze gaf hun vaak zoete snoepjes om op te zuigen. Maar ze moest ze in de gaten houden, want ze waren zo geslepen en snel als eksters. Zo nu en dan verdween er een kip, en ook groenten hadden de neiging te verdwijnen voor ze op de keukentafel kwamen, maar Matilda vond het niet erg zolang het maar niet te ver ging. Gabriel en zijn stam hadden haar van de ondergang gered. De toekomst zag er opeens niet meer zo troosteloos uit. Nieuws over een keerpunt in de oorlog betekende dat er voor het eerst in zes jaar echte hoop was dat het allemaal snel voorbij zou zijn.

Bluey stierf in de winter van 1943. Hij was heel langzaam afgelopen als een oude, heel vermoeide klok. Op een nacht viel hij op zijn deken in slaap en werd niet meer wakker. Matilda was zielsverdrietig toen ze hem onder zijn favoriete wilga-boom begroef. Hij was zo lang bij haar geweest en was haar beste vriend. Ook al wist ze dat zijn karakter en taaiheid in zijn pups voortleefden, toch zou ze hem missen.

Nu ze ook Wilga moest runnen, was ze zelden meer thuis. De twee drijvers hadden er moeite mee om al het werk bij te benen, en ze had een paar jongere zoons van Gabriel moeten leren hoe ze voor Toms vee moesten zorgen. Er waren maar ongeveer honderd runderen, maar ze zorgden voor melk en kaas, die ze verkocht, en zo nu en dan een biefstuk. Matilda hoopte dat tegen de tijd dat de oorlog voorbij was, ze de vruchten van haar fokprogramma zou beginnen te zien, want vee zou het daar goed kunnen doen.

De stieren en rammen waren tijdens de hele droogteperiode in boxen opgesloten gebleven en met de hand gevoederd, want zij vormden het levensbloed van beide boerderijen. Maar de rekeningen van het voer waren hoog, en ze wist niet hoe lang ze ze nog kon blijven betalen. De opbrengst van de wol was mager, een weerspiegeling van de kwaliteit van de wol, en terwijl ze zich iedere avond over haar boeken boog, besefte ze dat ze nog steeds van dag tot dag moesten leven ondanks de intensieve arbeid van de afgelopen paar jaar.

De Australiërs en Amerikanen leverden hevige gevechten om de Japanners uit Indonesië te verdrijven, maar honderden daar stierven aan de moeraskoortsen die sneller door een legerdivisie kon woeden dan de kogel van een scherpschutter.

Matilda luisterde naar de nieuwsbulletins wanneer ze maar kon, en probeerde zich de hel voor te stellen van het vechten in een oerwoud dat gloeide van de fosforescerende zwammen en dampte tijdens tropische regens. De Australiërs en Amerikanen werden niet door de vijand afgeslacht, maar door de omstandigheden waaronder ze moesten vechten. Beriberi, open zweren die kruipende, stekende dingen aantrokken, malaria en cholera – allemaal onlosmakelijk verbonden met oorlog in de jungle. Het gaf haar het gevoel dat ze bofte dat ze midden in een droogteperiode zat. Wat moesten de Australische soldaten verlangen naar de geur van de hete aarde van thuis en het gevoel van de warme, droge zon na de bloedzuigers en vochtigheid van de jungle.

Gabriel was eerst bang van de radio; hij zwaaide er met zijn vuist naar en mompelde zijn heidense bezweringen, maar Matilda had hem laten zien dat het ding geen bedreiging vormde door erbij te gaan zitten en hem aan en uit te zetten. Nu kwam hij naar het huis, omringd door zijn grote stam, en ging op zijn plekje in de deuropening staan, met één voet rustend op een knokige knie terwijl hij luisterde. Ze had ernstige twijfels of ze ook maar een woord begrepen van wat er werd gezegd, maar ze luisterden graag naar de concerten die altijd na het nieuws kwamen.

Zij en Gabriel waren in de loop der tijd vrienden geworden en Matilda had zelfs voldoende van zijn taal geleerd om de verhalen te begrijpen die zo'n belangrijk onderdeel van de traditie van zijn stam vormden. Hij was soms irritant, en werkschuw, maar ze verheugde zich wel op zijn gezelschap op die zeldzame avonden dat ze vrij nam om op haar veranda te zitten.

Ze zat die avond in de schommelstoel die eens van haar moeder was geweest, en liet zich meevoeren door Gabriels zangerige stem terwijl hij op de bovenste tree zat, omringd door zijn stam, en het verhaal van de schepping begon te vertellen.

'Er was een grote duisternis in het begin,' zei hij terwijl hij neerkeek op de gezichten van de kinderen die ademloos toehoorden. 'De duisternis was koud en stil en bedekte de bergen en de vlakten, de heuvels en de dalen, en drong zelfs tot de grotten door. Er was geen wind, zelfs geen zuchtje, en diep in die verschrikkelijke duisternis sliep een mooie godin.'

Er ging wat gemompel door de stam. Ze waren gek op dit verhaal. Gabriel ging ervoor zitten.

'Op een dag fluisterde de grote Vadergeest tegen de mooie godin: "Word wakker en schenk de wereld leven. En als je dat hebt gedaan, dan schep je de insecten, reptielen, vissen, vogels en dieren. Dan mag je rusten tot die dingen die je hebt geschapen hun doel op aarde vervuld hebben."

De Zonnegodin haalde diep adem en deed haar ogen open. De duisternis verdween en ze zag hoe afschuwelijk leeg de aarde was. Ze vloog naar beneden en ging wonen in de Nullarbor Vlakte. Ze volgde een westelijke koers tot ze weer terug was in haar huis in het oosten. Het gras, de struiken en bomen sprongen op waar ze haar voeten zette. Toen reisde ze naar het noorden en ging maar door tot ze weer in het zuiden was, en herhaalde haar reizen tot de aarde bedekt was met planten.'

Overal in de kring kwam een knik van herkenning. Matilda keek naar de gezichten en voelde zich bevoorrecht dat ze aan zo'n oud ritueel mocht deelnemen.

'De grote Vadergeest kwam weer naar haar toe en zei dat ze naar de grotten en holen moest gaan om leven te geven aan die wezens die er al zo lang woonden. Ze gehoorzaamde de Vadergeest, en al snel kwamen door haar warmte en licht zwermen mooie insecten tevoorschijn. Ze hadden alle mogelijke kleuren, afmetingen en vormen, en terwijl ze van plant naar plant vlogen, gaven hun kleuren af en zo maakten ze de aarde prachtig om te zien. Na een lange rusttijd, waarin ze voortdurend scheen, reed ze in haar strijdwagen van licht de bergen op om te zien wat voor moois ze had geschapen. Toen bezocht ze het binnenste van de aarde en verjoeg de duisternis daar. Uit die spelonken kwamen slangen en hagedissen die op hun buik kropen. Er kwam een rivier van het ijs dat ze had laten smelten, die het dal inliep. In het water van de rivier zwommen allerlei soorten vissen.

'De Zonnegodin zag dat haar schepping goed was, en ze beval dat het nieuwe leven in harmonie zou leven. Nadat ze teruggekeerd was om in de Nullabor Vlakte uit te rusten, ging ze weer naar de grotten, en met haar warmte en licht schonk ze het leven aan grote aantallen vogels in allerlei kleuren, en dieren van alle maten en soorten. Alle schepsels keken haar vol liefde aan, en waren blij dat ze leefden. De Vader der Geesten was tevreden met wat zij had gedaan.'

'Toen schiep ze de seizoenen, en aan het begin van de lente riep ze de wezens bij elkaar. Ze kwamen in grote aantallen uit het huis van de noordenwind. Andere kwamen uit het huis van de zuidenwind en de westenwind, maar de meeste kwamen toch uit het oosten, het koninklijk paleis van zonneschijn en zonnestralen. Moeder Zon vertelde hun dat haar schepping compleet was, en dat ze nu naar een hogere sfeer zou gaan waar ze hun licht en leven zou worden. Maar ze beloofde hun een ander wezen te geven dat hen tijdens hun tijd op aarde zou regeren. Want ze zouden veranderen: hun lichamen zouden in de aarde terugkeren, en het leven dat de grote Vadergeest hen had gegeven, zou niet langer in een vorm op de aarde leven, maar opgenomen worden in het Land der Geesten, waar ze zouden schijnen en een gids zouden zijn voor degenen die na hen kwamen.'

'De Zonmoeder vloog heel, heel hoog en alle dieren en vogels en reptielen keken angstig toe. Terwijl ze daar stonden, werd de aarde donker en ze dachten dat Moeder Zon hen in de steek had gelaten. Maar toen zagen ze de zonsopgang in het oosten en begonnen druk onder elkaar te praten – want hadden ze Moeder Zon niet naar het westen zien gaan? Wat zagen ze daar vanuit het oosten komen? Ze keken toe terwijl ze langs de hemel reisde en begrepen eindelijk dat de stralende glimlach van Moeder Zon altijd gevolgd zou worden door duisternis, en dat duisternis de tijd voor hen was om te rusten. Dus groeven ze holen in de grond en sliepen op boomtakken. De bloemen die opengingen voor de felle zon, gingen dicht en sliepen. De Wanjina van de rivier huilde en huilde terwijl hij steeg en steeg op zoek naar licht tot hij heel moe werd en weer op de aarde terugviel, waar hij in fonkelende dauwdruppels op de bomen en planten en het gras bleef liggen.'

'Toen de zon opkwam, waren de vogels zo opgewonden dat sommige van hen begonnen te kwetteren en tjilpen, andere lachten en lachten terwijl weer andere zongen van vreugde. De dauwdruppels stegen op naar Moeder Zon, en dit was het begin van dag en nacht.'

De stamleden liepen langzaam bij de veranda vandaan, zachtjes pratend, slaperige kinderen bungelend op heupen, terwijl ze op weg naar hun gunyahs gingen. Matilda rolde zorgvuldig een shagje en gaf het aan Gabriel. 'Je verhaal lijkt heel veel op dat wat ik als klein meisje hoorde,' zei ze zachtjes. 'Maar op de een of andere manier is het echter als jij het vertelt.'

'Ouderen moeten de kinderen leren. Droomtijd belangrijk. Zwerftocht hoort erbij.'

'Vertel me eens waarom het zo belangrijk is, Gabriel? Waarom gaan jullie steeds op zwerftocht? Wat ligt daar toch dat je moet zoeken, terwijl je hier eten en onderdak hebt?'

Hij keek haar ernstig aan. 'Dit Moeder Aarde. Ik ben deel van aarde. Zwerftocht geeft zwarte man zijn geest terug. Brengt hem naar jachtgronden, Uluru, ontmoetingsplaatsen en heilige grotten. Spreken met voorouders. Leren.'

Matilda rookte zwijgend haar shagje. Ze zag aan zijn gezicht dat hij haar niet meer zou vertellen. Hij maakte deel uit van een oeroud volk, bijna nog hetzelfde als ze in het Stenen Tijdperk moesten zijn geweest. Hij was en zou altijd de rondtrekkende jager blijven die het land en de gewoonten van de wezens en planten die erop woonden zo goed kende als maar weinig blanken konden evenaren.

Ze had een van de jongere mannen een kangoeroe met een boemerang zien treffen, had gezien hoe de kinderen schorpioenen in een kring van vuur opsloten. Het blokkeren van het hol van een wombat op een meter van de ingang, betekende dat als de jager er aankwam met zijn nulla nulla, het dier gevangenzat als het probeerde zijn hol binnen te gaan. De strijd die erop volgde was altijd fel, want de wombat is bijzonder halsstarrig.

Gabriel had haar laten zien waar je aan een paar krassen op een eucalyptus kon zien waar een opossum in de holle stam of tussen de dikke takken lag. Hoe een paar haren tussen de rotsen die naar een gat met een gladde opening leidde, aangaven dat er opossums lagen te slapen. Ze was diep onder de indruk over de slimheid waarmee hij honing verzamelde. Ze had vol ontzag toegekeken hoe hij een veertje aan het achterste van een bij vastmaakte terwijl de bij nectar uit de acaciabloesem zoog. Een uur lang achtervolgden Gabriel en zij de bij terwijl hij van bloem naar bloem ging, en toen, met het witte veertje achter zich aan, naar het nest terugkeerde. Gabriel klom in de boom en stak voorzichtig zijn blote arm in het nest om de honing te stelen. De bijen schenen zijn aanwezigheid niet op te merken en hij werd niet gestoken. Matilda voelde zich opgelaten terwijl ze zich achter een boom verschool.

Ze zuchtte en drukte het peukje van haar sigaret uit. Ze wist dat de andere boeren haar vreemd vonden, en had speculaties over haar verhouding met Gabriel horen fluisteren, maar zij negeerde ze in hun ontwetendheid. Gabriel en zijn stam konden haar heel wat meer leren dan een of andere roddelende, bekrompen vrouw van een boer.

'Waarom u geen man, mevrouw?' Gabriels stem haalde haar uit haar gedachten.

'Ik heb er geen nodig, Gabe. Ik heb jou en de stam toch.'

Hij schudde zijn grijze hoofd. 'Gabriel al gauw op laatste zwerftocht.'

Matilda werd somber toen ze naar hem keek. Hij leek al oud toen ze klein was, maar was zo deel gaan uitmaken van de omgeving dat het haar eigenlijk niet opgevallen was hoe oud hij de laatste tijd was geworden.

Maar terwijl ze nu naar hem keek, zag ze dat zijn huid die gezonde zwarte glans had verloren en de kleur van stof had. Maar ze werden allemaal ouder, dacht ze terwijl ze snel telde en zich met een schok realiseerde dat ze bijna zesendertig was. Wat waren de jaren voorbijgevlogen. Ze was nu ouder dan haar moeder was toen ze overleed.

Matilda sleepte zich terug naar het heden en legde haar hand op Gabriels magere schouder. 'Geen flauwekul, hè,' zei ze gedecideerd. 'De aarde kan nog wel een paar jaar zonder jouw karkas. Ik heb jou meer nodig dan de Wereld van de Geesten.'

Hij schudde zijn hoofd. 'Slaap komt gauw. Gabriel moet terug naar aarde, zijn voorouders opzoeken, sterren in hemel gooien.' Hij grijnsde met zijn tandeloze mond. 'Jij kijken, mevrouw. Op een dag zie je nieuwe ster.'

'Hou je mond, Gabe,' zei ze op scherpe toon. Als hij wegging, dan ging de rest van de stam waarschijnlijk ook. Hij was een deel van Churinga geworden, en het zou nooit meer hetzelfde worden zonder hem.

'Je praat onzin. Je hebt nog jaren voor je liggen. Je moet je leven niet weg wensen.'

Hij leek haar niet te horen. 'Churinga is een gelukkige plaats, mevrouw,' mompelde hij terwijl hij over de uitgedroogde aarde en verwelkte bomen keek. 'Regen komt gauw. Mannen komen thuis. Jij hebt man nodig, mevrouw. Mannen en vrouwen horen bij elkaar.'

Matilda glimlachte. Gabe was altijd een held in het veranderen van onderwerp, maar ze wou dat hij zo nu en dan eens bij zijn onderwerp bleef.

Zijn ogen waren wazig toen hij naar de verre horizon keek. 'In Droomtijd zwarte man komt zwarte vrouw tegen. Zwarte man zegt: "Waar kom jij vandaan?"

Vrouw zegt: "Uit zuiden. En jij?"

Zwarte man zegt: "Uit noorden. Reis jij alleen?"

Vrouw zegt: "Ja."

Zwarte man zegt: "Jij mijn vrouw."

Vrouw zegt: "Ja, ik jouw vrouw."'

Gabriel keek haar ernstig aan. 'Man heeft vrouw nodig. Vrouw heeft man nodig. Jij hebt man nodig, mevrouw.'

Matilda keek diep in zijn wijze, oude ogen en wist dat hij de waarheid sprak zoals hij hem zag. Er was niets dat ze kon doen om Gabriel tegen te houden, en hij probeerde zich ervan te vergewissen dat zij iemand had om voor haar te zorgen zodra hij weg was.

'Vecht ertegen, Gabriel. Laat me nu niet in de steek. Ik heb je nodig. Churinga heeft je nodig.'

'De geesten zingen me, mevrouw. Kan niet vechten tegen het zingen.' Hij stond op en keek haar lange tijd aan voor hij wegliep.

Matilda zag hem in zijn gunyah kruipen en de jongste van zijn twaalf kinderen in zijn armen nemen. Hij zat heel stil terwijl hij over het verlaten land uitkeek, en het kind keek stil naar hem op alsof het in contact stond met zijn stilte en er de betekenis van begreep.

De delegatie van keizer Hirohito ondertekende de overgave van Japan en op 2 september 1945 heerste er eindelijk weer vrede op aarde. Voor de Australische boeren waren het zes lange, slopende jaren geweest. Daarna, terwijl Europa haar verwoeste steden heropbouwde, zorgde Australië voor het platteland.

Bijna tien jaar lang was er geen nuttige druppel regen gevallen, maar op de ochtend dat de vrede werd getekend, rolde de hemel zwart en zwaar over de smachtende aarde. De wolken barstten open en de eerste zware druppels begonnen te vallen.

Voor Matilda was het alsof de God van priester Ryan zijn geschenk had vastgehouden terwijl de wereld oorlog voerde om de mens te straffen voor zijn geweld en haat. Maar de regen was zeker een teken van zijn vergeving en de belofte van een betere toekomst.

Zij en de stam stonden er midden in, lieten zich kletsnat regenen en genoten van de verfrissende koelte. De aarde slokte de neerslag op en de beken en meren begonnen vol te lopen. Urenlang drong de regen in het land, maakte het donker, veranderde het in kolkende, woedende modderstromen. De dieren spreidden hun poten terwijl ze in de wei stonden en lieten het water langs hun rug stromen en de luizen en teken meespoelen. Bomen bogen door onder de stortvloed, galahs hingen ondersteboven aan hun takken terwijl ze hun vleugels spreidden zodat de regen de mijt eruit kon spoelen. Het beukende geluid op het gegalvaniseerde dak vond ze het mooiste dat ze ooit zou horen.

Matilda ging op de veranda staan. Ze was doorweekt, maar dat kon haar niets schelen. Wat was de lucht heerlijk, zo koel en heerlijk ruikend door de geur van water op uitgedroogde aarde. Wat bogen de eucalyptusbomen gewillig door onder het gewicht van water terwijl hun bladeren de grond raakten en hun takken zilver kleurden in het donker. Het leven was plotseling goed. De oorlog was afgelopen, de mannen zouden terugkomen, en het land zou prachtig, levenskrachtig gras opleveren. De watertanks van Churinga hadden het net gered. Ze hadden het overleefd. Gabriel had gelijk. Dit was een gelukkige plaats.

De regen viel drie dagen en drie nachten. Rivieren traden buiten hun oevers en de aarde veranderde in modder, maar de schapen bevonden zich veilig op hogergelegen gronden, het vee uit de buurt van de beken. Vijfentwintig centimeter regen betekende nieuw, sterk gras. Vijfentwintig centimeter regen betekende dat ze konden overleven.

Op de vierde dag nam de regen af en kwam er een zwak zonnetje achter de donkere wolken tevoorschijn. Er was al een groene waas over de weiden te zien, en binnen een paar weken begonnen de eerste stevige graspluimen in de wind te ruisen. Het leven was weer begonnen.

'Waar is Gabe, Edna?' Matilda kwam net het erf opgereden nadat ze een tijdlang in de weiden aan het werk was geweest. 'Hij moet voor mij met een groepje mannen naar de noordelijke weiden om de omheining te repareren. De rivier is overstroomd en heeft zo'n vijf kilometer aan palen omgetrokken.'

Edna keek op van de bovenste tree van de veranda. Haar ogen waren groot en onbezorgd terwijl ze haar baby wiegde. 'Zwerven, mevrouw. Het zingen heeft hem meegenomen.'

Matilda schrok zo dat haar knieën knikten toen ze van haar paard stapte. Hoewel ze dolgraag wilde weten waar Gabe heen was, wist ze dat Edna alleen maar stijf haar mond dicht zou houden als ze naar haar schreeuwde. Ziek van bezorgdheid, probeerde ze kalm te praten.

'Waar is hij heen, Edna? We moeten hem snel vinden.'

'Dáár, mevrouw.' Ze wees naar een of andere vage plek in de verte voor ze van de veranda stapte en naar het kampvuur liep dat altijd leek te branden.

'Verdomme.' Matilda vloekte maar zelden, maar ze ging al lang genoeg met mannen om om er een tamelijk kleurrijke woordenschat op na te houden. 'Krijg allemaal de klere,' gilde ze in de gezichten van de mannen en vrouwen die onberoerd leken door het feit dat hun leider ergens in de rimboe lag te sterven. 'Nou, als jullie niks voor Gabe willen doen, doe ik het wel.'

Ze sprong weer op haar paard, galoppeerde de weide bij het huis uit en begon aan de lange tocht naar de waterput. De bomen stonden aan de voet van de Tjuringa waar het water via de rotsen in een poel liep. Eeuwenoude schilderingen gaven aan dat de plek een heilige plaats voor de Bitjarra was. Ze hoopte maar dat Gabriel geen andere plek had gekozen om te sterven. Als dat zo was, dan moest ze terug naar de boerderij en de mannen verzamelen om een grondigere zoektocht te houden.

Twaalf uur lang zocht ze alle heilige plaatsen af die ze kon bedenken, maar zonder hulp van de andere stamleden wist ze dat ze niet verder kon. De grotten waren leeg, de rotsmeertjes verlaten, er was geen spoor van Gabriel.

Ze keerde huiswaarts waar geen enkel bericht van hem was, en gaf eindelijk, met tegenzin, toe dat ze de tijd noch de mannen kon missen voor nog een zoektocht. Als Gabriel niet ontdekt wilde worden, dan wist ze dat geen enkele blanke man – of vrouw – hem ooit zou vinden.

De Bitjarra waren nuchter in hun aanvaarden van zijn verdwijning. Daar zou ze geen hulp vinden. Het was geen luiheid van hun kant, ze hielden van die oude man en respecteerden hem, maar het was een onderdeel van hun traditie dat als het tijd was, de dood bestemd was voor degene die gezongen was – het had niets met de rest van de stam te maken.

En zoals Gabriel had gezegd, je kon niet vechten tegen het zingen.

Drie dagen later kwam een van de jongens die de rimboe in was getrokken als onderdeel van zijn puberteitsinitiatie, terug naar Churinga. Matilda had hem zien terugkomen en keek vol argwaan toe toen hij meteen door naar de stamoudste liep. Ze kon niet horen wat hij zei, maar herkende het bromhout dat hij in de kangoeroehuid om zijn middel had gestopt.

'Kom eens hier, jongen,' riep ze. 'Ik wil je even spreken.'

Hij keek naar de stamoudste, die knikte, en kwam toen schoorvoetend naar de veranda toe.

'Je hebt Gabriel gevonden, hè? Waar is hij?'

'Bij Yantabulla, mevrouw. Hij is naar de geesten gegaan.'

Matilda keek hem vol verbazing aan. 'Yantabulla is hier ruim tweehonderd kilometer vandaan. Hoe is Gabriel er in godsnaam in geslaagd zover te lopen?'

Hij grinnikte. 'Is drie of vier keer de kring van de maan, mevrouw. Gabe is goede renner.'

Matilda betwijfelde of Gabe in staat was geweest om waar dan ook naartoe te rennen, maar het feit dat hij zo ver van Churinga gevonden was, maakte die verklaring min of meer geloofwaardig.

Ze schrok toen er een enorme jammerklacht uit de gunyahs opsteeg. Ze draaiden zich allebei om en zagen hoe Edna op haar knieën bij het allang gedoofde kampvuur zat, op haar hoofd sloeg met een nulla nulla en in haar armen stak met een mes.

'Waarom heb je mij verlaten, man?' jammerde ze. 'Waarom heb je mij verlaten, man van mij?' Ze boog voorover, nam de koude as van het vuur en smeerde het over haar hoofd en lichaam.

'Wat gaat er nu met haar gebeuren?' fluisterde Matilda naar de jongen.

'De maan moet nog één keer opkomen en ondergaan en dan maakt ze een kapje van leem. Nadat ze dat vier seizoenen heeft gedragen, zet ze hem af en wast ze de leem van haar gezicht en lichaam en zet het kapje op de begraafplaats van haar man. Dan gaat ze naar de broers van haar man voor bescherming.'

Het nieuws van Gabriels overlijden verspreidde zich snel door de stam en de mannen begonnen witte cirkels en lijnen op hun gezicht en lichaam te schilderen. De vrouwen verzamelden veren en kettingen van botten en hingen ze om de nek van hun man. Speren werden tevoorschijn gehaald en geslepen, schilden van opgerekte kangoeroehuid werden beschilderd in felgekleurde stammentekens, en de hoofden van iedereen behalve de weduwe, werden rood geverfd.

De mannen liepen langzaam in een statige optocht bij het kamp vandaan en Matilda en de vrouwen volgden hen de vlakte op. Na vele uren kwamen ze bij een plaats waar het gras om eeuwenoude met totems bedekte stenen groeide. Matilda en de vrouwen gingen op flinke afstand in een kring zitten, omdat ze niet mochten deelnemen aan de ceremonie. Terwijl ze luisterden, hoorden ze het treurige geluid van de didgeridoo. De bromhouten zongen terwijl ze door de lucht gezwaaid werden en het stof steeg op toen de mannen hun rituele dans begonnen.

'Ik wou dat ik kon zien wat ze deden, Dora. Waarom mogen we niet dichterbij komen?'

Ze schudde haar hoofd. 'Verboden voor vrouwen, mevrouw.' Ze boog naar Matilda toe en fluisterde: 'Maar ik kan zeggen wat er gebeurt.'

'Hoe weet je dat als het verboden is?'

Dora grinnikte. 'Ik verstop me toen ik klein ben, mevrouw. Zien wat mannen doen.' Ze haalde haar schouders op. 'Niet interessant.'

'Dat geeft niet,' zei Matilda ongeduldig. 'Vertel me eens wat daar allemaal gebeurt.'

'Mannen in veren en verf, dragen speren en bromhouten. Ze maken muziek en dansen en dansen. Iedere man heeft geest van een dier in zich. Hij doet de dans van zijn geest, zelfde dans als kangoeroe of vogel, dingo of slang. Maar stil. Hij mag niet praten, dan kan de geest komen en Gabe naar de Droomtijd brengen.'

Matilda bleef bij de vrouwen tot het licht verdwenen was, en toen ging ze terug naar de boerderij. De ceremonie zou nog dagen doorgaan en ze had werk te doen, maar in ieder geval was ze in staat geweest om om Gabe te rouwen, dacht ze vermoeid. De aboriginals werden dan vaak wel als heidenen beschouwd, maar hun ceremonie van vandaag leek erg op een Ierse wake waar ze ooit eens bij was geweest – alleen werd er niet gedronken en werd het allemaal waardig uitgevoerd.

Ze liep de trap op naar de veranda en bleef staan. Daar, op de vloer, lag een stenen amulet – een *churinga*. Wie die daar had gelegd, was een raadsel, maar toen ze hem opraapte, wist ze dat ze hem altijd zou koesteren als een aandenken aan Gabriel.

De mannen begonnen terug te keren van de oorlog, maar er waren er te veel die de grasvlakten van thuis nooit terug zouden zien. Afgezien van Billy Squires en Tom Finlay en zijn zoons, waren er andere doden en gewonden. De plaatselijke politieagent zou nooit meer uit het ziekenhuis in Sydney komen. Een granaatscherf had zijn wervelkolom doorboord en hij lag in een coma die ten slotte zou afmaken wat vijandelijk vuur begonnen was. De zoon van de caféhouder had het overleefd, maar hij zou altijd kreupel blijven lopen en verschrikkelijke nachtmerries blijven houden. De twee zoons van de winkelier waren bij Guadalcanal gesneuveld, en hun ouders verhuisden terug naar de stad waar de herinneringen minder acuut waren.

Het aangezicht van Wallaby Flats veranderde. Nieuwe mensen kwamen het café en de winkel overnemen, de oude kerk werd hersteld, de straten verhard en een herdenkingsplantsoen aangelegd. Er heerste een bedrijvigheid in het plaatsje die te lang had ontbroken, en samen met die bedrijvigheid kwam de toestroom van mensen die goedkoop land wilden hebben.

De arbeiderspartij van Curtin zag de grote stukken grond die door een klein groepje mensen bewoond werden en besloot dat de duizenden mannen die thuis waren gekomen de kans moesten krijgen om een eigen boerderij te beginnen.

Het was een oude oplossing voor het probleem van de opvang van de plotselinge toestroom van oorlogszieke mannen – een oplossing die na de Eerste Wereldoorlog was geprobeerd en op een mislukking was uitgelopen. Want wat wisten die mannen van het harde boerenleven, of van de eindeloze worsteling om te overleven? Mannen en vrouwen hadden maandenlang, soms jaren, geworsteld om een nieuw leven op te bouwen, maar de meesten hadden het opgegeven en waren naar de steden teruggegaan. Het binnenland was een manier om de jongens van de mannen te onderscheiden, en alleen de sterksten overleefden.

Protest en argumenten konden van de Golf van Carpentaria tot aan de stranden van Sydney gehoord worden, maar de regering zette toch door en wees duizenden hectare eerste kwaliteit weidegronden aan die verplicht verkocht moesten worden.

De grootste grondbezitters waren degenen die het zwaarst getroffen wer-

330

den. Squires verloor vierentwintigduizend hectare van zijn actenveertigduizend. Willa Willa zestienduizend, en Nulla Nulla ruim achttienduizend.

Matilda was snel in actie gekomen toen er vrede gesloten werd. Ze herinnerde zich hoe het was geweest toen haar vader terugkwam uit de Eerste Wereldoorlog en wist dat als de overheid haar dwong Wilga te verkopen, ze er veel minder voor zouden betalen dan het op de markt waard was.

Ze moest er zo'n hoog mogelijke prijs voor krijgen. Want ondanks het geld dat Matilda haar al gestuurd had, had April het niet breed in Adelaide en de verantwoordelijkheid van het beheren van zoveel duizenden hectaren was voor Matilda in haar eentje te veel geworden.

De nieuwe eigenaar had vanuit Melbourne geschreven dat hij het vee niet wilde omdat hij van plan was paarden te fokken op Wilga. Hij stemde ermee in dat Matilda de helft van de kudde schapen van Wilga mocht houden. Matilda wist dat ze voldoende gras had om zoveel schapen onder te brengen en had de rammen nodig om haar kudde nog sterker te maken. De wol was dit jaar goed, maar volgend jaar zou het nog beter zijn.

Het waren de koeien die het probleem bleken te zijn. Tot nu toe had ze heel weinig met ze te maken gehad, maar de oude drijvers waren met pensioen gegaan en ze kwam er al snel achter dat vee heel andere behoeften had dan schapen. Ze boog zich iedere avond over de boeken en las over de prijzen, het fokken, slachten en de ontelbare infecties waar ze mee te maken zou krijgen. Geen wonder dat de nieuwe eigenaar ze niet wilde overnemen, realiseerde ze zich. Ze zouden duur zijn tijdens de droge periodes en het grasland met hun hoeven omwoelen.

De hekken die Wilga en Churinga van elkaar scheidden waren teruggezet, maar ze had de nieuwe eigenaar nog niet gezien. Hoewel er via de radio geroddeld werd dat hij jong en knap was en een goede partij voor een of andere bofkont van een meisje, vroeg Matilda zich af hoe hij werkelijk was en hoe lang hij het zou redden.

Ze had weinig geduld met stadsmannen die dachten dat het leven hier gemakkelijk was, en betwijfelde of hij verschilde van de anderen die sinds de oorlog het toegewezen land hadden overgenomen.

Ze nam nog drie drijvers aan: een cowboy en twee jongens. Drie van haar veedrijvers waren na de oorlog teruggekeerd op zoek naar hun oude baan, en ze nam ze graag weer aan. Ze had een nieuwe schuur en een koeienschuur met stallen laten bouwen en een stuk van tweehonderdvijftig hectaren gereserveerd voor vee. Het gras stond hoog, de prijs van wol, schapenvlees, rundvlees en melk rees de pan uit. Er heerste hongersnood in Europa en de enorme open weidegronden van het binnenland leverden het vlees aan de wereld. Eindelijk was er geld op de bank en hoop voor een welvarende toekomst.

Zuinigheid was een manier van leven die Matilda niet zomaar van zich af kon schudden, maar ze wist dat ze met haar tijd mee moest gaan en begon het volgende jaar te moderniseren. Ze kocht een nieuw fornuis, een gaskoelkast en een iets minder gedeukte pick-up. De luxe van elektriciteit kwam in de vorm van twee generatoren, een voor het huis en een voor de scheerschuur die gerepareerd en uitgebreid was. Nieuwe gordijnen en gemakkelijke stoelen, lakens, serviesgoed en pannen maakten Churinga tot een comfortabeler huis. De barak van de drijvers werd uitgebreid en er werden een nieuw kookhuis en een slaapverblijf aan toegevoegd.

Ze investeerde in goede fokooien, en een ram en zes varkens. Ze ging ervan uit dat als het zo goed bleef gaan als het nu ging, ze over een paar jaar een smidse en een slachthuis kon laten bouwen. In de winkel gekochte hoefijzers waren duur en dat gold ook voor het laten slachten van haar dieren door de slager in Wallaby Flats.

Ondanks haar nieuwe rijkdom patrouilleerde Matilda nog steeds door de weiden en hield een oogje in het zeil bij alles wat er op Churinga omging. Oude gewoontes verdwijnen niet zomaar, en ze verveelde zich in en om het huis, nu Edna, Dora en Daisy eindelijk hadden geleerd hoe het huishouden gedaan moest worden. Matilda reed nog steeds in de oude broek en het loshangende overhemd rond dat ze altijd had gedragen, met de oude vilthoed met zweetranden op haar dikke warrige haardos.

Het was erg vochtig die middag, dankzij de regen van de nacht ervoor die dampte in het weelderige gras en glinsterde in de schaduw van het kleine bos aan de voet van de Tjuringa. Ze zette haar hoed af en veegde met haar mouw over haar voorhoofd.

De schimmige contouren van een ruiter kwamen vanuit de trillende horizon naar voren, en terwijl ze water uit haar waterzak dronk, zag ze de bijna droomachtige gestalte scherper worden.

Eerst dacht ze dat het een van haar drijvers was, maar toen hij dichterbij kwam, realiseerde ze zich dat hij een vreemdeling was. Ze stopte haar waterzak weg, en pakte haar geweer. De crisis met zijn zwervers was al vele jaren geleden, maar het was altijd beter om op je hoede te zijn. Haar drijvers hadden zich over de duizenden hectaren van Churinga verspreid en zij was alleen.

Ze bleef doodstil zitten en keek hoe hij dichterbij kwam. Het was moeilijk te zeggen hoe lang een man was als hij in het zadel zat, maar ze schatte dat hij langer dan gemiddeld was en ze zag aan de manier waarop hij reed dat hij zich thuis voelde in het zadel.

'Goeiedag,' riep hij toen hij binnen gehoorsafstand was.

Matilda begroette hem door een hand op te steken terwijl ze met de andere haar geweer steviger beetgreep. Ze zag nu dat hij brede schouders en smalle heupen had. Zijn overhemd stond open bij de hals en zijn broek en laarzen waren bedekt met stof. Ze kon zijn gezicht niet zien, omdat de rand van zijn hoed eroverheen hing, maar toen hij nog dichterbij kwam, zag ze dat het een vriendelijk gezicht was.

Hij trok de teugels aan van zijn gemeen uitziende werkpaard dat dansend tot stilstand kwam, en nam zijn hoed af. 'U moet mevrouw Thomas zijn,' zei hij op lijzige toon. 'Fijn dat we eindelijk kennismaken. Mijn naam is Finn McCauley.'

Zijn haar was zwart en krullerig, zijn glimlach warm en zijn ogen onwaarschijnlijk blauw. Het was moeilijk te zeggen hoe oud hij was, het buitenleven droogde de huid veel eerder uit en er kwamen sneller rimpeltjes om de mond en ogen dan in de stad – maar de roddels die ze had opgevangen, deden hem geen onrecht, moest ze toegeven. Hij moest de knapste man zijn die ze ooit had gezien.

'Aangenaam,' hakkelde Matilda. Ze voelde zich nog steeds niet op haar gemak bij vreemden en ze was overrompeld. 'Bevalt het een beetje op Wilga?'

Zijn handdruk was warm en stevig en haar hand verdronk in de zijne. 'Prima,' zei hij grijnzend. 'Het is een geweldige boerderij, mevrouw Thomas. Precies goed voor paarden.'

Ze zette het geweer terug in de houder die aan het zadel hing en zag dat hij naar haar keek. 'Je kunt nooit voorzichtig genoeg zijn hier,' zei ze snel. 'Hoe kon ik nu weten dat u het was?'

'Daar heeft u helemaal gelijk in,' zei hij ernstig. 'Het zal niet meevallen voor een vrouw hier in haar eentje.' Zijn ongelooflijk mooie ogen bekeken haar aandachtig. 'Maar ja, ik geloof niet dat u er erg mee zit, mevrouw Thomas. Ik heb gehoord hoe u zich heeft weten te redden tijdens de oorlog.'

'Ja, dat zal wel,' zei ze kattig.

Zijn lach was diep en melodieus. 'Eerlijk is eerlijk, mevrouw Thomas, je moet toch weten wie je buren zijn, en ik weet genoeg om maar een derde te geloven van wat er gezegd wordt.'

Ze keek hem een ogenblik aan, niet zeker of hij haar zat te plagen. Hij heeft alleen maar een ooglapje en een oorring nodig, dacht ze, en hij is een perfecte piraat.

Ze pakte de teugels en glimlachte, bereid om hem het voordeel van de twijfel te geven. 'En maar goed ook,' zei ze luchtig. 'Als de helft van de dingen waar was, dan zou hier alles tot stilstand komen. Niemand zou meer tijd hebben om te werken.'

Hij keek haar lange tijd aan en zijn buitengewone ogen gleden over haar lichaam voor hij weer naar haar gezicht keek. 'U heeft gelijk,' zei hij zachtjes.

Ze voelde zich weer overrompeld en dat vond ze niet leuk. Het was iets in zijn ogen en de manier waarop hij sprak waardoor ze kriebels in haar buik kreeg, en omdat ze nooit eerder zulke gevoelens had gekend, wist ze niet wat ze ermee aan moest.

'Ik wilde net even wat gaan eten en drinken,' zei ze nors. 'Doet u mee, meneer McCauley?'

Hij trok een wenkbrauw op en glimlachte. 'Alleen als u me Finn noemt,' zei hij lijzig. 'In het leger was het allemaal veel te formeel en op de een of andere manier raak je iets van jezelf kwijt als je niet bij de voornaam wordt genoemd.'

'Dan moet jij me Molly noemen,' zei ze voor ze erover nagedacht had.

Ze wachtte niet op zijn antwoord, maar reed voorop onder het groene baldakijn van de bomen van de Tjuringa naar de rotsmeertjes. Hij bracht haar in de war, en het irriteerde haar dat ze haar gedachten niet volledig onder controle had. Ze had die paar momenten nodig om op adem te komen.

Ze liet zich van haar zadel glijden en liet de teugels op de grond vallen. Een goed werkpaard was erop getraind om stil te staan zodra de teugels gevierd waren en ze was niet bang dat hij ervandoor ging.

'Dit is prachtig,' fluisterde Finn. 'Ik wist niet eens dat dat er was.' Hij nam zijn hoed af, stak hem in het water en liet het over zijn hoofd plenzen.

Matilda keek gebiologeerd naar de manier waarop de druppeltjes in zijn zwarte krullen glinsterden en richtte haar aandacht snel weer op haar zadeltas.

'Ik probeer hier iedere week een keer te komen,' zei ze terwijl ze de tas van haar zadel haalde en hem naar een platte steen droeg. 'Het water is zo schoon en koud na dat modderwater op de boerderij, en het is meestal koel onder de bomen.'

Ze wist dat ze zat te kwebbelen als een galah, en haar stem stierf weg. 'Maar het is een beetje benauwd na de regen.'

Hij vulde zijn waterzak en dronk er flink van voor hij zijn mond aan zijn mouw afveegde. 'Smaakt heerlijk na dat water uit de tanks. Geen wonder dat je hier zo vaak mogelijk langsgaat.'

Hij trok ineens een ernstig gezicht toen hij naar de platte stenen en de diepe poel keek waar je waarschijnlijk heerlijk in kon zwemmen. 'Ik hoop dat ik je plannen niet in de war heb gestuurd door zo ineens op te duiken? Als je wilt zwemmen, ga je gang maar, hoor.'

Matilda bloosde bij de gedachte hoe ze van plan was geweest om, zoals gewoonlijk, haar kleren uit te trekken en er in te duiken. 'Natuurlijk niet,' zei ze snel. 'Veel te koud om te zwemmen. Meestal laat ik er gewoon mijn benen in bungelen,' loog ze.

Hij keek haar lange tijd aan, en als hij haar niet geloofde, zei hij in ieder geval niets.

Matilda haalde de boterhammen uit haar zadeltas en legde ze op de stenen tussen hen in. 'Pak maar, hoor, Finn. Ze zijn waarschijnlijk een beetje warm en plakkerig geworden, maar ik heb ze vanochtend klaargemaakt, dus ze zijn tamelijk vers.' Ze zat weer te raaskallen. Wat was het toch met die man dat ze zat te kletsen als een kip zonder kop?

Hij beet in een boterham met ham met zijn sterke, witte tanden en at tevreden terwijl hij zich uitstrekte op de rots en naar de waterval keek. Hij had iets rustigs, realiseerde ze zich, een tevredenheid met zijn leven en met wie hij was. Misschien maakte dat hem zo aantrekkelijk.

Hij verbrak de stilte, zijn lijzige zuidelijke tongval een baspartij die het orkest van vogelgezang begeleidde. 'Hoe lang woon je al op Churinga, Molly?'

'Mijn hele leven al,' antwoordde ze. 'Mijn grootouders waren pioniers,' voegde ze er trots aan toe.

'Ik benijd je. Jij hebt waarschijnlijk het gevoel dat je precies weet waar je thuishoort.' Hij keek om zich heen. 'Mijn ouders trokken veel rond toen ik klein was, en ik voelde me nooit ergens thuis. Toen kwam de oorlog en moest ik weer van hot naar haar.'

'Waar heb je gediend?'

'Afrika en Nieuw-Guinea.'

Hij sprak op luchtige toon, maar ze zag de schaduw in zijn ogen en besloot van onderwerp te veranderen omdat het duidelijk gevoelig lag.

'Ik heb de naam Finn nooit eerder gehoord. Waar komt hij vandaan?'

Hij ging op zijn zij liggen, met zijn wang steunend op zijn hand en glimlachte. 'Het is een afkorting van Finbar. Mijn ouders waren Iers.'

Ze grinnikte naar hem. 'Mijn grootouders ook.'

'Dus,' zei hij peinzend. 'We hebben nog iets anders gemeen behalve Wilga.'

Ze keek naar haar handen. 'Denk je dat je blijft?' Het was absurd om haar hart tekeer te horen gaan terwijl ze op zijn antwoord wachtte.

'Deze manier van leven is niet nieuw voor me. Ik kom uit Tasmanië, Molly, en, hoewel ik niet veel met schapen te maken heb gehad, zijn de droogte en de hitte hier ongeveer hetzelfde. Ik ben hier voorlopig nog niet weg, hoor.'

Ze keek hem verrast aan. 'Ik dacht dat Tasmanië net zoiets als Engeland was? Een en al groen, met veel regen en koude winters.'

Hij lachte. 'Dat denkt bijna iedereen, Molly. Aan de kust is het koeler dan hier, maar de vlakten in het midden worden net zo bruin en stoffig als hier. We hebben net zo geleden onder die laatste lange droogte als jullie.'

'Waarom heb je er dan voor gekozen om hierheen te komen en ben je niet naar Tasmanië teruggegaan?'

Zijn vrolijke glimlach verdween. 'Ik wilde opnieuw beginnen en de overheid was bereid me te leren hoe ik schapenhouder kon worden.' Hij gooide een kiezel in het water en keek hoe de rimpels zich uitbreiden. 'Paarden zijn mijn echte liefhebberij, maar ik wist dat ik een andere bron van inkomsten moest hebben tot mijn fokprogramma eenmaal loopt. Die prachtige weelderige weiden geven me ruimte om te ademen, Molly. Ik moest weg van die dorpsroddels waar iedereen zich met je zaken bemoeit.'

Nu was het haar beurt om te lachen, al had haar lach een ondertoon van minachting. 'Dan ben je naar de verkeerde plaats gekomen. Roddel is iets waar de mensen hier van bestaan. En ik durf er zelfs om te wedden dat je al heel wat hebt gehoord over die vreemde Matilda Thomas die al bijna vijfentwintig jaar alleen met haar Bitjarra's woont.'

Hij grijnsde ondeugend. 'Ik heb gehoord dat Matilda Thomas zich met niemand bemoeit en als afstandelijk wordt beschouwd. Maar daar merk ik niks van.'

Ze keek hem aan en glimlachte. 'Welkom in New South Wales, Finn. Ik hoop dat je nieuwe leven je brengt waar je naar gezocht hebt.'

Zijn ogen waren zo donkerblauw dat ze bijna paars waren. 'Ik denk dat daar een goede kans op is,' zei hij zachtjes.

Jenny veegde haar tranen weg en zuchtte. Eindelijk leek alles toch goed te komen voor Matilda – en hoewel het nog vroeg was, had ze het gevoel dat het laatste dagboek een gelukkig einde zou hebben.

Ze leunde achterover tegen de kussens en staarde over de weiden. Tot haar verbazing was de dag verstreken en had de tijd zijn betekenis verloren terwijl ze lag te lezen. Ze dacht aan Diane en voelde zich schuldig. Arme Diane. Ze probeerde alleen maar luchtig te doen over de situatie met Brett en Charlie – ze verdiende het niet om genegeerd te worden.

Jenny geeuwde, rekte zich uit, stond op en liep naar de keuken. Diane was nergens te bekennen, maar er lag een briefje op tafel dat ze een rit was gaan maken. Ze had zwierig haar naam en twee kussen eronder gezet. Blijkbaar had Diane haar vergeven.

Jenny, die zich beter voelde, liet Ripper in de wei bij het huis uit, en terwijl ze op hem wachtte, leunde ze op de omheining en keek naar de soezerige paarden. Het was heel heet, de hemel was strakblauw en onwaarschijnlijk weids. Ze snoof de geur van warme aarde op en hoorde het droge geritsel in de eucalyptusbomen. Het gras begon dun te worden in de wei bij het huis, over niet al te lange tijd moesten de paarden ergens anders heen gebracht worden.

Ze schrok op uit haar dwalende gedachten en liep bij het hek vandaan. Ze had er niets mee te maken dat de paarden naar een andere plek gebracht moesten worden of dat het al maanden niet geregend had. Over een paar dagen was Churinga haar zorg niet meer.

18

Onweersbuien pakten boven hun hoofd samen, en in de twee dagen die volgden werd de hitte nog intenser. De lucht was geladen terwijl er steeds gerommel klonk en Ripper zocht, trillend van angst, een veilig onderkomen onder de keukentafel.

Diane keek naar de dreigende hemel. 'Dat zal me wat worden als die bui losbreekt,' zei ze terwijl ze na haar douche haar haar met een handdoek droogwreef. 'Ik heb een hekel aan die droge onweersbuien.'

Jenny keek op van de schommelstoel op de veranda. 'Ik ook. Er staat geen zuchtje wind en ik word helemaal lam van die afschuwelijke hitte...'

Diane trok een gezicht. 'In Sydney hebben we tenminste nog airconditioning, en ook al heb ik er zo'n hekel aan dat je ervan uitdroogt, is het in dit soort gevallen een geschenk uit de hemel.'

Jenny ging met haar vingers over het zachte leer van het dagboek op haar schoot. Ze wilde verder lezen, niet aan de felheid van de dreigende onweersbui denken en naar Matilda's wereld terugkeren. Maar de afgelopen twee dagen aarzelde ze steeds.

'Is dat de laatste?'

Jenny knikte. 'Het is het laatste hoofdstuk,' zei ze zacht. 'En ik wil het bijna niet lezen.'

'Waarom?' Diane schudde haar donkere krullen uit en liet zich in de stoel naast de hare vallen. 'Ik dacht dat je zei dat het wel haast een gelukkig einde moest zijn.'

Jenny dacht een ogenblik diep na. 'Dat is het niet zozeer. Het is meer dat als ik de laatste bladzijde heb gelezen, het net is of ik afscheid neem van een goede vriendin die ik nooit meer zal zien.'

Dianes donkere ogen keken haar aan. 'Je kunt de dingen niet onafgemaakt laten, Jen. Zeker niet als het zoveel voor je betekent. Bovendien,' voegde ze er praktisch aan toe, 'zul je je altijd afvragen hoe het afgelopen is.'

'Dat weet ik. Ik doe gewoon stom, hè?'

Dianes krullen dansten. 'Helemaal niet. Ik voel me altijd een beetje ver-drietig als ik aan het eind van een goed verhaal kom – maar daar kom je snel overheen.'

Jenny sloeg het schutblad open en bladerde door de pagina's. Ze had er niet veel meer te lezen, want het boek was maar half volgeschreven. Ze streek de eerste pagina glad en dook wat dieper in de stoel weg. Misschien had haar aarzeling om de dagboeken uit te lezen meer te maken met die vreemde graf-steen op de familiebegraafplaats dan met het niet willen verbreken van het contact met Matilda. Want het mysterie van dat raadselachtige grafschrift werd vast op de laatste pagina's uitgelegd – en ze was bijna bang voor wat ze te lezen zou krijgen.

Ze had nog maar een paar woorden gelezen toen de telefoon ging.

'Wie is dat nou weer?'

'Aangezien ik niet gezegend ben met de gave van telepathie, zou ik het niet weten,' antwoordde Diane droog. Ze kwam enkele ogenblikken later terug. 'Helen voor je.'

Jenny fronste terwijl ze van het dagboek opkeek, maar Diane haalde alleen maar haar schouders op. 'Ik weet net zoveel als jij.'

'Hallo, Jennifer.' De beschaafde stem zweefde boven het geklik en geruis van vele andere gemeenschappelijke lijnen uit. 'Ik ben zo blij dat ik je te pak-ken heb gekregen.'

Wetend dat Doreen in de centrale en waarschijnlijk de meeste boerderijen van New South Wales zaten mee te luisteren, koos ze haar antwoord zorgvul-dig. 'Met dat dreigende onweer leek het me niet verstandig me ver van huis te wagen.'

Er klonk een heel korte aarzeling aan de andere kant van de lijn voor Helen weer sprak. 'Ik vroeg me af of ik langs zou kunnen komen.'

Jenny fronste haar voorhoofd. 'Natuurlijk,' zei ze snel. 'Wanneer?'

'Vandaag nog, als het schikt.'

Jenny hoorde aan haar stem dat het om iets dringends ging en vroeg zich af of de mensen op de andere boerderijen aan de andere kant van het binnen-land dat ook gehoord hadden. 'Prima, wat mij betreft. Ik zorg wel voor de lunch.'

Er klonk weer die aarzeling en Jenny hoopte dat Helen niet bij die einde-loze touwtrekkerij om Churinga betrokken was geraakt – want ze mocht haar graag en de gedachte aan een vrouwenlunch vrolijkte haar helemaal op.

Het was alsof Helen haar gedachten had gelezen. 'Ik denk dat ik je moet waarschuwen,' zei de oudere vrouw voorzichtig, 'ik heb een bijbedoeling met mijn bezoek – maar het heeft heel weinig te maken met waar jij en Andrew laatst over gesproken hebben.'

'Dan heb je me waarschijnlijk een rit naar Kurrajong bespaard,' zei Jenny opgelucht. 'Er zijn dingen waar we over moeten praten.'

'Dat ben ik met je eens,' zei Helen beslist. 'Maar niet terwijl de halve staat meeluistert. Ik zie je over een uur of drie.'

De klik aan de andere kant van de lijn weerklonk door de wildernis. Terwijl Jenny de hoorn op de haak legde, bleef ze er peinzend naar kijken. Helen had duidelijk gemaakt dat Ethans vijandigheid geen invloed had, maar zou haar ophanden zijnde bezoek de vete verklaren die al zo lang bestond of de zaak alleen maar nog meer vertroebelen?

Jenny beet op haar lip terwijl ze op de veranda ging staan. Het onweer dreigde – misschien een voorbode van de dingen die te gebeuren stonden?

Diane reageerde eerst verbaasd en vervolgens blij op het nieuws dat Helen zou langskomen. 'Er is niets zo goed voor de stemming als een vrouwenlunch,' zei ze opgewekt.

Jenny glimlachte, maar voelde zich ongemakkelijk toen ze met het dagboek naar haar slaapkamer liep en schone kleren aantrok. Het was duidelijk dat Helen iets dwarszat, en aangezien ze deel uitmaakte van de familie die in een vete met Matilda en Churinga verwikkeld was, vroeg ze zich af of het er iets mee te maken kon hebben.

'We maken een salade,' verkondigde Diane. 'Het is veel te warm voor iets anders.'

Jenny haalde biefstukken uit de vriezer en legde ze in de vliegenkast uit de buurt van Rippers gevoelige neus en de eeuwig aanwezige vliegen. Terwijl Diane een kan limonade maakte en de tafel dekte, maakte Jenny een vruchtenmousse en ging toen een salade klaarmaken van de groenten die ze zojuist uit de tuin had gehaald. Met een dressing van olie en knoflook was de lunch bijna klaar.

Het huis was zo schoon en stofvrij als maar mogelijk was en de grote vazen wilde bloemen die Diane op strategische plekken door de hele kamer had gezet, fleurden de sombere ochtend wat op. Jenny en Diane gingen bij de deuropening staan en bewonderden het effect, maar bij de gedachte dat het waarschijnlijk de laatste keer was dat ze hier iemand ontving, werd ze rusteloos.

'Ik laat Ripper even uit terwijl jij je omkleedt,' zei ze.

Er lag een drukkende hitte over de weiden terwijl zij en Ripper langs de rij bomen liepen die langs de droge beek stonden. Vogels klonken lusteloos, zwarte, harige spinnen hingen slaperig in reusachtige zijden webben, en een kudde kangoeroes lag uitgestrekt in de schaduw van de theebomen.

Ripper vond een zonnende leguaan en rende erachter aan toen het dier angstig wegschoot. Jenny riep hem herhaaldelijk, maar hij had blijkbaar een belangrijker doel en koos ervoor haar te negeren.

Zuchtend leunde ze tegen een boom en keek hoe een kolonie termieten hun beschadigde heuvel korreltje voor korreltje herstelden. De overeenkomst tussen hun leven en dat van herenboeren ontging haar niet. Want centimeter voor centimeter hadden ze een bestaan in die wildernis opgebouwd – een kwetsbaar leven dat binnen enkele seconden verwoest kon worden – door brand, overstroming of droogte – en toch was het hun overlevingsdrang die hen steeds weer de kracht gaf opnieuw te beginnen.

Ze schrok op uit haar gedachten door een heimelijk geritsel bij haar voeten. De slang hield een paar centimeter van de neus van haar schoen stil, en Jenny verstarde. Het was de dodelijkste van allemaal – één beet, en ze was er geweest. Haar hart bonkte haar in de keel. Het moment leek eindeloos voor de slang eindelijk verder kronkelde en ze weer adem kon halen.

Ripper kwam met grote sprongen uit het kreupelhout, zag de slang en dook erop af. Jenny had geen tijd om na te denken toen ze hem bij zijn nekvel pakte en wegsleurde.

'Stomme hond,' zei ze met schorre stem terwijl hij zich los probeerde te rukken om terug naar zijn prooi te gaan. 'Het wordt je dood als je eropaf gaat.' Jenny hield hem stevig tegen zich aan terwijl de slang zijn kronkelende weg vervolgde. Toen liep ze, met een zucht van opluchting, terug naar het huis.

'Vanwaar al dat geblaf?' Diane stond op de veranda, schitterend in een felblauwe kaftan.

'Tijgerslang. Ripper dacht dat het speelgoed was,' zei ze grimmig. 'Ik zal hem vanmiddag maar binnen houden.'

Helen kwam enkele minuten later aan. De glimmende Holden deed het stof op het erf opwaaien terwijl ze naar het huis reed en de motor uitzette. Ze zag er koel en elegant uit in een katoenen jurk terwijl haar platinablonde haar glansde in het vale zonlicht.

'Bedankt dat je me wilde ontvangen,' zei ze terwijl ze elkaar de hand schudden en op de veranda gingen zitten. 'Ik vroeg me af of je dat wel echt wilde.'

'Waarom niet? Tenslotte heb ik jouw gastvrijheid mogen genieten, en er zijn hier zo weinig vrouwen dat het onzin lijkt om elkaar te negeren vanwege iets dat jaren geleden gebeurd is,' antwoordde Jenny op luchtige toon terwijl ze limonade voor hen alledrie inschonk.

Helen hief haar glas. 'Proost. Op het gezonde verstand.'

Jenny keek naar Diane en toen weer naar Helen. Ze vroeg zich af waarom de oudere vrouw zo fel was.

'Let maar niet op mij, meisjes,' lachte ze. 'Ik woon hier al te lang om niet te beseffen dat mannen echt de meest ongelooflijk stomme wezens zijn die er rondlopen. Ze stappen als haantjes rond, proberen hun mannelijkheid te bewijzen door elkaar de loef af te steken met schieten, paardrijden en drinken, terwijl de vrouwen de hele tijd dingen goedmaken.'

Ze grinnikte toen ze hun verwonderde gezichten zag. 'Wees maar niet bang, ik ben niet de Kurrajong-versie van het paard van Troje. Ik ben hier als vriendin gekomen, omdat ik vind dat het tijd is dat we een eind aan al die flauwekul tussen Kurrajong en Churinga maken.'

Ze nam een slok van de zelfgemaakte limonade en zette haar glas neer. 'Maar laten we dat een ogenblik vergeten en gaan lunchen. Het is lang geleden sinds ik me samen met een stel vriendinnen heb kunnen ontspannen.'

Ze aten op de veranda waar het koel was en naarmate de maaltijd vorderde, voelde Jenny zich steeds meer aangetrokken tot die vrouw die oud genoeg moest zijn om haar moeder te zijn, maar jong genoeg van geest om met kennis van zaken over de nieuwste popmuziek, de oorlog in Vietnam en de nieuwste mode in het Londense Carnaby Street te praten.

'We krijgen hier ook kranten, hoor,' lachte Helen. 'En ik zorg ervoor dat ik zo vaak mogelijk naar Sydney kan. Zonder mijn kleine uitstapjes naar de beschaafde wereld, zou ik net zo verschrompelen als de meeste vrouwen hier.'

'Dus je komt oorspronkelijk niet uit het binnenland?' Jenny had de tafel afgeruimd en ze dronken de wijn die Helen had meegebracht. Ze schudde haar hoofd. 'O jee, nee. James en ik hebben elkaar op een van de zakenfeestjes van mijn vader in Sydney ontmoet. Hij is directeur van een vleesexporthandel en er kwamen altijd veeboeren en schapenfokkers op bezoek.'

Ze glimlachte vertederd. 'James was zo knap – en charmant – en toen hij me ten huwelijk vroeg, heb ik meteen ja gezegd. Ik dacht dat het leven hier een avontuur zou zijn en in zekere zin had ik gelijk. Maar ik moet zo nu en dan even terug om mijn accu op te laden.'

'Ik weet wat je bedoelt,' zei Diane, terwijl ze een gezicht trok naar de horizon. 'Het is prima om hier op bezoek te komen, maar ik zou hier zeker niet willen wonen.'

Helen glimlachte. 'Begrijp me niet verkeerd, meisjes, ik ben heel gelukkig.

James en ik hebben een goed, rijk leven, maar ik denk dat je hier geboren moet zijn om hier permanent te kunnen wonen. Andrew is de enige die voorkeur aan de stad schijnt te geven, maar de rest gaat nooit van Kurrajong weg, tenzij het absoluut noodzakelijk is. Hij is advocaat, weet je, en een heel goede.'

Jenny knikte. 'Ik kan me voorstellen dat hij enorme uitstraling heeft in de rechtzaal. Hij lijkt hier in ieder geval niet op zijn plaats, veel te schoon en te gepolijst.' Ze hield abrupt haar mond, toen ze zich te laat realiseerde hoe tactloos ze had geklonken.

Helen lachte en dronk haar glas leeg. 'Ik weet precies wat je bedoelt. Ik heb soms ook zo de neiging om hem in de modder te gooien of zijn haar door de war te maken. Maar volgens James is hij zijn hele leven al zo, en hij is veel te oud om nu nog te veranderen.'

Stilte daalde over hen neer terwijl ze in de richting van Kurrajong staarden.

'Je bent heel geduldig geweest, Jennifer,' zei Helen. 'En ik zit maar te kletsen, maar er is een reden voor mijn bezoek, zoals ik door de telefoon al uitgelegd heb.'

'Heeft het te maken met het aanhoudende gehakketak over Churinga?' vroeg Jenny.

Helen keek haar lang aan en knikte. 'In zekere zin wel, denk ik – hoewel dat alleen maar het gevolg is van de weigering van één oude man om in te zien dat het verleden voorbij is en je er niets mee opschiet om het levend te houden.'

Jenny probeerde haar groeiende opwinding te verdoezelen door haar ellebogen op tafel te zetten en haar kin op haar handen te leggen. Eindelijk zouden de geheimen uit de dagboeken onthuld worden – geheimen waar misschien zelfs Matilda niets van afwist.

'Het is allemaal ergens halverwege de negentiende eeuw begonnen toen de twee families naar dit deel van New South Wales kwamen. Ze waren pioniers – de Squires uit Engeland, de O'Connors uit Ierland. Maar het waren de O'Connors die hier het eerst kwamen en het land in beslag namen dat we nu kennen als Churinga. Het was goed land, het beste van de streek, met een hoop ondergrondse bronnen en bergriviertjes.'

Helen zweeg een ogenblik, haar ogen omfloerst terwijl ze over het land keek.

'Ondanks de vijandschap tussen de Engelsen en Ieren in die tijd, is het hier wat gemakkelijker om dat soort dingen te vergeten, en de families konden goed met elkaar overweg. De O'Connors hadden een dochter, Mary. Ze zou hun enige kind blijven. Het leven was toen nog veel harder en het sterftecijfer onder kinderen was hoog. Jeremiah Squires had drie zoons: Ethan, Jacob en Elijah.'

Helen glimlachte. 'In die tijd was de familie Squires heel religieus, en hoewel de namen nu wat vreemd lijken, waren ze toen heel gewoon.'

Diane pakte haar sigaretten en bood Helen er één aan die hem in een ivoren pijpje stopte voor ze hem aanstak. Jenny was in gedachten in het verleden en probeerde zich de mensen voor te stellen die hier al die jaren geleden leefden en werkten.

'Ethan was zeventien toen hij de vijftienjarige Mary het hof begon te maken. Uit alles blijkt dat ze een vurige schoonheid was geworden, die haar tijd ver vooruit was.'

Helen glimlachte. 'Blijkbaar was ze niet een van de gemakkelijksten, maar dat zou ook goed zijn geweest als ze met Ethan was getrouwd.'

'Maar ze is niet met Ethan getrouwd,' zei Jenny zachtjes. 'Wat gebeurde er?'

'Iets wat niemand verwachtte, en vanaf dat moment is dit deel van het verhaal binnen de familie altijd geheimgehouden.' Helen zag hoe de rook van haar sigaret omhoogkringelde en in de warme lucht oploste. 'Zo geheim dat ik waarschijnlijk de enige ben die het kent.'

De stilte was tastbaar en lag loodzwaar tussen hen in.

'Hoe heb...' begon Jenny.

'Daar kom ik zo op. Maar je moet begrijpen dat ik dit in volkomen vertrouwen vertel.'

Ze keek ieder van hen ernstig aan en vervolgde: 'Een paar jaar geleden kreeg Ethan een beroerte en we dachten allemaal dat hij zou overlijden. Tijdens een van zijn depressieve buien nam hij me in vertrouwen.' Ze zuchtte en keek over het land. 'Hij liet me zweren dat ik het geheim zou bewaren, omdat hij toch dacht dat hij niet lang meer te leven had, maar natuurlijk is hij opgeknapt en nu haat hij me omdat ik te veel weet en hij niet zonder me kan.'

Ze glimlachte verdrietig. 'In ieder geval betekent het dat ik nu voor de verandering een zekere macht over hém heb. Hij is een bijna perfecte patiënt – en aangezien hij aan iedereen een hekel heeft, voel ik me niet beledigd door zijn grofheid.'

'Ik snap niet hoe je hem kunt verdragen,' mompelde Diane. 'Als ik het voor het zeggen had, zou ik waarschijnlijk allang het een of ander in zijn thee hebben gedaan.'

Helen grinnikte. 'Nou, ik moet zeggen dat ik het wel eens overwogen heb.

Maar hij is de vader van James, en mijn gevoelens zijn niet zo sterk dat ik hem om zeep zou helpen.'

De glazen werden nog een keer gevuld en de drie vrouwen leunden weer achterover in hun bamboestoelen. De hitte was drukkend, de hemel als lood. Het was alsof het binnenland, net als Jenny, zijn adem inhield.

'Ethan en Mary waren bijna twee jaar verloofd toen hij besloot dat hij niet tot de huwelijksnacht kon wachten. Hij was overtuigend en omdat Mary van hem hield, vergat ze de conventies en gaf hem zijn zin. Twee maanden later reed ze naar Kurrajong om haar vader te zoeken. Hij was erheen gegaan om te helpen met het scheren en omdat er thuis iets was gebeurd, had haar moeder hem nodig. Maar toen Mary langs het raam van de salon liep, hoorde ze iets dat niet voor haar oren bestemd was, en zo begonnen de problemen.'

Helen zuchtte en draaide aan de glinsterende ringen om haar vingers. 'Jeremiah Squires en Patrick O'Connor hadden een geweldige ruzie. Jeremiah dreigde de bruiloft af te blazen als Patrick niet zo'n duizend hectare prima weideland van Churinga als bruidsschat meegaf. Patrick beschuldigde hem onder andere van chantage. Er waren beloftes gedaan aan zijn dochter, de bruiloft zou over een week plaatsvinden, en er was geen sprake van een bruidsschat geweest toen twee jaar geleden de verloving werd aangekondigd. Hij stond voor een verschrikkelijk dilemma. Zijn dochter zou in ongenade vallen als ze voor het altaar in de steek gelaten werd, maar het verlies van zoveel eerste klas grond zou een zware aderlating voor Churinga zijn. Hij weigerde op Jeremiahs eisen in te gaan.'

Helens ogen fonkelden terwijl ze naar Jenny en Diane keek. 'Op dat moment sneerde Jeremiah naar Patrick dat zijn zoon nooit met Mary had willen trouwen en nooit van haar gehouden had. Hij deed alleen wat Jeremiah hem bevolen had, en als het land geen deel van hun huwelijksovereenkomst werd, dan zou Jeremiah hem uithuwelijken aan een weduwe, Abigail Harmer, wier vader de grote boerderij ten noorden van Kurrajong bezat en wél bereid was een flink stuk land als bruidsschat over te dragen zodat hij voor de tweede keer van zijn dochter af was.

Patrick smeekte Jeremiah om redelijk te zijn, maar de oude man was niet van zijn ideeën af te brengen. Mary was over haar toeren en ging Ethan zoeken. Ze confronteerde hem met wat ze opgevangen had, en na een lang, verhit gesprek, gooide ze zijn ring naar zijn hoofd en ging met haar vader naar Churinga terug. Binnen enkele weken was ze met Mervyn Thomas getrouwd die op Churinga werkte als veedrijver, en ze trokken de streek uit.'

Jenny huiverde. 'En ze was er niet beter mee af,' mompelde Jenny.

Helen keek haar vragend aan. 'Dat leg ik strak wel uit,' zei Jenny. 'Ga alsjeblieft door met het verhaal.'

'Ethan was over zijn toeren. Hij merkte dat, hoewel het begonnen was als een manier om Churinga land af te troggelen, zijn hofmakerij van Mary toch in iets was veranderd dat op liefde leek, en de gedachte dat ze met iemand anders was getrouwd was meer dan hij kon verdragen.'

'Typisch een man,' snoof Diane. 'Ze weten nooit wat ze willen tot iemand anders het pakt.'

Helen knikte. 'Precies, maar dat was niet de enige reden. Maanden later kwamen Mary en Mervyn naar Churinga terug. Patrick was overleden aan koorts en ze moesten Mary's moeder helpen om de boerderij te runnen. Maar ze kwamen niet alleen. Mary had het leven geschonken aan een meisje dat ze Matilda noemde. Hoewel het kind gewoon van Mervyn had kunnen zijn, was Ethan ervan overtuigd dat ze zijn dochter was. Hij besloot ze beiden terug te nemen, samen met het land dat Mary van haar moeder had geërfd.'

'Dus Matilda was Ethans dochter?' zei Jenny ademloos.

Helen knikte. 'Mary ontkende het in alle toonaarden en weigerde er over te praten tot ze jaren later ontdekte dat ze stervende was. Ethan was woedend. Hij was niet het soort man dat zich gemakkelijk bij een nederlaag neerlegde. En nog steeds niet, chagrijnige ouwe vent,' voegde ze er grimmig aan toe.

Jenny trok nog een fles wijn open. 'Wat deed Ethan toen? Was dit het begin van zijn campagne om Churinga in handen te krijgen?'

'In zekere zin. Zie je, hij voelde zich niet alleen beroofd van het land, maar ook van de vrouw van wie hij hield en het kind dat hij had verwekt. Hij trouwde uiteindelijk met Abigail, gaf haar zoon, Andrew, zijn naam, en Kurrajong kreeg er vijfenzeventighonderd hectaren bij, waardoor het de grootste schapenhouderij in dit deel van New South Wales werd.'

Helen nam een slokje wijn en staarde over de weide bij het huis. 'Zijn twee broers waren maar al te bereid om hun deel van de boerderij aan hem af te staan toen de oude Jeremiah dood was, en met het geld dat Ethan hun betaalde, zetten ze een woltransportbedrijf in Melbourne op.'

Ze klonk bitter toen ze Jenny aankeek. 'Toen de Eerste Wereldoorlog begon, gebruikte hij zijn invloed als officier om Mervyn op het slagveld geplaatst te krijgen. Hij was van plan zijn vijand te laten doden. En dan, zonder man om voor haar en het land te zorgen, zou Mary hem Churinga verkopen.'

'Maar zijn plan mislukte. Mervyn kwam terug.'

Helen knikte. 'Dat niet alleen, Mary had de zaak draaiende gehouden en beter dan Mervyn ooit had gedaan. Hun paden kruisten elkaar door de jaren heen regelmatig, en er heerste een soort ongemakkelijke wapenstilstand tussen hen, misschien zelfs vriendschap. De echte genadeklap kwam toen Ethan de akten liet onderzoeken door een privé-detective en ontdekte dat Mary volledig eigenares van het land was dat beheerd werd voor Matilda tot ze vijfentwintig was. Niemand anders kon aan het land komen. Hij niet. Mervyn niet. Kort nadat Mary was overleden, verscheen Mervyn op Kurrajong en vroeg Ethan om hem uit te kopen. Het was een kleine overwinning voor de man die alles had genomen dat hij ooit had gekoesterd, maar de ironie van de situatie ontging Ethan niet.'

'Mervyn kennende, zal hij wel woest zijn geweest,' mompelde Jenny.

Helen wierp haar een nieuwsgierige blik toe. 'Hoe komt het dat jij zoveel van Mervyn Thomas weet?'

'Ik weet alleen dat hij een rotzak en een dronkaard was,' antwoordde Jenny. Ze had geen zin om meer te zeggen. Sommige vuile was kon je maar beter binnen houden.

Helen knikte. 'Dat heb ik ook gehoord. Ethan ook. Maar Mary liet zich niet overhalen om bij hem weg te gaan, zelfs niet toen hij haar en het kind begon te mishandelen. Echtscheidingen kwamen zelden voor, en na het schandaal van haar verbroken verloving, wilde ze gewoon anoniem blijven.'

Helen zuchtte. 'Ethan wist wat er aan de hand was, maar kon er niets aan doen. Toen Mary stierf, was zijn hart gebroken. Ik geloof eerlijk dat hij oprecht van haar gehouden heeft. Maar na haar dood werd de behoefte om datgene terug te nemen waarvan hij vond dat hij er recht op had, een obsessie voor hem. Hij begon Churinga en alles waar het voor stond te haten. Nadat Mervyn om het leven kwam bij een plotselinge overstroming, probeerde hij vrede te sluiten met Matilda. Maar ze leek te veel op haar moeder en wilde niets met hem te maken hebben.'

'Dus hij heeft haar nooit verteld dat hij haar vader was?'

Helen schudde haar hoofd. 'Hij was óf te trots óf te koppig om het haar te vertellen. Als hij het gedaan had, zou het misschien allemaal anders zijn gegaan.'

Er hing een diepe stilte terwijl ieder in zijn gedachten verzonken was.

'Triest, hè, wanneer mannen te trots zijn om hun gevoelens te tonen en ze verbergen in haat en wraakzucht?' Diane klonk peinzend.

'Nog triester als je bedenkt dat het Jeremiah was die er uit hebzucht mee begonnen is. Wat zou hun leven anders geweest zijn als een van hen de waarheid onder ogen had gezien en hem uitgesproken had.'

Jenny dacht aan het vreselijke leven dat Matilda had geleid, en kon wel huilen. Het leven was oneerlijk – zeker wanneer er een smet over geworpen werd door een kwaadaardige, hebzuchtige man als Jeremiah Squires.

'Toen begonnen dingen uit de hand te lopen. Ethan begon haar schapen te stelen en beken te blokkeren. Hij gebruikte Andrew als lokaas, en probeerde hem uit te huwelijken in ruil voor het eigendomsrecht van Churinga, terwijl Billy, de jongste van de broers, het vuile werk voor hem opknapte in de weiden van Churinga.'

Ze wierp de jongere vrouwen een zachte, trieste glimlach toe. 'Het begon mis voor hem te gaan toen Charlie liet merken dat hij belangstelling voor Matilda had. De oude man ging door het lint, en zonder de jongen te vertellen waarom, dreigde hij hem te onterven als hij nog één keer naar haar keek.'

'Dat zou het verklaren,' mompelde Jenny. 'Ik vroeg me al af waarom, aangezien Ethan Churinga zo graag wilde hebben.'

Helen fronste haar voorhoofd. 'Jij weet wel erg veel voor iemand die hier net is komen wonen.'

Jenny wendde haar gezicht af. 'Mensen kletsen nu eenmaal. Dat weet je, Helen.'

De oudere vrouw zweeg een tijdje voor ze verderging.

'Matilda versloeg hem op alle fronten, en ik denk dat hij uiteindelijk een soort wrevelig respect voor haar kreeg. Het werd een strijd waar ze volgens mij allebei bijna van gingen genieten. Maar toen Abigail verongelukte en Billy in de Tweede Wereldoorlog sneuvelde, werd zijn bitterheid erger. Hij vond het gemakkelijker om Mary, Matilda en Churinga overal maar de schuld van te geven.'

Helen stak nog een sigaret op en staarde door de rook heen. 'Ik ga niet net doen alsof ik weet hoe zijn gedachtegang werkte. Misschien dacht hij dat als hij en Mary getrouwd waren, hij geen liefdeloos huwelijk zou hebben gehad, en een zoon zou hebben verloren. Hij zou het land hebben gekregen dat zijn vader hem had beloofd en een dochter die hij nooit in zijn armen had gehouden. Hij werd steeds bitterder en ging zich weer op Churinga richten om wraak te nemen.'

'En toen viel ik er middenin,' zei Jenny. 'Maar ik had helemaal niets te maken met die oude vete. De mensen die hier ooit gewoond hebben zijn dood.'

Helen keek haar een ogenblik strak aan terwijl de vingers die haar sigaret vasthielden niet helemaal stil waren. Toen pakte ze haar glas en nam een slok. 'Zoals je zegt,' mompelde ze, 'er is niemand meer over.'

Jenny vroeg zich af wat Helen achterhield, maar besloot niet door te vragen. Ze was hier uit vrije wil gekomen, en had haar meer verteld dan ze had durven hopen; het moest maar genoeg zijn.

'Ik heb bijna medelijden met Ethan. Arme oude man. Hij moet wel heel veel van Mary hebben gehouden. Wat zonde van zo'n leven – en dat allemaal omdat Jeremiah zo hebzuchtig was.'

Helen legde haar slanke vingers op Jenny's hand die op tafel lag. 'Ik zou mijn tijd niet verdoen met medelijden met die oude man als ik jou was, Jennifer. Als hij genoeg van Mary had gehouden, zou hij tegen zijn vader in gegaan zijn en toch met haar zijn getrouwd. Hij is een bekrompen, wraakzuchtige man. Als hij Churinga ooit te pakken had gekregen, had hij het waarschijnlijk met de grond gelijkgemaakt.'

'Bedankt dat je me dit bent komen vertellen. Het heeft de dingen wel in het juiste perspectief gezet, en ik weet nu dat als ik wil verkopen, het land niet aan Ethan verkocht moet worden.'

'Je moet oude mannen maar zo weinig mogelijk tegenspreken, maar de rest van de familie wil niets van de vete weten, Andrew is er ziek van om naar zijn vaders pijpen te dansen en alleen dankzij het feit dat hij driehonderdduizend dollar zou krijgen, is hij hierheen gekomen om een bod op Churinga uit te brengen. Wat Charlie betreft...'

Ze haalde haar schouders op en er speelde een zachte glimlach om haar lippen. 'Hij zal wel nooit veranderen. Hij houdt van Kurrajong en vrouwen, niet noodzakelijk in die volgorde, en zal zich, ondanks twee huwelijken, nooit binden. Geniet van zijn geflirt, maar neem het niet serieus.'

Jenny lachte. 'Dat ben ik ook nooit van plan geweest! Charlie is zo doorzichtig als glas.'

Helen maakte vouwtjes in het servet op haar schoot. 'Zodra het tijd voor ons is om ons terug te trekken, zal Kurrajong beheerd worden door mijn dochter en haar man. Als je besluit te blijven, kan ik je garanderen dat er niets meer over gezegd zal worden. Mijn man is nogal gecharmeerd van je, weet je. Hij is blij om een jong iemand op Churinga te zien. Wat er al die jaren geleden is gebeurd, was jammer, maar het verleden is dood en dat geldt voor de meeste mensen die erbij betrokken waren. Het is aan ons om het beste te maken van wat we hebben.'

Jenny glimlachte. 'Iemand zei dat nog maar een paar weken geleden tegen me.' Bij de herinnering aan dat gesprek met Brett, verdween haar glimlach en ze stond op. 'Wil je nog een echte borrel voor je gaat? Ik moet nog ergens een fles gin hebben.'

Helen volgde haar de keuken in. 'Die persoon is toevallig toch niet de fraaie meneer Wilson, hè?'

Jenny's handen hielden even stil toen ze de glazen inschonk. 'Waarom zeg je dat?'

Helen glimlachte. 'Nou, gezien de manier waarop jullie met elkaar dansten. Jullie zijn duidelijk erg verliefd.'

Het weerwoord kwam niet. Jenny bleef in de weer met de drankjes.

'Het spijt me, Jennifer. Ik hoop dat ik niet te ver gegaan ben. Maar weet je, hier in het binnenland hebben we zo weinig om onze geest mee bezig te houden, dat we opmerkzaam worden. De roddel over de telefoon en de zender/ontvanger is wel leuk, maar de kans om achter de echt pikante details te komen is op een feest waar iedereen aanwezig is. Je zult ervan staan te kijken hoeveel je over mensen kunt ontdekken door ze te observeren.'

'Nou, dit keer heb je het mis, Helen.' Jenny lachte, maar het klonk hoog en vals.

'Er lopen genoeg mannen rond,' mompelde ze. Toen lichtte haar gezicht op. 'Laten we op de toekomst drinken – wat die ook moge zijn.'

De drie vrouwen kletsten en dronken terwijl het schemerig werd en de bedrijvigheid van Churinga om hen heen verderging. Helen stond op. 'Het wordt eens tijd dat ik opstap.'

Jenny en Diane bogen door het raam van de auto en zagen hoe ze haar mooie sandalen uitschopte.

'Ik kan die pedalen niet voelen met die dingen,' legde ze uit en hikte.

'Kun je wel rijden? Je hebt hem behoorlijk om, zo te zien.' Diane keek naar Jenny. 'Misschien kan ze beter blijven slapen.'

'Maak je geen zorgen, meisjes,' lachte Helen. 'Wat kan ik hier nou raken?' Ze klopte op Jenny's hand. 'Fijn met je gepraat te hebben, Jen. Ik voel me een stuk beter nu het allemaal uitgepraat is.' Ze glimlachte. 'Bel me snel, en als je besluit naar Sydney terug te gaan, kom me daar dan eens opzoeken. Dit is mijn adres in Paramatta.'

Jenny en Diane keken haar na terwijl de auto in een stofwolk verdween. Toen hij niet meer dan een schim aan de horizon was, gingen ze naar binnen. Het werd nu snel donker, de donder rommelde in de verte en vliegen zwermden in zwarte wolken om de paarden in de wei bij het huis.

'Wat een verhaal, zeg,' zei Diane zachtjes.

Jenny knikte. 'Het verklaart heel veel. Mervyn moet vermoed hebben dat Matilda niet zijn kind was – daarom heeft hij gedaan wat hij heeft gedaan. Uit wraak.'

Diane geeuwde. 'Ik weet niet hoe het met jou zit, Jen, maar ik heb hoofd-pijn. Ik ga naar bed.'

Jenny was het met haar eens. Ze ging het onweer en de gin voelen. De laat-ste van de dagboeken moest tot morgen wachten.

Brett was niet verbaasd Helen op Churinga te zien verschijnen. Tenslotte, zo redeneerde hij, als er een bruiloft in het verschiet lag, dan zou zij degene zijn die alles organiseerde. Maar hij was verbaasd dat ze alleen gekomen was. Ethan mocht dan een oude man zijn en in een rolstoel zitten, maar dit huwe-lijk was het resultaat van jarenlang plannen maken en het verwonderde Brett dat hij er niet voor had gezorgd dat hij bij de genadeslag was. Wat moest hij zich in zijn handen wrijven bij het idee dat hij eindelijk Churinga in zijn fami-lie zou krijgen.

De dag had zich voortgesleept, en het werk op de boerderij had het nood-zakelijk gemaakt dat Brett in de buurt bleef. Hij zag vanuit zijn ooghoeken hoe de vrouwen op de veranda zaten te eten, en hoewel hij hen kon horen lachen en praten, kwam hij niet dichtbij genoeg om te kunnen horen waar ze zo'n ernstig gesprek over voerden. Maar hij vermoedde dat er een complot werd gesmeed, een bruiloft werd gepland. Zodra Helen weg was, zou hij naar Jenny gaan en zijn ontslag indienen. Het had geen zin om te blijven zodra Squires de boerderij in handen had.

Hij vond het bijna ondraaglijk om bij de boerderij te blijven en was er ein-delijk in geslaagd om naar de weiden te ontsnappen, maar hij was met zijn hoofd niet bij de dingen die hij moest doen. Jennifer was zo heel anders dan de meisjes die hij had ontmoet en Brett moest somber toegeven dat ze na drie maanden nog steeds een mysterie voor hem was. Ze hadden in eerste instan-tie een woordenstrijd gevoerd, maar hij had een geleidelijke verandering in hem zelf en in haar gevoeld. De avond van het bal was zijn kans geweest om zijn gevoelens bekend te maken.

Maar hij had het verbruid omdat hij de moed niet had om het tegen haar te zeggen. Hij was bang geweest dat hij afgewezen zou worden. Bang dat geintjes van zijn maten over 'de baas opvrijen' haar ter ore waren gekomen, en zij er net zo over dacht.

Hij glimlachte bitter terwijl hij op zijn paard naar huis reed. De afwijzing was tóch gekomen – was veel pijnlijker geworden vanwege de afstand die ze tussen hen had gecreëerd. Lorraine hielp ook niet bepaald, en haar gedrag van de afgelopen tijd zat hem helemaal niet lekker. Ze had zichzelf naar beneden gehaald door op de avond van het bal met een van de cowboys met wie hij de bungalow deelde naar bed te gaan. Het was onmogelijk geweest om daar te blijven met al dat lawaai dat uit de kamer van die andere man kwam en Brett werd er de volgende dag maar al te zeer op attent gemaakt dat ze het had gedaan uit rancune.

Hij dacht aan hoe hij zijn matje had gepakt en bij de paarden was gaan slapen. Aan hoe ze bij het eerste licht de stal in kwam gekropen en hem vertelde hoe fijn ze het had gehad. En aan hoe ze had gevloekt en hem verwijten had gemaakt voor ze wegwankelde.

Hij zuchtte diep. Het was tijd om verder te gaan. Jenny zou binnenkort getrouwd zijn en Squires zou zijn eigen mannen op Churinga zetten. De kleine schapenhouderij in Queensland begon een aantrekkelijk alternatief te lijken.

Hij keek op naar de dreigende hemel en zag de zware wolken wervelen. Er was een erg zware bui op komst; hij moest ervoor zorgen dat de kudde veilig was en dat de dieren in de boxen niet los konden breken. Eén bliksemschicht en de schapen zaten overal.

Het was donker toen hij eindelijk terugkeerde naar de boerderij. De Holden was weg, en de lichten waren uit. De gedachte aan het indienen van zijn ontslag deprimeerde hem.

'Jezus, Brett,' zei hij bij zichzelf. 'Je begint een vervelende ouwe zeur te worden. Doe nou in godsnaam eens normaal,' mompelde hij nijdig terwijl hij het paard droogwreef en naar zijn bungalow liep.

Hij sloeg de deur achter zich dicht, liet zich op het bed vallen en staarde naar het plafond. Als de bui vannacht losbarstte, zou niemand veel slaap krijgen, maar hij betwijfelde of hij überhaupt zou slapen. Het enige dat hij kon zien was Jenny's gezicht, en hoe hij ook lag te woelen, het beeld wilde maar niet verdwijnen.

19

Jenny werd eindelijk wakker van het zware, dreigende gerommel van de donder. Haar slaap was toch al onrustig door dromen en beelden uit het verleden. Ze trokken in een optocht aan haar voorbij, gezichten wazig en stemmen onduidelijk.

Ze bleef een tijdje liggen in de hoop dat de beelden zouden vervagen. Maar zelfs toen ze de laatste restjes slaap van zich had afgeschud, kon ze hun aanwezigheid nog voelen. Het was net alsof ze erdoor omringd werd. Verscholen in de schaduwen. Zwevend in de buurt van haar bed. Verweven met het oude gebouw.

Jenny stond op en liep naar de keuken. Haar nachthemd was nat van het zweet. Het was heel warm, ook al was het een winternacht en de donder rolde genadeloos over het land alsof hij een plekje zocht om uit te rusten.

De bliksem barstte in gele aderen los tegen de zwarte hemel. Ze rilde. Ze had een hekel aan onweer sinds haar eerste pleegvader haar in een schuur opsloot en haar daar de hele nacht liet zitten. Ze was doodsbang toen het onweer boven hun hoofd losbarstte en de aarde deed schudden, en had geschreeuwd dat ze eruit wilde. Pas toen er brand dreigde, ging zijn vrouw haar uit de schuur halen, en sindsdien kwam bij onweer die doodsangst weer naar boven.

Ze pakte de kan met het restje limonade en dronk het op. Toch kon het haar dorst niet lessen, of haar laten afkoelen, want het was net alsof de hitte diep binnen in haar zat en niets erbij kon. Vol rusteloze energie dwaalde ze door het huis.

Ze voelde Matilda naast zich lopen, maar haar aanwezigheid was niet kalmerend of verontrustend. Daar waren de herinneringen aan het verleden te levendig voor – het spookachtige refrein te bekend.

De bui leek dichterbij te komen, de hitte drukte als een zware deken en na een douche onder een straaltje lauw, modderig water, ging Jenny terug naar de slaapkamer en ging uitgeput op de lakens liggen. De ramen stonden open, alleen de horren hielden de insecten buiten, en de nachtelijke geluiden van het binnenland met op de achtergrond het gerommel van het onweer zweefden naar binnen.

Ze dacht aan wat Helen haar had verteld, en pakte eindelijk de laatste van de dagboeken. De stukjes van de puzzel van Matilda's leven lagen bijna op hun plaats en, hoewel ze er haar twijfels over had of ze zich kon concentreren met de roerige elementen boven zich, was Jenny er klaar voor om het verhaal uit te lezen.

Churinga begon eindelijk winst te maken. Na het met Finn besproken te hebben, besloot Matilda hulp te zoeken bij het beleggen van die winst. Het leven hier was onzeker, het was hollen of stilstaan, en na de slepende oorlogsjaren was ze vastbesloten om het nooit meer zo arm te hebben.

Na een reeks brieven naar en van de zakelijk adviseur van de Bank of Australia in Broken Hill, besloot Matilda de lange reis te maken en haar zaken in een persoonlijk gesprek met hem te bespreken. Ze was gewend om met mannen te maken te hebben die de problemen van het leven in het binnenland begrepen en had geen idee hoe stadsmensen zaken deden.

Ze voelde zich ongemakkelijk bij het idee dat ze zoiets belangrijks als de toekomst van Churinga met een vreemde moest bespreken.

Dit was de eerste keer dat ze de vertrouwde omgeving van Wallaby Flats en Churinga verliet. Hoewel Finn aangeboden had mee te gaan, had Matilda zijn aanbod afgewimpeld. Ze had het tot dusver steeds in haar eentje gered, verdomd als ze zich door zoiets kleins uit het veld liet slaan.

Het kostte haar enkele dagen van voorzichtig rijden over de nieuwe snelweg naar Broken Hill. 's Nachts wikkelde ze zich in een deken in de laadbak en repeteerde wat ze tegen de adviseur, Geoffrey Banks, zou zeggen.

Zijn kantoor lag op de tweede verdieping van een elegant Victoriaans gebouw waarvan Matilda vermoedde dat het eens een woonhuis was geweest. Het huis, met aan de voorkant witte pilaren, was omringd door goed onderhouden tuinen waar goedgeklede vrouwen op bankjes onder de bloeiende eucalyptusbomen zaten.

Zich een beetje opgelaten voelend op haar nieuwe schoenen en in haar nieuwe zomerjurk, duwde ze haar hoed met een gedecideerd gebaar op haar weerbarstige haar en liep de trap op.

Geoffrey Banks was jong, met een stevige handdruk en een prettige glimlach. Matilda keek goed of ze tekenen van onoprechtheid kon bespeuren toen hij zei dat hij haar problemen op Churinga begreep, maar toen hij vertelde dat zijn broer de eigenaar van Nulla Nulla was, verdween haar ongerustheid.

Het duurde even voor er een aandelenportefeuille was samengesteld, maar eindelijk was hij klaar en Geoffrey schonk haar een glaasje sherry in. Hij keek haar een ogenblik over zijn glas aan en zei nadenkend: 'Heeft u erover gedacht een testament te laten opstellen, mejuffrouw Thomas?'

Matilda schrok. Dat was iets waar ze nooit over nagedacht had. 'Dat heeft niet veel zin,' zei ze. 'Ik heb niemand om de boerderij aan na te laten.'

Hij leunde met zijn ellebogen op tafel. Hij had een twinkeling in zijn ogen die als flirt geïnterpreteerd had kunnen worden als Matilda niet beter had geweten. 'U bent nog steeds een jonge en, als ik het mag zeggen, aantrekkelijke vrouw, mejuffrouw Thomas. Wie weet wat de toekomst ons brengt? Ik stel voor dat u, tenzij u wilt dat de overheid uw boerderij na uw overlijden overneemt, de hele nalatenschap in een trust onderbrengt voor erfgenamen – net zoals uw moeder en grootmoeder vóór u hebben gedaan.'

Matilda keek hem streng aan. Wie dacht hij wel dat hij was, jolig doen tegen een vrouw die oud genoeg was om zijn moeder te zijn! 'Er zijn geen erfgenamen,' zei ze beslist. 'En ik zie mijn leven niet veranderen.'

'Ik begrijp het, mejuffrouw Thomas,' zei hij voorzichtig. 'Maar ik raad u toch aan om het te overwegen. Het leven heeft soms de neiging anders te verlopen dan we verwacht hadden, en wie weet? Misschien wilt u toch nog wel trouwen, zelfs nog kinderen krijgen. Als u overlijdt zonder testament, moeten die man en kinderen naar de rechter om te bevechten waar ze eigenlijk recht op hebben. Dat zou u toch niet willen?'

Matilda dacht aan Ethan en Andrew, en hoe de familie Squires altijd al Churinga in handen had willen hebben. Als het waar was wat hij zei, dan zouden ze, zodra zij dood was, meteen toeschieten. Ze keek Geoffrey Banks weer aan. Hij was een brutale aap, maar ook al zou ze hoogstwaarschijnlijk ongetrouwd blijven, Matilda begreep wel waar hij heen wilde.

'Het maakt waarschijnlijk toch niet veel uit, maar het zal ook wel geen kwaad kunnen,' zei ze. 'Wat moet ik doen?'

Geoffrey Banks glimlachte. 'Eerst moeten we bepalen aan wie u Churinga wilt nalaten. Heeft u iemand in gedachten?'

Ze staarde voor zich uit. Door haar manier van leven had ze weinig vrienden en geen familie. Zij en April schreven naar elkaar, maar op de een of andere manier voelde Matilda dat ze steeds meer van elkaar vervreemdden en naarmate de jaren verstreken, werd het steeds moeilijker om nog dingen te bedenken om over te schrijven. Hun levens waren nu heel verschillend. April woonde in de stad en werkte op een kantoor met goedgeklede, goed opgeleide mensen die zo interessant klonken na de mensen van het binnenland met hun beperkte kijk op de zaken. Aprils kinderen zouden niets tekortkomen na het overlijden van hun grootouders en Matilda betwijfelde of ze überhaupt naar het binnenland zouden terug willen.

Als zij Churinga uit handen van de Squires wilde houden, moest ze iemand zoeken die ze kon vertrouwen.

Ze dacht even na en kwam toen tot een besluit dat haar zelf verbaasde. Ze was eerst erg op haar hoede geweest voor Finn McCauley, maar naarmate de maanden verstreken, ging ze hem aardig vinden en zijn vriendschap waarderen. Ondanks zijn jeugdigheid en zijn knappe voorkomen was hij een stille, bijna verlegen man, die van het land hield en afstandelijk was tegen vreemden. Toch leek hij zich bij haar op zijn gemak te voelen en maakte de drie uur durende rit van Wilga naar Churinga ten minste één keer per week, en Matilda had de gewoonte aangenomen iedere zaterdagavond een dineetje voor hen beiden klaar te maken. Na het eten luisterden ze naar de radio of praatten over het werk van de afgelopen week en vertrok hij weer net zo stilletjes als hij gekomen was.

Ze glimlachte bij zichzelf toen ze dacht aan hun hechter wordende vriendschap en het vertrouwen dat ze daardoor in elkaar kregen. Het zat er wel in dat hij uiteindelijk een vrouw zou vinden, maar het was een prettig idee om Churinga aan iemand na te kunnen laten die ervoor zou zorgen.

Maar hij moet nooit weten wat ik gedaan heb, dacht ze bij zichzelf. Ik wil geen smet op onze vriendschap werpen.

'Ik wil dat Churinga naar Finbar McCauley van Wilga gaat,' zei ze. 'En in een trust voor zijn erfgenamen beheerd wordt.'

Geoffrey betwistte haar besluit niet en al snel gaven ze elkaar een hand. 'De papieren worden voor u uitgetikt en zullen over een paar uur klaar zijn zodat u ze kunt ondertekenen, mejuffrouw Thomas. Fijn u eindelijk eens ontmoet te hebben.'

Matilda glimlachte naar hem en liep het kantoor uit. Ze was in haar nopjes over de manier waarop de zaken afgehandeld waren en was ook blij dat ze nog twee uur had waarin ze iets van Broken Hill kon zien.

Ze liep door de winkelstraat en keek diep onder de indruk in de etalages. Alles was hier zo chique in vergelijking met de winkels in Wallaby Flats. Haar katoenen jurk zag er saai uit naast de japonnen die de gipsen modepoppen droegen, en hoewel ze wist dat ze er waarschijnlijk spijt van zou krijgen, kon ze de verleiding niet weerstaan om drie nieuwe jurken, een broek, een jasje en een paar kant-en-klare gordijnen voor in de slaapkamer te kopen.

Maar het was het ondergoed waar ze stomverbaasd over was. Ze had zich nooit kunnen indenken dat vrouwen zulke fijne spullen tegen hun huid droegen. De stof was zacht en glad en smolt als boter tussen haar vingers. En de kleuren... Zoveel om uit te kiezen na het gewone witte katoen uit de catalogus dat ze meestal kocht.

Matilda voelde zich vrolijk worden toen ze voor het eerst in jaren lol begon te krijgen.

Afgeladen met pakjes liep ze terug naar de pick-up. Toen ze langs de brede, uitnodigende etalage van een galerie liep, bleef ze staan, geboeid door de kleurige affiches die een tentoonstelling aankondigden.

De enige schilderijen die ze sinds haar kindertijd had gezien, stonden in boeken en tijdschriften die ze leende van de bibliotheekbus. Dit was een kans die ze misschien nooit weer zou krijgen.

Ze betaalde entree en stapte een wereld van aardekleuren en aboriginal-folklore binnen. Toen ze zoveel schilderijen zag, snakte ze naar adem. De rijkdom van hun kleuren en de helderheid waarmee de kunstenaars de wereld weergaven die zij kende, beroerde iets diep in haar en ze herkende het als een verlangen om zoveel schoonheid zelf te kunnen maken.

Er was een tijd geweest, heel lang geleden, dat ze urenlang keek hoe haar moeder schilderde. Aquarellen van het landschap van Churinga, en de vogels en dieren die er woonden, verschenen als door toverkunst op Mary's papier en Matilda was erdoor geboeid. Ze had het talent van haar moeder geërfd, maar sinds haar overlijden was er geen tijd meer voor kinderspel geweest – en haar drang naar schoonheid werd bevredigd door het beeld van haar schapen, die dik en gezond door de weiden liepen.

Maar toen ze voor een bijzonder fraai olieverfschilderij van een afgelegen veeboerderij stond, voelde ze dat verlangen terugkeren. Het leven was voor haar veranderd sinds de oorlog. Met geld op de bank en mannen om het zware werk te doen, was er tijd voor dingen die ze verwaarloosd had. Met groeiende opwinding liep ze door de galerie tot ze bij een toonbank kwam.

Er lag zo'n verwarrend assortiment aan schildersmaterialen, dat het lang duurde voor ze een keuze kon maken, maar uiteindelijk koos ze een doos met waterverf, wat fijne penselen, papier en een lichte ezel. Ze voelde zich schuldig toen ze het geld overhandigde en wachtte terwijl de spullen ingepakt werden. Zo werd het wel een erg dure en gezellige reis.

Het kostte een paar minuten om de papieren te tekenen en ze in een kluisje bij de bank onder te brengen. Toen ze eindelijk weer op straat stond, besefte ze dat ze genoeg van Broken Hill had. Het hotel was duur, de mensen waren vreemden, en ze miste Churinga. Ze stapte in haar pick-up, legde haar inkopen naast zich en reed naar huis.

Op Churinga ging Matilda de dingen doen die ze altijd had willen doen, maar waar ze nooit de tijd voor had gehad. Er waren boeken te lezen, en kleren te naaien op de trapnaaimachine die ze in een van de schuren had opgeduikeld. Een druppeltje smeerolie en nieuwe naalden en hij liep als een tierelier.

Dan was er ook nog het plezier van het schilderen. Het plezier van fijn, nieuw papier onder een penseel. De zachte streken vol kleur die haar haar dagelijkse problemen deden vergeten en haar volledig in beslag namen.

Matilda bekeek haar jongste poging kritisch. Het was beter dan ze had durven hopen, besefte ze, terwijl ze haar weergave van Churinga van vóór de modernisering bestudeerde. Wie had kunnen denken dat die dikke, eeltige werkmanshanden met penseel en kleur zo iets fijns en moois konden creëren? Ze grijnsde van genoegen, maar wist dat ze nog een lange weg te gaan had voor ze haar werk zelfs maar durfde te vergelijken met dat in de galerie.

Ze schrok op van het geluid van een auto en keek op haar horloge. De tijd was gevlogen terwijl ze aan het schilderen was. Nu was Finn er en ze was nog niet eens met het eten begonnen. Ze stopte haastig haar penselen in een jampotje met water en deed haar schort af. Gelukkig zat er geen verf op de nieuwe katoenen jurk, maar haar haar stond, zoals gewoonlijk, alle kanten op. Ze stak het vast met spelden en bekeek zichzelf grimmig in het stuk spiegel dat ze aan de muur had gehangen.

Wat een gezicht, dacht ze. Bruinverbrand door de zon, en met die sproeten en dat woeste haar, begin je er oud uit te zien.

Maar zonder echt te weten waarom, was ze begonnen op haar uiterlijk te letten sinds Finn regelmatig op bezoek kwam. Ze zorgde ervoor dat haar jurk schoon en gestreken was en haar schoenen gepoetst. Die oude broek van Engels katoen en de laarzen, de vilthoed en het ongekamde haar waren verdwenen. Ze hield zichzelf voor dat het kwam omdat ze de eigenaar van een rijke schapenhouderij was, en dat het haar, in die hoedanigheid, alleen maar paste er als een dame en niet als een schooier uit te zien. Maar diep in haar hart vroeg ze zich wel eens af of het misschien niet meer met Finns bezoeken te maken had dan met iets anders.

Hij klopte op de deur en ze riep naar hem dat hij binnen moest komen. Ze verheugde zich op hun avonden samen en had het nieuwe recept willen proberen dat ze in een tijdschrift had gevonden en nu was het te laat. Ze moesten zich tevreden stellen met de restjes van het braadstuk van gisteren.

'Hallo, Finn,' zei ze terwijl ze de kamer inliep. 'Je hebt me overvallen. Ik vergeet de tijd gewoon als ik aan het schilderen ben.'

'Als dat de reden is, vind ik het prima. Je hebt in dit schilderij echt de sfeer van de boerderij te pakken. Ik wist niet dat je dat zo goed kon.'

Hij wendde zijn blik van de aquarel op de ezel af en glimlachte naar haar. Voor het eerst vielen Matilda de kleine veranderingen in hem op. Zijn overhemden waren pas gewassen, zijn broek was geperst. Hij had zich geschoren en zijn nagels schoongemaakt, zijn haar geknipt. Zijn pogingen om de woeste Ierse krullen te temmen door ze kletsnat te maken waren prijzenswaardig, maar niet erg effectief. Maar dat hoorde allemaal bij zijn charme.

Ze bloosde en wendde haar blik af. 'Het eten bestaat vandaag uit restjes. Ik hoop dat je niet al te veel honger hebt?'

'Maak je maar niet druk,' zei hij op zijn kalme toon. 'Geef me een biertje, dan doe ik de aardappelen.'

Ze deden samen zwijgend het werk, en toen de maaltijd van koud vlees, aardappelen en zoetzuur klaar was, aten ze bij het licht van de olielamp op de veranda. Matilda merkte dat ze getroffen werd door zijn zachtheid toen hij zijn dag met zijn geliefde paarden beschreef. Hij was een man in harmonie met zijn leven en het land. Terwijl ze naar zijn zware, melodieuze stem luisterde, wist ze dat die momenten waardevol waren. Want hij was jong en knap en binnenkort zou hij een meisje ontmoeten en verliefd worden, en dan zou hun verhouding automatisch naar de achtergrond verschuiven.

Ze verdrong de gedachte en nam een slokje bier. Misschien was het tijd om hem te vertellen hoe er over hun onschuldige verhouding werd gekletst, zodat hij de kans had om zich terug te trekken voor het te laat was. 'De roddelaars hebben het naar hun zin, weet je,' merkte ze zachtjes op.

Zijn ogen waren zwarte juwelen in het licht van de lamp terwijl hij zijn handen door zijn haar haalde. 'Waarover?'

'Jouw bezoeken hier, Finn. Vertel me nou niet dat je het allemaal niet gehoord hebt.'

Hij schudde zijn hoofd en glimlachte. 'Ik luister nooit naar roddels, Molly. Ik heb wel iets beters te doen.' Hij zweeg even terwijl hij een slok nam. 'Trouwens, wat gaat het iemand aan of ik besluit mijn vrije tijd op Churinga door te brengen?'

Ze lachte. 'Nee, dat is zo, maar dat weerhoudt ze er niet van. De moeders van het binnenland zijn hun nagels aan het scherpen, Finn. Je hebt blijkbaar niet door dat je het onderwerp van heel wat koortsachtige speculatie bent. De inboorlingen beginnen onrustig te worden, ze hebben dochters die uitgehuwelijkt moeten worden.'

Finn lachte en ging verder met eten. 'Dan maken ze zich maar druk, Molly. Dan hebben ze tenminste iets om hun kleine geesten mee bezig te houden. Trouwens,' voegde hij eraan toe, 'ik denk dat ik oud genoeg ben om te kiezen met wie ik mijn tijd wil doorbrengen – waar of niet?'

Matilda keek hem onderzoekend aan. Het was fijn hem hier te hebben, samen te eten en naar de concerten op de radio te luisteren. Zijn gezelschap betekende heel veel voor haar na al die jaren van eenzaamheid, maar ze kon begrijpen waarom de roddels begonnen waren. Ze was veel te oud om met Finn om te gaan. Hij moest op zoek gaan naar iemand van zijn eigen leeftijd – een vrouw.

Bij die gedachte verloor ze haar eetlust en haar hart begon tekeer te gaan. Wat dom was ze geweest om zijn bezoeken aan te moedigen! Op een dag zou hij een vrouw naar Wilga halen en dan zou hun hechte vriendschap vervagen tot een beleefd praatje wanneer ze elkaar in de weiden of in de stad tegenkwamen – en met een schok van afschuw realiseerde ze zich dat ze jaloers was op zijn toekomstige vrouw, dat ze de gedachte niet kon verdragen dat hij met iemand anders was, met iemand samen at en haar dingen toevertrouwde die hij tot dan toe alleen aan haar had verteld.

Matilda bleef doodstil zitten en vergat haar eten toen de afschuwelijke waarheid tot haar doordrong. Ze was begonnen Finn door de ogen van een vrouw te zien – een vrouw die oud genoeg was om beter te weten. Want wat moest die knappe, jonge man nou ooit met zo'n uitgedroogde, ongetrouwde vrouw van middelbare leeftijd?

'Molly? Voel je je niet goed?'

Ze schrok van zijn woorden, ook al sprak hij ze zachtjes. Ze wendde haar blik af, bang dat hij haar gedachten in haar ogen kon lezen. De spieren in haar gezicht waren gespannen toen ze een glimlach forceerde. 'Een beetje last van mijn maag,' mompelde ze. 'Het gaat wel weer over.'

Hij keek haar lange tijd aan terwijl ze met haar servet en bestek speelde. 'Ik heb geen last van roddels, weet je, en jij zou je er ook niks van aan moeten trekken. Als je lang genoeg in Tasmanië woont, raak je er vanzelf wel aan gewend.'

'Ik vergeet steeds dat je hier niet vandaan komt,' zei ze op een luchtige toon die ze niet voelde. 'Op de een of andere manier denk ik altijd aan jou als iemand van deze streek. Je lijkt hier zo thuis.' Haar pas ontdekte emoties zaten haar dwars en ze sloeg haar ogen snel neer naar haar bier.

Finn schoof zijn stoel achteruit en sloeg zijn laarzen over elkaar terwijl hij een sigaartje opstak. 'Ik heb je nooit veel over mezelf verteld, hè?' zei hij. 'We hebben het op de een of andere manier altijd over het land en de boerderijen, niet waardoor we uiteindelijk hier terecht zijn gekomen.'

'Je kent het grootste deel van mijn geschiedenis,' zei ze zachtjes. 'Maar ik zou wel meer willen weten over jouw leven vóór Wilga.'

Hij pafte aan zijn sigaar terwijl hij zijn duimen in zijn broekzakken stak en over de weiden uitkeek. 'Pa en ma hadden een kleine boerderij, midden in Tasmanië, Meander heette hij. Hij lag op een enorme vlakte omringd door bergen en het wordt er heel warm en heel koud. We fokten paarden. Ik kan me geen tijd herinneren dat er geen paarden in mijn leven waren. Daarom besloot ik na de oorlog op het aanbod van de overheid in te gaan en hier mijn eigen boerderij te beginnen.'

Ze bestudeerde hem bij het licht van de lamp en zag iets verdrietigs in zijn ogen. 'Waarom ging je niet terug naar Tasmanië om daar te beginnen?'

Finn schoof ongemakkelijk heen en weer, haalde de sigaar uit zijn mond en bekeek hem aandachtig voor hij de as op een schoteltje tikte. 'Pa is een aantal jaren geleden overleden en ik heb de boerderij voortgezet tot ma ook overleed. Toen werd het oorlog en ik was al snel oud genoeg om opgeroepen te worden, dus verkocht ik alles en zette het geld op de bank voor als ik terugkwam. Op de een of andere manier was de boerderij toch niet dezelfde zonder ma.'

Matilda zuchtte. 'Ik weet wat je bedoelt. Het spijt me als ik naar dingen heb gevraagd waar je liever niet over praat.'

Hij haalde zijn schouders op. 'Ach, maak je maar geen zorgen, Molly. De ouwe was nogal een rotzak, en eerlijk gezegd was het eigenlijk wel een opluchting toen hij doodging. Maar ma... nou ja, dat was anders.'

Matilda zag de tegenstrijdige emoties in zijn gezicht en zijn ogen. Finn praatte zelden over zijn verleden, maar vanavond had hij er kennelijk behoefte aan om zijn hart te luchten over zaken die hem dwarszaten en ze wilde de lijn van zijn gedachten niet verstoren.

'Je denkt misschien dat het een akelige manier is om over mijn vader te denken, maar, zie je, hij haatte me. Ik was zijn enige zoon en wilde het hem naar de zin maken, maar vanaf het eerste moment kan ik me niet herinneren dat hij me ooit iets van genegenheid heeft getoond. Het was ma die me aangemoedigd heeft, die me heeft gemaakt tot wat ik nu ben,' eindigde hij stilletjes.

Er viel een diepe stilte terwijl hij diep in gedachten verzonk en Matilda opeens Mervyn voor zich zag. Ouders hadden heel wat op hun geweten – het mocht een wonder heten dat Finn en zij überhaupt opgegroeid waren.

'Toen pa dood was, begreep ik de reden achter zijn afstandelijkheid,' begon hij weer. 'Zie je, ik was niet zijn zoon. Het was pas jaren later, op haar sterfbed, dat ma het me vertelde. Ik was geadopteerd. Maar op de een of andere manier denk ik dat ik het diep in mijn hart al vermoedde. Maar toen alleen ma en ik over waren, deed het er eigenlijk niet meer toe. Ze was een goede moeder en ik hield heel veel van haar.'

'En je echte ouders? Ben je daar nooit nieuwsgierig naar geweest?'

'Nee. Ma stierf voor ze me meer kon vertellen en ik heb nooit de moeite gedaan om er meer over te weten te komen. Ma was ma. De enige die ik had en de enige die ik wilde. Ze was een goede vrouw. Toen ze stierf, dacht ik erover om priester te worden. Het was iets dat zij, als katholiek, altijd had gewild en gehoopt, maar ik hield te veel van het land en de vrijheid van het werken met paarden.'

Hij grinnikte. 'Ik bedacht dat ik het werk van de Heer beter deed door mijn leven daaraan te wijden dan door me in een klooster te laten opsluiten.'

Matilda zag de fonkeling in zijn ogen en realiseerde zich dat dit een nieuwe kant van Finn was die ze nooit had vermoed en ze voelde zich ongemakkelijk. 'Godsdienst is niets voor mij,' zei ze voorzichtig. 'Wat mij betreft zijn er te veel dingen in deze wereld gebeurd om nog in een vergevende, liefhebbende God te geloven.'

Nadat hij haar lange tijd aangekeken had, zuchtte hij. 'Ik snap wat je bedoelt. Mijn ogen gingen ook open door de oorlog. Keer op keer werd mijn geloof op de proef gesteld. Het is moeilijk om in God te geloven als je omringd wordt door slachtpartijen en de dood van je beste vrienden.'

Hij drukte zijn sigaar uit. 'Maar mijn geloof is een deel van me. Een heel persoonlijk deel. Ik wil mijn leven gewoon zo goed mogelijk leiden.' Hij grinnikte. 'Ik weet niet waarom ik je dit allemaal vertel. Je denkt vast dat ik een of andere godsdienstfanaat ben of zo, of op zijn best een ouwe zeur. Sorry.'

Matilda boog over tafel en pakte zijn handen. 'Dank je dat je me zo vertrouwt dat je me vertelt wat je voelt,' zei ze zacht.

Hij trok zijn handen niet weg, maar begon haar vingers te strelen. 'Het is gemakkelijk om tegen jou te praten, Molly. Op de een of andere manier wist ik wel dat je het zou begrijpen.'

Ze slikte de brok in haar keel weg en wilde dat ze de zwarte krullen die over zijn voorhoofd vielen achterover kon strijken. Wilde dat ze hem in haar armen kon nemen en hem vast kon houden tot het verdriet uit zijn ogen was verdwenen. De oorlog was een grote boosdoener en ze vond het jammer dat ze zijn soort geloof niet had.

Toen nam haar gezonde verstand het over. Ze trok haar hand weg en ging de tafel afruimen. Waar was ze in hemelsnaam mee bezig? dacht ze woest. Doe normaal, mens. Heb je je laatste beetje verstand verloren?

Ze zette de vaat in de gootsteen, zette de radio aan en wachtte terwijl hij warm werd. 'Je moet jezelf niet op Wilga begraven, Finn,' zei ze nors. 'Je kunt hier een leuk sociaal leven opbouwen, en het wordt tijd dat je eens lol gaat maken.'

Een prachtig wals van Strauss zweefde de kamer in en vulde de stilte die er tussen hen was gevallen.

'Je klinkt wel heel verstandig voor iemand die Churinga zelden verlaat. Waarom ben jij nooit naar de bals en feesten gegaan? Waarom ben je nooit getrouwd?'

'Ik heb het te druk gehad,' zei ze kortaf. 'Trouwens, ik heb geen man nodig om mijn leven compleet te maken.'

Finn stond met één stap naast haar en legde zijn warme handen om de hare terwijl hij haar omdraaide zodat ze met haar gezicht naar hem toe stond. 'Waarom is er zoveel woede in je, Molly? Wie heeft je zo'n pijn gedaan dat je jezelf hier opgesloten hebt?'

Matilda probeerde zich los te rukken, maar hij hield haar vast. Ze keek naar hem op – haar hoofd kwam maar net tot aan zijn borst. Ze waren nog nooit zo dicht bij elkaar geweest en ze kreeg last van kriebels in haar buik.

'Ik ben niet kwaad,' zei ze ademloos. 'Ik heb alleen vaste gewoontes. Je schijnt te vergeten, Finn, dat ik een oude vrouw ben, en dat het te laat is om te veranderen.'

'Je hebt mijn vraag niet beantwoord, Molly,' zei hij zachtjes. Hij legde zijn vinger onder haar kin en dwong haar naar hem op te kijken. 'Er is iets gebeurd waardoor je je verstopt. Waarom vertrouw je me niet genoeg om het me te vertellen?'

Sommige dingen kon ze hem niet vertellen. Ze durfde niet. Ze slikte en toen, na een aarzelend begin, merkte ze dat de woorden in een bijna niet-aflatende stroom kwamen toen ze over delen van haar verleden vertelde. Het was alsof er een enorm gewicht van haar schouders werd getild. Ze keek naar hem op, een stille smeekbede in haar ogen om haar te begrijpen en niet verder te vragen.

Hij slaakte een lange, diepe zucht terwijl hij zijn armen om haar heen sloeg en haar naar zich toetrok. 'Je bent een mooie vrouw, Molly. En ook moedig. Je zou je niet zo moeten afsluiten om wat er in het verleden is gebeurd. Iedere normale man zou er trots op zijn om jou als zijn vrouw te hebben.'

'Onzin,' mompelde ze tegen zijn brede, warme borst. Ze kreeg bijna geen lucht en haar hart bonkte haar in de keel door zijn nabijheid. Wat verlangde ze ernaar om haar hoofd tegen hem aan te leggen, die heerlijke, frisse buitenlucht die om hem heen hing in te ademen en het kloppen van zijn hart te voelen.

Ze weerstond de oerdrang om aan haar verlangens toe te geven en keek op. 'Ik ben oud, met een huid als een gedroogde pruim en handen als een vee-drijver. Mijn haar heeft de kleur van wortels en is zo weerbarstig als prikkel-draad. Ik vind het niet erg om ongetrouwd te blijven. Het land laat je mis-schien wel eens in de steek, maar het liegt nooit tegen je.'

Ze probeerde zich los te maken, maar hij bleef haar vasthouden en strak aankijken terwijl hij haar meevoerde op de langzame, verleidelijke wals. Ze was als een mot, gevangen in het intense licht van zijn ogen, en toen hij zijn hoofd boog en haar kuste, kromp ze ineen. Tijdens die vederlichte kus was het een heel kort ogenblik net alsof ze zich brandde. Het vuur laaide in haar en haar hoofd tolde – van ieder principe van haar eenzame leven bleef geen spaan heel. En toch was het verkeerd. Hij was te jong. Zij was te oud. Dit soort dingen hoorde niet te gebeuren. Ze moest zich nu losrukken en er een einde aan maken.

Maar ze was gehypnotiseerd. Het was alsof ze zichzelf niet in de hand had. Hij voerde haar mee in een dans waarvan ze hoopte dat er nooit een eind aan zou komen – en ondanks al haar bezwaren, kon ze er niets aan doen.

Ze bewogen zich langzaam op de muziek en werden een deel van haar schoonheid tot het laatste refrein door de stilte van Churinga zweefde. Toen nam Finn haar gezicht in zijn handen. Hij was zo dichtbij dat ze zijn adem op haar wimpers voelde en de paarse vlekjes in het blauw van zijn ogen zag. Dit was verkeerd – ieder gevoel schreeuwde dat uit – maar toch wilde ze dat hij haar weer kuste. Wilde die zachte mond op de hare voelen. Wilde de schok van de elektriciteit die zulke tegenstrijdige, heerlijke gevoelens in haar losmaakte.

Zijn lippen waren nu dichterbij, raakten bijna de hare en toen langzaam, heel langzaam werden ze op de hare gedrukt.

Matilda werd overspoeld door een verlangen zoals ze nooit had gekend – nooit voor mogelijk had gehouden. Ze klampte zich aan hem vast, ging met haar vingers door zijn haar terwijl ze tegen hem aanleunde. Ze verdronk in de zachtheid van zijn aanraking toen hij haar keel en haar hals kuste voor hij naar haar lippen terugkeerde. Zijn tong tastte de zachte binnenkant van haar mond af en draaikolken van ongelooflijk genot wervelden door haar heen. Ze versmolt met hem, werd één met zijn wezen – en nog was het niet genoeg.

'Ik hou van je, Molly,' kreunde hij. 'Ik hou zoveel van je dat het pijn doet. Word mijn vrouw,' smeekte hij terwijl hij een spoor van vuur langs haar hals en tot het kuiltje onderin trok. 'Trouw met me, Matilda. Trouw met me voor ik gek word.'

Ze vocht zich een weg terug naar de werkelijkheid en liep wankelend bij hem vandaan. 'Dat kan ik niet,' hijgde ze. 'Dit is waanzin. Het zou toch niets worden.'

Ze ontweek hem toen hij op haar af kwam. Als hij haar opnieuw aanraakte, zou ze verloren zijn, en ze wist dat een van hen nuchter moest blijven.

De verwarring was duidelijk van zijn gezicht te lezen. 'Waarom, Molly? Ik hou van je, en na wat er zojuist tussen ons is gebeurd, weet ik dat jij ook van mij houdt. Waarom laat je je koppigheid tussen ons komen?'

Hij deed een stap dichter naar haar toe, maar probeerde haar niet aan te raken. 'Niet alle mannen zijn zoals Mervyn,' zei hij zachtjes. 'Ik beloof je dat ik je nooit pijn zal doen. Je bent veel te lief.'

Matilda barstte in tranen uit. Het was iets dat ze al heel lang niet meer gedaan had, maar haar emoties liepen zo door elkaar dat niets haar vanavond nog kon verbazen. Ze hield van hem – daar twijfelde ze geen moment aan – het wonder was dat hij hetzelfde voelde.

Maar toen ze hem door haar tranen aankeek en de pijn en verwarring in zijn ogen zag, probeerde ze hun toekomst samen voor zich te zien. Stel dat het pure eenzaamheid was waardoor ze in elkaars armen waren gedreven? Stel dat hij op een dag naar haar keek en zag hoe oud ze was? Stel dat hij erachter kwam dat hij helemaal niet van haar hield en verliefd werd op een jongere vrouw die hem kinderen kon geven en de belofte dat ze samen oud zouden worden? Hoe zou ze ooit de pijn kunnen verdragen van hem met een andere vrouw te zien nadat ze hem zo goed had gekend?

Ze voelde de pijn alsof iemand een scherp mes in haar had gestoken, en hoewel de pijn haar verteerde, wist ze wat haar antwoord moest zijn en de consequenties die het met zich meebracht. Ze stond op het punt hem te verliezen. Hun vriendschap kon nooit meer hetzelfde zijn na vanavond – en ze zou hem nooit als minnaar leren kennen.

'Ik kan niet met je trouwen, Finn, omdat ik bijna veertig ben en te oud en te versleten van het lange werken op het land. Zoek iemand met wie je oud kunt worden, mijn liefste. Iemand die je kinderen kan geven en een lange toekomst samen.'

Zijn handen waren sterk toen hij haar bij haar arm pakte en haar omdraaide zodat ze hem aan moest kijken. Hij hield haar stevig tegen zijn borst gedrukt en wiegde haar alsof ze een baby was.

'Ik ga met je trouwen, Matilda Thomas,' zei hij hartstochtelijk. 'We houden van elkaar en ik wil dat je mijn vrouw wordt. Ik accepteer geen afwijzing. We hebben maar één kans in dit leven en ik ga niet het mooiste weggooien dat me ooit is overkomen, omdat jij vindt dat je te oud bent.'

Zijn overhemd raakte doorweekt van haar tranen terwijl ze dacht aan Gabriels verhaal over de eerste man en vrouw, en hoe ze besloten de reis van het leven samen te maken. Ze hield van Finn en hij hield van haar – waarom zou ze proberen in een toekomst te kijken die voor niemand garanties inhield? Als ze maar een korte tijd samen hadden, dan was dat toch beter dan de troosteloze leegte zonder hem?

Ze keek in zijn ogen, zag de liefde die hij voor haar voelde en ontspande in zijn armen. Ze trok zijn hoofd naar beneden, voelde het wonder van zijn mond op de hare en wist dat het goed was. Ze zou iedere dag, ieder moment koesteren, zodat wanneer hun tijd samen voorbij was, ze een schat aan herinneringen zou hebben.

'Ja, Finn. Ik trouw met je. Ik hou te veel van je om je te laten gaan.'

'Kom dan met me walsen, Matilda. Wals voor altijd met me,' riep hij jubelend uit terwijl hij haar in de lucht tilde.

Ze klampte zich aan hem vast terwijl de tranen van geluk over haar wangen liepen. Voor zolang het duurt, beloofde ze zichzelf in stilte. Voor zolang het duurt.

Jenny droogde haar tranen en legde het dagboek weg. Matilda was een bijzondere vrouw. Ze had het soort leven overleefd waarbij sterke mannen het loodje zouden leggen en had bijna haar geluk opgeofferd omdat ze niet kon geloven dat iemand die zo jong en knap was als Finn haar zou willen en toch had ze de moed gehad om die onzekere toekomst onder ogen te zien, hoe pijnlijk die misschien ook zou worden – want ze wist dat het leven geen garanties te bieden had, en hij was de gok waard.

Jenny zuchtte en dacht aan Peter en Ben. Haar eigen leven leek zo stabiel, zo veilig en toch had het lot ingegrepen en het uiteengerukt. Haar herinneringen waren alles wat ze nog had, maar ze waren beter dan niets.

Het eerste licht vocht met de onweerswolken en terwijl ze het haar kamer binnen zag stromen, vroeg ze zich af of herinneringen aan Brett en Churinga zouden blijven als ze weer in Sydney woonde.

Ze zou in ieder geval altijd de herinnering aan Matilda bij zich dragen, want hoe konden die dagboeken geen uitwerking op de lezer hebben. Maar Brett? Hij was geen Finn McCauley, dat was zeker.

'Nog één dag, Ripper. Dat is alles wat we nog hebben.' Ze haalde het hondje uit zijn schuilplaats onder het bed en knuffelde hem. Hij likte haar gezicht en trilde bij ieder gerommel, zijn staart stijf tussen zijn pootjes. 'Kom, joh. Snel even een rondje over het erf, dan kun je eten.'

Ze liep met hem naar de veranda achter, en na een snel rondje door het lange gras, stond hij weer naast haar. Jenny keek naar de lucht. Ondanks de hitte rilde ze. De elektriciteit was voelbaar in de lucht, de onheilspellende geur van krachten die zich bundelden en aarde en hemel in een strak, ademloos evenwicht hielden, wachtend op het moment waarop de woede losbarstte.

Ze keek naar de weiden. De paarden waren in een kraal ondergebracht in de verste hoek, uit de buurt van de bomen die wiegden en zwaaiden in de hete wind terwijl hun lange, buigzame takken tegen de droge aarde zwiepten. Schapen stonden in wollige groepjes tegen de hekken, met hun rug in de wind, terwijl hun domme geblaat over de weide schalde.

Het was een tafereel waarvan Jenny wist dat het al eindeloos was herhaald en waarschijnlijk nog jaren herhaald zou worden. Het binnenland veranderde niet en de mensen die er woonden ook niet. Zij waren een sterk, onverwoestbaar ras, zo taai als het land waarop ze werkten en de elementen waar ze tegen streden.

Ze liep het huis weer in en deed Rippers eten in zijn bakje. Zijn eetlust was kennelijk niet aangetast door zijn angst, zag ze. Ze liet hem rustig eten en liep de kamer door om naar de aquarellen te kijken die haar al sinds haar komst boeiden.

Dit was Churinga zoals Matilda het had gekend. Ieder detail was liefdevol met fijne penseelstreken en zachte kleuren weergegeven. Jenny was blij dat Matilda en zij die liefde voor kunst gemeen hadden. Daardoor voelde ze zich nog dichter bij de vrouw staan die ze nooit had ontmoet, maar die ze, tot haar geluk, heel intiem had leren kennen.

Ze haalde de schilderijen van de muur, zette ze voorzichtig in een fruitkist en legde haar eigen opgerolde doeken ernaast zodat ze niet om konden vallen. Nadat ze haar schetsboeken, olieverf en penselen erbij gestopt had, verpakte ze alles in bruin papier en bond er touw om. Ze zou ze meenemen naar Sydney, besloot ze. Niet alleen als herinnering aan wat had kunnen zijn, maar als een tastbaar verslag van het leven van één vrouw en haar invloed op een hoekje van New South Wales.

Nog één dag, dacht ze triest terwijl ze haar blik door het stille huis liet dwalen. Nog één dag en dan is dit allemaal slechts een herinnering. Boos op zichzelf, en omdat ze behoefte aan gezelschap had, ging ze bij Diane kijken.

Ze lag op de lakens, terwijl het licht van haar leeslampje een cirkel van geel licht in de schemering wierp en de dagboeken over het bed verspreid lagen. Ze lag te slapen; ze had rimpels in haar voorhoofd en haar lippen bewogen in stil contact met haar dromen.

Jenny deed de deur dicht en liep terug naar haar eigen kamer. Er waren nog maar een paar bladzijden en dan was het voorbij. Dan kon ze de laatste dag bij wijze van afscheid over het land rijden waar ze van was gaan houden.

Matilda werd meegevoerd door Finns enthousiasme. 'Ik vind dat we een tijdje moeten wachten, Finn,' protesteerde ze. 'Misschien verander je nog wel van gedachten.'

'Nee, helemaal niet,' zei hij beslist. 'En er is geen reden waarom we zouden wachten, Molly. God weet hoe lang het heeft geduurd voor we elkaar vonden.'

'Laten we dan gewoon stiekem naar de burgerlijke stand in Broken Hill glippen,' zei ze op dringende toon. 'Ik heb geen zin om het middelpunt van zoveel aandacht en roddel te zijn, en ik voel me een hypocriet als we in de kerk trouwen.'

Toen nam hij haar in zijn armen en gaf een kus op haar vurige hoofd. 'Ik schaam me niet voor wat we doen, Molly. Ik zie niet in waarom we Gods zegen niet zouden krijgen, en de hele wereld mag meekijken, wat mij betreft. Wat ertoe doet, zijn alleen jij en ik en de beloftes die we elkaar doen – niemand anders.'

Matilda keek naar hem, niet helemaal overtuigd van zijn gelijk. Ze was jarenlang bezig geweest de kletsende stemmen over de telefoon tot zwijgen te brengen, maar nu, in het kielzog van Finns vastberadenheid, kon ze niets doen om te voorkomen dat het laagje vernis dat ze uit zelfbescherming had opgebouwd verbrokkelde.

Priester Ryan was oud geworden. Zijn lange, magere gezicht zat vol plooien van vermoeidheid en zijn eens zwarte haar was nu grijs. Het muildier en het wagentje waren vervangen door een auto, maar die lange jaren van rondtrekken door zijn uitgestrekte parochie hadden hun tol geëist.

Hij glimlachte toen Finn en Matilda hem vertelden waarvoor ze kwamen. 'Ik ben zo blij voor jullie beiden,' zei hij met zijn zachte Ierse accent dat nauwelijks aangetast was door de Australische tongval. 'Ik weet dat het leven niet gemakkelijk voor je is geweest, Matilda, en het is me een eer jullie huwelijk te mogen inzegenen.'

Ze keek naar Finn toen hij haar hand pakte en hem op zijn knie legde. Hij deed zijn best om haar gerust te stellen, maar ze voelde zich nog steeds onbehaaglijk in het bijzijn van de priester.

Priester Ryan sloeg de blaadjes van zijn agenda om. 'Zoveel huwelijken nu de oorlog voorbij is,' zuchtte hij gelukkig. 'Ik zal jullie huwelijk aanstaande zondag afkondigen en dan houden we de inzegening over vier weken.' Hij keek op. 'Komt jullie dat uit?'

Matilda en Finn keken elkaar aan, en hij hield haar vingers stevig in zijn greep. 'Het kan niet snel genoeg, eerwaarde,' zei hij.

De priester keek streng over zijn halve brillenglazen, en Matilda bloosde. 'Nee. Zo zit het niet, eerwaarde,' zei ze snel. 'We willen gewoon niet lang wachten, dat is alles.'

Haar hand zweette en het was alsof het vertrek steeds kleiner werd. Ze had hier nooit moeten komen. Het was een vergissing geweest om te denken dat ze de priester weer onder ogen kon komen na de dingen die er met haar vader waren gebeurd.

'Je moeder heeft je als goed katholiek meisje opgevoed, Matilda,' bezwoer hij haar. 'Ik zou niet graag denken dat je zondig het huwelijk ingaat.'

Ik ben nog veel zondiger dan je voor mogelijk houdt, dacht ze, terwijl ze in Finns hand kneep.

Hij boog voorover. 'Matilda en ik hebben niets verkeerds gedaan, eerwaarde. We zullen rustig wachten tot onze trouwdag.'

De priester sloeg zijn agenda dicht en leunde achterover in zijn stoel. Hij haalde een gedeukt zakhorloge tevoorschijn en klapte het open. 'Zal ik jullie de biecht afnemen, nu jullie hier toch zijn? Ik heb de tijd.'

'Het is te lang geleden, eerwaarde,' zei Matilda gehaast. 'Ik betwijfel of ik me al mijn zonden kan herinneren.' Ze glimlachte, terwijl ze probeerde er luchtig over te doen en zijn doordringende blik te ontwijken. Ze wilde zijn kantoor uit, de frisse lucht in. Ze moest weg uit de geur van boenwas en oude boeken. Waarom had ze zich door Finn mee laten tronen terwijl haar zonden zo groot waren dat ze te beschaamd was om ze aan een priester te vertellen? Priester Ryan zou hel en verdoemenis over haar uitspreken als hij wist wat ze met Mervyn had gedaan, en de consequenties van die verschrikkelijke daad.

Finn hield haar hand vast, en kneep erin als stille aanmoediging om sterk te blijven. Maar ze wist dat ze hem ditmaal moest teleurstellen.

'Het spijt me, eerwaarde, maar het is te lang geleden en het zou hypocriet van me zijn als ik nu ineens ging biechten,' eindigde ze zwakjes.

Priester Ryan zette zijn bril af en wreef tussen zijn wenkbrauwen. 'Ik kan je niet dwingen, Matilda. Maar de biecht hoort bij de ceremonie en ik hoop dat je van gedachten zult veranderen. Als je wilt praten, weet je waar je me kunt vinden. Dat geldt ook voor jou, jongeman.'

Hij stond op, gaf hen een hand en leidde hen de pastorie uit. 'Ik verwacht jullie de komende drie zondagen bij de mis om de afkondiging van jullie huwelijk te horen. God zegene jullie.'

Matilda haastte zich het pad over langs de oude, verzakte grafstenen naar de straat. Ze wilde zo ver mogelijk uit de buurt van de claustrofobische omgeving van de kerk zijn. Het was te lang geleden sinds ze aan God had gedacht. Er was te veel gebeurd, en haar geloof was niet sterk genoeg geweest om de beproevingen te doorstaan.

Finn haalde haar in en pakte haar bij een arm. 'Wacht even, Matilda. Waarom heb je zo'n haast? Waar ben je bang voor?'

Ze keek hem lang aan, terwijl het stof van het kerkhof om haar voeten dwarrelde. 'Ik moet je iets vertellen, Finn,' zei ze stilletjes. 'Maar niet hier. Breng me alsjeblieft terug naar Churinga.'

Hij zweeg verbijsterd en ongerust toen ze naar de pick-up liepen, maar ze was er wel dankbaar voor. Ze keek niet naar de grootsheid van de uitgestrekte weidegronden terwijl ze Wallaby Flats uitreden; ze was druk bezig met wat ze tegen hem zou zeggen. Het was niet goed om hem dat laatste geheim te onthouden – het geheim dat ze zo lang geleden begraven had.

En toch was het een geheim waarvoor ze bijna alles gegeven zou hebben om het voor zich te houden. Ze voelde zich nog steeds misbruikt en smerig. Bezoedeld door Mervyns lust en de leugen waar ze sindsdien mee had moeten leven. Hoe zou Finn reageren? Zou hij haar nog steeds willen? Zou hij begrijpen waarom ze met geen mogelijkheid had kunnen biechten?

Ze staarde met nietsziende ogen voor zich uit. Ze moest vertrouwen in hem hebben. Ze moest geloven dat hij zou begrijpen waarom ze hun nieuwe leven niet kon beginnen met dit op haar geweten. Haar katholieke opvoeding bleek uiteindelijk te sterk om te negeren.

Finn reed het erf op en Matilda stapte uit. Ze keek hem lange tijd zwijgend aan en liep toen het huis binnen. Hij hield haar lot in zijn handen.

Een tijdje later had ze het allemaal verteld. Ze keek met droge ogen toe terwijl er een trek van afschuw over zijn gezicht kroop en zijn ogen donker werden, maar tot dusver had hij niets gezegd.

'Nu weet je het allemaal, Finn,' zei ze stilletjes. 'Als je de bruiloft wilt afzeggen, dan begrijp ik dat.'

Hij stond op uit zijn stoel en knielde aan haar voeten. Hij sloeg zijn armen om haar heen terwijl hij zijn hoofd in haar schoot legde. 'Mijn liefste,' zei hij met een kreun. 'Dacht je dat mijn liefde voor jou zó breekbaar was? Het was niet jouw schuld – of jouw zonde – er is niets om je voor te schamen.'

Matilda slaakte een diepe zucht terwijl ze haar vingers door zijn dikke, zwarte krullen haalde. En toen hij in haar ogen keek, wist ze dat woorden overbodig waren. Met de rust die de wetenschap dat ze eindelijk thuisgekomen was met zich meebracht, gaf ze zich aan zijn omhelzing over.

Ze trouwden drie weken later in het kleine houten kerkje in Wallaby Flats. Twee van hun drijvers waren getuigen en de enige gasten waren de mannen die ze op Churinga en Wilga in dienst hadden.

Matilda had besloten geen wit te dragen. Het leek haar niet gepast en het zou weer een leugen zijn geweest. Dus was ze weer naar Broken Hill gereden en had, na veel dubben, uiteindelijk gekozen voor een zeegroene jurk. Hij viel vanaf het roosje op haar middel bijna tot op de vloer in een zee van zijde die glinsterde in het zonlicht, zoals ze zich de rimpeling van golven aan verre kusten voorstelde. Ze koos schoenen die erbij pasten en stelde haar eigen boeket samen uit rozen die die ochtend uit haar tuin waren geplukt.

De jurk liet vonkjes schitteren in haar haar dat ze geborsteld had tot het glansde als koper. Ze liet het in een wolk van krullen op haar rug dansen. Een kroontje van crèmekleurige rozen nam de plaats in van een sluier. Voor het eerst in haar leven voelde ze zich mooi.

Toen ze in haar eentje voor de ingang naar de kerk stond, keek ze via het smalle gangpad naar het altaar. Het orgel speelde, priester Ryan wachtte op haar en naast hem stond Finn.

Matilda voelde een kriebel van ontzag. Hij zag er zo knap uit in zijn pak, met zijn donkere haar dat vochtig om zijn oren en voorhoofd krulde, en ze hield heel veel van hem – maar toch herinnerde dat kleine stemmetje haar aan de belofte die ze zichzelf had gedaan toen hij haar ten huwelijk vroeg.

'Voor zolang het duurt,' mompelde ze. 'Laat het alstublieft voor altijd zijn.'

Er werd enthousiast op het krakende orgel gespeeld en Matilda wilde ineens dat ze een van de mannen had gevraagd haar te begeleiden. Maar nu was het te laat. Ze was al zolang alleen, wat deden die paar stappen naar een veel vrolijkere toekomst ertoe?

Ze pakte haar boeket steviger beet, haalde diep adem en liep naar Finn toe.

De huwelijksinzegening ging in een wirwar van wierook en bloemen, van Finns diepe stem en hypnotiserende ogen, voorbij. Eindelijk zat de ring om haar vinger en haar nieuwe echtgenoot keek met zoveel trots op haar neer dat ze van pure vreugde wilde huilen.

Finn had afgesproken dat ze hun bruiloftsontbijt in het hotel zouden houden. Toen ze de kerk uitliepen om de straat over te steken, verbaasde Matilda zich over de enorme menigte die was komen kijken.

'Let maar niet op ze,' fluisterde hij, terwijl hij haar hand pakte en hem in de holte van zijn elleboog stopte. 'Ze hebben nog nooit zo'n schoonheid gezien.'

Ze wierp een blik op de nieuwsgierige gezichten, de monden die achter de handen bewogen en de veelzeggende blikken – en wist dat de reden voor hun komst heel anders was. Maar ter wille van Finn hield ze haar mond.

Het hotel was voor de gelegenheid met vlaggetjes en ballons versierd en er stonden tafels vol eten. Er was zelfs een orkestje, bestaande uit viool, piano en bas. Finn nam haar hand en leidde haar naar de piepkleine dansvloer.

'Kom met me walsen, Matilda,' zei hij grijnzend toen de band *Waltzing Matilda* van Banjo Paterson begon te spelen.

Ze lachte en stapte in zijn armen. 'Voor altijd,' fluisterde ze.

Twee uur later hadden ze de taart aangesneden, hun reiskleren aangetrokken en waren via de achterdeur het hotel uitgeglipt.

'Niemand heeft het in de gaten,' zei Finn nadrukkelijk. 'Ik heb de waard genoeg geld gegeven om die mannen nog minstens een uur lang van bier te voorzien, en tegen die tijd zijn we allang weg.'

'Waar gaan we precies naartoe?' lachte Matilda, terwijl ze in de pick-up stapte. 'Je doet zo geheimzinnig.'

Hij tikte tegen zijn neus. 'Verrassing,' was het enige dat hij kwijt wilde.

Het kon haar niet schelen waar ze terechtkwamen, zolang ze maar met zijn tweeën waren. Ze zat naast hem in de pick-up en legde haar hoofd tegen zijn arm terwijl hij in de richting van Dubbo reed.

Het begon al wat donker te worden toen ze het vliegveldje bereikten, maar nog steeds wilde Finn haar niet vertellen wat zijn geheime bestemming was terwijl hij haar de trap op hielp en haar in haar stoel vastgespte.

'Wat gaat er gebeuren, Finn?' lachte ze nerveus. Ze was nog nooit zo dicht bij een vliegtuig geweest, laat staan dat ze er ooit in gezeten had. 'Je ontvoert me toch niet?'

Hij liet kussen op haar gezicht regenen. 'Nou en of, mevrouw McCauley. Wacht maar.'

De propellers gierden, het toestel schommelde en toen raceten ze over de startbaan. Matilda omklemde haar stoelleuningen toen ze opstegen. Toen ademde ze uit en keek vol verwondering naar de aarde onder hen.

'Ik heb altijd wel geweten dat het mooi was, Finn, maar ik heb nooit beseft hoe groots het was. Kijk eens naar die berg, en dat groepje bomen bij het meer.'

Hij glimlachte terwijl hij haar hand pakte en hem tussen zijn eigen handen klemde. 'Vanaf nu, mevrouw McCauley, zie je alleen nog maar dingen en plaatsen waar je altijd van hebt gedroomd. Ik wil dat je weer van het leven geniet en dat je alle dingen krijgt die je ooit hebt gewild.'

Ze staarde naar hem. Waar was de vrouw die stoer en ruw was en kon vloeken en schreeuwen als een man? Waar was dat kleine, harde vrouwtje dat met de kudde meereed en Churinga tijdens de oorlog liet draaien? Ze was gesmolten, besefte Matilda. Ze was zacht en vrouwelijk geworden. En dat allemaal omdat die man haar had laten zien wat liefde kon betekenen.

Ze zuchtte van geluk. Het leven kreeg een nieuwe betekenis, en ze wilde er iedere prachtige seconde van genieten.

Ze landden in Melbourne. Na een snelle avondmaaltijd pakte hij de koffers en sjouwde ze naar buiten om een taxi aan te houden. 'We blijven hier niet, Matilda. Maar ik beloof je dat we voor morgenochtend aan onze huwelijksreis beginnen.'

'Genoeg, Finn McCauley,' zei ze terwijl ze probeerde haar lachen in te houden. 'Ik doe geen stap meer voor je me vertelt waar we heen gaan.'

Hij sloeg het portier van de taxi dicht en zwaaide met de tickets in haar gezicht. 'We gaan naar Tasmanië,' zei hij grijnzend.

Ze kon geen woorden vinden om haar verrassing uit te drukken.

Finn sloeg zijn armen om haar heen en gaf haar een kus op haar hoofd, terwijl ze tegen hem aanleunde. 'Je hebt me in jouw verleden binnengelaten. Nu is het mijn beurt. Ik wil je laten zien wat een mooi eiland Tasmanië is en het gevoel met je delen.'

Er was volop bedrijvigheid in de haven van Melbourne terwijl de taxi tussen de reusachtige stapels vracht en de zware machines door slingerde. De *Tasmanian Princess* lag aan de kade en trok zachtjes aan haar trossen. Terwijl Finn zijn hand om haar elleboog legde en haar door de passagiershal leidde, keek Matilda vol ontzag om zich heen. Het schip was geschilderd in blauw en wit en had een enorme schoorsteen met de Australische vlag. Op de dekken was het overal een drukte van belang, dankzij de vele passagiers die er flaneerden.

'Ik heb een van de grootste hutten gereserveerd,' mompelde Finn terwijl ze een matroos door de smalle gangen volgden. 'Ik hoop alleen dat het je bevalt.'

Matilda wachtte terwijl de matroos de deur opendeed en hun bagage binnen zette. De man glimlachte, tikte tegen zijn pet en stak zijn fooi in zijn zak. Toen keek Finn naar haar en tilde haar op. 'Dit is wel niet de drempel van Churinga of Wilga, maar de komende twaalf uur is het ons huis.'

Ze sloeg haar armen om zijn nek en knuffelde hem terwijl andere passgiers hen veelbetekenende blikken toewierpen. Ze was nerveus en opgewonden en wist dat ze verschrikkelijk bloosde – maar wat voelde ze zich veilig in zijn armen, wat wist ze zeker dat ze de juiste keus had gemaakt.

Finn droeg haar de hut binnen en schopte de deur achter zich dicht. Hij hield haar tegen zich aan, en zijn snelle hartslag was een echo van de hare. Zijn ogen waren donker toen hij zijn hoofd boog en zijn lippen waren zacht, maar dwingend op haar mond.

Matilda klampte zich aan hem vast – half bang, half ongeduldig voor wat er komen zou en toen hij haar langzaam neerzette, voelde ze een steek van teleurstelling.

'Ik laat je even alleen, zodat je je kunt opfrissen, Matilda,' zei hij zachtjes. 'De bar is hier vlakbij, en ik blijf niet lang weg.'

Ze wilde dat hij bleef, wilde tegen hem zeggen dat huwelijksnachtrituelen haar niets konden schelen – maar een zeurderig gevoel van twijfel voorkwam dat. Toen de deur achter hem dicht klikte, stond ze er lange tijd naar te staren. De herinnering aan Mervyn was opeens heel sterk in dat vertrek vol bloemen. Ze meende dat ze zijn ruwe handen kon voelen en zijn adem kon horen.

Ze huiverde en sloeg haar armen om zich heen om zijn aanwezigheid af te weren. En als seks met Finn nu eens dezelfde afkeer opriep? Stel dat ze haar nieuwe echtgenoot niet kon bevredigen en erachter kwam dat ze hem niet kon geven wat hij wilde?

'O, Finn,' snikte ze, met haar handen voor haar gezicht. 'Wat heb ik gedaan?'

'Molly?' Zijn stem klonk zacht terwijl hij haar in zijn armen nam. 'Ik had je nooit alleen moeten laten. Het spijt me.'

Ze had hem niet terug horen komen. Ze keek door haar tranen naar hem op. Hij legde zijn vinger tegen haar lippen.

'Sst, mijn schat, ik weet het. En ik begrijp het.' Hij kuste haar teder en terwijl ze haar armen om zijn nek sloeg, werden de kussen heviger.

Matilda voelde de aanwezigheid van Mervyn in het donker verdwijnen toen Finn zijn handen zachtjes om haar gezicht legde en haar hals begon te strelen. Nu begreep ze hoe wilde jonge paarden zich voelden wanneer hij ze kalmeerde. Hoe kon ze dit rustige strelen en liefhebben vergelijken met het geweld van haar eerste ervaring?

Finn kuste haar hals, het kuiltje bij haar keel, en trok een spoor van vloeibaar vuur met zijn tong. Zijn handen dwaalden over haar en riepen een vloedgolf van verlangens op die eindeloze hoogten en diepten leken te hebben die ze niet in de hand had – en toen haar jurk ruisend om haar voeten gleed, kromde ze haar rug en gaf zich over aan de elektriciteit van zijn handen op haar huid.

Zijn huid was strak, en onder haar vingers voelde zijn gladde, gespierde lichaam aan als het zachtste leer. Ze proefde het zout van zijn zweet, ademde zijn aardse, mannelijke geur in en begroef haar vingers in de strakke krulletjes op zijn brede borst.

Donker haar viel als een waaier over haar borsten toen hij zachtjes haar buik kuste en heupen streelde. Ze slaakte een kreetje toen zijn tong een spoor van vuur langs de binnenzijde van haar dijen trok.

De buitenwereld hield op te bestaan terwijl ze overspoeld werd door een wervelwind van gevoelens. Ze wilde hem in zich opnemen, door hem opgenomen worden. Toen hij op haar ging liggen en zachtjes binnendrong, sloeg ze haar benen om zijn middel en trok hem dieper in zich tot ze zich vol vreugde aan elkaar overgaven. Met zijn huid op haar huid, hun zweet dat zich vermengde, hun adem die één werd, bereden ze de hoogste golf tot hij op het strand uiteenspatte.

Matilda lag in de bocht van zijn arm, zo sensueel en verzaligd als een kat in de zon. Ze kromde haar rug toen hij met zijn hand over haar rug ging en het dal van haar middel en de heuvel van haar heup volgde. Zelfs nu, terwijl ze lagen uit te rusten, zag hij kans haar met zijn handen op te winden.

'Ik hou van je, mevrouw McCauley,' fluisterde hij.

Matilda's eerste beeld van Tasmanië verraste haar. Ze had niet echt over de zevende staat nagedacht, en had er pas na Finns komst op Wilga in een oude atlas naar gezocht, maar nu ze op het dek stond besefte ze dat dat kleine stipje op de kaart in geen vergelijking stond met de bergen die ze aan de horizon zag.

Devonport was een slaperig havenstadje dat tussen de rivier de Mersey en de Bass Straat ingeklemd lag. Zwarte rotsen en geel zand omzoomden de kust waar groene banen gras in de schaduw van bladerrijke bomen lagen en kleine houten huisjes tegen de heuvels en in de dalen lagen.

Er was overal kleur in de felgekleurde bloemen, de shingle-daken en groene gazons en Matilda had er graag willen blijven. Maar Finn had zijn eigen plannen, en ook zij wilde graag de plaats zien waar hij opgegroeid was, dus huurden ze een auto en reden naar het zuiden.

Meander lag mijlenver van de bewoonde wereld en deed haar denken aan thuis. Maar de afstanden tussen de boerderijen waren veel kleiner, het gras iets groener, de kleuren zachter. Wat ze miste waren de zwermen vogels, het gekrijs van de parkieten en galahs en het gelach van de kookaburra.

Finn liet haar het kleine houten huis zien dat op een lage heuvel lag, omringd door kilometers weidegrond. Het leek te klein voor het grote gezin dat er nu woonde en ze vroeg zich af waarom ze het niet uitgebouwd hadden.

'Ze hebben waarschijnlijk geen geld,' legde Finn uit. 'De meeste grondbezitters in Tasmanië hebben veel land, maar geen geld. Ze hebben vaak geen idee van de waarde van hun erfenis, omdat ze alleen maar om het land geven.'

Hij glimlachte naar haar. 'Een beetje als hun tegenhangers in New South Wales.'

'Niet allemaal,' zei ze quasi-spottend. 'Ik weet precies wat ik waard ben, en ik ben van plan om nooit meer arm te worden.'

Hij lachte en trok haar even tegen zich aan. 'Kom mee, dan laat ik je mijn oude school zien.'

Ze bezochten het uit één vertrek bestaande schoolgebouw, de geheime schuilplaatsen die alle jongens blijkbaar hadden toen ze klein waren, en het kleine stadje op dertig kilometer afstand, waar hij haar de bioscoop en de ijssalon liet zien en de lange baai met het zandstrand waar hij ooit in het ijskoude water had gezwommen.

Sommige delen van Tasmanië waren heel anders dan het droge binnenland en Matilda vond het soms moeilijk te bedenken dat dit één en hetzelfde land was. Hier was het gras weelderig en overwegend groen. Hoge bergen rezen aan alle kanten op, en grote meren strekten zich majestueus in de dalen uit. Aan de bomen hingen stevige appels en zacht fruit en velden vol lavendel en klaprozen wuifden in de warme wind.

Steile rotsen bewaakten de zuidoostkust, met gevaarlijke klippen die over stukken zand hingen dat zo wit was dat het pijn deed aan de ogen. Watervallen stortten tientallen meters omlaag in de met oerwoud begroeide dalen. Stille, afgelegen baaitjes waar het wemelde van de insecten, soezerig van de warmte, waren de ideale schuilplaatsen voor geliefden om te zwemmen en in de zon te liggen. Pijnbomen en eucalyptusbomen strekten zich uit zover het oog reikte. De eigenaardige Tasmaanse duivel, het vogelbekdier en de wombat waren schuwe wezens die je alleen kon zien als je eindeloos geduld had en wist waar je moest kijken.

Matilda en Finn verkenden het eiland twee weken lang en namen de tijd om in de zon te luieren en in het koude water te zwemmen. Ze bezochten Hobart en beklommen de Wellington, bezochten de markt aan de waterkant en zeilden om de kleine eilandjes. 's Avonds aten ze heerlijke rivierkreeftjes of regenboogforel die ze wegspoelden met glazen fijne witte wijn van de nieuwe wijngaarden in Moorilla.

's Nachts lag ze in zijn armen, slaperig van hun vrijpartijen, verzadigd en voldaan. Nooit, zelfs niet in haar wildste dromen had ze zich betere wittebroodsweken kunnen voorstellen.

'Ik wou dat we langer konden blijven,' zei Matilda weemoedig terwijl het vliegtuig van het kleine vliegveldje opsteeg.

Finn pakte haar hand en kneep erin. 'Ik beloof je dat ik je mee terugneem voor we allebei oud en grijs zijn,' zei hij en glimlachte. 'Het wordt ons bijzondere plekje.'

Toen ze eindelijk weer op Churinga terugkwamen, ontdekten ze dat de Bitjarra weg waren. Langzamerhand waren er steeds meer van hen weggetrokken, maar nu waren hun gunyahs leeg en hun vuurplaats koud.

Matilda keek er verdrietig naar. Het was het eind van een periode, maar het begin van iets veel beters. Misschien hadden ze zich, op hun eigen geheimzinnige wijze, gerealiseerd dat ze hen niet langer nodig hadden.

Het leven nam een rustig ritme aan. Finn verhuisde zijn spullen naar haar huis en zorgde voor een bedrijfsleider die op Wilga ging wonen. Hij wilde nog steeds paarden fokken die vee konden drijven, maar had iemand op de boerderij nodig om de boel in de gaten te houden. Na een halfjaar reisden ze naar Broken Hill en, na een of twee andere belangrijke telefoontjes, gingen ze bij Geoffrey Banks langs en tekenden een overeenkomst om van Wilga en Churinga één boerderij te maken.

Matilda paste haar testament aan, waarin beide boerderijen opgenomen waren, en moest wel naar Geoffrey Banks glimlachen terwijl ze het deed. Wat had hij gelijk gehad met zijn advies. Het leven zat inderdaad vol verrassingen.

Ze waren naar Churinga teruggekeerd, en Matilda wachtte tot ze gegeten hadden en op de veranda zaten. Finn trok haar op schoot en ze keken hoe de maan boven de bomen uit kwam.

'Ik moet je iets vertellen, Finn,' zei ze ten slotte. 'Het heeft te maken met dat bezoek dat ik iemand moest brengen terwijl jij nieuwe rijlaarzen uitkoos.'

Hij kuste haar in haar hals, en zijn stoppelige kin kriebelde lekker. 'Mmm?'

Ze maakte zich lachend los. 'Hoe kan ik me concentreren als je dat doet, Finn? Hou eens even op en luister naar me.'

Hij beet zachtjes in haar hals. 'Ik heb nog steeds honger,' gromde hij.

'Finn,' zei ze ferm. 'Ik moet je iets vertellen – en het is belangrijk.'

Hij keek haar plotseling ernstig aan. 'Wat is er, Molly?'

'We krijgen een baby,' zei ze zachtjes en wachtte op zijn reactie.

Hij staarde haar een tijdje aan en toen grijnsde hij vol ontzag en blijdschap. Hij tilde haar op en zwaaide haar in het rond. 'O, meisje, wat heerlijk! Waarom heb je me dat niet eerder verteld?'

Ze lachte en smeekte om neergezet te worden. 'Omdat ik het zeker wilde weten,' zei ze ademloos. 'Op mijn leeftijd vond ik het zo raar.'

Toen kuste hij haar met bijna schrijnende tederheid. 'Mijn liefste, liefste meid,' mompelde hij tegen haar lippen. 'Ik beloof je dat ons kind de beste boerderij van New South Wales en de liefhebbendste ouders krijgt. O, Molly, Molly. Dit is het mooiste cadeau dat je me had kunnen geven.'

Matilda koesterde haar eigen tevredenheid en vreugde. Ze kon het nog steeds niet geloven, en naarmate de maanden verstreken, moest ze steeds haar handen op haar buik leggen om zich ervan te overtuigen dat ze niet droomde. Ze verlangde ernaar dat de tijd snel voorbijging en tegelijkertijd wilde ze zo'n wonder eigenlijk met niemand delen.

Wat bofte ze toch, zei ze regelmatig bij zichzelf. Wat werd ze bemind en gekoesterd nadat ze zoveel jaren alleen was geweest. Dit kind zou niets tekort komen. Zij en Finn zouden het koesteren, en hij of zij zou sterk en gezond opgroeien in de gezonde lucht van Churinga en Wilga.

De baby zou in de winter geboren worden. Het scheerseizoen was voorbij en terwijl ze de laatste zes weken van haar zwangerschap inging, begon Matilda te merken dat haar energie door het klamme weer afnam. Het regende al en de beek dreigde buiten de oevers te treden. Finn was met de mannen de kudde bijeen aan het drijven om ze naar hogergelegen gronden te brengen, en van daar zou hij naar Wilga gaan om zich ervan te vergewissen dat alles klaar was voor de winter.

Matilda liep langzaam door het huis. Het gewicht van de baby leek de hitte nog intenser te maken. Ze was van plan de kinderkamer af te maken. Finn had een stuk aan de zijkant van het huis aangebouwd en ondanks zijn bevel dat ze het aan hem over moest laten, wilde ze hem verrassen.

Bovendien, zei ze streng bij zichzelf, word je te verwend en te lui als je de hele dag niets loopt te doen. Het wordt tijd dat je weer eens iets aanpakt.

Ze pakte een emmer water, een mesje om oude lak af te krabben, poets-doeken en bijenwas, en liep moeizaam de kinderkamer binnen. Hij was klein en licht met een groot raam dat op de wei bij het huis uitkeek. Hij rook naar nieuw hout. Ze had de muren al gewit en wilde een muurschildering van Churinga achter het wiegje schilderen dat Finn een paar weken geleden had getimmerd. De muurschildering moest een verrassing worden en ze was blij dat hij zo lang weg was dat ze hem kon afmaken. Hij maakt zich veel te veel zorgen, dacht ze toegeeflijk, en loopt toch alleen maar in de weg.

Finn had een ladenkast en een kleerkast van Wilga meegenomen. Matilda besloot ze eerst schoon te maken voor ze aan de muurschildering begon. Alles moest gewoon goed zijn voor als de baby kwam. Ze wist dat die bijna obses-sieve neiging om te soppen en te stoffen bij haar nestdrang hoorde – ongeveer zoals de wilde dieren van het binnenland.

Met een vochtig doekje sopte ze het stof weg dat onder in de kleerkast lag en neuriede terwijl ze papier op de planken legde. Toen boende ze het hout tot het glom en deed een stap achteruit om het effect te bewonderen. De meube-len die Finn had meegebracht, hadden hun beste tijd gehad. Toen de spullen eenmaal op Churinga stonden, waren ze in de drukte van het scheerseizoen bijna vergeten. Nu was ze blij met hoe de kleerkast eruitzag en ging aan de slag met de ladenkast.

Toen ze de bovenste lade opentrok, hoorde ze iets rammelen en vallen. Wat het ook was, Finn was het kennelijk vergeten. Nu was het in de ruimte achter de onderste lade gevallen.

Een voor een trok ze de laden eruit en zette ze in een stapel op de vloer. Toen, puffend en blazend, ging ze op haar knieën zitten en scharrelde in de stoffige duisternis rond. Met de baby tussen haar en het meubelstuk in, was het moeilijk te zien wat ze deed.

Haar vingers vonden iets glads en kouds. Het voelde als een blikje aan. Het was een lange, smalle koektrommel met een verbleekte afbeelding van een Schotse ruit en een distel op het deksel. Er had ooit sprits in gezeten.

Ze rammelde ermee. Er zat iets in dat heen en weer gleed en rammelde. Nieuwsgierig peuterde ze het roestige deksel er met een mesje af.

In plaats van koek vond ze een paar krantenknipsels en wat foto's. Ze legde de knipsels weg en keek naar de foto's. Daar was het huis in Meander, het strand bij Coles Bay en Finn, grijnzend en trots in zijn schooluniform.

Ze glimlachte en drukte een kus op de foto. Wat zou ze hem plagen als hij thuiskwam. Die knieën!

Ze pakte de volgende foto, haar hand verstijfde en het kind in haar buik gaf een venijnige schop. Daar stond Finn tussen twee mensen in die Matilda overal herkend zou hebben.

'Dat is onmogelijk,' fluisterde ze.

Maar toen ze haar ogen opendeed en de rouwberichten in de krant las, wist ze dat het waar was.

En toch klopte het niet. Helemaal niet. Want hoe had de schooljongen Finn Peg en Albert Riley ooit kunnen kennen? De rondtrekkende seizoenarbeiders waren toch naar Queensland teruggegaan?

De gezichten vervaagden en werden weer helder terwijl haar gedachten steeds verwarder werden. Ze herinnerde zich Pegs stem de laatste keer dat ze hem had gehoord. Hij weerklonk in haar hoofd en leek de kamer, het huis, de weiden en de afstand tussen de jaren te vullen.

Ze staarde naar de achterkant van de foto, maar kon de woorden niet lezen die erop geschreven waren – kon ze niet scherp krijgen. Ze durfde ze niet te lezen – wilde de klok terugdraaien – vergeten dat de foto zelfs maar bestond. Hij kon niet bestaan. Niet hier op Churinga. Niet in een ladenkast die Finn van Wilga had meegenomen.

'Nee,' fluisterde ze hartstochtelijk. 'Nee, nee, nee.'

Maar ze kon het geschrevene achter op de foto niet negeren, en ondanks haar weerzin merkte ze dat ze er door aangetrokken werd.

'*Veel succes, zoon. Pa en ma.*'

Matilda slikte heftig en kwaad. Ze dwong zichzelf om na te denken. Het moest toeval zijn; ze deed veel te dramatisch. Peg en Albert hadden hun eigen kind gekregen, hadden hun naam veranderd en waren naar Tasmanië verhuisd. Natuurlijk, dát was het. Logisch eigenlijk.

Finns stem echode door haar hoofd.

'*Ma vertelde me dat ik geadopteerd was. Dat verklaart waarom mijn vader nooit enige genegenheid heeft getoond.*'

'Dat zegt niks,' zei Matilda in de stilte. 'Ze hebben hem in Tasmanië geadopteerd. Het is gewoon een speling van het lot dat hij hierheen is gekomen.'

Ze ging op de vloer van de kinderkamer zitten, met de foto tegen haar borst geklemd en probeerde de kalmte te hervinden die ze nodig had om na te kunnen denken. Haar fantasie ging met haar op de loop, zei ze bij zichzelf. Vrouwen in haar toestand werden vaak een beetje gek.

Haar blik viel op het strak bijeengebonden stapeltje brieven. Een snelle blik vergewiste haar ervan dat de meeste van vrienden waren, mannen met wie

Finn gevochten had, paardenfokkers en boeren. Matilda begon te geloven dat ze zich werkelijk vergist had.

Toen vond ze de brief van Peg.

Vol spelfouten, bijna onleesbaar, had hij kennelijk na haar dood gelezen moeten worden. De woorden dansten voor Matilda's ogen en de betekenis drong in haar hart door als de nagels in een doodskist.

Liefste zoon,

Dit moet wel de moeilijkste brief zijn die ik ooit heb moeten schrijven, maar je moet de waarheid weten, en nu ik er niet meer ben, hoop ik dat je me zult kunnen vergeven voor wat ik heb gedaan. Ik neem alle schuld op me, je vader wilde er niks mee te maken hebben – maar het lot bood me een kans, en ik greep hem aan.

Je moeder was zelf nog maar een kind toen ze je op de wereld zette, met weinig toekomst en geen man om voor haar te zorgen. Ze was heel ziek na jouw geboorte, en toen ik jou in mijn armen hield, wist ik dat ik je niet kon laten gaan.

Ik heb je gestolen, Finn. Ik heb je gestolen van dat arme, misbruikte kind en heb je het beste gegeven wat ik kon geven, want ik wist dat ze niet voor jou kon zorgen, zelfs als ze gewild had – wat ik betwijfel. We hebben jaren geleden onze naam in McCauley veranderd, maar je zult geen papieren vinden die iets kunnen bewijzen, en het is beter dat je niet weet waar je vandaan komt. Ze denkt dat je bij je geboorte bent overleden, Finn.

God vergeve me voor de leugen, maar ik en Bert konden geen kinderen krijgen, en toen ik jou zag, wist ik dat het zo moest zijn.

Matilda's angstige voorgevoel kwam volop terug en ze raakte bijna verdoofd van schrik. Haar stijve vingers gooiden het blikje om toen ze zich op haar handen en knieën liet zakken en er iets glinsterends op de grond viel.

Ze raapte het op en liet het als een slinger in het zonlicht heen en weer zwaaien. Het goud en email schitterden terwijl ze verstard en als gehypnotiseerd toekeek.

Ze pakte het fijne gegraveerde hartje, ging met haar vinger over de initialen en verstarde. Ze haalde diep adem en dwong zichzelf om het kleine slotje open te maken en naar de twee gezichten in hun rijkversierde lijstjes te kijken – en wist dat er geen twijfel mogelijk was.

Het zoekraken van haar moeders medaillon was altijd een mysterie geweest. Nu was het naar Churinga teruggekeerd om haar te kwellen.

Haar baby woog zwaar in haar terwijl ze overeind krabbelde.

'Het is onmogelijk,' mompelde ze. 'Onmogelijk.'

Ze werd omringd door stilte. De dag verloor zijn glans en ze meende Pegs stem weer te horen.

'Je baby is gestorven. Je baby is gestorven. Je baby is gestorven.'

Matilda bedekte haar oren met haar handen en liep wankelend de kamer uit. Haar voeten brachten haar onvermijdelijk naar de plek waar ze niet heen wilde, maar waar ze heen móest. De nachtmerrieachtige wandeling die ze één keer eerder had gemaakt en waaruit ze dolgraag wilde ontwaken. Toen het erf op en door het witte hek naar het kerkhofje.

Ze zonk op haar knieën in het natte gras en keek naar het kleine marmeren kruis dat ze van haar eerste winst had gekocht. Haar haar werd doorweekt door de regen en viel in natte slierten over haar gezicht. Haar jurk plakte als een ijskoude tweede huid tegen haar lichaam terwijl ze met haar handen in de aarde begon te graven. Maar ze was zich van niets bewust terwijl ze het lang vergeten gebed uit haar kindertijd mompelde.

'Heilige Moeder van God, gezegend zijt gij onder vrouwen. Bid voor mijn zonden.'

Haar handen groeven steeds sneller; ze schepten de zware, natte grond op en gooiden het opzij tot ze bij dat kleine zelfgemaakte kistje kwam.

Finn was vierentwintig. Finn was vierentwintig.

De gedachte draaide maar rond en rond in haar hoofd terwijl haar verdoofde lippen maar baden. 'Helige Moeder van God, bid voor ons. Vergeef ons. Vergeef ons alstublieft, God.'

De regen en tranen verblindden haar terwijl ze wanhopig in de aarde graaide om het kistje boven te halen. Ze duwde haar handen dieper in de grond, pakte de zijkanten beet en trok het voorzichtig uit de zuigende aarde die het niet scheen te willen prijsgeven.

Ze negeerde de pijn in haar buik en haar gescheurde nagels. Negeerde de splinters en de regen. Ze moest het zien. Ze moest erachter komen wat Peg en Albert Riley vierentwintig jaar geleden in haar kerkhof hadden begraven.

Het mesje verdween tussen de roestige spijkers, en met een nijdig gepiep en een versplintering van hout kwam het deksel los. Matilda keek.

Er lag niets anders dan een grote baksteen in het kistje.

Ze zat in de regen met het ruwe kistje op haar schoot. Ze was verdoofd. Dood voor alles om zich heen. Als de regen de verschrikkelijke zonde die ze had begaan maar kon wegspoelen. Als ze maar in de aarde kon wegsmelten en verdwijnen. Als ze maar voor de rest van haar leven niets kon voelen en eenvoudigweg in de vergetelheid opgaan.

Maar het mocht niet zo zijn, want de felle, hardnekkige pijn die haar in enorme golven overspoelde, brak eindelijk door haar trance heen en dwong haar in beweging te komen. Met het kistje tegen haar borst geklemd, kroop ze in de richting van het huis. Haar onschuldige kind kwam ter wereld en ze kon het op geen enkele manier tegenhouden.

Matilda sleepte zich de trap op, de veranda over en de slaapkamer in. De pijn was overweldigend en drong door tot in haar borst zodat ze bijna niet kon ademen, bewegen, denken. Ze wist dat ze op het punt stond dood te gaan, en het lot zou beslissen of haar ongeboren kind het zou overleven – maar toen alle angsten voor het katholieke hellevuur uit haar kindertijd terugkeerden, wist ze dat dit de juiste straf was voor zoveel slechtheid als zij bezat.

'Finn?' riep ze door het stille huis. 'Finn, waar ben je?' Ze lag op het bed, zonder op de modder en viezigheid te letten die aan haar kleren plakten en het beddengoed bezoedelden. 'Ik moet het je vertellen, Finn. Moet het uitleggen,' hijgde ze tussen de weeën door.

De tijd verloor iedere betekenis toen ze haar ogen dichtdeed. Toen ze ze weer opendeed, voelde ze de plakkerige nattigheid tussen haar benen. Bijna van alle kracht beroofd, pakte ze het dagboek en begon te schrijven. Finn moest het weten. Maar als het kind in leven bleef, dan moest het ergens ver weg liefdevol verzorgd worden, waar het nooit achter de waarheid zou komen. Er was genoeg zonde in dit huis geweest.

De pen viel ten slotte uit Matilda's handen. Ze had alles geschreven wat ze maar kon, en haar kind wilde niet wachten om geboren te worden. Het einde was nabij.

20

Jenny liet het dagboek op de grond vallen terwijl de tranen vrijelijk over haar wangen stroomden. Ze had al die tijd gelijk gehad, er rustte een vloek op Churinga. Geen wonder dat de geest van Matilda er rondwaarde. Geen wonder dat de wals iedere keer klonk als ze haar japon droeg.

Ze ging op haar bed zitten en treurde om Matilda en Finn terwijl ze het medaillon om haar hals omklemde. Matilda was blijkbaar overleden, maar wat was er met Finn gebeurd? Ze hield abrupt op met huilen. En wat was er van het kind geworden? De ware erfgenaam van Churinga.

Ze droogde haar tranen terwijl de vragen in haar hoofd een antwoord eisten. Finn had Matilda's dagboeken met een bedoeling achtergelaten. Hij wilde dat ze gelezen zouden worden.

'Maar door wie?' fluisterde ze. 'Hoopte je dat je kind op de een of andere manier zijn weg hierheen zou vinden om de waarheid te ontdekken?'

'Je praat nu al in jezelf, hè? Allemachtig, je heb het wel te pakken.'

Dianes stem verstoorde haar gedachten, en geschrokken snoot Jenny haar neus en probeerde zich onder controle te krijgen. Ze wist dat ze grauw zag en dat haar oogleden gezwollen waren.

'Wat is er toch?' Diane ging naast haar op bed zitten en legde troostend haar arm om Jenny's schouders.

'Matilda is met Finn getrouwd,' zei ze schor, en dreigde weer te gaan te huilen.

Diane haalde haar schouders op. 'Nou én?' Ze wierp Jenny een scherpe blik toe en begon te grinniken. 'Je gaat me toch niet vertellen dat onze grote cynicus ineens helemaal romantisch en sentimenteel is geworden?'

Jenny schudde Dianes arm af. 'Je begrijpt het niet,' zei ze moeizaam terwijl ze de tranen probeerde te drogen. 'Finn was Matilda's zoon.'

Donkere ogen staarden haar aan. Toen floot Diane zachtjes. 'Nou, dat is een ontdekking,' fluisterde ze.

Jenny pakte het dagboek en stak het met een woest gebaar haar vriendin toe. 'En dat is nog niet alles, Diane. Ze hebben een baby gekregen. Peter had helemaal het recht niet op deze boerderij. Ik evenmin.' Ze frommelde de zakdoek tot een bal en probeerde toen het medaillon los te maken. 'Zelfs dit is niet van mij. Het was van Matilda, en van haar moeder vóór haar. Geen wonder dat ik achtervolgd word door geesten sinds ik die dagboeken gepakt heb.'

Diane negeerde het dagboek en keek haar aan. 'Dat is onzin, Jen. Peter had het volste recht om de boerderij te kopen als hij te koop aangeboden werd. Misschien wilde het kind hem niet hebben. En wie zou zich dat niet kunnen voorstellen met zo'n voorgeschiedenis?' Ze liet haar schouders zakken. 'Kom op, meid. Je laat je te veel overstuur maken. Je bent helemaal over je toeren van die vervloekte dagboeken en je fantasie gaat met je op de loop.'

Jenny schudde langzaam haar hoofd terwijl ze diep over Dianes argument nadacht. Ze had het gevoel dat er iets niet klopte. Er waren nog steeds te veel vragen die onbeantwoord waren gebleven, en nu ze zo ver met Diane gekomen was, had ze het gevoel dat ze door moest gaan tot ze alles wist.

Ze griste het dagboek terug, vond de laatste paar bladzijden en reikte het Diane aan. 'Lees dit eens en vertel me wat je ervan denkt.'

Gezien de uitdrukking op Jenny's gezicht besefte Diane dat het geen zin had te weigeren. Na een korte stilte begon ze te lezen. Toen ze het uit had, sloeg ze het boek dicht en bleef zo lang zwijgend zitten dat Jenny ongeduldig werd.

'Ik denk dat het een heel tragische geschiedenis is, die je maar beter kunt laten rusten,' zei ze ten slotte. 'Het kind leeft niet meer of heeft besloten de boerderij te verkopen. Niks dramatisch. Gewoon een feit. Wat het medaillon betreft...' Ze nam het van Jenny over en ging met haar vinger over het fijne filigraan. 'Peter heeft het waarschijnlijk hier gevonden toen hij net besloten had Churinga te kopen en dacht dat het een mooi cadeau voor jou zou zijn.'

Jenny werd steeds ongeduldiger met Diane. 'Maar snap je het nou niet?' barstte ze los. 'Die dagboeken zijn hier achtergelaten met een bedoeling. Dat moet wel.' Ze haalde diep adem. 'Als het kind nog leefde, waarom zou je ze hier dan achterlaten zodat iemand ze kon lezen? Waarom niet gewoon verbranden?'

'Jen,' waarschuwde Diane. 'Je gaat het toch niet over die boeg gooien?'

Ze nam Dianes handen tussen de hare, haar bijna dwingend de dingen te zien zoals zij ze zag. 'Maar stel dat dat kind nog leeft en de waarheid niet kent? Dat Finn de dagboeken hier heeft laten liggen omdat hij wist dat het kind op een dag terug zou komen? Wat dan?'

'Pure veronderstelling,' was Dianes reactie.

Jenny griste het medaillon weg en liep naar de deur. 'Dat zullen we nog wel eens zien.'

'Waar ga je heen?' De bezorgde stem van haar vriendin volgde haar toen ze de kamer uitliep.

'John Wainwright bellen,' riep ze over haar schouder.

Diane haastte zich achter haar aan en legde haar hand op haar arm toen ze de hoorn van de haak wilde halen. 'Wat heb je daar nou aan? Laat het toch rusten, Jen. Geniet van Churinga, het medaillon, het verhaal dat je hebt mogen lezen en leid je eigen leven. Alle tweedehandssieraden hebben een geschiedenis. Dat maakt ze zo interessant. Maar oude dagboeken moeten terug naar waar ze horen. In het verleden. Niets dat je kunt zeggen of doen verandert iets aan de feiten, Jen. Gedane zaken nemen geen keer.'

'Maar ik moet erachter komen wat er met ze is gebeurd, Diane. Ik moet weten waarom Peter Churinga kon kopen. Dat ben ik Matilda verschuldigd.'

Ze wendde zich af en terwijl ze wachtte tot ze doorverbonden werd, hoorde ze Diane nog koppig zeggen: 'Als ik je niet tot rede kan brengen, dan doet John Wainwright het wel.'

Jenny omklemde de hoorn terwijl dat bekende Engels aan de andere kant klonk. 'John? Jennifer.'

'Hallo, meisje. Wat kan ik voor je doen?'

'Hoe en waarom heeft Peter Churinga gekocht?'

'Dat heb ik je al eerder uitgelegd,' zei hij glad.

'John,' zei ze ferm, 'ik weet van Matilda en Finn McCauley, en ik draag haar medaillon om mijn nek. Het medaillon dat Peter me vorig jaar met Kerstmis heeft gegeven. Het medaillon waarvan hij zei dat het iets met mijn verjaardagscadeau te maken had. Nu wil ik weten hoe hij aan Churinga en dat medaillon is gekomen, en wat er is gebeurd met de persoon die het had moeten erven.'

'Aha.' Er klonk een lange stilte.

Jenny keek even naar Diane terwijl ze samen rond de telefoon drongen. Ze had het koud gekregen ondanks dat het warm was in de keuken, en hoewel ze dolgraag meer wilde weten, hing ze bijna op.

'Wat is er, John? Waarom kost het je zo'n moeite het me te vertellen?'

Er klonk een zucht en het geritsel van papier aan de andere kant van de telefoon. 'Het is een lang, ingewikkeld verhaal, Jennifer. Misschien is het beter dat je terugkomt naar Sydney zodat ik het kan uitleggen?'

Ze moest bijna glimlachen om de hoopvolle klank in zijn stem. 'Ik heb liever dat je het me nu meteen vertelt, John. Het kan toch niet zó ingewikkeld zijn.'

Nog een zucht en nog meer geritsel van papier. 'Peter kwam een paar jaar voor zijn overlijden bij me. Hij had een boerderij, Churinga, gevonden en wilde dat ik het papierwerk voor mijn rekening nam. Blijkbaar zat er een intrigerend verhaal achter de boerderij en hij had er langdurig onderzoek naar gedaan voor hij bij mij kwam. Toen eenmaal al het juridische papierwerk achter de rug was, smeekte hij me zijn nieuwe aankoop geheim te houden tot hij de tijd had om jou alles zelf uit te leggen.'

Jenny keek bedenkelijk. 'Waarom zou je het geheimhouden als het verhaal intrigerend was? Dat snap ik niet.'

Er volgde een lange stilte. 'Hij wist dat je overstuur zou raken,' was zijn ingetogen antwoord.

'Maar waarom kocht hij die vervloekte boerderij dan als hij dat wist?' Ze haalde diep adem. 'Je klinkt niet erg logisch, John. Is er soms iets dat je me niet vertelt?'

Weer een lange stilte. 'Hoe ben je achter het verhaal van de McCauleys gekomen?'

Als hij dat spelletje kon spelen, kon zij het ook. Ze beantwoordde zijn vraag met een wedervraag. 'Is Peter hier ooit geweest, John?'

'Voorzover ik weet niet. Hij was van plan zijn eerste bezoek samen met jou op jullie huwelijksdag af te leggen. Op dat moment wilde hij je de geschiedenis van de boerderij vertellen.'

'Maar in plaats daarvan overleed hij.'

John Wainwright schraapte zijn keel. 'Peters overlijden betekende dat ik de juridische overhandiging van Churinga op een speciale manier moest regelen. Hij wilde dat je de boerderij bezocht, zou zien wat je ervan vond en aan het idee zou wennen voor je meer te horen kreeg.'

'Ja, ik begrijp waarom hij wilde dat ik eerst verliefd op de boerderij zou worden.' Jenny keek naar haar hand. Het medaillon lag opgerold als een slang in haar handpalm – klaar om toe te slaan. 'Als Peter nooit op Churinga was geweest, hoe kon hij me Matilda's medaillon dan geven?'

'Hij is het tegengekomen tijdens zijn onderzoek naar de geschiedenis van Churinga. Maar waar het vandaan kwam, heeft hij niet gezegd,' antwoordde de advocaat snel. 'Maar om verder te gaan over de kwestie van jouw erfenis: Peter was de meest zorgvuldige man die ik ooit heb ontmoet. Hij nam altijd iedere eventualiteit in beschouwing, stond erop zijn eigen testament te maken en gaf de manier aan waarop dingen moesten gebeuren voor het geval het ondenkbare zou gebeuren. Daarom overval je me nogal. Hoe ben je achter de geschiedenis van de McCauleys gekomen?'

'Peter heeft een fout gemaakt. Een belangrijke eventualiteit gemist. Hij is niet eerst hierheen gegaan.' Jenny haalde diep adem terwijl ze aan de dagboeken dacht. 'Hoeveel weet jij van de McCauleys, John?'

'Niet veel.' Zijn toon veranderde, werd scherper, en ze had even het vermoeden dat ze iets gemist had.

'Ze waren grootgrondbezitters. Er heeft een of andere tragedie plaatsgevonden en het land werd beheerd tot hun kind meerderjarig zou worden. Het beheer viel onder een van onze oudere compagnons die inmiddels met pensioen is, maar kennelijk is er in de loop der jaren wel communicatie tussen het weeshuis en dit kantoor geweest, gezien de manier waarop de zaak is geregeld.'

'Dus hoe is Peter aan Churinga gekomen? En wat is er met het kind gebeurd?'

John zweeg zo lang dat Jenny dacht dat de verbinding verbroken was. 'John? Ben je daar nog?'

Vol overduidelijke tegenzin antwoordde hij haar. 'Peter had al een hoop onderzoek gedaan voor hij bij mij kwam. Ik heb hem alles verteld wat ik wist, wat niet veel was. Het kind was verdwenen en het klooster werkte ook niet erg mee. Hij heeft heel uitgebreid gezocht, geloof me. Peter was heel grondig. Maar ik moet benadrukken dat alles volledig volgens de wet is geregeld. De eigendomsakten zijn van jou en van jou alleen.'

'Dus de zaak was niet langer onder beheer?'

'Zoiets, ja. Het spijt me dat ik je niet verder kan helpen,' zei hij zwakjes. 'Maar Peter heeft het grootste deel van het verhaal voor zich gehouden.'

Jenny dacht een ogenblik na. 'Na heel zijn zorgvuldige planning verbaast het me dat hij geen brief of iets dergelijks heeft nagelaten om het uit te leggen,' zei ze hoopvol.

'Er was oorspronkelijk wel een brief,' zei John Wainwright langzaam. 'Maar hij heeft hem vernietigd. Hij zei dat je de geschiedenis van Churinga het beste van hem kon horen. Ik denk dat hij er, ondanks zijn zorgvuldig uitgevoerde plannen, nooit van uit is gegaan dat hij er niet meer zou zijn om het jou te vertellen.'

Teleurstelling vormde een brok in haar keel en ze slikte snel. 'Dus je hebt de brief nooit gelezen en je weet niet wat erin stond?'

'Nee. Het was een verzegelde brief die hij mij in bewaring had gegeven en die alleen geopend mocht worden in het geval van zijn dood en nadat je

Churinga had bezocht. Het spijt me, Jennifer. Meer kan ik je niet vertellen.'

'Dan is het aan mij om de rest te ontdekken,' zei ze beslist. 'Dank je, John. Ik bel nog wel.' Ze legde de hoorn op de haak terwijl hij nog halverwege een zin was, en wendde zich tot Diane. 'Kom mee. Dan gaan we naar Helen.'

Diane keek haar met grote ogen aan. 'Waarom? Wat heeft zij ermee te maken?'

'Zij zal wel weten waar ik de priester kan vinden,' zei Jenny opgewonden terwijl ze een spijkerbroek en overhemd aantrok. 'Finn zal ongetwijfeld naar hem zijn gegaan, dat weet ik zeker.'

Ze stak haar voeten in haar laarzen en stond op. 'Ik moet weten wat er na Matilda's overlijden is gebeurd. Waar was Finn? En waarom kon niemand het kind vinden?'

Diane pakte haar bij haar arm. 'Denk eens na, Jen. Ik ken je. Je krijgt een idee in je hoofd en je gaat als een bezeten tekeer. Wil je echt nog dieper graven?'

Ze trok haar arm weg en deed met een zwaai de hordeur open. 'Ik kan het niet onafgemaakt laten, Diane. Mijn geweten staat het niet toe. Trouwens,' zei ze terwijl ze in de pick-up stapte en het contactsleuteltje omdraaide, 'wil jij de rest van het verhaal niet horen? Ben je niet een heel klein beetje nieuwsgierig?'

Diane stond nog in haar nachthemd op de veranda. Ze beet onzeker op haar lip, maar de nieuwsgierigheid blonk in haar ogen.

'Kom je nou nog of niet?'

'Geef me een ogenblikje.' Diane stormde het huis binnen terwijl ze de hordeur achter zich dichtsloeg.

Jenny trommelde met haar vingers op het stuur terwijl de minuten voorbijtikten en haar gedachten voortjoegen. Priester Ryan moest nu wel heel oud zijn. Hij kon wel dood of dement zijn of opgesloten zitten in een of ander klooster waar ze hem niet te pakken kon krijgen. Helen was waarschijnlijk haar enige kans om hem te vinden.

Diane trok met een ruk het portier van de pick-up open en stapte in. 'Zo, ik ben er klaar voor,' zei ze hijgend. 'Maar ik vind nog steeds dat je met vuur speelt.'

'Ik heb me eerder gebrand,' zei Jenny grimmig terwijl ze door een van de automatische hekken reden.

Ze reed in opperste concentratie langs de kuilen en scheuren in de weg en manoeuvreerde langs de hekken. De warme wind deed het stof opwaaien, liet de bomen buigen en zwaaien en blies de droge aarde over hun pad zodat de provisorische weg moeilijk te zien was. Gedachten kwamen spontaan in haar op, die ze meteen weer terzijde schoof. Matilda's kind was in een weeshuis opgegroeid, zonder de waarheid omtrent zijn geboorte te weten. Ze wist hoe dat voelde. Ze had medelijden met het kind, voelde zijn pijn en wist hoe verloren en eenzaam hij moest zijn geweest. Daardoor was ze meer dan ooit vastbesloten om de waarheid te achterhalen. Als haar onderzoek naar het onbekende kind van Churinga leidde, kon ze met een gerust hart verder leven.

Toen ze Kurrajong-land naderden, zagen ze de mannen de laatste dieren van de kudde naar de weiden bij het huis drijven. Er was geen spoor te bekennen van Andrew of Charles, er stond geen rolstoel op de veranda, en Jenny slaakte een zucht van verlichting. Ethan was wel de laatste die ze wilde zien. Ook al wist hij waarschijnlijk de meeste antwoorden, ze wist dat hij ze haar toch niet zou vertellen.

Ze rolden bijna uit de pick-up en liepen de trap naar de veranda op. Met een laatste blik op Diane drukte Jenny op de bel. Het leek een eeuwigheid voor er werd opengedaan.

'Jennifer? Diane? Wat leuk jullie te zien.' Helen, elegant als altijd in een geperste broek en gesteven blouse, begroette hen glimlachend.

Jenny had geen tijd voor plichtplegingen. Ze stapte langs Helen de hal in en pakte haar bij haar arm. 'Ik moet priester Ryan zien te vinden,' zei ze fel. 'Hij heeft de antwoorden, zie je, en jij bent de enige die ik kan bedenken die misschien weet waar hij is.'

'Wacht even, Jenny. Haal eens diep adem en vertel me wat er gebeurd is. Ik begrijp niet waar je het over hebt.'

Jenny zag hoe geschrokken Helen keek voor ze haar haar losliet en besefte dat haar verwaaide uiterlijk en onbesuisde gedrag het er niet beter op maakten. Helen had geen idee van de dagboeken of het verschrikkelijke geheim dat zo lang op Churinga begraven had gelegen. Ze haalde diep adem en streek haar verwarde haar uit haar ogen.

'Ik moet priester Ryan vinden,' herhaalde ze gedecideerd. 'En jij bent de enige die me kan helpen.'

Helen keek haar bezorgd aan. 'Waarom, Jenny? Wat is er gebeurd?'

Ze keek even naar Diane, en beet op haar lip. Er was nu gewoon geen tijd om alles uit te leggen. Ze was te ongeduldig om de waarheid boven te halen.

'Het is ingewikkeld,' mompelde ze terwijl ze ongemakkelijk schuifelde. 'Maar het is ook heel belangrijk dat ik de priester vind.'

Helen keek haar lang aan en Jenny wist dat er achter haar koele uiterlijk bezorgdheid schuilging. 'Kom mee naar mijn werkkamer,' zei ze met een snelle blik op Diane. 'Daar kunnen we praten.'

Jenny draaide zich met een ruk om toen ze zware voetstappen hoorde en slaakte een zucht van verlichting. Het was de bedrijfsleider maar.

'De oude man ligt te slapen, en de anderen zijn allemaal bezig de kudde bijeen te drijven,' zei Helen vriendelijk, alsof ze haar gedachten kon lezen. 'We zullen niet gestoord worden.'

Jenny en Diane volgden haar een studeerkamer vol boeken in en gingen naast elkaar op het randje van een leren bank zitten. Jenny voelde een zeurderige pijn achter haar ogen opkomen en de afschuwelijke gebeurtenissen van de laatste paar uren stonden haar glashelder voor de geest. Ze nam een glas pure whisky van Helen aan en sloeg het in één keer achterover. Het brandde in haar keel en de tranen schoten in haar ogen. Ze had een hekel aan whisky, maar bij een gelegenheid als deze had ze het nodig om helder te kunnen denken en alles op een rijtje te zetten.

'Je kunt het beste maar bij het begin beginnen,' zei Helen. Ze was in de leren fauteuil achter het met ordners bezaaide bureau weggedoken. 'Dit heeft toch niets te maken met wat ik je onlangs heb verteld, hè?' Haar stem klonk rustgevend in de rustige kamer.

Jenny vouwde haar handen om haar knieën. Haar ongeduld was verdwenen en er was een rust voor in de plaats gekomen zoals ze nog niet eerder had gevoeld. 'Het is waarschijnlijk het laatste hoofdstuk,' zei ze zachtjes.

Diane kneep bemoedigend in haar hand. Na een aarzelend begin kwamen haar woorden steeds vlotter. Terwijl de laatste woorden als koud water in de vijver van stilte vielen, wachtte ze op een reactie.

Helen kwam vanachter haar bureau en ging naast de twee vriendinnen zitten. 'Ik heb nooit geweten dat Matilda een dagboek bijhield of dat er sprake van een baby was.'

Jenny haalde het medaillon uit de zak van haar spijkerbroek. 'Ik heb dit van mijn man gekregen, en ik heb me altijd afgevraagd van wie het geweest was,' zei ze. Haar vingers trilden van iets dat het meest op opwinding leek toen ze het slotje openmaakte. 'Herken je een van deze twee mensen?'

Helen staarde ernaar. 'Ik weet niet wie de vrouw is,' zei ze. 'Maar ik vermoed, aan het haar en de jurk te zien, dat het Mary, Matilda's moeder is. De jongeman is Ethan. Ik heb soortgelijke foto's in de familiealbums gezien. Hij moet een jaar of achttien, negentien zijn geweest toen deze foto genomen werd.'

Diane en Jenny keken elkaar verbijsterd aan. 'Ik moet priester Ryan vinden,' zei Jenny ademloos. 'Voor Finn was zijn geloof heel belangrijk, dus het is logisch dat hij zich tot de priester wendde nadat Matilda overleden was. Hij is de enige schakel met het verleden, Helen. De enige die misschien weet wat er met het kind is gebeurd.'

Helen beet op haar lip. 'We hebben Ethan natuurlijk ook altijd nog.'

Jenny dacht aan die kwaadaardige oude man in zijn rolstoel en schudde haar hoofd. 'Alleen als er niemand anders is.'

'Ik zal de pastorie bellen,' zei Helen. 'We doneren genoeg aan de kerk; het is tijd dat ze eens iets voor ons doen.' Ze glimlachte naar Jenny en Diane. 'Als goede katholieken willen we altijd de weg naar de hemelpoort vergemakkelijken, en de kerk houdt altijd zijn hand op.'

'Waarom probeer je die ouwe man niet, Jen?' siste Diane door haar sigarettenrook heen. 'Jeetje, hij zat overal middenin. Hij móet weten wat er is gebeurd.'

Helen legde haar hand op de hoorn. 'Ik zou hem nog niet geloven als hij me vertelde hoe laat het was,' zei ze grimmig. 'Laten we eerst dit proberen.'

Jenny knikte instemmend.

Helen kreeg iemand te pakken die priester Duncan heette, maar het telefoongesprek aan hun kant wierp weinig licht op wat er aan de andere kant werd gezegd en Jenny en Diane moesten wachten tot ze opgehangen had.

'Juist. Nou, dank u wel, eerwaarde. Trouwens, hoe is het met de nieuwe jeep? Een stuk beter om in rond te rijden, hè?' Ze glimlachte terwijl ze ophing.

'En?' Jenny stond op.

'Priester Ryan leeft nog en woont in een tehuis voor priesters in ruste in Broken Hill. Priester Duncan vertelde me dat hij hem nog regelmatig schrijft om op de hoogte te blijven van de plaatselijke ontwikkelingen, en dat hij, hoewel zijn ogen slechter worden, nog steeds goed bij de tijd schijnt te zijn.'

Ze scheurde een blaadje van haar schrijfblok. 'Dit is zijn adres.'

Jenny nam het papiertje aan. Hoewel het adres haar niets zei, ging er een rilling van opwinding door haar heen. 'Laten we hopen dat dit allemaal niet voor niets is,' mompelde ze.

Diane kwam naast haar staan. 'We weten het pas als we er zijn, Jen. En aangezien je alles meteen wil weten, stel ik voor dat we direct op pad gaan. Hoe ver is het rijden naar Broken Hill, Helen?'

'Normaal gesproken nemen we het vliegtuig, maar met deze wind en onweer op komst is het niet verstandig.'

'Hebben jullie een vliegtuig?' Diane klonk gepast onder de indruk.

Helen grinnikte. 'Een beetje overdreven, hè? Maar ik ben hier zo weg als het me te veel wordt.'

Ze keek hen allebei aan en scheen een besluit te nemen. 'Het is een lange rit naar Broken Hill met de auto, en als je de weg niet weet, kun je gemakkelijk verdwalen als de stofstorm nog erger wordt. Zal ik jullie brengen?'

Jenny keek even naar Diane en ze knikten allebei.

'Laten we er geen gras over laten groeien. Ik gooi wat spullen in een tas, leg een briefje voor James neer en dan zijn we weg.'

Enkele minuten later, met een gepakte weekendtas en een briefje op het haltafeltje, zaten de drie vrouwen in de enorme keuken die rook naar versgebakken brood en gebraden vlees.

Helen vulde drie thermosflessen met koffie en gaf de kokkin de opdracht om een stapel boterhammen klaar te maken. 'We moeten jouw pick-up nemen,' zei ze. 'James heeft die van ons en onze reserve staat net in de werkplaats. Wil jij hem halen, Diane, en hem naar de garages aan de zijkant van het huis rijden?'

Jenny volgde Helen het huis uit en nadat Diane de pick-up voor de garages had gezet, hielp ze hen de vaten benzine met elk een inhoud met zestien liter in de laadbak te zetten. Er gingen ook twee vaten water in, gevolgd door een stel reservebanden, een krik, een geweer, een spade, en een eerstehulpdoos. Een jutezak vol gereedschap en een verzameling reserveonderdelen werden ernaast geslingerd.

'Waarom hebben we dat allemaal nodig?' vroeg ze verbaasd. 'Broken Hill is toch niet zó ver rijden?'

'Het maakt niet uit waar je hier naartoe rijdt, je hebt die spullen altijd bij je. We kunnen pech krijgen, een lekke band, of vast komen te zitten in het zand – en we kunnen er dagen vastzitten zonder dat iemand ons vindt. En met dat dreigende onweer is het belangrijker dan ooit om voorbereid te zijn.' Helen stapte in en nam Dianes plaats achter het stuur over. 'Kom op. We gaan.'

Jenny en Diane persten zich naast haar op de bank en ze vertrokken. 'Je ziet er misschien uit alsof je je meer thuisvoelt op een tuinfeest,' merkte Diane peinzend op, 'maar, Helen, je bent een dijk van een mens!'

Helens blankgelakte nagels glommen terwijl ze de pick-up van de ene bijna onzichtbare weg naar de andere reed. 'Dit is geen plek voor tere poppetjes,' zei ze. 'Dat heb ik verdomd snel geleerd toen ik hier net woonde.'

Ze keek even naar de twee jonge vrouwen die naast haar zaten en grinnikte. 'Maar het is leuk om de elementen en die rotschapen te trotseren. Ze verschillen niet zo erg van vrouwen op cocktailfeestjes, weet je. Allemaal in groepjes bij elkaar en maar hersenloos blaten.'

'Hoe ver is het eigenlijk precies naar Broken Hill?' vroeg Diane na een uur of twee.

'Een kilometer of zeshonderd. Zodra we in Bourke zijn, is het bijna een rechte lijn over de weg die de rivier de Darling volgt naar Wilcannia en Highway 32. De snelweg loopt door Broken Hill naar Adelaide.'

Jenny staarde uit het raam. Het was bijna twaalf uur, maar de lucht was bijna zwart, met dikke, zware wolken. In de verte rommelde de donder en bliksemflitsen priemden naar de puntige toppen van het Moriarty-gebergte. Het was vreemd hoe het leven om haar heen doorging – en zij stond erbuiten, verloren in de wereld van Matilda McCauley waar alles ineens veel te echt was.

'Ik wou dat de bui eens losbarstte en we regen zouden krijgen,' zei Helen toen ze de verharde weg bereikte die naar Wilcannia leidde. 'Het gras is te droog voor onweer en er is zich daar een beste bui aan het ontwikkelen.' Ze knikte in de richting van de bergen in de verte waar de wolken er het dreigendst uitzagen.

'Als je je zorgen maakt en terug wilt, moet je het zeggen, hoor. We kunnen deze rit ook wel een andere dag ondernemen.' Jenny kwam weer met beide voeten op de grond. Ze voelde zich schuldig omdat ze Helen meegesleept hadden in dit woeste avontuur, maar moest er eigenlijk niet aan denken om terug te gaan – niet nu ze al zover gekomen waren.

Helen keek naar haar en grinnikte. 'Het komt wel goed. We hebben erger meegemaakt, en er zijn genoeg mannen op Kurrajong om alles in de gaten te houden.'

Toch hoorde Jenny een bezorgde ondertoon bij die opgewekte verklaring. Omdat het haar nou toevallig geen donder kon schelen wat er met Churinga gebeurde, was het dan eerlijk om van Helen te verwachten dat zij haar geliefde Kurrajong achterliet terwijl ieder moment de bui kon losbarsten?

'Weet je het zeker? We kunnen nu nog terug.'

'Absoluut. Ik ben veel te nieuwsgierig. Ik hoop alleen dat priester Ryan de antwoorden heeft die je nodig hebt. Maar ik vraag me af of je het misschien aan mij moet overlaten om de oude man te ondervragen.'

Jenny keek naar de oudere vrouw. Wist Helen meer dan ze liet merken? Ze kwam tot de conclusie dat ze haar fantasie weer overwerk liet verichtten en schudde haar hoofd. 'Ik weet welke vragen ik moet stellen, Helen. Het is beter dat ik het doe.'

Ze klonk zo kalm en beheerst, dacht ze verrast, en toch was ze van binnen opgewonden en bang voor wat ze te horen zou krijgen. De laatste paar uur waren waanzinnig geweest, en als ze niet midden op de dag met Helen en Diane door het binnenland hobbelde, zou ze denken dat ze droomde. Maar de vragen die opgeroepen werden door de hiaten in Matilda's dagboek eisten een antwoord – en ze kon niets anders dan haar uiterste best doen ze te vinden.

Ze reden om beurten en bereikten Broken Hill terwijl de maan tussen de voortjagende wolken door scheen. Ze realiseerden zich dat het te laat was om de priester nog op te zoeken, dus namen ze kamers in een motel waar ze wat aten en in bed ploften. Ze waren alledrie doodmoe.

De volgende dag was het somber, met een zwak zonnetje dat door de zware bewolking probeerde te dringen. De wind was gaan liggen, maar het was erg klam. Voor ze hun ontbijt op hadden, waren ze alweer aan een douche toe.

Het bejaardentehuis St. Joseph was een lang, wit gebouw omringd door een grote, schaduwrijke tuin aan de rand van de stad. Helen trok de handrem aan en zette de motor uit.

'We kunnen nog altijd omdraaien en de hele zaak vergeten.'

'O nee, niet nu we al zo'n eind gekomen zijn.'

'Goed dan. Geen probleem.' Helen glimlachte opgewekt. 'Kom mee, eens kijken of die ouwe ons iets interessants te vertellen heeft.'

Brett werd wakker in een maar al te bekende stilte die weinig goeds voorspelde. Hij stapte uit bed en keek naar buiten. Het was schemerig en somber, wat overeenkwam met zijn stemming. De hitte was intens ondanks het vroege tijdstip en dreigende wolken hingen laag over Churinga. Geen zuchtje wind beroerde de bladeren van bomen of deed het knisperige, droge gras ritselen. De bui kon ieder moment losbarsten.

Hij keek naar de brief waar hij de avond ervoor zo lang op had zitten ploeteren, en propte hem in zijn zak. Die kon wachten. Hij moest voor de schapen en het vee zorgen, de hekken nog een keer controleren, want hoewel de dieren zo dicht mogelijk bij het huis waren ondergebracht, zouden ze in paniek raken zodra de bui losbarstte.

Hij stak een sigaret op en keek naar het grote huis. Er klopte iets niet, er ontbrak iets. Toen realiseerde hij zich dat de hippiebus er wel stond, maar dat de pick-up weg was.

'Heeft iemand van jullie de pick-up ergens anders gezet?' brulde hij door het slaapverblijf van de drijvers.

Ze schudden hun hoofd en draaiden zich nog eens om in hun bed.

Hij keek weer naar het huis. De lichten waren aan en de gordijnen waren dicht, alles leek op zijn plaats, maar toch had hij het gevoel dat er iets mis was.

'Bill, jij en Clem doen vandaag de weiden. Jake, Thomas, haal de anderen en zorg voor de dieren. Sjor alles vast en zorg ervoor dat de machines in de schuren staan. Laat de jongens controleren of de honden en varkens veilig opgesloten zitten, en als je toch bezig bent, laat ze dan dat erf eens opruimen. Er ligt daar gereedschap en zo dat naar de volgende staat geblazen wordt als de wind opsteekt.'

Hij liet de mannen mopperend achter en liep de barak uit naar het huis. Jenny de brief bezorgen was een goed excuus om te kijken of alles in orde was. Hij klopte op de hordeur en wachtte.

Ripper blafte en Brett hoorde hem fanatiek aan de voordeur krabben. Hij klopte opnieuw. Ze had nu toch wel aan de deur moeten staan. Zelfs als zij en haar vriendin nog lagen te slapen, maakte Ripper genoeg herrie om de doden tot leven te wekken.

'Mevrouw Sanders? Jenny? Ik ben het, Brett.'

Er kwam nog steeds geen antwoord en hij besloot dat het genoeg was. Hij kon het gevoel dat er iets aan de hand was niet langer negeren. Hij deed de deur open en Ripper sprong tegen hem op.

'Wat is er, jongen?' Brett hurkte en aaide het hondje over zijn kop terwijl hij het stille huis rondkeek. De lichten waren aan, de slaapkamerdeuren stonden open, er was duidelijk niemand thuis. Verscheidene plasjes op de vloer getuigden van het feit dat Ripper al enige tijd alleen was en, gezien de manier waarop hij jankte, vermoedde Brett dat hij ook al een tijdje geen eten meer had gehad.

Hij liep de keuken in en maakte snel een blik hondenvoer open. Hij keek peinzend toe terwijl het hondje zijn eten verslond.

'Arm ventje,' mompelde hij. 'Maar ik wou dat je me kon vertellen wat er hier aan de hand is.'

Terwijl het hondje zat te eten, zocht Brett snel het verlaten huis door. Hij stond in de deuropening van Jenny's kamer en keek naar de rommel. De dagboeken lagen over het onopgemaakte bed verspreid, kleren lagen op de vloer of hingen over de stoel.

'Jenny!' schreeuwde hij. 'Waar zit je in godsnaam? Geen eens antwoord, verdomme!'

Hij stond midden in de keuken en streek met zijn hand over zijn kin. Hij had zich vergeten te scheren, maar dat was het minste van zijn problemen. Ook buiten was er geen spoor te bekennen van de twee vrouwen en alle paarden stond nog in de wei bij het huis, dus was het logisch dat ze de pick-up hadden genomen.

Hij sloeg de hordeur achter zich dicht en rende van schuur naar schuur, van kippenhok naar slachthuis. Geen van de mannen had de pick-up geleend en niemand had de vrouwen weg zien gaan.

'Er zit niks anders op,' mompelde hij. 'Ik moet naar de zender en proberen ze op te sporen.' Hij liep met grote stappen terug naar het huis en werd bij iedere stap driftiger. 'Stomme wijven,' siste hij. 'Lekker een eindje gaan rijden als de bui ieder moment kan losbarsten, Jezus!'

Hij stormde het huis binnen en pakte de microfoon. Ze jaagt zeker achter Charlie aan, dacht hij grimmig. Hoe eerder ik weg ben, hoe beter. Ik ben veel te oud om op zo'n stom stadsmens te passen.

'Kurrajong. Met James. Over.'

'Brett Wilson,' antwoordde hij kortaf. Hij had geen tijd voor plichtplegingen. 'Is mevrouw Sanders daar?'

'Sorry, maat. Zij en mijn vrouw zijn een of andere boodschap gaan doen in Broken Hill. Ik heb het briefje gisteravond pas gevonden. Ik ben met de kudde bezig geweest. Over.'

Brett omklemde de microfoon. Dat ze zoiets stoms, onnadenkends, hersenloos kon doen! Hij haalde diep adem en probeerde kalm te blijven. 'Enig idee wanneer ze van plan zijn terug te komen? Over.'

'Je kent vrouwen, maat. Als ze gaan winkelen, kunnen ze weken wegblijven. Hoe gaat het trouwens bij jullie? De bui wordt hier steeds heviger. Over.'

Brett zette zijn onvriendelijke gedachten opzij. 'Hetzelfde hier, maat. Hij kan ieder moment losbarsten – hij doet er al zolang over. Over.'

'En ik denk dat we het er nog zwaar mee zullen krijgen. Maar goed dat de vrouwen er niet in zitten. Ik zal Jenny vragen je te bellen als ze terug is. Over.'

'Ja, oké. Sterkte, maat. Over en uit.' Brett hing de microfoon op en zocht op de radio naar het weerbericht. Het was slecht nieuws. De storm was droog en fel en had het zuidoosten al getroffen. Nu kwam hij snel hun kant op. Ze konden niets anders doen dan alles vastmaken en wachten.

Hij riep Ripper en liep het huis uit. James had in één opzicht gelijk, gaf hij toe. De vrouwen konden maar beter ergens anders zijn. Het laatste waar hij op zat te wachten was een stelletje bange vrouwen die zich aan hem vastklampten terwijl hij wel iets anders te doen had. Maar toch kon hij de gedachte niet helemaal onderdrukken dat hij het niet erg zou vinden als Jenny zich aan hem vastklampte – dat hij het, eerlijk gezegd, wel prettig zou vinden.

'Doe normaal, Brett Wilson,' mompelde hij boos. 'Hou op met je gezeur en ga aan het werk.'

Ripper liep hem de daaropvolgende drie uur overal achterna terwijl hij de mannen in groepen verdeelde en zich ervan vergewiste dat alles vastzat. Het hondje scheen zich verloren te voelen zonder Jenny, en Brett begreep hoe hij zich voelde.

Terwijl hij regelmatig naar het huis terugliep om naar het weerbericht en naar andere boeren te luisteren die melding maakten van hun schade, maakte hij een berekening van het pad dat het onweer volgde. Toen hoorde hij de woorden waar hij bang voor was geweest.

'Er komt brand deze kant op. Hij bevindt zich ongeveer tachtig kilometer ten zuiden van Nulla Nulla en verspreidt zich snel. We hebben iedere man nodig die we te pakken kunnen krijgen.'

Jenny stapte na Diane uit en keek naar de rij oudere heren die in de schaduw van de veranda zaten. 'Ik vraag me af of een van hen priester Ryan is.'

Diane haalde haar schouders op. 'Misschien. Het enige dat ik weet is dat ze er ongelooflijk eenzaam en vergeten bij zitten in hun schommelstoel. Ik denk dat we zo ongeveer de eerste bezoekers zijn die ze hier in jaren hebben gezien.'

Terwijl ze via de voordeur naar binnen gingen en de hal binnenstapten, keek Jenny even naar Diane. Ze had het akelige gevoel dat ze hier al eerder was geweest. Toen besefte ze dat het de geur van boenwas en schoonmaakmiddel was die haar deed denken aan het weeshuis. Het kruis aan de muur en het kleine beeldje van de madonna met kind bracht al die herinneringen terug – en ze zag aan Dianes bleke gezicht dat het voor haar hetzelfde was.

Toen ze het geklik en geritsel van rozenkrans tegen habijt hoorde, draaide ze zich om en opeens stond ze tegenover de non die vanachter een gepolitoerde deur kwam. Haar moed zonk haar bijna in de schoenen en ze zocht steun bij Diane door haar hand beet te pakken.

Terwijl ze in het gezicht keek, besefte ze dat het niet zuster Michael was – maar ze had familie kunnen zijn. Lang en streng, haar witte kap die wreed in haar magere gezicht kneep. Met haar handen onder de wijde mouwen van haar habijt gevouwen, keek de non haar met nauwverholen vijandigheid aan.

Helen leek onverstoorbaar. 'Wij komen priester Ryan bezoeken,' zei ze koel. 'Ik heb begrepen dat priester Duncan u van onze komst op de hoogte heeft gesteld.'

De non negeerde haar en haar koude ogen vielen op Jenny en Diane. 'Eerwaarde mag niet gestoord worden,' zei ze ferm. 'Hij moet rusten.' Ze keek hen alledrie onverschrokken aan. 'Vijf minuten. Meer sta ik niet toen.' Ze draaide zich een halve slag om en stapte de lange gang door.

Jenny en Diane wierpen elkaar een blik vol afschuw toe voor ze haar volgden. Dit was zuster Michael in eigen persoon en ze waren maar al te snel geslonken tot twee kleine meisjes die onder haar wrede terreur moesten leven.

Jenny volgde het ruisende habijt en herinnerde zich hoe het was toen ze nog maar vijf jaar oud was. Ze had zich toen afgevraagd of nonnen eigenlijk wel armen en benen hadden of dat ze door wieltjes voortbewogen werden want ze leken op die gladde vloeren overal heen te glijden. Maar toen ze ernaar vroeg, kreeg ze een harde klap in haar gezicht en moest boeten door middel van twee rozenkransen en drie weesgegroetjes.

Pas veel later werd haar vraag beantwoord toen een windvlaag de rokken van zuster Michael deed opwaaien. En terwijl ze vol verbazing naar de geaderde kolommen van vlees staarde die gehuld waren in dikke kousen met kousenband, kreeg ze een welgemikte draai om haar oren voor haar pas opgedane kennis.

Smerige, gemene, oude trut, dacht ze. Zuster Michael was er alleen maar in geslaagd om iedere liefde voor godsdienst uit haar te slaan. Nu kon ze zelfs geen kerk meer binnengaan zonder ineen te krimpen.

'U heeft bezoek, eerwaarde. Laat u zich niet vermoeien,' zei de non terwijl ze een ruk aan zijn kussens gaf en ze op hun plaats stompte. 'Ik ben over vijf minuten terug,' waarschuwde ze terwijl ze de drie vrouwen een ijskoude blik toewierp voor ze de kamer verliet.

Diane en Helen bleven op een afstandje staan terwijl Jenny op de oude man afliep. Hij zag er zo breekbaar uit tegen de witte katoenen lakens en kussenslopen, en nu ze er was, wist ze eigenlijk niet of ze er wel goed aan deed.

Ze nam zijn blauwgeaderde hand voorzichtig in de hare. Ze had er tijdens de rit lang en hard over nagedacht hoe ze dat pijnlijke onderwerp het beste kon aanroeren, en had toen besloten direct te zeggen waar ze voor gekomen was.

'Ik ben Jennifer Sanders, eerwaarde. Dat zijn Helen en Diane.'

De priester hief zijn hoofd en Jenny zag de vertroebeling in zijn ogen die hem blind maakte. Ze voelde een steek van onzekerheid. Wat kon die oude man haar vertellen dat ze niet al wist, of ten minste vermoedde? Hij was oud en verdiende met rust gelaten te worden.

'Jennifer, hè? Nou, dat is ook wat.' Hij zweeg een ogenblik en draaide toen onbeholpen met zijn hoofd. 'Wilt u alstublieft die verdraaide kussens voor me opschudden? Ze doen me zo'n pijn in mijn nek.'

Jenny glimlachte. Priester Ryan mocht dan oud zijn, maar zijn Ierse openhartigheid had hem niet verlaten. Ze legde snel de kussens goed. Ze had niet zoveel tijd. De zuster zou zo weer terugkomen.

'Ik moet u spreken, eerwaarde,' begon ze. 'Over wat er met Finn McCauley gebeurd is. Herinnert u zich hem?'

De priester bleef lange tijd doodstil liggen en keek haar toen met zijn vertroebelde ogen aan. 'Hoe zei je dat je naam was?'

Jennifer slikte haar ongeduld in. 'Jennifer Sanders, eerwaarde.'

'Is dat je meisjesnaam, kind?' vroeg hij zachtjes.

Met een verwonderde blik naar Helen en Diane schudde ze haar hoofd. 'Nee, eerwaarde. Ik ben gedoopt als Jennifer White. Ik denk dat ze in het weeshuis net aan de W toe waren toen ik er kwam.'

De oude man knikte en zijn lange zucht klonk als het ritselen van droge bladeren op een ruwe ondergrond.

'Het is Gods wens dat je op tijd zou komen, kind. Je drukt al vele jaren op mijn geweten.'

Jenny liet zijn hand los. Dit was niet wat ze verwacht had. 'Waarom zou ik op uw geweten drukken, eerwaarde?'

De oude man sloot zijn ogen en zuchtte. 'Het is allemaal zo lang geleden. Zoveel jaren van kwelling voor je arme moeder. Maar het was al lang daarvoor begonnen... lang daarvoor.'

Jenny verstarde. Zijn woorden drupten als ijs tot diep in haar hart. 'Mijn moeder?' fluisterde ze. 'Wat is er met mijn moeder?'

Hij zweeg zo lang dat Jenny zich afvroeg of hij in slaap was gevallen of gewoon vergeten was dat zij er waren. In ieder geval verwarde hij haar met iemand anders, dat was duidelijk.

'De oude man heeft ze niet allemaal meer op een rij, Jen. Ik wist wel dat het een vergissing was.' Diane pakte haar hand. 'Kom mee. Laat hem maar.'

Jenny wilde net opstaan toen zijn zwakke stem haar tegenhield. 'Ik besefte voor het eerst dat het niet goed zat toen ik de laatste biecht van Mary Thomas hoorde voor ze stierf. Ze hield van de ene man, maar was met de andere getrouwd. Haar kind was niet van haar man.'

'Dus er is geen enkele twijfel dat Matilda de dochter van Ethan Squires was?' onderbrak Helen.

De priester richtte zijn troebele blik op haar toen hij haar stem hoorde. 'O nee, geen enkele twijfel. Maar ze bewaarde haar geheim tot aan het eind. Mary was heel sterk, weet u. Net als haar dochter.'

Jenny ontspande zich. Hij was misschien in de war, maar in ieder geval hoorde ze weer iets over Matilda en haar familie. Wat deed het ertoe of hij dacht dat hij tegen iemand anders praatte?

'Ik herinner me hoe Matilda en Finbar bij me kwamen voor hun huwelijk

Ze waren toen zo gelukkig. Zo vol vreugde en vertrouwen in de toekomst. Het was zo wreed wat er gebeurde. Zo wreed en onrechtvaardig na wat Matilda allemaal had meegemaakt.' Hij zweeg.

'Ik weet wat er gebeurd is, eerwaarde. Ik heb haar dagboeken gevonden. Vertelt u me alstublieft wat er met Finn is gebeurd nadat Matilda was gestorven!' Ze pakte zijn breekbare hand en voelde zijn hartslag. Die voelde broos, maar zijn greep was stevig.

'Je vader riep me naar Churinga om je moeder een behoorlijke begrafenis te geven. Het was een wonder dat ze lang genoeg in leven bleef om je ter wereld te brengen, Jennifer.'

'Mijn va–?' Ze snakte naar adem, haar hoofd tolde en de vloer danste onder haar. Dit was waanzin. Die oude man sloeg wartaal uit. 'Eerwaarde, u vergist zich,' bracht ze hakkelend uit. 'Ik heet Jennifer White. Ik ben geen familie van Matilda of Finn.'

Hij zuchtte opnieuw en greep haar nog iets steviger beet. 'Jennifer White was de naam die ze je hebben gegeven. Jennifer McCauley is de naam waarmee je geboren bent.'

Hij scheen niets te merken van de verbijsterde stilte. De uitdrukking van afschuw op het gezicht van Jenny terwijl ze daar als bevroren bleef zitten en haar hart zo tekeerging dat ze dacht dat het uit haar borst zou springen.

'Je was een scharminkeltje van een kind. Je gilde om de borst van je moeder en vulde het huis met je gehuil. Je arme vaders hart was gebroken en hij wist niet wat hij moest doen.'

De stilte was bijna tastbaar terwijl hij zweeg om op adem te komen. Jenny was zich maar halfbewust van Dianes hand die de hare pakte. Beelden uit het dagboek kwamen tot leven, gleden als een optocht aan haar geestesoog voorbij en verscheurden haar. En zijn stem werd maar niet tot zwijgen gebracht.

'We hebben je moeder op het kerkhofje op Churinga begraven. En het was goed dat ze te ruste is gelegd met gebeden en wijwater. Ze had niet bewust gezondigd – er was meer tégen haar gezondigd. Ik ben een paar dagen gebleven om Finn te helpen. Hij had iemand nodig om hem die verschrikkelijkste dagen door te helpen.'

De priester zweeg alsof hij in zijn herinneringen opging. Het enige geluid was het gereutel in zijn longen terwijl hij ademde.

De tranen waren warm op Jenny's kille wangen, maar de behoefte om alles te weten was nog sterker geworden. 'Ga verder, eerwaarde,' drong ze aan. 'Vertelt u me de rest ook.'

'Finn las de dagboeken.' Hij richtte zijn blinde ogen op haar en probeerde overeind te komen. 'Finn was een godvrezend mens. Een goed mens. Maar van het lezen van haar dagboeken zo kort na haar overlijden draaide hij door. Het was de donkerste tijd van zijn leven. Veel donkerder dan welk slagveld dan ook. Hij heeft me alles verteld. Het is verschrikkelijk te zien hoe een man kapotgaat en hoe zijn geest eronderdoor gaat. Ik kon niets anders voor hem doen dan bidden.'

Het beeld dat dit opriep was zo pijnlijk dat het bijna niet te verdragen was. Jenny moest vechten om zich in bedwang te houden. Als ze zich er nu aan overgaf, was ze verloren.

De oude priester leunde achterover tegen de kussens en zijn stem brak van de emoties. 'Ik heb me nooit van mijn leven zo hulpeloos gevoeld. Zie je, Finn kon niet geloven dat God hem vergeven zou. En daar is hij uiteindelijk aan ten onder gegaan.'

De deur ging open en de non verscheen op de drempel, met haar armen over elkaar en een grimmige uitdrukking op haar gezicht. Jenny keek haar boos aan – ze wilde haar weg hebben – omdat ze de rest van het verhaal van de oude man moest horen, wetend dat het haar alleen maar pijn zou doen.

'Het is tijd dat u weggaat. Ik wil niet dat eerwaarde overstuur raakt.'

Priester Ryan scheen een innerlijke kracht gevonden te hebben. Hij verhief zich van zijn kussens en schreeuwde: 'Doe die deur dicht, en laat me alleen met mijn bezoek.'

De strenge uitdrukking veranderde in verwarring. 'Maar eerwaarde...'

'Maar niks, vrouw. Ik heb belangrijke zaken te bespreken. Ga weg. Nu.'

De non keek hen alledrie met kille woede aan, snoof en trok de deur iets te hard dicht toen ze wegliep.

'Die zal nooit nederigheid leren,' mompelde hij terwijl hij Jenny's hand pakte. 'Waar was ik gebleven?' Zijn adem gierde door zijn borst terwijl hij zijn gedachten op een rijtje zette.

Jenny kon hem geen antwoord geven. Ze zat vol verwarring en ongeloof.

'Finn heeft jou urenlang in zijn armen gehouden. Ik hoopte dat hij daardoor een soort rust zou vinden. Maar Matilda had hem een brief nagelaten waarin ze zei dat ze wilde dat hij jou ver van Churinga zou brengen en hij wilde zo dolgraag het juiste doen.'

De priester klopte op haar hand en glimlachte. 'Hij hield heel veel van je, Jennifer. Ik hoop dat dat een troost voor je is.'

Ze kneep in zijn hand. Het was een gebaar dat hen allebei hielp, en daarmee kwam het besef dat zijn woorden inderdaad een soort troost waren na de kwelling van de afgelopen paar minuten. 'Ja, eerwaarde,' mompelde ze. 'Ik geloof het wel.' Ze droogde de tranen en rechtte haar schouders. 'Maar ik móet weten wat daarna is gebeurd.'

De priester zuchtte en er biggelde een traan over zijn ingevallen wang. 'Je vader liet een testament opstellen en ik was getuige. Hij sprak met de directeur van de Bank of Australia in Sydney en regelde dat Churinga tot jouw vijfentwintigste verjaardag voor jou beheerd zou worden. Toen, tegen mijn advies in, haalde hij de bedrijfsleider van Wilga erbij en regelde dat hij het bedrijf over zou nemen.'

Hij kneep in Jenny's hand en zij boog zich naar hem toe – ze was bang voor wat er zou komen, maar ze wist dat ze het allemaal moest horen als ze ooit wilde begrijpen wat haar vader voor haar had gewild.

'Ik had geen idee wat er in zijn hoofd omging, Jennifer. Geen enkel idee. Hij wilde niet luisteren, zie je, en zelfs door gebed kon ik hem geen rede laten zien. Ik faalde als priester en als man. Ik kon niets anders doen dan machteloos toekijken hoe hij alles verwoestte dat hij en je moeder samen hadden opgebouwd.'

'Verwoesten? Bedoelt u dat hij Churinga wilde verwoesten?' Jenny boog voorover en streek de lokjes haar van het oude voorhoofd en veegde zijn tranen weg.

'Nee.' De stem van de priester klonk bitter. 'Hij wilde de boerderij voor jou bewaren. Hij verwoestte zichzelf. Hij verwoestte jouw leven en iedere hoop die hij misschien had gekoesterd om een thuis voor je te maken.'

'Hoe heeft hij dat gedaan, eerwaarde?' fluisterde ze, terwijl ze het antwoord al vermoedde.

'Hij besloot jou naar Dajarra te brengen. Naar het weeshuis van de liefdezusters waar je identiteit verhuld zou worden door een nieuwe naam. De enige schakel met Churinga was het medaillon van je moeder dat hij in bewaring aan de nonnen gaf tot je je erfenis kon opeisen. Ik probeerde hem tegen te houden, maar woorden drongen toen al niet meer tot hem door. Ik keek hem na terwijl hij met jou in een mandje op de bank naast zich wegreed.' Priester Ryan snoof en snoot zijn neus. 'Als ik maar geweten had wat hij van plan was te doen, dan had ik hem misschien kunnen tegenhouden. Maar achteraf is het altijd gemakkelijk praten.' Hij zweeg.

Dus zo was Peter aan het medaillon gekomen. Zijn onderzoek had hem naar Dajarra en het weeshuis gebracht. Jenny keek door nieuwe tranen naar de priester. Hij was oud en moe en de last die hij zo lang op zijn schouders had meegetorst had hem uitgeput. Ze leunde achterover in haar stoel en hield zijn breekbare hand in de hare terwijl ze zich haar laatste reis met haar vader pro-

403

beerde voor te stellen. Wat voor verschrikkelijke dingen waren er door zijn hoofd gegaan? Hoe had hij haar kunnen overhandigen, wetend dat hij haar misschien nooit meer zou zien?

Ze schrok op uit haar gedachten door de stem van de priester, en ze was weer terug in het vreugdeloze kamertje.

'Ik ging terug naar Wallaby Flats. Mijn geweten drukte zwaar op me, en voor het eerst in mijn volwassen leven, liet het geloof me in de steek. Wat was ik voor priester als ik niet de juiste woorden kon vinden om een gekwelde man te helpen? Wat was ik voor man als ik nooit geweten had hoe het was om van een vrouw te houden – of een beslissing over mijn kind te nemen? Ik had op beide punten gefaald. Ik bracht vele uren op mijn knieën door, maar de rust die ik altijd door het gebed vond, wilde maar niet komen.'

Jenny voelde haar maag ineenkrimpen terwijl ze wachtte tot de oude priester onder woorden bracht wat ze vreesde te horen.

'Ik schreef naar Dajarra en ze vertelden me dat je aangekomen was, en dat je vader ervoor gezorgd had dat er regelmatig geld op hun rekening werd gestort voor jouw verzorging. Ik vroeg naar je, maar het enige dat ze wilden zeggen was dat het uitstekend met je ging. Ik heb jarenlang regelmatig met ze geschreven, maar ze vertelden me nooit veel. Zie je, mijn kind, ik voelde me verantwoordelijk voor je. Als ik sterk genoeg in mijn geloof was geweest, had ik je vader ervan kunnen weerhouden om de ergste zonde te begaan.'

Hier komt het, dacht ze. Ik wil het niet horen. Ik wil het niet geloven – maar het is onvermijdelijk.

'Kort nadat je naar Dajarra was gebracht, werd Finn vermist. Ik dacht dat hij misschien een zwerftocht was gaan maken om in afzondering een zekere vorm van rust te vinden. In zekere zin was het een opluchting, want ik was bang geweest voor iets veel ergers...'

Het sprankje hoop doofde in de koude realiteit van zijn volgende woorden.

'Een stel drijvers vond hem in de rimboe en belde de politie. Gelukkig had ik wat invloed. Nadat ze zijn identiteit hadden vastgesteld, slaagde ik erin de politie over te halen de zaak stil te houden. Het was niet moeilijk. De drijvers waren op doorreis, en de politie kon het al helemaal niets schelen – ze waren van hier, zie je.'

Hij klopte op haar hand, en had een bezorgde trek op zijn oude, gerimpelde gezicht. 'Ik wist dat je op een dag terug zou komen, Jennifer, en ik wilde niet dat jouw toekomst overschaduwd zou worden door wat er is gebeurd. Maar ik denk dat je dat al geraden had, hè?'

'Ja,' zei ze zachtjes. 'Maar ik wil toch graag dat u het me vertelt. Het is beter om alles te weten, dan is er ook geen ruimte voor twijfel.'

Hij rolde met zijn hoofd over het kussen. 'Het was verschrikkelijk wat hij deed, Jennifer. Een hoofdzonde in de ogen van de kerk – en toch, als man, kan ik begrijpen waarom hij het deed. Hij was de rimboe ingereden en heeft zichzelf doodgeschoten. Volgens de lijkschouwer lag hij er al een halfjaar of meer voor de drijvers hem vonden. Maar ik wist wanneer hij het gedaan had. Het moet de dag zijn geweest nadat hij jou in Dajarra had achtergelaten. Hij had het helemaal gepland.'

Jenny dacht aan de eenzaamheid van haar vaders dood. De kwelling en de pijn die zo'n zachtaardige, religieuze man moest hebben doorgemaakt om naar niemandsland te rijden en zich een kogel door het hoofd te jagen. Ze liet haar hoofd in haar handen zakken en gaf zich over aan haar verdriet.

Maar de tranen waren niet alleen voor haarzelf, maar voor haar ouders die zo'n verschrikkelijke prijs hadden moeten betalen voor het feit dat ze verliefd op elkaar waren geworden, en voor de priester die de last van het verlies van zijn geloof naar deze vreugdeloze plek had gedragen waar hij de rest van zijn dagen zou slijten, zonder te weten wat hij had kunnen doen om zo'n tragedie te voorkomen.

Toen haar tranen eindelijk opdroogden en Jenny zich redelijk onder controle had, keek ze opnieuw naar de oude priester. Hij leek heel grijs tegen de witte lakens en kussens – alsof hij al zijn levenskracht had verbruikt bij de poging zich van zijn last te verlossen.

'Priester Ryan, ik wil dat u gelooft dat u gedaan heeft wat u kon. Ik ben sterk en gezond naar Churinga teruggekeerd, en dankzij de dagboeken van mijn moeder weet ik nu dat mijn ouders alleen het beste voor me wilden. Dankzij u, en de dagboeken, ben ik van hen gaan houden en begrijpen waarom mijn leven op die manier begonnen is. U heeft niets om u schuldig over te voelen en ik weet zeker dat uw God u met open armen zal ontvangen. U bent een goed, vriendelijk mens. Ik wou dat er meer zoals u waren. God zegene u, en dank u.'

Ze boog over het bed en gaf hem een kus op zijn wang voor ze haar armen om hem heen sloeg. Hun tranen vermengden zich terwijl hun hoofden samen op de kussens rustten. Hij was zo breekbaar en ze wilde de juiste woorden vinden om hem te troosten, maar ze wist dat zijn verlossing alleen uit het herstel van zijn geloof kon voortkomen.

'Is er iets dat ik voor u kan doen, eerwaarde? Iets dat u nodig heeft?' zei ze.

'Nee, mijn kind,' fluisterde hij moeizaam. 'Ik kan nu in vrede inslapen, nu ik weet dat er toch nog iets goeds uit de tragedie is voortgekomen. Wil je op weg naar buiten aan de zuster vragen of ze priester Patrick wil vragen naar me toe te komen? Ik denk dat het tijd is voor mijn laatste biecht.'

Jennifer pakte zijn hand. 'Eerwaarde, ga nu nog niet. Ik blijf wel hier in Broken Hill en kom u iedere dag opzoeken. Ik zal u fruit en lekkere dingetjes brengen en zorgen dat de zuster u met rust laat. Wat u maar wilt.'

De priester glimlachte. Het was een lieve, zachte glimlach. 'Het is tijd, mijn kind. Het leven is een cirkel en jij bent teruggekeerd naar waar je thuishoort. Zoals we uiteindelijk allemaal terugkeren. Ga nu maar verder met je leven en laat een oude man aan zijn biechtvader over.'

Jenny kuste de knokige hand. 'Vaarwel dan, eerwaarde. God zegene u.'

'God zegene jou, kind,' fluisterde hij terwijl hij tegen de kussens ging liggen. Toen deed hij zijn ogen dicht en zijn gezicht werd sereen.

'Hij is toch niet...'

'Nee, Diane. Hij slaapt alleen maar,' zei Jenny zachtjes.

'Kom mee, jullie, dan zijn we weg,' siste Helen. 'Ik zoek de draak wel op; wachten jullie maar in de pick-up.'

Jenny nam de sleutels van haar over en Diane en zij begonnen aan de lange wandeling door de stille gangen. Ze kon hun voetstappen op het glimmend geboende hout horen. Ze maakten een eenzaam geluid, een echo van de leegte in haar hart.

Terwijl ze in het zwakke zonlicht stapten, keek ze naar de laaghangende bewolking. Wat wilde ze dat ze de klok kon terugdraaien naar de tijd dat ze nog van niets wist. Wat had ze aan haar erfenis als die in een situatie van bedrog en verraad tot stand was gekomen? Hoe moest ze nu verder leven, met de wetenschap dat haar vader zijn hand aan zichzelf had geslagen en haar moeder aan een gebroken hart was gestorven?

Zuster Michael had al die tijd gelijk gehad. Ze was een misbaksel. Een onwettig kind, geboren uit een zondige verbintenis, met het duivelsteken aan haar voet als bewijs.

Verblind door tranen stapte ze in de pick-up. 'Het is allemaal zo oneerlijk,' zei ze met verstikte stem. 'Waarom, Diane? Waarom moest het hun – mij – overkomen?'

'Ik weet het niet, schat. Voor het eerst in mijn leven kan ik niet de woorden vinden die je van me wilt horen. Het spijt me zo.'

'Ik wil graag alleen zijn, Diane. Probeer het alsjeblieft te begrijpen.'

Jenny staarde uit het raam terwijl haar vriendin terugliep naar het bejaardentehuis, maar zag niets door haar tranen. John Wainwright had gelogen –

hij wist wél alles van haar erfenis en kende wél haar ware identiteit. Hij had alleen het lef niet om het haar te vertellen. Peter moest het ook geweten hebben. Daarom was Churinga zo geheimgehouden. Ze begreep nu ook waarom ze het pas op haar verjaardag kon erven. Geheimen en leugens. Wat hadden ze een ingewikkeld web geweven.

Pijn sloeg om in woede, en vervolgens in verdriet. Ze verloor alle gevoel van tijd en ruimte terwijl ze door haar tranen naar buiten staarde. Toen kwamen de vage, verre klanken van een orkest bij haar terug en ze meende een vrouw in een groene japon te zien die walste met haar knappe echtgenoot. Ze glimlachten naar elkaar, zich overgevend aan hun geluk.

Net voor ze in de uitgestrektheid van het binnenland vervaagden, keken ze naar haar en Matilda fluisterde: 'Dit is mijn laatste wals, schat. Alleen voor jou.'

Jenny zakte over het stuur terwijl haar verlossing kwam. Haar wonden werden gezuiverd en nu kon de genezing beginnen.

Toen ze weer met beide voeten op de grond stond, realiseerde ze zich dat ze een keus had gekregen. Matilda en Finn waren gestorven in de hoop dat het verleden begraven kon worden zodat zij het beheer van Churinga over kon nemen en een nieuw leven en een vrolijkere toekomst aan het land kon geven waar ze met zoveel liefde hadden gewerkt. Ze kon óf hun droom in vervulling laten gaan óf zich omdraaien en weglopen naar Sydney.

De woorden van de oude Aborigine kwamen naar boven.

'De eerste man zei tegen de eerste vrouw: "Reis jij alleen?"'

'En de eerste vrouw antwoordde: "Ja."'

'De eerste man pakte haar hand. "Dan word jij mijn vrouw en reizen we samen."'

Jenny bleef doodstil zitten. Ze begreep eindelijk wat haar besluit moest zijn. Ze hield van Brett en kon zich Churinga niet zonder hem voorstellen. Ondanks alles wat er tussen hen gebeurd was, zou ze hem vertellen wat ze voor hem voelde. Als hij echt niets om haar gaf, dan zou ze maar een tijdje alleen reizen. Maar als hij wel om haar gaf, dan...

'Wat is er, Jen? Wat heb je een vreemde kleur?'

Ze schrok op toen ze Dianes stem hoorde. 'Stap in, Di. We gaan naar huis. Terug naar Churinga.'

21

Brett pakte de microfoon van de zender/ontvanger. Nulla Nulla was maar een paar honderd kilometer ten zuiden van Wilga.

'Dit is Churinga. Ik stuur mensen. Ze kunnen er binnen een uur of vijf zijn, Smokey. Hou je het zo lang vol?'

De vermoeide stem van Smokey Joe Longhorn klonk uit de ontvanger. 'Ik weet het niet, Brett. Ik ben mijn halve kudde al kwijt. Wat gaat het tekeer! Die brand is sneller dan een trein. Kom zo snel mogelijk. Jij bent de volgende als we hem niet tegen kunnen houden. Over.'

Brett hing de microfoon op en rende de deur uit. Ripper volgde hem op de voet, met grote ogen en zijn oren plat tegen zijn kop. De hitte was intens en het begon in de zuidelijkste punt van Churinga al te weerlichten. De donder rolde en knalde boven hun hoofd en de hemel werd steeds donkerder terwijl hij het brandalarm indrukte.

Mannen kwamen vanuit de schuren, gebouwen en weiden toegestroomd. Ze reden het erf op en bleven verwachtingsvol staan. Brett keek naar ieder gezicht en zag dezelfde mengeling van angst en opwinding. Er was niets zo spannend als vechten tegen de elementen. Niets dwong een man zo tot aan de grenzen van zijn kracht als het bestrijden van een weidebrand. 'Er is brand op Nulla Nulla. Ik heb vrijwilligers nodig.'

Er gingen vele handen de lucht in en hij koos de jongste en gezondste mannen uit om mee te nemen. Hij zette de anderen aan het graven van een brede greppel aan de zuidkant van de weide bij het huis. Er moesten bomen omgehakt worden en struiken weggehaald. Het vee moest zo ver mogelijk naar het noorden gedreven worden. Churinga moest tegen iedere prijs gespaard blijven.

De mannen renden weg om bijlen, spaden, pikhouwelen en schoppen te halen. Brett sloot Ripper op in het huis en reed de oude jeep de schuur uit. Hij kon snel over een rotsachtige bodem rijden en de snelste weg naar Nulla Nulla was via de weiden, over Wilga-land en dan naar het zuiden. Maar het was lastig dat hij de pick-up niet had. Hij zou die verwaande trut van een mevrouw Jenny Sanders wel eens vertellen wat hij van haar dacht als ze terugkwam.

En als hij echt goed kwaad was, legde hij haar over de knie en gaf haar een pak slaag.

De tien vrijwilligers klommen achterin met zakken, spaden, waterzakken en geweren. Hun stemmen klonken schril van opwinding terwijl ze lachten en grapjes maakten over wat hen te wachten stond, maar Brett wist dat iedere man, onder het laagje van bravoure, doodsbang was. Hij drukte het gaspedaal in en ze scheurden in een stofwolk het erf af.

Bliksemschichten deden het landschap oplichten in de schemering van de donderwolken. Terwijl ze over de weidegronden reden, zag hij hoe de bliksem de toppen van eucalyptusbomen beroerde en van heuvel naar dal, van wolk naar wolk oversprong.

Smokey Joe had gelijk, dacht hij. Het ging zeker tekeer. En dit was nog maar de rand, het werd naar het zuiden toe nog veel erger.

De jeep had een zender/ontvanger en Brett bleef op de hoogte van de vorderingen van de brand.

'Het gaat niet goed, maat,' hijgde Smokey Joe. 'De brand heeft zich gesplitst en komt via het zuiden en het oosten op jou af. Nulla Nulla is omsingeld.'

'Hoe is het met jou, Smokey?' brulde Brett boven het geloei van de motor uit.

'De familie is ongedeerd, maar mijn kudde is weg. Ik ben ook een paar goeie mannen kwijtgeraakt. We zijn op weg naar Wilga. Ik zie je daar.'

Brett keek grimmig uit het raam. Hij zag de enorme deken van rook in de verte en feloranje vlammen die omhoogschoten waar de brand door het bos aan de andere kant van Wilga raasde. Kangoeroes, wallaby's, goanna's en wombats kwamen de bossen uitgestroomd, zonder op de wielen van de jeep te letten in hun wanhopige vlucht voor de vlammen. Zwermen vogels fladderden paniekerig en krijsten angstig, koala's sprongen door het knisperende gras, met hun jong op hun rug, gedesoriënteerd door het lawaai en de rook. Het was alsof ieder levend wezen op de vlucht was.

Brett bracht eindelijk de jeep met gierende banden voor het huis van Wilga tot stilstand.

Curly Matthews, de bedrijfsleider, kwam hen tegemoet. Zijn gezicht was ongeschoren, zag zwart van de rook, met vegen van het zweet en roodomrande ogen.

'Er zijn mannen in de afgelegen weiden aan het werk.' Hij nam zijn hoed af en veegde met een smerige zakdoek over zijn voorhoofd. 'Ik weet niet of we het houden, Brett,' zei hij vermoeid. 'We hebben het nauwelijks meer in de hand.'

'Heb je een greppel gegraven?' Hij keek naar de kolkende rook die ieder ogenblik dichterbij leek te komen.

Curly knikte. 'We hebben een greppel, maar het vuur springt sneller door de boomtoppen heen dan dat we ze kunnen omhakken. Laat je mannen maar bij dat bosje beginnen. Als we het kunnen neerhalen en zelf verbranden, vertraagt dat de boel misschien een beetje. Het is onze allerlaatste verdedigingslinie.'

Brett volgde zijn wijzende vinger. Een paar bomen omhakken zou niet veel helpen, besefte hij. De vlammen verspreidden zich als slangen door het kurkdroge gras en sleepten het grootste deel van de brand met zijn onverzadigbare honger achter zich aan.

'Jullie hebben het gehoord,' schreeuwde hij naar de mannen die uit de laadbak klauterden. 'Aan de slag.'

Hij legde zijn hand op Curly's schouder. 'Goed gedaan, maat. Maar we moeten zorgen dat we hier snel weg kunnen.' Vervolgens stapte hij, gewapend met een bijl, op een paard en reed weg naar de brand.

Het was een enorme kolkende vloedgolf van rood, oranje, grijs en blauw. Zo hoog als de hemel en brullend als een enorm beest dat pijn had. De rook was verstikkend en hij trok zijn halsdoek over zijn mond om te voorkomen dat hij stikte. Als ze de bomen aan deze kant van de boerderij konden neerhalen en verbranden, en ook de greppel konden verbreden, dan zouden ze misschien – als ze voldoende tijd hadden – heel misschien kans zien om Wilga te redden.

Hij sprong van zijn paard en bond de benen aan elkaar. Hij wilde niet dat het dier in paniek zou raken en recht het vuur in zou lopen – hij had hem misschien nodig om te kunnen ontsnappen.

Brett voegde zich bij de lange rij mannen die met een bijl zwaaiden. Hij kon net een andere rij zien die bezig was met het verbreden van de greppel. Hij voelde de bevredigende hap van de bijl in het hout en zwaaide met nog meer kracht en snelheid tot de boom omviel.

En daarna naar de volgende. Hakken. Weghalen. Volgende. Hakken. Weghalen. Volgende.

Het zweet prikte in zijn ogen. De rook drong door zijn provisorische masker en hij moest hoesten. Maar ze konden nu niet meer ophouden.

Ze werkten door in een stilte die net zo grimmig en onverbiddelijk was als het vuur tot de bomen omgehakt en weggesleept waren. Het was te riskant geworden om alles plat te branden. Het vuur was te dichtbij. Dus gingen ze, met spaden en houwelen in hun hand, helpen de greppel te verbreden.

Brett keek op en zag Smokey Joe naast hem werken. Ze keken elkaar heel even veelbetekenend aan, bogen voorover en gingen verder met graven. Woorden konden de doden niet terugbrengen, en hen ook niet redden – alleen brute kracht en volharding.

Een bliksemflits raakte de droge tak van een eucalyptus op zo'n honderd meter afstand. De vlam liep in een hete, hongerige, blauwe lijn langs de witte schors naar het gras eronder en binnen enkele seconden was de boom omringd door vuur. Hij explodeerde in een regen van vonken die de nevel van eucalyptusolie deden ontbranden en het vuur hoog deed oplaaien. De vlammen verspreidden zich in het gras en vormden een muur van vuur die steeds hoger werd naarmate hij dichterbij kwam.

Brett en de anderen sprongen de greppel uit en sloegen met hun schoppen op het vuur. Rook prikte in hun ogen en brandde in hun keel. De hitte droogde het zweet op hun lichaam, schroeide wenkbrauwen en de haartjes op hun armen en borst.

'Weg hier! Het draait om!'

Brett keek op en zag dat het vuur hen bijna omringde. Het paard rolde met zijn ogen, met de oren plat tegen het hoofd, terwijl hij probeerde zijn benen los te trekken. Smokey Joe ging maar door met graven. 'Kom mee,' brulde Brett boven het geloei van de vlammen uit.

De oude man verstijfde, en Brett zag de lege blik van doodsangst in zijn ogen. Hij pakte Smokey bij zijn arm en rende in de richting van het paard, terwijl de vlammen aan zijn hielen likten en de hitte zijn rug verschroeide.

Smokey Joe struikelde en viel. Hij bleef stil liggen, zijn borst zwoegde en zijn haar schroeide door de hitte.

Brett trok hem met een ruk omhoog en slingerde hem over zijn schouder. Hij bereikte het paard en maakte de benen los. Hij smeet Smokey als een zak aardappelen over het zadel, ging achter hem zitten en keerde het hoofd van het paard in de richting van een opening in de vlammen.

Het dier steigerde en danste, sloeg met de hoeven in de lucht, terwijl hij met zijn ogen rolde en zijn oren plat tegen zijn hoofd gedrukt lagen.

Brett trok de teugels aan en zette zijn sporen in de flanken. Toen, reagerend op Bretts klap op zijn romp, holde het dier regelrecht op de vlammen af.

Steeds dichterbij. Het vuur probeerde hen te snel af te zijn.

Kleiner en kleiner. De opening trok snel dicht.

Brett voelde Smokey van het zadel glijden. Hij greep met zijn ene hand het haar van de oude man beet terwijl hij met zijn andere de teugels vasthield. Met een laatste sprong dwong hij het paard naar voren.

Aan weerszijden probeerden de vlammen hen te bereiken. Het was zo heet als een oven, de rook verblindde en verstikte hem. Als er sprake was van een hel op aarde – dan was dit het.

Toen waren ze opeens uit de kring van vuur en handen trokken Smokey uit het zadel. Brett liet zich van het doodsbange paard glijden en leidde het naar een emmer water. Hij leunde tegen de zwoegende flanken en aaide zijn hals tot hij voldoende gekalmeerd was om te drinken.

Zijn rug deed pijn en zijn armen voelden als loden gewichten aan. Hij was uitgeput. Hij pakte een waterzak, spoelde de rook en hitte uit zijn mond en keel en stak zijn hoofd eronder. Het gevecht was nog niet afgelopen. De brand had zich uitgebreid en was niet meer onder controle te krijgen.

Hij keek naar de anderen die op de grond zaten, met gebogen hoofd, iedere spier pijnlijk van de inspanning. Het gebrul van de brand was oorverdovend. Het enige waar ze nu nog op konden hopen was dat de wind van richting veranderde. Of dat er regen kwam. En het zag er niet naar uit dat het zou gaan regenen.

Jenny reed terug over de snelweg naar Churinga, haar thuis. Ze was ongeduldig en er leek maar geen einde aan de weg te komen.

De onthullingen van priester Ryan bleven haar achtervolgen, net als al die jaren in het weeshuis. Ze hadden tegen haar gelogen, haar van haar rechtmatige erfenis beroofd, het vertrouwen dat haar vader in hen had gesteld beschaamd. Als Peter niet zo vastbesloten was geweest om de waarheid te achterhalen, zou ze het nooit hebben geweten. Ze voelde een hand op haar arm en keek even naar Diane.

'Ik snap hoe bitter je je moet voelen, Jen. Ik zou hetzelfde voelen.'

'Bitter?' antwoordde ze peinzend. 'Wat heeft het voor zin? De nonnen hebben gedaan wat ze hebben gedaan en ik neem aan dat ze daar hun eigen redenen wel voor hadden.' Ze glimlachte grimmig. 'Zoals Helen al zei, de kerk houdt overal zijn hand voor op. Ik was waarschijnlijk zoiets als de kip met het gouden ei. Maar dat ligt nu allemaal achter me. Ik heb eindelijk een identiteit – en een thuis. En ik ben van plan er het beste van te maken!'

'Je hebt ook familie, Jen,' zei Helen zachtjes. 'En ik weet dat ik voor allemaal spreek als ik zeg hoe welkom je bent.'

'Zelfs de oude man?' lachte Jenny. 'Dat betwijfel ik!'

Helen trok een gezicht. 'Het is wat hij altijd heeft gewild, Jen. Een familielid dat Churinga bezit.'

'Ironisch, hè? Maar hij krijgt het nooit in handen zolang ik leef, dat kan ik je wel beloven.'

Helen kneep in haar arm. 'Goed zo. Het wordt hier een stuk vrolijker met jou erbij. Ik ben blij dat ik je nichtje kan noemen.'

Jenny lachte. De consequenties van het feit dat ze Jennifer McCauley was waren nog niet volledig tot haar doorgedrongen, maar het zou wel leuk zijn om familie te hebben. Om eindelijk ergens bij te horen.

'En het huis in Sydney?'

Diane zat te kettingroken en Jenny realiseerde zich dat de afgelopen paar uur ook voor haar zwaar waren geweest. 'Ik denk dat ik het maar ga verhuren – of misschien zelfs verkopen. Ik kan hier net zo goed schilderen als waar ook, en er is zoveel op doek vast te leggen – ik denk dat de onderwerpen nooit uitgeput zullen raken.'

Diane zweeg een ogenblik en Jenny wist wat ze dacht. 'Ik kan nog steeds naar de stad komen om te exposeren, Diane. En ik behoud mijn aandeel in de galerie.'

Haar vriendin slaakte een zucht van verlichting. 'Dank je. Ik zou die galerie nooit in mijn eentje kunnen betalen, en ik wil eerlijk gezegd niet dat Rufus jouw deel overneemt en zich ermee bemoeit.'

'Die lucht daar bevalt me helemaal niet,' zei Helen plotseling terwijl ze de radio aanzette. 'Volgens mij steven we op ellende af.'

Ze zetten de pick-up aan de kant van de weg, want het gebrul van de motor overstemde de nieuwslezer.

'Een weidebrand woedt vandaag in de noordwesthoek van New South Wales. Volgens schattingen heeft de brand tot nu toe aan zes mensen het leven gekost en is er voor miljoenen schade aan boerderijen en vee. De vuurzee, die is begonnen als vier geïsoleerde branden, raast nu over het land ten gevolge van het onweer dat al enkele dagen dreigt los te barsten. In combinatie met het gebrek aan regen, wordt dit beschouwd als de grootste brand in de geschiedenis van Australië en de hulpdiensten van alle staten op het vasteland zijn opgeroepen.'

Jenny zette de pick-up in zijn versnelling en drukte het gaspedaal in. 'Hou je vast, meiden. Het wordt een hobbelige rit!'

Bliksemschichten flitsten langs de hemel en sprongen van wolk naar wolk. Ze knetterden tussen het doffe gerommel van de donder door terwijl ze bomen spleten en overal vlammen achterlieten. De wind stak op en veroorzaakte wervelwindjes die over de aarde raasden, de vlammen optilden en tot grotere hoogte verhieven. Bomen lagen zwartgeblakerd en verkoold op de aarde terwijl hun takken omhoogstaken als handen die smeekten om regen. Maar er was nog geen redding in zicht.

Mannen kwamen met honderden tegelijk aan. Van Kurrajong en Willa Willa, van Lightning Ridge, Wallaby Flats en nog verder. Ze sloegen om beurten op de vlammen, groeven greppels en velden bomen. Maar het monster bleef in de richting van Churinga kruipen. Vonken gloeiden dansend op de wind. Vlammen beroerden het kurkdroge gras en verslonden het achter elkaar. De rook maakte de huid zwart en de ogen rood terwijl het in enorme verstikkende pluimen naar de onweerswolken opsteeg.

Wilga's overgebleven vee was bijeengedreven en naar de noordelijke weidegronden van Churinga geleid, maar het was helemaal niet zeker of het daar wel veilig zou zijn. De brand had zich al over achthonderd kilometer verspreid en het einde leek nog niet in zicht.

Ze hadden geprobeerd het huis van Wilga ook te redden, maar geen enkele hoeveelheid water kon het zongebleekte hout doordrenken, Brett wist dat hetzelfde met Churinga zou gebeuren tenzij ze kans zagen alles door en door nat te maken. Hij stond bij Curly en zijn gezin en keek hoe Wilga in vlammen opging. Centimeter voor centimeter zakten de gebouwen in tot er alleen nog een eenzame schoorsteen over was om de wacht te houden.

'Stap in de jeep en rijd naar Wallaby Flats. Ik heb hier genoeg om me zorgen over te maken.' Curly knuffelde zijn kinderen, kuste zijn vrouw en keek de jeep na die in de rook verdween.

'Jezus, ik hoop dat ze er heelhuids komen,' mompelde hij. Vervolgens wendde hij zijn gezicht af, snoof even, pakte een schop en voegde zich bij de anderen.

Brett dacht aan Jenny en hoopte dat zij en de anderen nog steeds in Broken Hill waren. Maar hij had het akelige gevoel dat als ze het nieuws op de radio hadden gehoord, ze nu op weg naar huis waren.

Hij nam de laatste hap van zijn boterham, pakte zijn zak en schop en sjokte vermoeid naar het vuur. De andere mannen waren kleine, donkere schaduwen tegen de monsterlijke oranje gloed terwijl ze zinloos op de vlammen sloegen.

Jenny reed de pick-up het erf van Kurrajong op en kwam met gierende banden tot stilstand. Helen sprong eruit en holde het huis binnen, op de voet gevolgd door Jenny en Diane.

'James... Waar ben je? Waar is iedereen?' Helens stem klonk schril van angst terwijl ze deuren openzwaaide en zenuwachtig van kamer naar kamer rende.

Jenny huppelde van de ene voet op de andere. Ze wilde op Churinga zijn, en van Helens paniekerige zoektocht werd ze met de minuut nerveuzer. En toch wist ze dat ze niet zomaar weg konden lopen en Helen alleen konden achterlaten.

'Ze zijn allemaal naar Wilga gegaan. Ik zei dat ze hier moesten blijven om voor hun eigen zaken te zorgen, maar ze wilden niet luisteren. Stommelingen!'

De woorden kwamen eruit met de snelheid en felheid van een machine-geweer. De drie vrouwen draaiden zich met een ruk om en zagen Ethan Squires.

Hij zat in zijn rolstoel, twee vurige plekken van opwinding op zijn wangen. Zijn ogen stonden wild en zijn knokige handen omklemden de armleuningen van zijn stoel.

'Ik zou maar teruggaan naar mijn geliefde Churinga, meisje. Het staat er niet veel langer meer.' Zijn ogen fonkelden kwaadaardig en er verscheen speeksel in zijn mondhoeken.

'Zo is het wel genoeg, Ethan.' Helens stem klonk koel en afgemeten terwijl ze naar de stoel liep en erover boog. 'Wat is de schade tot dusver? Hoe dichtbij is de brand?'

Jenny hield haar adem in toen die ogen met hun zware oogleden zich op haar richtten.

'Nulla Nulla en Wilga zijn verwoest. Op weg naar Churinga. Ik wou dat ik het kon zien branden. Ik zou er alles voor overhebben om te gaan kijken.'

'Ik moet gaan, Helen. Ze hebben me misschien nodig.' Jenny schoof al in de richting van de deur.

'Wacht even. Ik ga met je mee,' zei Helen terwijl ze bij de oude man vandaan liep. 'Er is niets dat me hier houdt en James is daar waarschijnlijk ook al.'

'Jij!'

Zijn stem leek wel een geweerschot. Ze bleven staan en draaiden zich om.

Ethan priemde met zijn knokige vinger naar Jenny. 'Kind van Satan. Zaad van de duivel. Ik weet wie jij bent – ik weet alles van je. Je verdient in de hel te branden, samen met dat geliefde Churinga van je!'

Jenny hoorde Diane naar adem snakken, voelde een rukje aan haar arm,

415

maar kon alleen maar vol afschuw gebiologeerd toekijken terwijl de oude man zich uit zijn rolstoel hees.

'Ik weet wie je werkelijk bent, Jennifer McCauley. Er is niets dat Churinga voor mij geheim kan houden. Ik wachtte al een hele tijd tot je terugkwam.'

In zijn ogen lag alleen maar waanzin en die gaf hem een enorme kracht. Hij schuifelde naar haar toe, zijn priemende vinger trillend van woede. 'Nu mag de duivel zich verheugen op jouw gezelschap. Brand in de hel met je moeder en grootmoeder.'

Jenny huiverde toen de hand naar haar arm graaide. Ze deed een stap achteruit – en toen nog één, gebiologeerd door die waanzinnige ogen, bijna machteloos tegenover de haat die eruit spoot.

Ethan zakte aan haar voeten ineen en zijn hoofd kwam met een ziekmakende klap op de houten vloer terecht. Toen rolde hij op zijn rug en ontblootte hij zijn lange, gele tanden. 'Je hebt me verraden, Mary. Je hebt gestolen wat van mij was!' Toen lag hij stil.

Er leek geen einde aan de stilte te komen terwijl ze naar hem keken, en Jenny vroeg zich af hoe Mary ooit van zo'n man had kunnen houden. Maar ze nam aan dat de omstandigheden hem hadden gemaakt tot wat hij was geworden. Als zijn eigen vader niet zo hebberig was geweest, zouden ze waarschijnlijk bij elkaar gebleven zijn en zou niemand van hen onder de afschuwelijke consequenties hebben hoeven lijden.

'Het spijt me, Jenny. Het spijt me zo erg.' Helen stond verloren boven de zielige stoffelijke resten van Ethan Squires. 'Hij moet het al die tijd geweten hebben. Maar hoe? Wie kan het hem verteld hebben?'

Jenny keek op en dacht razendsnel na. 'Is Ethan ooit wel eens op Churinga geweest tussen Finns vertrek en mijn komst?'

Helen draaide nerveus aan een zakdoekje. 'Hij is er in het begin een paar keer geweest,' zei ze nadenkend. 'Ik herinner me dat James zei dat hij het vervelend vond dat hij er rondkeek en dingen wegnam.'

Jenny stapte om Ethans lichaam en nam de handen van haar vriendin in de hare. 'Denk eens na, Helen. Wat heeft hij precies meegenomen?'

Haar blauwe ogen keken haar strak aan en lichtten toen op. 'James zei dat hij een oude kist had weggenomen, maar nadat hij hem jarenlang achter slot en grendel in zijn werkkamer had bewaard, moest de kist ineens teruggebracht worden.'

'De dagboeken zaten in die kist, Helen. Zo wist hij het. En ik durf te wedden dat hij de kist liet terugbrengen rond de tijd dat Peter de schakel tussen mij en Churinga ontdekte.'

Helen keek haar vol afschuw aan. 'Hij wilde dat je ze zou lezen?' fluisterde ze.

Jenny knikte. 'Hij wist dat Churinga nooit meer van hem kon worden
zodra ik gevonden was. Het was zijn laatste rancuneuze daad.'

'Lieve God. Hoe kan iemand zo slecht zijn? Maar hoe kon hij in de gaten
houden wat er allemaal gebeurde? Hij is al jarenlang niet meer van Kurrajong
weggeweest.' Helen keek fronsend, en sloeg toen haar hand voor haar mond.
'Andrew,' zei ze ademloos. 'Hij heeft Andrew laten spioneren.'

'Dat weten we niet met zekerheid,' antwoordde Jenny beslist. 'Maar het
zou me niet verbazen.'

Ze keek uit het raam. Onweerswolken hingen dreigend aan de hemel. 'Het
enige dat ik nu wil is teruggaan naar Brett en Churinga. Gaan jullie mee?'

Helen knikte. Zonder het lichaam op de grond nog een blik waardig te
keuren, liepen ze het huis uit.

Het daglicht verdween. De mannen waren uitgeput, maar de brand woedde nog steeds. Het was onmogelijk om de hemel te zien en de aarde werd verlicht door de griezelige oranje gloed van de vlammen die dreigend over
Churinga hingen. De mannen hadden de kudde en de andere dieren naar het
waterreservoir onder de Tjuringa gebracht. De bomen waren er groen en de
aarde vochtig van de ondergrondse stromen. Het was hun enige hoop om nog
iets te redden.

Brandweerwagens kwamen overal vandaan, maar het water was schaars
en al snel stonden de pompen leeg. De brandweerlieden gingen over tot het
neerslaan van de vlammen met zakken en takken en wat ze maar te pakken
konden krijgen.

En nog steeds raasde de brand over de weiden in de richting van het huis.

Voeten vertrapten het kerkhofje en de moestuin, spaden omwoelden wanhopig struiken en planten en bijlen hakten bomen om. Maar de vlammen bleven maar oprukken.

Brett rende het huis binnen, pakte Ripper die bibberend in de slaapkamer
zat en gooide hem in Dianes camper. Toen ging hij terug om te redden wat hij
kon.

De zender/ontvanger werd uit het stopcontact gerukt en achter in de camper gezet. Daarop volgden de doos met schilderijen die Jenny kennelijk had
ingepakt om mee terug naar Sydney te nemen en een armvol vrouwenkleren.
Zijn blik viel op de mooie jurk die Jenny op het bal had gedragen en hij kon
het niet over zijn hart verkrijgen om hem te laten verbranden, dus hij werd

aan de stapel toegevoegd. De dagboeken lagen door de slaapkamer verspreid. Na een korte aarzeling liet hij ze daar liggen. Het lot zou bepalen of ze het zouden overleven of niet.

Hij haastte zich voor de laatste keer het huis binnen. Het zilver en linnen lagen al jaren op Churinga. Ze waren te waardevol om zomaar achter te laten. Hij smeet de hele boel in de camper en pakte Clem bij zijn lurven die uitgeput tegen de schuur geleund thee stond te drinken.

'Rij hiermee naar Wallaby Flats en let erop dat hij goed afgesloten is voor je hem achterlaat,' zei hij terwijl hij hem de sleutels aanreikte. 'Breng het hondje naar het café.'

'Ik kan mijn maten niet in de steek laten en vrolijk naar de Flats rijden, Brett.'

'Je doet verdomme wat ik zeg,' snauwde hij. 'Je vindt snel genoeg een lift terug en je bent trouwens toch te moe op het moment om van nut te zijn.' Hij duwde met een klap het portier dicht en liep weg.

In ieder geval zal Jenny nog iets hebben als herinnering aan Churinga, dacht hij terwijl hij de camper zag verdwijnen. Want zoals het er nu naar uitziet, is het ten dode opgeschreven.

De meeste mannen waren nu al drie dagen en drie nachten op de been, met alleen zo nu en dan een hazenslaapje. Maar ze bleven vechten. De wind was gaan liggen en daarmee kwam een heel klein kansje om de hoek kijken dat ze het vuur konden keren voor het bij het huis kwam. Hoop was alles. Het hield hen op de been.

Toen sprong er een vonk van een peperboom op de veranda, en binnen enkele minuten was die vonk een vlam.

'Zorg voor bluswater,' schreeuwde Brett toen het vuur greep kreeg op de muren.

Hij hoorde glas springen. De hitte werd zo intens dat het bijna onmogelijk was om zo dichtbij te komen dat de vlammen gedoofd konden worden. De enige manier om het vuur te verslaan was door het op de open plek waar het huis stond te isoleren. De mannen had de bungalow van de knechts en een paar schuren al ontmanteld, nu moesten ze doen wat ze konden om de rest van de gebouwen vochtig te houden voor het vuur bij de vooraadschuren en garages kwam. Het wintervoer en hooi, de benzine en petroleum, de gasflessen en geoliede machines die daar opgeslagen stonden zouden de vuurzee alleen maar erger maken. Ze gaven de emmers door die ze met het beetje water vulden dat nog in de beek stond, maar het ging langzaam en er was gewoon niet genoeg. Brett keek wanhopig over zijn schouder naar het huis.

Hij keek naar boven en wist dat er nog één laatste kans was om Churinga van de ondergang te redden. De watertanks naast het huis.

Hij liep snel bij de rij mannen vandaan, verzamelde wat mensen en legde uit wat ze moesten doen. Toen liepen ze met touwen en takels op de boerderij af die al begon te branden.

Er was een held of een gek voor nodig om te doen wat hij wilde. Brett had geen twijfel over wat hij was – waarom maakte hij zich zo druk als de boerderij binnen afzienbare tijd toch bij Kurrajong hoorde? Maar verdomd als hij zomaar toe zou kijken terwijl het huis tot de grond toe afbrandde, en hij was ook niet van plan anderen te vragen hun leven te riskeren.

Hij pakte de touwen, en sloop voorzichtig naar de dichtstbijzijnde tank. De hitte schroeide zijn gezicht en hij moest achteruit. Hij dompelde een doek in een emmer water en legde hem over zijn hoofd. Vervolgens haalde hij diep adem en rende. Hij liep met het touw om de tank, bond het stevig vast en rende weg.

'Trekken!' schreeuwde hij. 'Trek, in godsnaam!'

Hij hielp de anderen met trekken tot de grote tank begon te hellen en met een klap op het dak van het huis neerkwam. Honderden liters water stroomden over het smeulende hout en gloeiendhete plaatijzer. Glas verbrijzelde en hout brak af, maar de vlammen waren in zoverre gedoofd dat hij naar de volgende tank kon rennen.

Nadat hij de doek nog een keer in water had gedompeld, bond hij hem om zijn hoofd. Hij hoorde een of andere idioot in een pick-up het erf oprijden – maar hij was veel te druk bezig om er aandacht aan te besteden.

Hij haalde diep adem en rende naar de tank. De overblijfselen van Churinga sisten en knisperden toen hij over de gloeiendhete puinhopen rende. Het touw brandde in zijn handen terwijl hij om de tank liep, de rook verstikte hem, de as prikte in zijn ogen en schroeide zijn haar. Toen rende hij, snakkend naar adem, terug naar de relatief koelere lucht, en hing met zijn hele gewicht aan het touw.

Er stroomden nog meer honderden liters over het huis en het erf. Vlammen werden gedoofd, de aarde raakte doorweekt, het droge hout van de overgebleven gebouwen zoog het op als vloeipapier.

Het grootste deel van de brand was nu nog dichterbij. Ondanks de afstand die het vuur had moeten afleggen, had het niets aan kracht ingeboet.

Nog een tank. Nog meer water. De aarde was een modderpoel, de mannen hadden blaren op hun handen, hun ogen waren verblind en hun huid was geschroeid. De geur van verschroeid haar en verbrande huid vermengde zich met de bijtende rook, brandende eucalyptusolie en as. De wereld leek vervuld van geluiden van angstige dieren, van vlammen die brulden, van mannen die schreeuwden.

Jenny zag de camper in de verte. Ze zag ook een enorme deken van rook en de feloranje gloed die van de dag een macabere nacht maakte – en wist wat ze te betekenen hadden. Ze bracht de pick-up tot stilstand en sprong eruit. Ripper zag haar en sprong uit het raam in haar armen.

Jenny hield zijn wriemelende lijfje stevig vast. 'Hoe erg is het, Clem? Waar is Brett? Is hij ongedeerd?'

'Niet goed, mevrouw Sanders,' antwoordde hij, zijn beroete gezicht bijna onherkenbaar. 'Brett is bij de anderen. Ik moet eigenlijk ook terug, maar hij zei dat ik die spullen naar de Flats moest brengen.'

'Laat maar, hoor, Clem,' zei ze gedecideerd. 'Ga jij maar terug naar de brand als je dat wilt.'

Dat hoefde hem niet twee keer gezegd te worden, en terwijl Jenny weer in de pick-up stapte, maakte hij een prachtige bocht van honderdtachtig graden en reed terug naar waar hij vandaan gekomen was.

'Bind Ripper eens aan de stoel vast, Diane,' zei ze grimmig. 'Brett is in moeilijkheden en ik wil me over niets anders zorgen maken.'

'Dus je hebt toch besloten dat je hem wilt?' schreeuwde Diane boven het geloei van de motor van de pick-up uit. 'Dat werd wel tijd ook.' Ze trok de lange zijden sjaal uit haar haar en bond Ripper aan de metalen stang onder haar stoel vast.

'Maar kinderen dan, Jen? Vind je niet dat je eerst het advies van een deskundige moet inwinnen voor je er met hem vandoor gaat?' schreeuwde Diane terwijl ze zich aan het dashboard klampte.

Jenny omklemde het stuur. Ze had precies dezelfde afschuwelijke gedachte gehad en hem al verdrongen. 'Ik heb Ben toch ook gehad? Hij was een perfecte baby. Waarom zou ik niet nog meer gezonde kinderen kunnen krijgen?'

'Zonder meer,' zei Helen. 'Als de kans bestond dat het mis zou gaan, was het al bij je eerste kind gebeurd. En nu er geen incestueuze band tussen Mervyn en Matilda blijkt te bestaan, is die kans wel heel klein.'

'Hoe komt het dat je er zoveel vanaf weet?' vroeg Diane.

'Doctoraal in genetica,' schreeuwde Helen terug. 'Dat heb ik schriftelijk gedaan toen de kinderen op kostschool zaten.'

Jenny drukte het gaspedaal nog wat dieper in en racete naar huis. Ze hoopte alleen dat ze niet te laat was.

Ze bracht de pick-up met gierende banden tot stilstand bij de beek en viel er bijna uit in haar haast om Brett te vinden.

'Ik blijf hier wel,' zei Diane terwijl ze op de bestuurdersplaats ging zitten. 'Er moet iemand in de pick-up klaarzitten voor het geval we ineens weg moeten.'

'Ik ga James zoeken. Sterkte, Jenny,' schreeuwde Helen boven het lawaai van het vuur en de mannen die het bestreden, uit.

Maar Jenny hoorde niets van dat alles. Haar aandacht was gericht op de man die worstelde om met een touw tot bijna in het naderende vuur te lopen en het aan een van de watertanks vast te maken. Ze zou de gestalte overal herkend hebben, ondanks de natte doek over zijn hoofd.

Waar was hij in godsnaam mee bezig?

Ze sloeg haar hand voor haar mond en keek vol afschuw toe terwijl hij telkens in de rook en vlammen verdween en de tanks omverhaalde. Ze begon te bidden. Ze mompelde gebeden waarvan ze dacht dat ze ze allang vergeten was. Ze murmelde rozenkransen waarvan ze had gezworen dat ze ze nooit zou herhalen. Ze smeekte de God die ze haar rug had toegekeerd om Brett Wilson te sparen.

Want ze wist dat, als ze hem nu verloor, ze werkelijk zou geloven dat er een vloek op Churinga rustte en dan zou ze er nooit gaan wonen.

Handen hielpen de touwen te pakken. Natte doeken doofden de smeulende vonken in zijn haar en kleren. Zijn longen voelden aan alsof ze op het punt stonden te klappen, en zijn huid brandde, maar Brett wist dat hij ergens het laatste beetje kracht vandaan moest halen om die laatste tank om te halen.

Hij had een waas voor zijn ogen van vermoeidheid toen hij de van rook vergeven lucht inademde en aan de laatste spurt begon. Hij trad de wervelende, verstikkende wereld van het vuur binnen en maakte het touw om de enorme tank vast.

Er drupte iets kouds op zijn arm. Hij keek op, terwijl hij zich afvroeg of de tank misschien al onvast op zijn pilaren stond. Hij deed een paar stappen achteruit en er vielen nog wat koude druppels op zijn verschroeide gezicht.

Het touw viel uit zijn verkrampte vingers en hij begon te lachen terwijl hij achteruit bij de tank vandaan liep. Het was regen! Heerlijke, geweldige regen. En geen moment te vroeg.

Hij ging bij de anderen staan en keek omhoog. Ze deden hun mond open en spreidden hun armen in dat koude, heerlijke water dat hun huid verkoelde en het zweet en het vuil wegspoelde.

De vlammen sisten onder de harde regen en binnen enkele ogenblikken kroop het vuur als een enorm gewond beest de aarde in en was stil.

Brett deed zijn ogen dicht en huilde.

Plotseling werd hij omhelsd door een wervelwind van armen en een waterval van kussen. Hij deed zijn ogen open en keek in het mooie gezicht vol zwarte vegen waarvan hij had gedacht dat hij het nooit meer zou zien. Hij hield haar stevig vast, en wilde haar nooit meer loslaten.

'O Jen,' fluisterde hij. 'Jen, Jen Jen.'

'Ik dacht dat je dood zou gaan! Brett, ik hou van je. Ik heb altijd van je gehouden. Ga niet bij me weg. Ga niet van Churinga weg!'

Hij legde zijn vinger onder haar kin en glimlachte, terwijl zijn tranen zich vermengden met de regen op zijn gezicht. 'Ik dacht dat je met Charlie ging trouwen?' Hij moest zich ervan vergewissen dat het geen droom was.

'Charlie?' Ze lachte bulderend. 'Ik hou van jou, stomme galah. Niet van die oude playboy Charlie!'

Terwijl de regen op hun hoofden neerstortte, pakte hij haar nog steviger beet en trok haar tegen zich aan. Toen kuste hij haar. 'Ik hou van je, Jen. Ik hou zoveel van je,' mompelde hij tegen haar mond.

Toen ze hoorden juichen, lieten ze elkaar los. Ze kwamen als slaapwandelaars met beide voeten op de grond terecht en zagen dat ze omringd waren door een kring van beroete gezichten. Ze grinnikten schaapachtig terwijl ze elkaars hand vasthielden, en toen het applaus en de gelukwensen voorbij waren, nam Jenny Brett mee naar de achterkant van het smeulende huis.

Het kerkhofje stond blank, de grafheuvels waren bijna helemaal bedekt met de overblijfselen van het huis. Het hek was niet langer wit en de kruisen lagen versplinterd en vertrapt in de modder.

Brett keek verbaasd toen ze zich een weg baande over de rokende puinhopen tot ze bij de grootste herdenkingssteen kwam. Hij ging naar haar toe toen Jenny hem wenkte.

'Het oude Churinga is weg, Brett. De dagboeken, de herinneringen, het verleden. Ik begrijp nu waarom Finn die woorden op Matilda's graf heeft gezet. Maar het vuur heeft Churinga gezuiverd en de geesten te ruste gelegd. Eindelijk is de muziek gestopt. Matilda's laatste wals heeft ons de kans gegeven om opnieuw te beginnen. Eens zal ik alles uitleggen – maar nu wil ik alleen maar weten of jij deel wilt uitmaken van dat nieuwe begin?'

'Je weet dat ik dat wil,' fluisterde hij terwijl hij zijn arm om haar heen sloeg.

Ze draaiden zich als één mens om en keken naar de steen om de woorden te lezen die Finn er met zoveel moeite ingegraveerd had.

Hier ligt Matilda McCauley,
Moeder, Geliefde, Zuster en Echtgenote
Moge God ons vergeven